Niemand weiß, wie es anfing – doch plötzlich ist nichts, wie es war. Mit dem Mauerfall stürzt Starreporter Leo Lattke in eine Schreibkrise, und Lena, die rollschuhlaufende Jeanne d'Arc von Karl-Marx-Stadt, ist auf Platz 1 der Hitparaden. Wie kann ein neunzehnjähriger Albino für einen Weltkonzern eine Volkswirtschaft sondieren? Wieso ist ausgerechnet Alfred Bunzuweit, der furzende Tankwart, Direktor eines Luxushotels? Warum kann Fritz Bode mit seinem Glasauge nur noch Murmel spielen?

Das deutsche Jahr stellte neue Fragen und griff alte auf, um sie neu zu beantworten: Wann explodiert Alltägliches zum Einmaligen? Kann ein Buch die Welt verändern? Wie lange kann man glücklich sein?

Thomas Brussigs Roman ist die Walpurgisnacht der Wende. In jeden Winkel des morschen Gebildes aus 40 Jahren wird hineingerufen: »Kommt, auf, hinaus, laßt uns aufbrechen!« Es irrlichtert und geistert, Fratzen schnarren am Weg, und manchmal zeigt jemand, wohin es geht. Dorthin, wo es leuchtet. Nur leuchten kann vieles, das Gold und das Offene zumal, und welches Leuchten das rechte ist, das notwendende, entscheidet sich erst, wenn die Walpurgisnacht lange, lange vorbei ist. Oder nie.

Thomas Brussig, 1965 in Berlin geboren, wuchs im Ostteil der Stadt auf. Er studierte Soziologie und Dramaturgie und debütierte 1991 mit dem Roman ›Wasserfarben‹. 1995 erschien sein auch als Bühnenfassung erfolgreicher Roman ›Helden wie wir‹. Sein dritter Roman ›Am kürzeren Ende der Sonnenallee‹ wurde 1999 gleichfalls zum Bestseller und der Film ›Sonnenallee‹ zum erfolgreichsten deutschen Kinofilm des Jahres. 2001 veröffentlichte Thomas Brussig ›Leben bis Männer‹ – ein Monolog, der auch als Theaterstück begeistert aufgenommen wurde. 2008 erschien ›Schiedsrichter Fertig‹. Thomas Brussig wurde mit dem Hans-Fallada-Preis und der Carl-Zuckmayer-Medaille ausgezeichnet. Seine Bücher wurden bisher in 28 Sprachen übersetzt.

Unsere Adresse im Internet: www.fischerverlage.de

THOMAS BRUSSIG

WIE ES LEUCHTET

Roman

Fischer Taschenbuch Verlag

Der Autor dankt
dem Deutschen Haus an der New York University und
dem Deutschen Literaturfond, Darmstadt,
der Stiftung Kulturfond sowie der
Ferdinand-Möller-Stiftung Zermützel
(Oskar Matzel und Wolfgang Wittrock)

Das Hörbuch von ›Wie es leuchtet‹ ist als Lesung mit Thomas Brussig,
Hansa Czypionka, Frank Goosen, Matthias Matussek, Christiane Paul,
Götz Schubert und Jürgen Tarrach bei tacheles / ROOF Music GmbH erschienen
und im Buchhandel erhältlich (ISBN 978-3-936186-85-7).

36.–40. Tausend: Februar 2010

Veröffentlicht im Fischer Taschenbuch Verlag,
einem Unternehmen der S. Fischer Verlag GmbH,
Frankfurt am Main, August 2006

Lizenzausgabe mit freundlicher Genehmigung
des S. Fischer Verlags, Frankfurt am Main

Druck und Bindung: CPI – Clausen & Bosse, Leck
Printed in Germany
ISBN 978-3-596-15799-0

für Kirstin

Verschwommene Bilder

Alles, was ich über diese Zeit weiß, weiß ich von deinen Bildern, sagte Lena. Ja, es ist meine Bestimmung, dem Leben die Bilder zu entreißen. Das Leben zu knipsen bedeutet, Menschen zu knipsen. Ich habe sie alle geknipst, die Albaner und die Albinos, die Athleten und die Amputierten, Aktivisten und Adventisten, Astrologen und Astronauten, Alkoholiker wie Antialkoholiker, die Autoknacker, Asthmatiker, Ausländer, Abendschüler, Alpinisten, Angler, Armdrücker und Auktionatoren, die Augenklappenträger und deren Ansprechpartner, die Augenärzte, die Archäologen, die Anarchisten, Apfelpflücker, Akkordeonspieler, Attentäter, Altnazis, Autoren, Artisten, Anwälte, Asketen, die Abräumer, Abwäscher und Abzocker, die Aufreißer, die Analphabeten, die Asse aller Abteilungen sowie die Angsthasen, die Arschgeigen, die Arrivierten, die Atheisten, die Armleuchter, die Angestellten, die Aushilfen, die Arbeiterklasse und schließlich auch die Antisemiten. Der Rest des Alphabets ist ähnlich vertreten. Der einzige Grund, weshalb ich die unter dem Buchstaben A ansässigen Außerirdischen (die ich den Menschen zurechne; mein Herz ist groß) nicht geknipst habe, ist: Sie haben sich noch nicht blicken lassen.

Meine Kamera ist ein kleines, unscheinbares Ding mit einem lichtstarken Objektiv, das selbst bei Kerzenschein kein Blitzlicht braucht. Die legendäre Leica M3, ein Kleinod, ein Meisterwerk des *Understatement.* Gebaut in Zeiten, als Spione aus der Kälte kamen. Das gute Stück sieht fast alles und ist selbst fast unsichtbar. Und ist so leise, daß selbst in Kirchen ihr Knipsen die Grenzen der Pietät nicht berührt. Ein Apparat von sympathischer Bescheidenheit. Die Spiegelreflexkameras haben sich vermutlich nur deshalb durchgesetzt, weil der wegschnappende Spiegel dem Fotografieren ein eitles Erkennungsgeräusch verliehen hat. So wie die Harley verkündet: *Hier kommt ein Motorrad,* so insistiert die Spiegelreflex: *Hier ist ein Fotograf.*

Bei meiner Leica steht dem Licht kein Spiegel im Wege, der wegschnippen muß. Bei meiner Leica schnippt nur der Verschluß. Sie macht ein Geräusch, das niemand hört. Sie sagt: Macht weiter, laßt euch nicht stören, ich bin gar nicht da. Die Leute sollen meine Leica und mich vergessen. Sie müssen sich nicht abgelichtet fühlen, sie müssen in mir nicht den Fotografen sehen und schon gar nicht den Meisterknipser – sondern dürfen mich als Hinterwäldler abtun, der mit seiner hornalten Büchse hantiert. Ich lebe davon, unterschätzt zu werden.

Das gute Stück wird von meiner Rechten gehalten und bedient, die Linke habe ich immer frei, um mich von andrängendem Volk abzuschirmen. Die Arbeit ohne Blitzlicht und Stativ verlangt mir das Vermögen ab, für Momente in eine statuenhafte Starre zu fallen. Der rechte Zeigefinger bedient den Auslöser, der Mittelfinger betätigt die Ringskalen für die Belichtungsdauer, die Blende und die Entfernung. Mein Mittelfinger ist mit der Kamera so vertraut, daß er die richtige Einstellung erfühlt und in kürzester Zeit einstellen kann; selbst Puppenspieler sind verblüfft über meine rechtsseitigen Mittelfingerfertigkeiten. Meine Augen beschäftigen sich nicht mit den Skalen, sondern mit dem Geschehen, das Beute werden soll.

Diese seltene und in der Ausprägung vielleicht sogar einmalige Spezialisierung weniger Körperteile konnte ich bei keiner deutschen Berufsunfähigkeitsversicherung angemessen versichern. Die boten nur eine genormte Gliedertaxe, bei der jede einzelne meiner Zehen mit je zwei Prozent, jeder Finger für je fünf, die Daumen für jeweils zwanzig, Beine und Augen für je fünfzig Prozent der gesamten Versicherungssumme angesetzt wurden. Erst bei der altehrwürdigen und im Renommee unangefochtenen *Lloyds* konnte ich meinen Körper nach meinem Gusto portionieren: Der auslösende rechte

Zeigefinger und der mit den Ringskalen betraute rechte Mittelfinger sind mit jeweils dreißig Prozent versichert, zehn Prozent für jedes Glied. Die Rechte ist mit zwanzig Prozent für ihre Befähigung versichert, für Momente absolut zu erstarren. Die fünfzig Prozent, mit denen ich bei der Lloyds Inc. jedes meiner Augen versichert habe, entsprechen dem Standard und sind nur insofern der Erwähnung wert, weil ein Fotograf seine Augäpfel nicht für wertvoller erachtet als jeder andere Berufstätige.

Neben meiner stillen Leica und den artistischen Fingern, mit denen ich das gute Stück bediene, muß noch von einem Dritten die Rede sein, das mir beim Knipsen nutzt: meinem Horoskop. Neptun steht im zwölften Haus. Die Sonne steht allein zum Uranus harmonisch im Trigon, und ihr Aszendent ist der Skorpion. Der Mond ist im Krebs. Dies alles sagt dem Laien nichts. Doch eine Tante prophezeite mir an meinem zwölften Geburtstag eine hellseherische Begabung, die sich in Gestalt von Geistesblitzen äußert. Wenige Jahre später verstand ich, was sie meinte: Als mich mein Vater das erste Mal mit auf die Jagd nahm.

Es war eine Weihe, die schweigend vollzogen wurde: Schweigend gingen wir durch den Wald, schweigend erklommen wir den Hochsitz, schweigend übergab er mir das Gewehr. Die Dämmerung brach an, und bereits bevor die Dunkelheit siegte, hatten die Augen begonnen, den Dienst an die Ohren zu übergeben. Und je mehr der Wald vor meinen Augen in der Nacht versank, desto deutlicher tauchte er als Klangkörper in meinen Ohren auf. Hellwach blieb ich; das Gewehr in meiner Hand machte selbst das Warten packend. Der Wald existierte in seinen Geräuschen, wabernd, gemächlich, und bald verschmolz ich mit ihm. Aber in einem Moment, der sich durch nichts ankündigte, hob ich mit größter Selbstverständlichkeit und Leichtigkeit das Gewehr, die Schleuder des Todes, und schoß in das schwarze Loch der Nacht. Bis heute weiß ich nicht, warum. Ich hatte das Tier nicht mit den Augen gesehen, aber ich wußte, da war eins – ein großes schwarzes Tier. Mein Vater war ungehalten; er mußte glauben, ich hätte aus Langeweile, Übermut oder Unerfahrenheit geschossen. Wir gingen zum Waldrand, dort wo die Nacht im Mondschatten am schwärzesten war, und fanden das Wildschwein, das ich erschossen hatte. Ich war schockiert, doch ich wußte nun, was es bedeutet, hellsichtig zu sein.

Ich spürte, wohin ich das Gewehr halten und wann ich den rechten Zeigefinger krümmen muß. Ich wußte, ich werde treffen, ohne zu wissen, was. Fotografieren ist packend wie Töten – und bereitet keine Reue. Doch die Gabe des Hellsehens und das Vertrauen in die Inspiration sind mir beim Fotografieren zur Lust geworden. Als Sportfotograf bin ich am liebsten zum Fußball gegangen – ich stand immer hinter dem Tor, hinter dem das nächste Tor fiel. Mitten im Spiel folgte ich meiner Laune und wanderte um den Platz, von einem Tor zum anderen – und prompt fiel ein Tor. Wenn der Außenseiter den Favoriten schlug, war ich oft der einzige, der das Siegtor geknipst hatte. Die zwanzig anderen Fotografen warteten hinterm falschen Tor.

Auch als Theaterfotograf war ich gefragt. Während auf den Fotoproben ein Dutzend Fotografen vor der Bühne umherliefen und mit ihren riesigen, blitzenden und klackenden Apparaten das feine Gewebe der Inszenierung empfindlich verletzten, um schließlich nichtssagende Fotos zu machen, ahnte ich, wann ein Moment herangereift war. Ahnte auch, wo ich stehen muß, um ihn einzufangen. Ich machte nur drei, vier Fotos von einem Theaterabend, und gerade diese Fotos kaufte das Theater, fürs Programmheft und die Pressearbeit.

Ich spüre, wo ein Bild entsteht, und ich habe die – sogar bei Fotografen seltene – Begabung, aus dem Kontinuum der gleichmäßig verstreichenden Weltzeit den Augenblick herauszubrechen, der Verewigung lohnt. Ob ein Bild gelungen ist, weiß ich, wenn ich knipse, und nicht erst, wenn es im Entwickler entsteht. Einen Moment vor dem Knipsen schließe ich die Augen. Und gerade in diesem Augenblick, den ich sich selbst überlasse, steigert sich das Geschehen. Nur meine Leica schaut zu, wenn das gewisse Etwas geschieht, wenn sich der magische Moment ereignet. Wenn ich die Augen wieder öffne, dann habe ich bereits geknipst – aber trotzdem habe ich das schließliche Bild gesehen. Das mußte meine Tante gemeint haben, als sie mir an meinem zwölften Geburtstag deutete, was Neptun im zwölften Haus anrichtet, hoffnungsvoll unterstützt von einer trigonischen Sonnen-Uranus-Konjunktion, wenn dazu der Mond im Krebs das Seine beisteuert.

Vor zwei Jahren, am 16. August, hat das Hochwasser, welches eine Woche später *Jahrtausendhochwasser* genannt wurde, nahezu all meine Fotos vernichtet. Gern hätte ich ein Abschiedsbild gemacht: Tausende Fotos schwimmen auf der Oberfläche des träge weichenden Hochwassers. *Die Bilderflut.* Leider hat es dieses Motiv nie gegeben. Das Hochwasser drang zuerst in das Souterrain meines Hauses ein, dort, wo mein Archiv war. Es stieg bis zur Decke, strömte in Schränke, Schubladen und Kisten, durchweichte die Fotos und löste die Negative auf. Als nach vier Tagen das letzte Wasser aus dem Souterrain gepumpt wurde, blieben nur feuchte, stinkende Ballen zurück. Rekonstruktion unmöglich.

Meine Leica, das gute Stück, hatte ich bei mir. So ging ich, von einer hellseherischen Ahnung getrieben, zu meinen Nachbarn, der Musikalienhandlung Meißner. Dort hatte das eindringende Wasser den Konzertflügel angehoben und zum Schwimmen gebracht – inmitten von Klarinetten, Gitarren, Flöten, Oboen, Bratschen, Celli, Kontrabässen, Trommeln, Zithern und Rumbarasseln. Sogar das Blech hatte Schwimmen gelernt: In den Windungen der Posaunen, Trompeten und Waldhörner war genügend Luft verblieben, um die Instrumente leichter als Wasser werden zu lassen. Die Klaviere hingegen waren stehengeblieben: Ihr Resonanzraum war zu klein, um für den nötigen Auftrieb zu sorgen.

Tagelang trieben die Instrumente träge auf der Wasseroberfläche im großen Verkaufsraum. Dieses Bild, das an ein ersoffenes Orchester gemahnen würde, konnte ich leider nicht knipsen; als ich in die Musikalienhandlung kam, war es dafür zu spät. Doch mir bot sich ein anderes Motiv: Das zurückgehende Wasser hatte die Instrumente wie Spielzeug, dessen es überdrüssig wurde, liegenlassen, wobei es auch den Flügel dort abzusetzen beliebte, wohin ihn die launische Strömung getrieben hatte – und das war hoch auf den Klavieren. Dank meiner hellseherischen Ahnung war ich zur Stelle, als die Meißners in ihre Musikalienhandlung zurückkehrten, den Flügel erblickten, der wie der Schabernack eines Herkulesschen Eindringlings wirkte – und knipste das absurde Arrangement und ihre Verblüffung. Autos, die wegschwimmen, haben wir schon hundertmal gesehen, aber ein Flügel, der hochbeinig auf Klavieren steht – das ist eine spektakuläre Bebilderung für ein Jahrtausendhochwasser. Es wurde für das »Pressefoto des Jahres« nominiert und von meiner Agentur in vierundvierzig Länder verkauft.

Das *Jahrtausendhochwasser* hat auch Lenas Lieblingsfotos vernichtet. Auf diesen Bildern war sie »schön wie nie«, sagt sie, und es stimmt. Neunzehn war sie damals. Es war die aufregendste Zeit in ihrem Leben. Ihr Lied war Nummer eins der Hitparade, und sie war eine Volksheldin. Ich war immer stolz darauf, sie zu kennen, und damals besonders.

Lena verfügt über bemerkenswerte Talente, die sich nicht in Eignungstests, Prüfungen, Wettbewerben und vor Juroren beweisen lassen. Durch Lena habe ich immer in der Überzeugung gelebt, daß es gerade die nutzlosen Talente sind, die einen Menschen wertvoll und einzig machen. Eines von Lenas Talenten besteht darin, Behaglichkeit herzustellen. Wenn sie ein Hotelzimmer das erste Mal betritt, verharrt sie drei Sekunden in der Tür und läßt den Raum auf sich wirken. Dann geht sie an die Arbeit. Sie zieht einen Store zurück oder sorgt für eine gewisse Lichtstimmung, indem sie eine Lampe dreht oder ein Taschentuch über den Schirm legt. Sie rückt die Couch oder die Sessel eine Handbreit von der Wand ab. Sie schreckt auch nicht davor zurück, die Möbel neu zu arrangieren – im Rahmen dessen, was ihre Körperkraft hergibt. Innerhalb von zwei Minuten verwandelt sie ein schäbiges Appartement in eine wohnliche Bude – ohne Wissen um Feng Shui und andere Behaglichkeitstheorien. Auch in Warteräumen, Zugabteilen und Segelbootkajüten packt sie der Gestaltungsdrang. Sogar in Bergzelten, viertausend Meter über dem Meeresspiegel. Von hundert verlassenen Hotelzimmern kann ich das eine herausfinden, in dem Lena gewohnt hat. Lena ist wie die Sonne: Wo sie ist, wird es warm, und wenn sie geht, wärmt es nach.

Lena liebte meine Fotos, und ich liebte es, ihr zuzuschauen, wenn sie meine Fotos betrachtete. Ihr Blick erforschte so lange die Bilder, bis sie von den Fotos eingesogen wurde und zu dem Moment gelangte, an dem sie aufgenommen wurden. Es waren nur bestimmte Fotos, die auf sie solch starke Wirkung ausübten – jene vom Herbst 89 und dem *Deutschen Jahr.*

Lena ist längst nicht die einzige, für die jene Wochen und Monate eine einzigartige, aufwühlende Erfahrung waren. Trotzdem gibt es kein Buch, in dem die Erfahrungen jener Zeit für alle gleichermaßen gültig aufbewahrt sind, so wie »Im Westen nichts Neues« die Erfahrungen der Frontsoldaten des Ersten Weltkriegs versammelte. Lena suchte nach Bestätigung, nach Reflexion des Erlebten – und fand sich letztlich immer über meinen Fotos wieder. »Alles, was ich über diese Zeit weiß, weiß ich von deinen Bildern.«

Die Bilder sind verschwommen, und die Geschichte beginnt von neuem.

Erstes Buch

AUS MIT LAU

1

Am Mittag des 11. August im Jahre 1989 ging eine junge Frau durch den Eingang des Karl-Marx-Städter Hauptbahnhofes. Die Schalterhalle war fast leer, ein kurzes, extremes Quietschen der Aluminiumtür, die an ihrem Rahmen schabte, warf ein raumfüllendes Echo. Die junge Frau bekam eine Gänsehaut, obwohl schwüle Hitze über der Stadt lag.

Die junge Frau suchte einen Aushang mit den Fahrplänen, um herauszufinden, wo der Zug um 14.12 Uhr aus Dresden ankommt. Aha, auf Bahnsteig 14.

Die junge Frau trug eine weite Leinenhose und ein rotes T-Shirt. Sie hatte es gelernt, mit den Blicken und Kommentaren der Männer zu leben. »Ganz schön was drin im Tank«, hatte sie heute schon gehört – was sie daran erinnerte, daß sie das T-Shirt mit dem italienischen Motorroller aus den fünfziger Jahren trug. Auf dem Rücken baumelte ein kleiner Rucksack aus Leder.

Auf Bahnsteig 14 warteten nur wenige Leute auf den Zug. Sie stellte sich neben einen Papierkorb aus Waschbeton, dessen herausnehmbarer Plastikkübel mit geschmolzenem Eis verklebt war. Im Papierkorb lag eine Zeitung. Ein Mann kam langsam den Bahnsteig entlanggeschlendert. Die junge Frau wußte, daß sein Schlendern in ihrer Nähe zu Ende sein wird. Sie wußte auch, daß, wenn sie sich woanders hinstellt, ein anderer Mann in ihre Nähe schlendern wird. Also konnte sie auch dort bleiben, wo sie stand.

Die junge Frau war neunzehn und arbeitete als Physiotherapeutin im Neubau des Karl-Marx-Städter Bezirkskrankenhauses. Sie war keine Krankenschwester, obwohl das wenige Wochen später, als sie in der ganzen Stadt bekannt war, immer wieder behauptet wurde. Vielleicht galt sie als Krankenschwester, weil sie lange im Schwesternwohnheim wohnte. Oder weil sie bei ihrem Auftritt, der sie bekannt machte, eine Schwesterntracht trug. Aber sie war Physiotherapeutin, keine Krankenschwester.

Sie war mit einem Krankenwagenfahrer zusammen, der zehn Jahre älter war. Er hieß Paul, sie nannte ihn Paulchen. Sie ließ sich Liebesbeweise erbringen, indem sie ihm ihren Schichtplan gab und in den Pausen auf Station seine Anrufe erwartete. Paulchen enttäuschte sie nicht, doch bevor er beim Wählen der letzten Ziffer die Wählscheibe losließ, fragte er sich, worüber er mit ihr reden sollte. Paulchen war einer der Männer, denen das Reden nicht gegeben ist. Doch sie, erfreut über die Zuverlässigkeit seiner Anrufe, plauderte drauflos und gab Stichworte, auf die er reagieren konnte.

Paulchen war ein Radiobastler. Er verkörperte die Paradoxie *aller* Radiobastler: Sie machen in Kommunikationstechnik, ohne im geringsten kommunikationsbegabt zu sein. Er konnte stundenlang mit dem Lötkolben über eigens geätzten Leiterplatten sitzen und immer ausgefeiltere Schaltungen bauen. Mittlerweile war er Techniker einer Band, einer Band allerdings, die nicht wie jede ordentliche Rock'n'Roll-Band laute und schmutzige Lieder johlte, ihre Wut auspackte und gehörigen Lärm produzierte, nein, Paulchens Band machte etwas, das sich

Trickbeat

nannte. Trickbeat war eine Musik, die alles außerhalb von sich selbst als »zu konventionell« verachtete. Trickbeat war eine Musik, die experimentell klingen sollte und auch experimentell klang. Trickbeat war eine Musik, die mit schwerer intellektueller Fracht, ohne eine Spur von Aufsässigkeit, aus den Boxen und über die Bühne wankte. Klangdemonstrationen der ausgefeilten technischen Soundausstattung standen ungeniert im Vordergrund; es klang, als ob vier Instrumentenvertreter die revolutionären Möglichkeiten ihrer neuen Ware vorführen. Minimalistische Klangfiguren aus vielerlei Glucksen, Fauchen und Schwirren rangen, unterlegt von stolpernden

Rhythmen, um die Vorherrschaft. Um dem Avantgardecharakter der konzertanten Performance nachzuhelfen, bestanden die Texte, die entweder in einem leiernden oder in einem monotonen Gesang dargeboten wurden, aus avantgardistischer Lyrik aller Völker und Epochen. Paulchens Radiobastlertum hatte die Band, in der sein jüngster Bruder Sebastian mitspielte, erst auf diesen Weg gebracht: Die Band, die mit sich nichts Rechtes anzufangen wußte, wurde von Paul mit immer raffinierterer Technik beliefert – bis sich schließlich die Technik verselbständigte und zum eigentlichen Gegenstand des Bandschaffens wurde.

Die Band nannte sich *PlanQuadrat* und bekam eines Tages sogar einen Plattenvertrag – wenn auch nur für eine »Kleeblatt-LP«. Kleeblatt bedeutet: Die Platte teilen sich vier Nachwuchsbands, von denen jede drei Titel liefert.

Der Plattenvertrag war ein kleines Wunder. *PlanQuadrat* hatte weder Manager noch Telefon. Es gab Dutzende Bands, die in den gleichen halbvollen oder halbleeren Kulturhäusern spielten wie *PlanQuadrat* und vergeblich von einem Plattenvertrag träumten, aber *mit* einem Manager, der natürlich telefonisch erreichbar war. *PlanQuadrat* wertete den Plattenvertrag als Indiz für ihr Genie.

Pünktlich um 14.12 Uhr hörte die junge Frau auf Bahnsteig 14 über sich das Lautsprecherbrummen eines – um sich darin auszukennen, war sie lange genug mit einem Radiobastler zusammen – *nicht abgeschirmten Kabels,* dann die Durchsage, daß der Zug aus Dresden ungefähr zwanzig Minuten Verspätung haben wird. Die Stimme aus dem Lautsprecher war mitleidslos, ihre Spielart des sächsischen Dialektes empfand die junge Frau als grob und dreckig. Und mit welchem Triumph das entscheidende Wort der Durchsage, *Verspätung*, betont wurde – es klang, als ob alle Utopisten, die noch immer an die Fahrpläne der Deutschen Reichsbahn glaubten, sich endlich an die rauhe Wirklichkeit gewöhnen sollten. Auch der letzte Satz der Durchsage, *Wir bitten um Ihr Verständnis,* ließ nicht die Spur von Bedauern anklingen, sondern kam im Kommandoton.

Ohne die Person gesehen zu haben, die zu der Stimme gehörte, glaubte die junge Frau zu wissen, wie sie aussah: Ein Doppelkinn hatte sie gewiß, eine völlig mißratene Figur, eine Warze auf der Nase und rauhe, betongraue Haut.

Die junge Frau verließ den Bahnsteig und ging zu einem der Telefone, die in der Bahnhofshalle hingen. Sie warf ein Zwanzigpfennigstück in die Box und wählte die Nummer der Rettungsstelle des Krankenhauses. Sie fragte nach Dr. Matthies, und als der sich meldete, sagte sie: *Hallo, ich bins.* Ihre Stimme hatte etwas Weiches, Romantisches, und daß sie ihren Namen nicht sagte, war eine ihrer Eigenarten. Sie betrachtete es als eine Angelegenheit ihres Stolzes, sich niemals vorstellen zu müssen. Es sollte sich *herumsprechen*, wie sie heißt. *Könntest du mir mal helfen?* fragte sie Dr. Matthies. Das Telefonat dauerte keine zwei Minuten.

Die Titel für die Viertelplatte wurden in einem Rundfunkstudio aufgenommen. Regie führte eine Redakteurin namens Inessa. Am Mischpult saß ein Tonmeister, der Paulchen jegliche Kooperation verweigerte. »Ich mache das seit zwanzig Jahren.« Die Band war glücklich über die Viertelplatte und intervenierte nicht. Paulchen, der sonst alles in der Hand hatte, was den Sound anging, durfte sich gerade mal das Mischpult anschaun. Niemand bemerkte, wie gekränkt er war.

Als von der Plattenfirma AMIGA Fotos der Band angefordert wurden, hatte die junge Frau gesagt: »Mein großer Bruder.« – »Du hast einen großen Bruder?« sagte Paulchen erstaunt. »Klar«, sagte die junge Frau.

Ihr großer Bruder nannte die Band niemals *PlanQuadrat*. Er bezeichnete Band und Bandmitglieder als *Trickbeatles*, und ob er es spöttisch oder anerkennend meinte, blieb in der Schwebe.

Für die Fotosession hatten sich die Trickbeatles die Kellergewölbe der Petri-Kirche ausgesucht. Sie hatten sich in Wesen aus Alpträumen und expressionistischen Gruselfilmen verwandelt. Sie hatten spitze Ohren, weiße Gesichter, gierige, vorstehende Schneidezähne und antennenartig lange, knochige Finger mit knotigen Gelenken und krallenhaften Fingernägeln. Sie trugen ausgestopfte Kaftane, so daß sie wie bucklig verwachsene Gestalten wirkten. Ihre Schuhe waren viel zu groß und ungleich geformt. Geschickt positionierte Lampen warfen gespenstische Schatten.

Als die Trickbeatles eine halbe Stunde später im Probenraum spielten, hatten sie nur die Teile ihrer Kostüme abgelegt, die sie bei der Musikausübung behinderten, und es gefiel ihnen, in dieser Verwandlung zu spielen. Nach der Probe gingen sie in die Kneipe und redeten über Kostüm, Auftritt, Licht. Sie dachten an ein Video und entwarfen erste Sequenzen. Sie redeten nicht, wie sonst immer, über Klangarchitektur und Technik. Sie fragten die junge Frau, sie baten den großen Bruder um Rat – nur Paulchen zogen sie nicht hinzu. Als er sich verabschiedete, nahmen sie kaum Notiz von ihm.

Am nächsten Tag wurde die junge Frau nicht von Paulchen angerufen. Paulchen kam auch nicht zur Arbeit und zur Probe. Paulchen war verschwunden, wie auch sein gelber Trabant.

Die junge Frau kehrte nach ihrem Telefonat auf Bahnsteig 14 zurück.

Der Zug aus Dresden hatte nicht zwanzig Minuten Verspätung, sondern nur zwölf. Ein dunkelrotes Ungetüm mit einem tiefen Motor, der in raschen Amplituden grollte, schleppte sich langsam in den Bahnhof. Nicht nur die Lok war dreckig. Ein schwarzer Film aus Ruß hatte sich über den ganzen Zug gelegt und verdüsterte seine wahren Farben. Auch im Inneren der Züge war dieser Film; die junge Frau hatte nach Bahnfahrten immer den Wunsch, sich zu waschen. Sie hatte schon das Bedürfnis, sich zu waschen, wenn sie nur an Zugfahrten *dachte*.

Als der Zug zum Stehen gekommen war, gingen die Türen auf und die ersten Reisenden traten vorsichtig auf die eisernen Tritthilfen. *Willkommen in Karl-Marx-Stadt*, kam undeutlich aus dem

Bahnhofslautsprecher, unterlegt von einem Wechselstrombrummen.

Für Paulchens Verschwinden gab es eine Erklärung: Er wollte rübermachen. Seit dem Mai, als die ungarische Regierung den Eisernen Vorhang in eine grüne Grenze verwandelt hatte, war das ganz einfach. Wer ein Visum für Ungarn hatte, konnte nach Österreich, und wer in Österreich war, hatte es geschafft. Der war im Westen, unwiderruflich.

Paulchen hatte sie nicht ins Vertrauen gezogen, war ohne Abschied verschwunden. Die junge Frau fühlte sich wie geohrfeigt. Sie fühlte sich wie öffentlich geohrfeigt, weil er sie – was im Krankenhaus auch auffiel – nicht mehr anrief. Sie wünschte, daß sich das bereinigen ließe, wie sie sich ausdrückte. Sie wußte selbst nicht, was sie damit meinte. Wenn er zurückkehren würde – das wäre am schönsten. Aber daran glaubte die junge Frau selbst nicht. Daß sie es zu hoffen wagte, behielt sie für sich.

Ihr großer Bruder, der mit der ganzen Angelegenheit nun gar nichts zu tun hatte, war zumindest im Besitz eines Visums. Er hatte es lange vor Paulchens Verschwinden beantragt, weil er sich in Ungarn einmalige Fotos erhoffte: Die Gesichter mit jenem eigentümlichen, starken Ausdruck, die gemeinsam mit den marmorierten Jeans den Sommer 89 für alle Zeiten markieren würden. Menschen, die ein neues Leben beginnen, über Ängste und Ungewißheit sich hinwegsetzend.

Er wollte im Samariter-Lager in Budapest-Csillebérc knipsen, wo zwei der Trickbeatles auch Paulchen vermuteten, weil sie ihn im Fernsehen gesehen zu haben glaubten: Der dünne Jakob hatte im ZDF Paulchen durchs Bild gehen sehen, allerdings nur von hinten, während Paulchens Bruder Sebastian glaubte, in der ARD Paulchens Turnschuhe gesehen zu haben. »Theoretisch könnte er es gewesen sein«, lautete die Formel der Trickbeatles, die alles am liebsten theoretisch betrachteten.

Obwohl Paulchen nicht auf der Bühne stand, war er doch das einzige unersetzbare Bandmitglied. Ohne Paulchen ließ sich weder die Bühnentechnik verkabeln noch ein neuer Titel entwickeln.

Die junge Frau hoffte, daß ihr großer Bruder Paulchen im Samariter-Lager trifft und in Paulchen etwas auslöst, mit dem ihr geholfen wäre: ein lieber Brief, eine übermittelte Erklärung, Pläne, in denen sie vorkommt. Wenn Paulchen gar zurückkäme ... Damit ihr Wunsch möglichst stark bei Paulchen ankommt, hatte die junge Frau ihren großen Bruder vor fünf Tagen bis zum Zug begleitet. Er hatte eine Rückfahrkarte, sie wußte Tag und Stunde seiner Ankunft. Als die Verspätung des Zuges angekündigt wurde, rief sie Dr. Matthies an, der oft mit Paulchen ein Rettungsteam bildete und nach Pauls Verschwinden eine Nähe zu ihr aufzubauen suchte, die vorerst noch fürsorglich war, mittelfristig aber auf körperliche Ergänzung hoffte. Der klassische Witwentröster. Die junge Frau bat ihn, sie mit dem Krankenwagen vom Bahnhof abzuholen, der Bus zum Krankenhaus brauche zu lange, und die Lage am Taxistand sei hoffnungslos. Dr. Matthies, dem die Rolle des verständnisvollen Freundes keine Wahl ließ, setzte sich mit seinem neuen Partner unter den Rettungsfahrern, Paulchens Nachfolger, in einen Krankenwagen und fuhr los.

Die junge Frau auf Bahnsteig 14 war nicht sicher, ob sie nach einem oder zwei Männern Ausschau halten sollte. Ihren großen Bruder erwartete sie, Paulchen erhoffte sie zurück. Der Bahnsteig füllte sich mit Menschen. Paulchen war nicht dabei, auch nicht ihr großer Bruder. Die junge Frau wartete, bis sich das Gewimmel gelöst hatte.

Eine klammböse Ahnung stand wie eine Fratze vor ihr, und die konnte sie nicht einfach verscheuchen. Auf der Suche nach einer Person, die Auskunft geben konnte, fand die junge Frau ein kleines Zimmer mit einem Schreibtisch, einigen Telefonen und einem Mikrophon. Eine Reichsbahnerin versah hinter einer Schaufensterscheibe ihren Dienst. Eine Zigarette glomm auf dem Rand eines

Aschenbechers, schnurgerade stieg Rauch empor. Die junge Frau erkannte sofort, daß diese Person für die Lautsprecherdurchsagen zuständig war. Allerdings war die Warze statt auf der Nase am Kinn.

Die junge Frau klopfte an die Glastür, in der an einer Kordel ein abgegriffenes Pappschild *Dienstaufsicht* hing. »Guten Tag«, sagte sie. »Der D-Zug aus Dresden von eben ist doch der Anschluß für den Zug aus Budapest, oder? Da sitzt ein Bekannter nicht drin, und nun frag ich mich, ob der Budapester in Dresden Verspätung hatte und der Anschluß vielleicht ...« Die Dienstaufsicht unterbrach die junge Frau: »Der Budapester war pünktlich auf die Minute. Sie sehen ja selbst, das ganze Volk mit Rucksäcken, die kommen alle aus Ungarn, Bulgarien. Das mit Ihrem Bekannten hat andere Gründe. Die Deutsche Reichsbahn ist nicht an allem schuld, und aus den Nachrichten wissen wir ja, was im Moment los ist.«

Die junge Frau verabschiedete sich knapp und ging. Sie wollte die Tür werfen, sie wollte laut schreien. Wer war sie denn? Sie war doch kein Mensch, der einfach so verlassen wird. Jetzt war sie gleich zweifach verlassen worden. Sie hatte gehofft, zwei Rückkehrer zu begrüßen, statt dessen war keiner zurückgekehrt. Sie fühlte sich verraten und verlassen, und sie wußte, daß sie dieses Gefühl ohne Vorwurf gegen Paulchen und ihren großen Bruder fühlen mußte. Sollte sie ihnen wünschen, zu diesem Bahnhof zurückzukehren, mit seinen quietschenden Türen, seinen gesächselten Ansagen, seinem Dreck, seiner Tristesse? Und wenn das ganze Land nicht viel besser war als dieser Bahnhof – konnte sie ihnen das Weggehen verübeln? Nein, das konnte sie nicht. Und weil das so war, fühlte die junge Frau das erste Mal einen starken, umfassenden Haß, der zu ihrem eigenen Erstaunen, sogar gegen ihren Willen, eine durch und durch politische Empfindung war. Politik hatte sie nie interessiert. Politik ging los mit Zeitunglesen, und das war ihr schon zuviel. Politisch zu sein, um sich gegen ein Gefühl von Ohnmacht und Unglück zu wehren, war der jungen Frau nie in den Sinn gekommen. Ja, sie bekam Wut, und sie spürte eine helle, blanke Entschlossenheit, irgendwie zu handeln.

Vor dem Bahnhof wartete der Krankenwagen mit Dr. Matthies. »Na«, sagte er, als die junge Frau einstieg. »Alles klar?«

»Bist du eigentlich politisch?« fragte die junge Frau. »Ich bin nämlich gerade ...« Sie winkte ab, den Satz mit *politisch geworden* zu vollenden erschien ihr zu pathetisch. Doch es reichte für Dr. Matthies, die Antwort zu erahnen, mit der er auf günstige Stimmung hoffen darf. »Weißt du, wann ich geboren wurde?« sagte er stolz. »Am 5. März 1953. Stalins Todestag! Politischer gehts nicht!«

Paulchens Nachfolger war so groß, daß sein schwarzer Lockenkopf kaum unter das Dach des Krankenwagens paßte. Als sie sah, wie er sich ducken mußte, um den Verkehr zu erfassen, war die junge Frau sicher, ihn früher oder später als Patienten auf ihrer Pritsche zu haben. »Schnall dich lieber an«, sagte der fürsorgliche Dr. Matthies zu der jungen Frau. »Das ist der wilde Willi.«

»Du mußt nicht denken, ich bin besoffen, weil ich so komisch spreche«, sagte der wilde Willi mit lauter, tiefer Stimme, die tatsächlich nicht die Reliefs der Konsonanten gestochen nachzeichnete, sondern die Wörter eher großzügig skizzierte – eine Artikulation, die landläufig als *Lallen* bezeichnet wird. »Ich hab einfach ne große Zunge. Hier!« Er streckte die Zunge aus dem Mund und präsentierte sie. Die junge Frau mußte lachen.

»Und du bist Lena?« fragte der wilde Willi. »Ist ja ein lässiger Name.«

2

Zur selben Stunde, in der heißen Mittagszeit, suchte in den Feriensiedlungen des Balatons Dr.-Ing. Helfried Schreiter seine Tochter Carola. Seit vier Tagen schon beobachtete er, wie sich Carola am Strand von Fonyód mit diesem Burschen traf. Er sprach einen rheinischen Dialekt. Dr.-Ing. Helfried Schreiter hatte schlimme Ahnungen.

Das soll mir das Mädel bloß nicht antun, dachte Dr.-Ing. Helfried Schreiter. Ich bin ein Mann in leitender Position, trage Verantwortung für den riesigen Sachsenring, die Produktion des Trabant. Aber wenn Carola rübermacht, dann bin ich die längste Zeit Generaldirektor gewesen.

Dr.-Ing. Helfried Schreiter war ja ohnehin gegen diesen Ungarn-Urlaub, von Anfang an. Warum nicht die Sächsische Schweiz? Oder die Ostsee. Oder die Kreuzfahrt auf dem Luxusliner »Kap Arkona«, von der sein Freund, der Hoteldirektor Alfred Bunzuweit, so geschwärmt hat. Wir hätten bequem einen Platz kriegen können. Alfred Bunzuweits Frau ist die rechte Hand des Gewerkschaftsvorsitzenden, und die »Kap Arkona« gehört der Gewerkschaft. Das wäre kein Problem gewesen. Ab einer gewissen Leitungsebene sind alle mit allen verklebt, das war Dr.-Ing. Helfried Schreiter schon längst aufgefallen, und er gehörte dazu. Er fuhr natürlich nicht Trabant, sondern Citroën. Ein Importmodell, offiziell bezogen, für achtunddreißigtausend Mark. Als Dienstwagen hatte er einen Lada, mit Fahrer. Daß die Citroëns importiert wurden, ging vermutlich sogar auf ihn zurück. Der mächtige, übermächtige Valentin Eich hatte ihn mal angerufen und um seine Meinung gebeten. »Sag mal, Chef vom Sachsenring«, sagte der nach einem Austausch allgemeiner Floskeln, »nenn mir mal ein schönes Auto. Eins, das du selber gerne fahren würdest.« Dr.-Ing. Helfried Schreiter dachte kurz nach und sagte: »Citroën.« Länger war das Gespräch nicht. Dr.-Ing. Helfried Schreiter konnte über den Hintergrund der Frage nur spekulieren. Er wußte eigentlich nichts über Valentin Eich. Er fand ihn dubios. *Sag mal, Chef vom Sachsenring, nenn mir mal ein schönes Auto.* Was für eine Frage.

Als Dr.-Ing. Helfried Schreiter ein halbes Jahr später an einer Bahnschranke warten mußte und den Zug langsam vorüberrollen sah, fiel ihm dieses seltsame Telefonat wieder ein. Plötzlich ergab es einen Sinn. Dutzende, ja Hunderte Citroëns paradierten an ihm vorbei. Alles Citroën GSA, alle hatten die gleiche Farbe, ein bleiches

Grün. Eine Beklemmung machte sich in ihm breit; obwohl er sich bedeutend fühlen müßte, fühlte er sich extrem unbedeutend und an den Rand gestellt. Ausgenutzt und dumm gehalten. *Chef vom Sachsenring, nenn mir mal ein schönes Auto, eins, das du selber gerne fahren würdest.* Zehntausend Citroëns, erfuhr er später, wurden importiert.

Jedesmal, wenn er in sein Auto stieg, fand Dr.-Ing. Helfried Schreiter, daß er eine gute Auskunft gegeben hatte. Der Citroën war immer Avantgarde, und trotzdem wurde er mit den Jahren immer schöner. Der Citroën DS, *die Göttin*, war ihm das schönste Auto der Welt. Selbst dieser Student, mit dem sich Carola herumdrückte, fuhr Citroën. Eine Ente. Auch ein Klassiker, ein Auto, das Frauen schwach macht. Sogar die Tochter des Trabant-Generaldirektors.

Er hätte nicht in Ungarn Urlaub machen dürfen. Wer macht denn heutzutage noch Urlaub in Ungarn? Nur unzuverlässiges Gelichter. Und nun muß er, Dr.-Ing. Helfried Schreiter, seine eigene Tochter davon abhalten, rüberzumachen.

Dr.-Ing. Helfried Schreiter fuhr an die Strände, durchstreifte die Zeltplätze, ging zum Hafen und über die Märkte. Er hielt an den Cafés und Fischrestaurants, und am Abend suchte er seine Tochter im Autokino, in den Weinkellern, in den Bars und Diskotheken. Nachts um eins stand er auf einem Steg, ohne genau zu wissen, wie er dorthin gekommen war. Er rief seine Tochter, so laut er konnte.

»Caaarooolaaaa!«

Der Ruf verlor sich über dem See. Dr.-Ing. Helfried Schreiter hörte nur das Rauschen des Schilfes und ferne Musikfetzen. Er stieg in das Wasser. Es war wärmer als die Luft und ging gerade bis übers Knie. »Carola!« rief er und ging los. Er wollte gehen und rufen, gehen und rufen. Das Wasser wurde nicht tiefer. Er wollte so lange gehen, bis er nicht mehr rufen konnte.

Er brüllte den Namen seiner Tochter immer wieder, bis ihm das Wort leer wurde, bis er die Beziehung zu den Lauten verlor, die er benutzte. Bis ihm der Name ein eigenes, ein lächerliches Ding wurde. So geriet er in einen tranceähnlichen Zustand – wenn er den Namen rief, entstanden für Augenblicke Erinnerungsbilder mit seiner Tochter. Es war die große Revue seines Lebens als Vater. Helfried Schreiter provozierte diesen Effekt, nachdem er ihn entdeckt hatte, mit masochistischer Lust. Er sah Carola auf einer Schaukel sitzen, juchzend flog sie durch seinen kräftigen Schwung nach oben, er sah die vor Angst brüllende Carola, die beruhigt und getröstet werden mußte, als ein großer Schäferhund sie anbellte, und er hörte die Tür knallen, nachdem er ihr, als sie fünfzehn war, verboten hatte, ihren Freund mit den rot und grün gefärbten Haaren mit nach Hause zu bringen. Vergessenes tauchte auf, und Helfried Schreiter erlebte, wie reich es ihn machte und wie glücklich er war, Vater zu sein. Doch wenn er die Lunge leer gebrüllt hatte, stand er wieder im Wasser. Er hatte den Namen seiner Tochter hinausgeschrien, um sie zu suchen – und nun hatte er sie gefunden.

Ein Motorboot der Polizei brachte ihn an Land. Er setzte sich mit nassen Hosen in den Citroën. Die Sitzpolster sogen die dreckige Brühe ein. Die achtunddreißigtausend Mark waren ihm egal.

Als vor dem Ferienheim seine Frau das Auto hörte, riß sie das Fenster auf und schaute hinaus. Sie war die ganze Zeit wach gewesen. Wie konnte er nur ohne Carola nach Hause kommen?

Weg war sie, einfach weg, ohne ein Wort.

3

Der Reporter Leo Lattke ärgerte sich. Ein Leo Lattke sollte sich nicht dorthin schicken lassen, wo alle sind. Sollte kein Thema nehmen, das einen schon aus den Nachrichten anspringt. Ein Leo Lattke glänzt mit Reportagen, die ein Thema überhaupt erst entdecken.

Und wie sich dieses Samariter-Lager in Budapest-Csillebérc als humanitäres Problem zu präsentieren bemühte: Ein Zeltdorf auf lehmigem Grund, den der Regen in Pampe verwandelt hatte, in der

Kinder spielten. Mittagessen, das mit großer Kelle aus Feldküchen aufgetan wurde. Lastkraftwagen, die Decken brachten. Kein Wunder, daß Fernsehteams, Reporter und Fotografen zum Lager gehörten. Hier gabs den Stoff, aus dem die Nachrichten sind. Aber einem Leo Lattke konnten sie damit nicht kommen.

Leo Lattke wünschte, er wäre nicht hier. Ein Leo Lattke sollte nicht die Geschichten erzählen, die alle erzählen.

Er hatte einen Gesprächspartner gefunden, der vielleicht eine Spur Originalität versprach: Einen Assistenzarzt, der es satt hatte, Lakai seines Professors zu sein. Im Gespräch ergab sich sein Spezialgebiet – die Sexualtransformation. Das verwunderte den Reporter: Transsexuelle im Arbeiter- und Bauern-Staat?

Die Antwort rauschte an Leo Lattke vorbei, denn er war mit seiner Aufmerksamkeit bereits woanders: Aus sicherer Distanz beobachtete er einen Fotografen bei der Arbeit. Ihm gefiel dessen unscheinbare, harmlos wirkende Arbeitsweise, ihm gefiel das Auge, der Instinkt dieses Fotografen. Wie nahe der an seine Motive herangelangte, ohne dabei aufdringlich und beutegeil zu wirken. Wie der eine Familie fotografierte, die Schokoriegel verzehrte – der ältere Sohn genüßlich, der jüngere trotzig, der Vater erschöpft und die Mutter selig. Sie saßen vor einer Wäscheleine, auf denen ihre vier marmorierten Jeans hingen. Als sie bemerkten, daß sie fotografiert werden, fragte der ältere Sohn, ob sie das Foto zugeschickt bekämen. »Wohin?« fragte der Fotograf, und in dem bestürzten Moment, als die vier begriffen, daß sie keine Adresse haben, knipste der erneut.

Je länger Leo Lattke zuschaute, desto mehr gefiel ihm der Fotograf. Der fotografierte nicht wie jeder. Der holte aus dieser Nachrichtensoße tatsächlich was Besonderes. Der knipste so, wie Leo Lattke gerne schrieb.

»Für wen sind denn die Fotos?« fragte Leo Lattke.

»Weiß ich nicht«, sagte der Fotograf. »Bis jetzt für noch niemanden.«

»Dann schick sie mir mal«, sagte Leo Lattke. Er überreichte dem Fotografen seine Visitenkarte, mit dem Signet seines Blattes. Dieses Blatt war eine Autorität, eine Instanz, es war der Inbegriff der Pressefreiheit überhaupt. Die Einladung, für dieses Blatt zu arbeiten, kam unter Journalisten einem Ritterschlag gleich.

»Wenn ich die nach Hamburg schicke«, sagte der Fotograf, »kommen die nie an.«

»Dann bring sie zum Ostberliner Büro«, sagte Leo Lattke.

»Und wo ist das?« fragte der Fotograf.

»In Ostberlin!« sagte Leo Lattke. Er zog die aktuelle Nummer seines Magazins aus der Tasche und gab sie dem Fotografen. »Steht im Impressum.« Er war sich nicht sicher. Aber da gehörte sie hin; er war schließlich kein Auskunftsbüro. Er hatte inzwischen – innerhalb der letzten zehn Sekunden – entschieden, seine Reportage doch nicht von diesem Fotografen bebildern zu lassen. Wer war er denn, einen Namenlosen zu protegieren? Er wollte die Bilder nur aus Prinzip: Er war es gewohnt, daß alles nur ihm zuarbeitete. Einem Leo Lattke steht das Privileg zu, Zeit und Hoffnungen anderer nach Belieben zu verschleißen.

Kurz darauf entdeckte Lenas großer Bruder ein Hemd, das ihm bekannt vorkam, ein derbes, rot und schwarz kariertes Flanellhemd, dazu paßten die schwarzen Haare. Dennoch erkannte er Paulchen kaum wieder. Lenas ruhiger, sanfter und hübscher Freund schien sich in einen Abenteurer verwandelt zu haben: Er war unrasiert, die glatte Haut seines zarten Gesichts war von kräftigen Barthaaren versteckt. Das Hemd hatte er halb aus der Hose gezogen, seine Jeans war auf der Seite des Hintern, die nicht vom heraushängenden Hemd verdeckt wurde, gerissen, und weiße Fäden fransten heraus. Auf seinen Haaren, die sonst immer gewaschen waren, lag jetzt eine Schicht aus Staub.

»Ach, hallo«, sagte Paulchen. An diesem überzeugend beiläufigen Ton merkte Lenas großer Bruder, wie sehr Karl-Marx-Stadt an die

Peripherie von Paulchens Leben gerückt war. »Willst du auch rüber?«

»Nee«, sagte Lenas großer Bruder und hob leicht den Fotoapparat, um anzudeuten, weshalb er hier war.

»Ich mach rüber«, sagte Paulchen. »Ich war am Balaton, hab meine Forint aufn Kopp gehaun. Dann bin ich zu Samariters.« Er zeigte auf das Magazin, das Lenas großer Bruder von Leo Lattke bekommen hatte. »Gibst du mir das? Kannst das dafür haben.« Er holte die Autoschlüssel aus der Tasche.

»Deinen Wagen?« fragte Lenas großer Bruder.

»Im Tank ist aber kaum noch was drin«, sagte Paulchen.

Lenas großer Bruder gab Paulchen das Blatt und bekam den Schlüssel. »Ich zeig dir, wo der Wagen steht.«

Paulchen fragte weder nach Lena noch nach *PlanQuadrat*, und sein Desinteresse war echt. Paulchen wollte ganz neu anfangen. Wollte nicht mehr der sein, der er war. Wollte nicht mehr der Radiobastler sein, der einer Band das Profil verleiht, aber nicht aufs Foto darf. Wollte mit seinen neunundzwanzig Jahren nicht mehr Paulchen genannt werden. Wollte nicht mit einer Freundin zusammensein, die ihn nicht ranläßt.

Lenas Instinkt war auf Paulchen gefallen, weil der viel zu sanft war, um zu drängen und zu fordern. Doch nun war aus dem lieben, netten Paulchen ein böser, düsterer Paul geworden. Lenas großer Bruder knipste ihn. Dann ging er zu seinem neuen Auto, dem gelben Trabant.

Diese Lena, dachte er. Aus Paul macht sie Paulchen, und einen älteren Jungen aus ihrer Nachbarschaft brachte sie dazu, sich als ihr *großer Bruder* zu verstellen. Damit der gar nicht auf Gedanken kommt.

4

Carola Schreiter war tatsächlich mit Thilo, ihrer Urlaubsbekanntschaft aus dem Rheinland, durchgebrannt. Er hatte ihr von Berlin erzählt, von seinem Soziologie-, Ethnologie- und Publizistikstudium, von seiner Kreuzberger WG und von einer »Reise nach Amiland«, die er für das nächste Jahr plante. Er erzählte von einem Leben, das sich Carola Schreiter auch für sich vorstellen konnte. In Thilos WG war noch ein Zimmer frei. Die Grenze nach Österreich wurde nicht mehr scharf bewacht, und mit Thilo konnte sie riskieren, auf die andere Seite zu gelangen. Es war wie ein Spiel. Die Grenze war nur eine Autostunde entfernt. Thilos Ente war ein unverdächtiges Auto. Sie fanden eine Stelle, die geeignet erschien. Sie stiegen aus und liefen auf die andere Seite. Sie flohen in der Dämmerung. Sie mußten nicht die Nacht abwarten. Es gab viele Mükken. Es gab keine Grenzer, keine Wachtürme, keinen Zaun. Nur einen Grenzpfosten. Es war beleidigend einfach. Carola mußte lachen, laut lachen, während sie lief.

Thilo kehrte um und kümmerte sich um das Auto. Er mußte, um nach Österreich zu gelangen, einen Grenzübergang benutzen. Der schwierigste Teil der ganzen Flucht bestand darin, sich wiederzufinden.

Carola ließ sich auf der Konsularabteilung der bundesdeutschen Botschaft in Wien einen deutschen Paß ausstellen. Mit dem stand sie unter dem Schutz der Bundesregierung. Ihr wurde erklärt, daß der Staat, dem sie den Rücken kehrte, sie auf unabsehbare Zeit nicht wieder einreisen lassen wird. Carola glaubte, daß dieser Staat ihren Weggang noch gar nicht registriert hatte, und wollte mit dem Leichtsinn der Verliebten den Transit nach Berlin wagen, in der Ente von Thilo. Ihr Paß, in Wien ausgestellt, war so neu, daß er noch roch. Carola sächselte. Selbst der begriffsstutzigste Anfänger unter den Grenzern müßte erkennen, daß Carola eine Ungarnflüchtige war.

In der Raststätte vor dem Grenzübergang kamen sie mit einem

Ingenieur ins Gespräch, der in seiner Studentenzeit einen Tunnel unter der Mauer gegraben hatte. Er kannte sich aus und warnte die beiden: Sie würden für Jahre ins Gefängnis kommen, trotz des Passes von Carola. Solange sie nicht aus der DDR-Staatsbürgerschaft entlassen sei, unterliege sie den Gesetzen der DDR.

Carola kam mit der PanAm nach Berlin. Sie bezog ein Zimmer in Thilos WG, groß genug für Bett, Kleiderschrank und Schreibtisch. Sie wollte fast dasselbe studieren wie Thilo: Psychologie, Publizistik und Ethnologie. Sie mußte sich nicht bewerben, wie sie es kannte. Sie mußte sich nur einschreiben, *immatrikulieren* – ein Verfahren, das sie faszinierte: Keine Bewerbung war nötig, keine Begründung, keine Beurteilungen, kein Lebenslauf, und es gab auch kein wochenlanges Hoffen auf die Zulassung – nein, man ging hin, schrieb sich ein und konnte studieren.

Doch so einfach war es nicht. Carola sollte ihr Abiturzeugnis vorlegen. Das konnte sie nicht, das war zu Hause geblieben. Wenn sie ihr Abitur nicht in dem Bundesland abgelegt habe, in dem sie studieren wolle, benötige sie zudem die Anerkennung der zuständigen Landesbehörde, in ihrem Fall des Berliner Senats. Das alles erfuhr sie im Immatrikulationsbüro. Carola erzählte die Geschichte ihrer Flucht und hob das Spontane der Aktion hervor. Auch wisse sie nicht, ob ihre Eltern ihr das Zeugnis zukommen ließen oder ob es auf dem Postweg abgefangen werde. Die Mitarbeiterin im Immatrikulationsbüro hörte sich die Geschichte geduldig an und blieb bei ihrer Entscheidung. Carola verlangte, den Chef zu sprechen. Der bestätigte die Entscheidung seiner Mitarbeiterin: Es gibt Vorschriften, die für alle gelten. Sonst müßte niemand mehr das Abitur ablegen, um zu studieren.

Carola fuhr in ihre Kreuzberger WG, setzte sich an den Schreibtisch und schrieb einen Brief an den Präsidenten der Freien Universität. Thilo sagte, ihr Versuch, mit ihrer persönlichen Geschichte Einfluß auf die Entscheidungen einer Bürokratie zu nehmen, sei dumm. Gerade *daß* die Entscheidungen unpersönlich sind, mache die Bürokratie so wertvoll. Die Bürokratie ist ein Instrument zur Vermeidung von Willkür. Die Bürokratie arbeitet kalt, berechenbar und regelhaft. Die Gleichgültigkeit gegenüber Schicksalen ist ein hohes Gut. Schöne Augen, eine anrührende Geschichte und die familiäre Herkunft interessiert die Bürokratie genausowenig wie die politische Einstellung der Antragsteller. Sie solle den Brief an den Präsidenten nicht zu Ende schreiben. Ausnahmen kommen in einer Bürokratie nicht vor. Würde die Bürokratie Ausnahmen machen, dann bräuchte man sie nicht. Sie sollte sich lieber ihr Zeugnis beschaffen. Oder das Westberliner Abitur ablegen.

Carola war von Thilo enttäuscht. Sie hatte gehofft, er würde mit ihr den Kampf zu Ende kämpfen.

Carola schrieb an ihre Eltern. Sie war davon überzeugt, daß ihre Eltern sie verstehen würden. Ihre Eltern waren schließlich keine Bürokratie. Carola hatte sich romantische Vorstellungen gemacht, als Thilo am Balaton erzählte, er lebe in einer Wohngemeinschaft. Sie hatte gedacht, eine Wohngemeinschaft sei etwas, wo sich dicke Freunde keinen Zwang antun, nackt durch die Wohnung spazieren und alles miteinander teilen. Eine Familie, nur ohne Machtverhältnisse. Tatsächlich war es nichts als eine Zweckgemeinschaft. Jeder hatte ein eigenes Fach im Kühlschrank. Jeder mußte seinen eigenen Abwasch sofort erledigen. Am Morgen gab es feste Badezimmerzeiten, zwanzig Minuten für jeden. Die Ausgaben für Putzmittel wurden auf eine Liste gesetzt und am Monatsende geteilt, »nicht gleichmäßig, sondern gerecht«, wie Thilo sagte. Die »gerechte« Teilung berücksichtigte die Anwesenheitsdauer des WG-Mitglieds.

Das Leben in der WG hat etwas Bürokratisches, fand Carola. Klar, sagte Thilo, die früheren Modelle sind alle gescheitert. Nur die Mieten sind immer gestiegen.

5

Fritz Bode liebte es seit neuestem, in seinen Briefkasten zu schauen. Er war sechsundsechzig Jahre, und wenn er eine bestimmte Sorte Briefe fand, summte oder pfiff er auf dem Weg in die vierte Etage *Mit sechsundsechzig Jahren, da fängt das Leben an, mit sechsundsechzig Jahren, da hat man Spaß daran.* Fritz Bode hatte den weiteren Text vergessen, so sang er den Anfang eben zweimal.

Fritz Bode hatte in der Tat das erste Mal Spaß am Leben. Er hatte harte, bittere Zeiten durchgemacht. Daß ein großer Verlag in Hamburg seine Memoiren gedruckt und als »Autobiographie« herausgebracht hatte, erfüllte sein Herz mit einem tiefen, ruhigen Stolz. Eine »Autobiographie« war etwas anderes als »Erinnerungen« oder »Lebenserinnerungen«. Autobiographie klang offiziell und bedeutend.

Fritz Bode bekam Einladungen zu Lesungen. Er nahm an. Er war Rentner und hatte das Bedürfnis, sich nützlich zu machen. Diese Lesungen waren eine verrückte Angelegenheit: Völlig fremde Menschen kamen und interessierten sich für sein Leben. Seine Meinung, so erlebte er immer wieder, war wertvoll. Das alles kannte Fritz Bode nicht, aber er fand es phänomenal. Und was das komischste war: Es gab sogar Geld dafür, 500 DM am Abend. Er liebte Lesungen.

Die Einladungen kamen fast immer aus dem Westen, was in der Post auf den ersten Blick erkennbar war: strahlend weiße Kuverts, oft sogar mit einem kleinen bunten Stadtwappen.

Auch an diesem Tag lag so ein Brief im Briefkasten, von der sozialdemokratischen Friedrich-Ebert-Stiftung. Von wegen, im Westen nichts Neues, dachte Fritz Bode. Die Sozis hatten ihm noch nie geschrieben.

Die Briefkästen in seinem Haus waren eine Schande. Zehn rostige Blechkästen, verbeult und so schief nebeneinander, als bräuchten sie Zahnspangen. Schon daß sich in solch schäbige Blechbehältnisse so strahlend weiße Briefe verirrten, war für Fritz Bode ein Beweis des unangemessenen Glücks, dessen er jetzt, mit sechsundsechzig Jahren, teilhaftig wurde.

Einer der Briefkästen quoll über, seit Wochen schon. Post für die junge Frau aus der zweiten. Fritz Bode hatte sich immer gefreut, wenn er ihr auf der Treppe begegnet war, besonders im Sommer – sie war was fürs Auge. Und nun wird ihr Briefkasten nicht mehr leer gemacht. Trotzdem stopft die Briefträgerin Post rein. War bestimmt beliebt, die Kleine, dachte Fritz Bode, als er auf dem Weg nach oben an ihrer Wohnungstür vorbeikam. Die Tür war übersät mit Zetteln und Nachrichten. Der junge Mann in der Wohnung unter ihm war auch so ein Kandidat. Die Tür von dem wird vielleicht bald genauso aussehen, und der Briefkasten auch.

So etwas wie diese Fluchtwelle hatte selbst ein Fritz Bode noch nicht erlebt. Ein großes, namhaftes Magazin aus dem Westen hatte ihn um einen Essay gebeten, um einen Kommentar zu dem, was gerade stattfand. Fritz Bode spürte, daß er den Stil seines Reflektierens, der mit dem Schreiben seiner Autobiographie gewachsen war, nicht einfach abstellen konnte. *Der Sommer neunundachtzig ist fleckig. Gescheckte Jeans sind Mode. Ungarn-Urlaube sind Mode.* So könnte er anfangen. Er hatte noch nicht zugesagt, er wollte warten, ob der junge Mann in der Wohnung unter ihm auch einen überquellenden Briefkasten und eine zettelgespickte Tür zurückläßt. Dieser junge Mann war einen Nachruf wert. Noch war er da, unüberhörbar: Erregte Stimmen konkurrierten per Lautstärke um das Rederecht.

Noch im Treppenhaus überlegte Fritz Bode, weshalb ihm wohl die Friedrich-Ebert-Stiftung geschrieben hatte. Vielleicht wollten sie ihn einladen in eine Gesprächsrunde mit Willy Brandt und Günter Grass. Und sich entschuldigen, daß sie ihm nur tausend DM Honorar anbieten könnten. Fritz Bode lachte in sich hinein, ihn konnte, ein halbes Jahr nachdem sein Buch erschienen war, nichts mehr von den Socken hauen.

Fritz Bode schloß seine Wohnung auf, wechselte in Pantoffeln, ging in sein Arbeitszimmer und machte Licht am Schreibtisch. Er setzte sich und tat einen tiefen Seufzer des Wohlbehagens. Dann griff er nach dem Brieföffner aus Messing und schlitzte das feine Briefchen auf. Der Cognac stand in Reichweite. Nur für den Fall, daß tatsächlich Willy Brandt und Günter Grass ...

Nein, die Friedrich-Ebert-Stiftung wollte ihn nur zu einer Lesung einladen, wie alle. Am 1. Dezember in Berlin, in der Wilmersdorfer Bibliothek. 500 DM bieten sie. Fritz Bode schaute in seinen Kalender: Der 1. Dezember war noch weiß. Als Rentner durfte er dreißig Tage pro Jahr in den Westen fahren; sein Kontingent war noch nicht ausgeschöpft. Er würde zusagen. Auf den Cognac wollte er nicht verzichten. Als er das Schlückchen auf dem Boden des Cognacglases in eine kreiselnde Bewegung versetzte, bemerkte er, daß es in der Wohnung unter ihm still war.

Der Hauptgast war gekommen: Ein bekannter Dichter, der immer auffiel, komischerweise weil er so klein war. Der kleine Dichter hatte einen Bart, der wie wild wuchs: Wenn er sich am Morgen rasierte, wirkte er abends bereits wieder unrasiert. Und nie wurde er mit Krawatte gesehen. Ein jungenhafter Abenteurer, dem die Sympathien in einem Maße zuflogen, daß andere an seiner Stelle, vom süßen Duft des Ruhms benebelt, längst dazu übergegangen wären, sich in der dritten Person wahrzunehmen.

Der kleine unrasierte Dichter war kein Veteran wie Fritz Bode, er war aber auch längst nicht so jung wie jene, die sich erkühnt hatten, ihn einzuladen. Der kleine unrasierte Dichter war ein ver-rückter Mensch: Ein Kriegskind, das den Ausbruch des Friedens erlebte wie ein Wunder – blauer Himmel über Trümmern, Blühen, Zwitschern. Er war in dieses Land mit seinen berauschenden Visionen hineingewachsen und hatte die Einladung zum Mittun wörtlicher genommen, als sie gemeint war. Die planvollen Mißverständnisse lagen ihm. Es gab eine Klaviatur, auf der er exzellent spielen konnte, ob lakonisch, lässig, spöttisch, selbstzweifelnd, klug oder scharf. Diese

Klaviatur war politisch. Die Presse druckte Lügen, die das Radio sendete und das Fernsehen bebilderte, und gegen Wahrheit, Tatsachen, Fakten gab es -zig Paragraphen. In diesem Geschäft mischte der kleine unrasierte Dichter mit, allerdings bei den Guten. Seine Strategie war, der Zeit weit voraus zu sein – er wollte heute schon aussprechen, was morgen erst verboten wird. Diese Strategie machte seine Lyrik, die vor Talent nur so strotzte, zu intellektuellen Herausforderungen. Zu Plattformen, auf denen über den Stand der Dinge und den Gang der Geschichte gestritten wurde. Der kleine unrasierte Dichter hatte einst Philosophie studiert, und sein Lieblingsspielzeug war die Dialektik. Für ihn, ein Kind von Krieg und Nachkrieg, war es selbstverständlich, ein Spielzeug nicht kaputtzumachen.

Die Texte des kleinen unrasierten Dichters waren, wenn sie endlich erscheinen durften, Ereignisse. Die Bücher, nur in kleiner Auflage genehmigt, wanderten von Hand zu Hand, bis sie auseinanderfielen. Seine Hörspiele, die nur mitten in der Nacht gesendet wurden und nie eine Wiederholung erlebten, wurden auf Kassetten aufgenommen, mehrmals gehört und ausgelegt. Und wenn ein Stück von ihm auf den Spielplan kam, waren die ersten Theaterabende heftig ausverkauft – die Leute wollten es noch gesehen haben, bevor es verboten wird. Den ganzen Anspielungskosmos des kleinen Landes, all seine Debatten, Lügen und Tabus konnte der kleine unrasierte Dichter vor seinem Publikum wie ein animistischer Medizinmann ausbreiten. Das Publikum kam von weit her gereist, doch seinem Friseur blieb sein Schaffen fremd, sosehr der auch um den Rang seines kleinen unrasierten Kunden wußte.

Der junge Mann unter Fritz Bode, Daniel Detjen, ein um sein Abitur betrogener Pfarrerssohn, der seine hugenottische Abstammung unterstrich, indem er seinen Nachnamen auf der zweiten Silbe betonte und den Vokal der ersten Silbe stumm hielt, hatte dem kleinen unrasierten Dichter einen Brief geschrieben. Dieser Brief hatte eine Saite zum Klingen gebracht – der kleine unrasierte Dichter fühlte sich dem Briefschreiber nahe, obwohl der es gar nicht darauf angelegt hatte, diese Nähe zu erzeugen. Es war die »romantische Bereitschaft«, jener Charakterzug, den F. Scott Fitzgerald dem großen Gatsby zuschrieb, die der kleine unrasierte Dichter dank dieses hilfesuchenden Briefes an sich wiederentdeckte. Die war ihm im Zuge einer Überzüchtung Brechtscher Coolness abhanden gekommen. Seine gelegentlichen Anwandlungen von sardonischer Intellektualität bereiteten ihm ein seltsames Gefühl.

Daniel Detjen war ein lebhafter, geistvoller Mensch, der einen großen, einen unüberschaubaren Freundeskreis unterhielt. Er war von einer ozeanischen Großzügigkeit. Immer saßen Menschen auf seinem Sofa und diskutierten. Er schien nie müde zu werden, nie schlechte Laune zu haben. Ein blondes Prachtexemplar mit einem hellen, offenen Gesicht und einem ebensolchen Wesen. Daniel Detjen unterhielt Briefwechsel nach Nicaragua, Indien, Palästina, in die USA und nach Dänemark. Er sprühte vor Ideen, verschenkte anstrengungslos originelle Komplimente, teilte seine Zeit und seine Begeisterungen mit anderen. Auch sexuell war ihm jede Beschränkung fremd: Er hatte Freude an Frauen und Männern. Ehe er die Laken wechselte, hatte er darin mehr Sexualpartner geliebt, als die meisten Menschen in ihrem ganzen Leben haben.

Zwei Wände seines Zimmers waren von der Scheuerleiste bis hoch zur Decke von Bücherregalen verbaut. An der Wand gegenüber den Fenstern stand ein Klavier, das schäbig, ja schrottreif aussah, aber über einen erstaunlichen, sogar konzertanten Klang verfügte. Doch der Mittelpunkt des Zimmers wie des Lebens von Daniel Detjen war die Teekanne. Er diskutierte immer zum Tee, nie beim Bier oder Wein. Daniel, sonst ein schlechter, ja miserabler Hausmann, befolgte mit geradezu orthodoxer Strenge die Regel, Teekannen niemals mit Seife auszuwaschen, sondern nur unter klarem Wasser zu spülen. Daß seine Teekanne aus Jenaer Glas war, ließ sich kaum noch erkennen: Über die Jahre hatte sich ein brauner, immer stärker dunkelnder Belag gebildet, der wie eine fabrikmäßige, unverwüstliche Beschichtung wirkte. Längst war sie schwarz und lichtundurchlässig. Aber selbst wenn die Kanne einst ganz von diesem Belag zugesetzt sein würde, wenn die Rückstände tausender Hektoliter Tee sie in einen Stein verwandelt haben würden, »dann« – so erklärte Daniel Detjen – »ist die erste Silbe der Welträtsel überhaupt erst gefragt«.

Daniel suchte nach Orientierung in diesen Zeiten. Die Diskussionen mit seinen Freunden, zu denen Theologiestudenten und rausgeschmissene Parteimitglieder, Westler und Künstlerkinder, Aussteiger und Ausländer gehörten, hatten ihn nicht weitergebracht. Nicht mal seine kluge Chefin, die prominente Rechtsanwältin Gisela Blank, hatte Erhellendes oder gar Ermutigendes mitzuteilen.

Daniel Detjen war ein Mensch, der zu leben verstand, aber dieses Land vertrieb ihm die Freunde, mißachtete seine Talente, verletzte sein Gerechtigkeitsempfinden, beleidigte seinen Geschmack und verhöhnte seine Intelligenz. Es engte ein und schrieb vor. Vom Wein bekam er Kopfschmerzen und von allem anderen auch. Warum aus dem Überraschungsei der Utopisten, *Sozialismus* genannt, ausgerechnet eine Echse kroch, war Daniel ein Rätsel. Die bessere Welt, wie sieht sie aus? Wann findet sie statt?

So schrieb er dem kleinen unrasierten Dichter, einem Experten in Fragen jetziger und besserer Welten – und der antwortete; er hatte ein wie angeborenes Sensorium für alle Arten von Kälte, und solidarische Reflexe regten sich gegenüber allen, die unter Kälte litten. Sie verabredeten sich für einen Freitagabend im August. Der kleine unrasierte Dichter kam direkt von seinem Urlaub auf Hiddensee, allerdings verspätet; er konnte von der überfüllten Insel erst mit der dritten Fähre runter. Die Bude von Daniel war längst verqualmt.

Die Freunde von Daniel Detjen verfolgten den kleinen unrasierten Dichter dabei, wie er tastend seine Gedanken verfertigte, wie er sich einen Weg durch den Verhau seiner Ideen bahnte. Es war ein Abenteuer, dem kleinen unrasierten Dichter, einem geübten und erfahrenen Denker, beim Nachdenken zuzuschauen. Nicht das, was er sagte, blieb haften, sondern sein Stil: Es schien ihm ein Greuel, Bekanntes zu wiederholen, sich auf gültige Gewißheiten zu berufen. Nur Neues, bislang Ungesagtes interessierte ihn. Der kleine unrasierte Dichter war davon überzeugt, daß sich unter Ausschluß der Öffentlichkeit eine Öffentlichkeit entwickelt hatte, welche die staatliche, offiziell stattfindende Öffentlichkeit an Bedeutung längst übertroffen hatte.

Einer der Gäste von Daniel war Waldemar Bude, ein vierundzwanzigjähriger Hotelportier, ein gebürtiger Pole, der als Zwölfjähriger mit seiner Mutter die Heimat verlassen hatte. Es war nicht sein Beruf, sondern seine Herkunft, die ihn für den Daniel-Detjen-Kreis legitimierte: Polen waren interessant. Sie konnten aus eigenem Erleben darüber berichten, wie ein Volk das Unglaubliche fertigbringt und die Macht der Partei abschafft. Waldemar avancierte zum Talisman der Umsturzphantasien. Daß er immer nur als Pole, als Exemplar seines Volkes angesprochen wurde, amüsierte ihn insgeheim und gab ihm ein heimliches Gefühl der Überlegenheit: Der Daniel-Detjen-Kreis wollte so unabhängig denken und war doch so beschränkt. Der deutsche Freiheitsdrang kam ihm immer herbeigeredet vor. Den polnischen Freiheitsdrang konnte Waldemar beim Wandern in den Beskiden und beim Zelten in den Masuren mit den Händen greifen. Die polnische Sprache, ein Dauerfeuer von Zisch- und Spucklauten, wurde beim Singen geschmeidig, bekam fast französischen Schmelz.

Góralu czy ci nie żal
Odchodzić od stron ojczystych
Świerkowych lasów i hal
I tych potoków przejrzystych

Gorale, bereust du es nicht
Deine Heimat zu verlassen
Tannenwälder und Almen
Und die klaren Bäche

Die Deutschen sangen am Lagerfeuer nie ihre eigenen Lieder, schon gar nicht zur Gitarre. Es gab immer nur einen, der das »House of the Rising Sun« oder »Blowin' in the Wind« schändete.

Am Vortag hatte Waldemar in seiner Hotelhalle, wo ständig ein Fernsehapparat lief, zufällig einen Film über Wasserspinnen gesehen. Die Weibchen drücken ihre Eier zwar einzeln, doch in großer Zahl aus dem Hinterleib und formieren sie mit den Hinterbeinen zugleich zu einem Klumpen. Nur wenige der Spinnen, die aus einem solchen Eierklumpen schlüpfen, erleben den nächsten Sommer. Der Rest wird bis dahin gefressen oder auf zahllose Arten verendet sein. Das Nachdenken des kleinen unrasierten Dichters erinnerte Waldemar an die eierlegende Wasserspinne. Wenn er geht, bleibt ein großer Klumpen kleiner Gedanken liegen. Morgen wird er die Hälfte von dem, was er gesagt hat, vergessen haben und übermorgen die andere Hälfte. Eines Abends wird er auch mal eine Idee ablegen, die den nächsten Sommer erlebt.

Nachdem Waldemar eine Stunde beim Eierlegen zugeschaut hatte, mußte er gehen, er hatte Nachtschicht. Auf dem Weg zum Palasthotel fuhr er an der Volksbühne vorbei. Ein Stück des kleinen unrasierten Dichters stand auf dem Programm, das einzige, das noch nicht verboten war. Waldemar hatte es gesehen. Seit jenem Abend hatte er aufgehört, sich für die Literatur dieses Landes zu interessieren. Diese Schriftsteller, die schrieben über das chinesische Bäuerlein im 13. Jahrhundert, über Kleist, übers Leben bei Hofe – aber wenn du mit zwanzig von der Armee kommst und nicht weißt, wo oben und unten ist, da hilft dir kein Buch von denen. Diese Erkenntnis tat weh und machte einsam. Jahrelang hatte er mit der Hoffnung gelesen, in diesen Büchern etwas zu finden, was seine Lage erhellen könnte – nichts. Waldemar interessierte sich für das, was in diesem Land passierte, und daß er aufhörte, sich für die Literatur dieses Landes zu interessieren, würde er den Schriftstellern nie verzeihen. Dann fing er selbst an zu schreiben. Es war ein Akt der Notwehr. Denn wenn *die* nicht die richtigen Bücher schreiben, dann muß er es selber tun. Daß er den Abend bei Daniel Detjen mit dem kleinen unrasierten Dichter verbrachte, hatte mit Waldemars Faszination für dessen Beruf zu tun und nicht für dessen Werk.

Waldemar hatte noch nichts veröffentlicht. Er stand so sehr am Anfang, daß es vermessen war, überhaupt von Anfang zu sprechen. Vielleicht fielen auch Anfang und Ende zusammen.

Von der Straßenbahn aus konnte Waldemar sehen, wie die ersten Theaterbesucher zur Pause vors Portal kamen.

Das Stück war lang und strengte an. Auch die Rechtsanwältin Gisela Blank wollte die Abendkühle nutzen, um sich fürs letzte Drittel aufzufrischen.

Gisela Blank ging durchaus allein ins Theater. Sie war kulturell interessiert, und es war ihr verhaßt, mit gelangweilten Begleitern zu gehen. Sie hatte ihren Bürogehilfen Daniel Detjen gefragt, ob der sie nicht begleiten will, sie hätte Karten für ein Stück des kleinen unrasierten Dichters. Darauf hatte Daniel nur stolz gegrinst und etwas kryptisch gesagt: »Er kommt selbst.« Sie traute Daniel zu, sich den kleinen unrasierten Dichter ins Haus zu holen. Sie wußte schon, warum sie Daniel beschäftigte und keine x-beliebige Büromaus. Mit Daniel würde die Kanzlei nie eine Weiberwirtschaft, beherrscht von Gesprächsthemen, die Gisela Blank so haßte: Daß jedes Alter mit den Kindern schön ist, aber auch immer eine ganz eigene Herausforderung darstelle ...

Unter den Theatergästen war auch ein bekanntes Gesicht. Gisela Blank konnte es nicht zuordnen – erst die Fliege gab ihr den entscheidenden Tip. Es war Jürgen Warthe, ihr allererster Klient, aus der zweiten Hälfte der siebziger Jahre. Damals ein Liedermacher, §§ 106 und 220. Fünf Jahre und acht Monate wollte der Staatsanwalt ihm geben. Kaum war das Strafmaß beantragt, war sie aufgesprungen und hatte vehement dagegengehalten. Sie empfand nicht übermäßig Sympathie für Jürgen Warthe, er war mißtrauisch und behandelte sie wie eine Anwältin, die ihn nur aus Gründen der Kosmetik verteidigt. Doch den Strafantrag nahm sie persönlich. Nur weil dies ihr erster großer Fall war und sie eine Frau, bildete sich der Staatsanwalt wohl ein, die Grenzziehung zwischen »Öffentlicher Herabwürdigung« und »Staatsfeindlicher Hetze« zum Nachteil ihres Mandanten verschieben zu dürfen. Nachdem sie dem Gericht ihr leidenschaftliches Plädoyer gehalten hatte und wieder Platz nahm, sagte Jürgen Warthe verblüfft: »Danke.« Viel hatte sie nicht erreicht; das Gericht folgte dem Staatsanwalt. Daß Jürgen Warthe nach sechzehn Monaten dank einer allgemeinen Amnestie rauskommen sollte, wußte damals niemand im Gerichtssaal.

Der Grund, weshalb sie ihn kaum wiedererkannte: Jürgen Warthe hatte stark abgenommen, die Hose schlotterte um die Beine. Gisela Blank gab ihm die Hand und sagte: »Freut mich, Sie zu sehen. Sie sehen ja blendend aus!« Jürgen Warthe wehrte ab.

Eine Frau war mit ihm. Bestimmt seine Frau, auch wenn er sie nicht vorstellte. Jürgen Warthe denkt verächtlich über Konventionen, schätzte Gisela Blank ein, ist andererseits aber auch viel zu hölzern, um sich ein Seitensprung-Verhältnis zu organisieren. Ein Muffel ist er. Nicht mal ein Kompliment kann er auf sich sitzen lassen.

Gisela Blank versuchte es noch mal. »Doch, Sie sehen sehr gut aus! Sie haben eine Menge abgenommen.«

»Kommen Sie«, sagte Jürgen Warthe. »Lassen Sie.«

»Wirklich!« sagte Gisela Blank begeistert. »Ich hab Sie kaum wiedererkannt!«

»Bitte«, sagte Jürgen Warthe. »Mir geht's nicht so gut.«

»Das glaubt man gar nicht, wenn man Sie so sieht«, beharrte Gisela Blank und wandte sich strahlend an Jürgen Warthes Begleiterin. »Oder?«

Die Frau antwortete mit einem hilflosen, flackernden Blick, und Gisela Blank verstand schlagartig. Vor Scham wünschte sie sich, im

Erdboden zu versinken: Sie hatte sich entblödet, einem Todkranken Komplimente zu machen, wie blendend er aussieht.

»Entschuldigung«, murmelte sie verwirrt.

»Schon gut«, erwiderte Jürgen Warthe.

6

Als Waldemar seine Nachtschicht im Palasthotel begann, war der Hoteldirektor Alfred Bunzuweit noch im Hause. Er stand mitten in der Halle, allein, umgeben von Geschäftigkeit, von Stimmengewirr und Geräuschen, die Waldemar als *teuer* empfand, weil all dem Plingen und Ploppen und Schmatzen die Konstrukteursmühsal anzuhören war, mit dem Geräusch gefallen zu wollen.

Alfred Bunzuweit stand in der Halle, als gehörte er zum Inventar, und doch war es Waldemar ein Rätsel, wie ein Mensch, dem es so sehr an aristokratischer Ausstrahlung mangelte, Direktor eines Luxushotels werden konnte. Waldemar kannte seinen Dircktor als ein dickes, schnaufendes, hyperaktives Wesen mit gerötetem Gesicht und ohne Hals. Der Kopf schien übergangslos in den Nacken überzugehen, das Kinn in die Brust. Sein üppiges Gewicht machte ihn jedoch nicht langsam oder schwerfällig. Im Gegenteil: Alfred Bunzuweit war ein Mann, der sich gern, schnell, gezielt und dabei oft mit tänzerischer Eleganz bewegte. Im Gesicht prangte eine Schnapsnase, obwohl er nicht über das in seiner Position übliche Maß hinaus trank. Zwei kleine Augen lagerten hinter Lidern, die so dunkel und runzlig waren, als wären sie aus seinen Sackfalten transplantiert. Die Wimpern waren eher Borsten, auch aus den Ohren wuchsen ihm schwarzglänzende Haare. Wenn Alfred Bunzuweit wartete, dann preßte er die – ebenfalls behaarten – Handrücken an die Hosennaht, während sich die Finger nervös spreizten und wieder zur Faust schlossen.

Als Luxushoteldirektor kommt man auf die Welt – oder wird es nie, dachte Waldemar. Kein Wunder, daß wir ihn heimlich den *Tankwart* nennen. Alfred Bunzuweit war nicht nur *der Tankwart*, weil seine kümmerliche Aura so gar nicht seiner Position entsprach, sondern weil er zuvor tatsächlich Leiter einer Autobahnraststätte gewesen war. Daran weidete sich der Hochmut des Personals; jeder Stilbruch und jegliches Ungeschick Alfred Bunzuweits wurde unter dem Code »TT« gebucht: Typisch Tankwart.

Waldemar ahnte angesichts des ergebenen Harrens von Alfred Bunzuweit, auf wen der Tankwart wartete: auf Valentin Eich. Ob die beiden befreundet waren, konnte Waldemar schlecht einschätzen. War es eine merkwürdige Art der Vorfreude, oder war es Dienstbarkeit, wenn Alfred Bunzuweit nichts tat, als zu stehen und zu warten?

Nicht mal Alfred Bunzuweit wußte, ob er mit Valentin Eich befreundet war oder ob er sich die Freundschaft bloß einbildete. Er wünschte sich, daß sie die besten Freunde wären. Und ein bester Freund ist es wert, in der Mitte der belebten Hotelhalle erwartet und mit großer Geste empfangen zu werden. Manchmal ging Alfred Bunzuweit vor das Portal und tat so, als hielte er Ausschau. In Wirklichkeit aber machte er etwas anderes: Er furzte.

Alfred Bunzuweit produzierte in seinen Gedärmen unablässig Blähungen, und die mußten raus. Solange er stand oder umherlief, konnte er Dampf ablassen, wann immer die Ernte gereift war. Doch im Sitzen wurde es tückisch. Die Masse seines Körpers lastete zwar auf dem Anus und verschloß ihn sicher, und egal, wie lange er saß – Alfred Bunzuweit blähte wie ein Hefekloß, aber er ließ kein Lüftchen fahren. Doch bereits nach zwanzig Minuten wurde der Gasdruck stärker als sein Schließmuskel: Wenn er sich dann erhob und damit das Gewicht wegnahm, reichte die Kraft des Schließmuskels nicht aus – und Alfred Bunzuweit entwich mit Getöse das Gas, das sich in seinem Darm gestaut hatte.

Diese extreme Körperchemie blieb ein Geheimnis, das er sorgfältig hütete. Kein Arzt wurde mit dem Problem konfrontiert. Selbst Sybille Bunzuweit kannte nicht das ganze Ausmaß. Zwar hörte sie ihren Gatten manchmal knattern, aber daß täglich mehr als ein Liter aus ihm herausknatterte, kam ihr nie in den Sinn. Nein, niemand wußte Bescheid und natürlich auch nicht Valentin Eich.

Der war selbst ein Geheimniskrämer. Der ganze Mann – ein einziges Geheimnis. Obwohl Alfred Bunzuweit schon zahllose Biere mit Valentin Eich getrunken hatte, wußte er nur manches. Einiges vermutete er, aber vieles ahnte er nicht mal. Valentin Eich ließ mal fallen, daß er die Wirtschaft »dejsenrentabl« machen sollte. Alfred Bunzuweit konnte nur mutmaßen, was es bedeutete: devisenrentabel. Er spürte, daß er gut daran tat, es nicht genau wissen zu wollen. Das waren Dinge, über die bei Tisch nicht gesprochen wurde. Also muß er auch beim Bier nicht danach fragen.

Dennoch gab es eine gewisse Vertrautheit zwischen ihnen. Sie waren dieselbe Generation, in derselben Partei und derselben Gewichtsklasse. Alfred Bunzuweit bediente den großen Devisenerwirtschafter, der außerhalb aller Hierarchien zu stehen schien, als sei das Palasthotel sein Haus, das Inventar sein Besitz und das Personal sein Gesinde. Am Anfang ihrer Treffen stand der Händedruck, fest genug, um rohe Kartoffeln zu zerquetschen. Im Mittelpunkt ihrer Treffen stand ein Gericht, das tatsächlich aus rohen Kartoffeln bereitet wird: Kartoffelpuffer. Die waren das Leibgericht Valentin Eichs, und das bedurfte keiner Erklärung. Kartoffelpuffer waren auch für Alfred Bunzuweit die Schlemmermahlzeit in Kindertagen. Alfred Bunzuweit ließ es sich nicht nehmen, für Valentin Eich wieder zum Koch zu werden, indem er die Schürze schnürte, Kartoffeln schälte, von Hand pürierte und daraus Plinsen formte, die er im heißen Öl schwimmen ließ, bis sie goldbraun waren. Zum Würzen bückte sich Alfred Bunzuweit tief. »Ich habe auch meine Geheimnisse«, sagte er in Anspielung auf die Staatsgeheimnisse von Valentin Eich. Der entschied nach kurzem Nachdenken, diese Bemerkung als Witz aufzufassen – und lockerte sich mit einem Lachen.

Daß der Direktor eines Fünf-Sterne-Hotels in der Küche seines Restaurants dem heimlichen Finanzminister ein simples Traditionsgericht zubereitet, ein Arme-Leute-Festmahl, war ein Akt von Guerilla-Snobismus, dessen Charme sich die beiden nicht entziehen konnten. Es war, als würde Valentin Eich einen Wolkenkratzer bauen – und sein Büro im untersten Stockwerk beziehen.

»Ich würd gern mal wieder bei dir essen.« Unter diesem Code signalisierte Valentin Eich am Telefon sein Verlangen nach den goldenen Plinsen. Darauf kam eine Verabredung zustande – manchmal binnen einer halben Stunde, manchmal in einer Woche. Es war Teil des Rituals, daß Alfred Bunzuweit Valentin Eich in die Küche führte und die Puffer vor seinen Augen zubereitete, umgeben von Köchen, die den Rehrücken beizten, die Lammkoteletts marinierten, die Steaks filetierten und die Soufflés retteten. Wenn Alfred Bunzuweit den letzten Kartoffelpuffer aus dem Öl gefischt hatte, bat er Valentin Eich an einen Zweiertisch im Restaurant und servierte noch in der Kochschürze die Riesenportion. Dann verschlangen die beiden Männer, sich ihrer einfachen Herkunft versichernd, einen Berg Kartoffelpuffer. Jacketts und Schürze hingen über der Lehne, die Ärmel ihrer Hemden waren hochgekrempelt. Valentin Eich hatte die Mahlzeit zu loben und zu preisen, und daß er es schmatzend tat, verlieh seinen Worten Ungezwungenheit und damit Aufrichtigkeit. Die Männer, die zusammen über fünf Zentner wogen, kamen regelmäßig ins Schwitzen, aber Teil des Rituals war es auch, den Berg unbedingt niederzumachen. Krawatten wurden gelockert, Hosenknöpfe geöffnet, Schweißperlen getupft – aber schließlich wurde aufgegessen. Ein Kellner mußte voller Bewunderung einen Kräuterschnaps servieren. Außer Hörweite fällte er sein Verdikt: »TT.« Für die Hälfte des Personals waren diese Exzesse ein Schauspiel ohnegleichen, für die andere Hälfte stießen die Orgien ihres Chefs und seines Komplizen auf Entsetzen und Ekel: Diese Völlerei mit einem fetten, ungesunden, primitiven Essen war einfach TT.

Alfred Bunzuweit hingegen empfand ein Wohlgefühl, das ein abschließendes Pils an der Bar vollkommen machte. Wenn sie beim Pissen Schale an Schale standen und ihn Valentin Eich in Anspielung auf den staatlich festgesetzten Bierpreis mit den Worten »Ich schulde dir jetzt einsachtundzwanzig« auf ein nächstes Mal einstimmte, dann, fand Alfred Bunzuweit, bildete er sich wohl nicht bloß ein, daß der ihn als Freund betrachtete. Er zumindest kannte sonst niemanden, mit dem er sich beim Pissen unterhielt.

7

Staatsanwalt Matthias Lange fragte sich, wie die das wohl hinkriegen. *Die* – das waren die Verantwortlichen der Schule, in die seine Tochter eingeschult werden sollte, und *das* war das Umschiffen der heiklen Tatsache, daß sicher Kinder fehlten, die noch vor einem Vierteljahr angemeldet wurden.

Die Langes wurden in den letzten Tagen nicht aufgefordert, die Anmeldung ihrer Katja zu bestätigen – das hatte Staatsanwalt Matthias Lange eigentlich erwartet. Am Einlaß gab es auch keine Anwesenheitskontrolle, was doch das mindeste gewesen wäre. Staatsanwalt Matthias Lange schätzte ein, daß die hier viel zu locker nahmen, was sich in den großen Ferien abgespielt hatte.

Er saß neben seiner Frau Verena in einer hellen, hohen Aula mit architektonischen Akzenten von, wie er fand, souveräner Schlichtheit. Es gab eine Bühne mit einem schweren Vorhang aus Samt, der schon etwas zerschlissen war und ein dezentes Vertikalmuster hatte: Die tief weinrote Färbung war ausgeblichen, wo die Falten der schräg einfallenden Sonne ausgesetzt waren.

Der Blick von Matthias Lange ging zur Decke, und er erinnerte sich an die gelegentliche Bemerkung von Verena, daß komischerweise immer hohe Decken angeschaut werden, obwohl gerade die für das Auge am schwersten zu erreichen sind. Doch Matthias Lange schaute hoch, um seine These, daß Räume wie dieser immer einen Wasserfleck haben, einer Prüfung zu unterziehen. Und tatsächlich – in der vorderen rechten Ecke prangte ein Prachtexemplar von Wasserfleck. Den Rändern nach war er mindestens viermal aufgefrischt. Ein kapitaler Dachschaden. Keine Schule ohne Dachschaden.

Der Schulchor sang die üblichen Lieder, dann erhob sich direkt vor Matthias Lange eine Frau aus einer Wolke schweren Parfums – die Direktorin. Sie trat ans Rednerpult und heizte in kindgerechter Rhetorik die Vorfreude auf die Schule weiter an, benutzte aber auch Worte wie *stillsitzen*, *nicht rumschreien*, *zuhören* – und daß man all das zusammen *Disziplin* nennt.

Schließlich wurden die ABC-Schützen von ihrer Klassenlehrerin aufgerufen. Wer seinen Namen hörte, mußte auf die Bühne. Dort stand ein Eimer mit roten Nelken, und jeder Schulanfänger wurde von einem Kind der zweiten Klasse mit einer Nelke begrüßt.

Familie Lange war spät gekommen. Der Saal war voll, und wie immer waren nur noch vordere Plätze frei. Zweite Reihe. So konnte Staatsanwalt Matthias Lange den entscheidenden Moment beobachten. Es war nur ein winziger Zwischenfall, eine kleine Irritation in der reibungslosen und langweiligen Veranstaltung: Die Lehrerin rief einen Namen auf – und kein Kind erhob sich. Sie rief den Namen etwas lauter und deutlicher. Das Ergebnis blieb dasselbe. Die Lehrerin schaute irritiert nach unten, ihre Augen suchten die Direktorin. Die gab diskret die Weisung »Weiter!«. Ein Wort in der Stille. Jeder im Saal konnte es hören. Ja, dachte Matthias Lange, diese alten Säle mit ihrer ausgereiften Akustik haben auch ihre Tücken.

Die Lehrerin las den nächsten Namen vor, und das nächste Kind stand auf.

Matthias Lange wollte einen vergnügten, verschwörerischen Blick mit seiner Frau wechseln. Aber die schaute ihn nicht an. Sie war mit ihren Gedanken woanders.

Verena Lange hatte in ihrem Museum am Vortag die merkwürdigste Führung, die sie je erlebt hatte: mit einer Blinden. Eine Blinde in der Nationalgalerie. Keine Sehschwache, sondern eine Blinde. Die Blinde zahlte mit Schwerbeschädigten-Ermäßigung nur halben Eintritt und schloß sich einfach einer Gruppe skandinavischer Parlamentarier an, deren Führung die Kustodin Verena Lange auf ausdrücklichen Wunsch des Außenministeriums selbst übernommen hatte. Die Blinde ließ sich mit der Gruppe vor die Bilder Adolph Menzels, Caspar David Friedrichs und Max Liebermanns führen und hörte zu. Und dann diskutierte sie herum, zweifelte, verbesserte, belehrte. Es war absurd.

Als sich erneut nach einem Aufruf kein Kind erhob, mußte die leise Stimme nicht mehr eingreifen. Die Lehrerin wiederholte den Namen nicht mal, sie rief den nächsten auf.

Versteckte Kamera! schoß es Verena Lange in den Kopf, als sie sah, wie ein Vater den Weg seiner Tochter auf die Bühne filmte. Im Westen gibt es doch die Sendung mit der versteckten Kamera! Wahrscheinlich plant unser Fernsehen auch so was. Die von ELF99, heißt es, machen ja so ganz frische Sachen. *Die* waren das gestern. Eine Blinde, die vor Gemälden steht und mitreden will. Natürlich! Eine Parodie auf den Kunstbetrieb und diese Heinis, die schlau daherreden. Hatte sie etwas gesagt oder getan, womit sie sich im Fernsehen lächerlich macht? Vielleicht hatte sie verdutzt geguckt, bestimmt sogar. Na und, dachte Verena. Wenigstens war ich vorher beim Friseur.

Vier Nelken blieben im Eimer. Achtzig Schüler sollten eingeschult werden. Matthias Lange war ein guter Kopfrechner. Vier von achtzig macht fünf Prozent. Die Eltern waren im Durchschnitt jünger als Matthias Lange, er war mit siebenunddreißig Jahren schon ein Veteran. Wenn fünf Prozent der unter Fünfunddreißigjährigen weggehen, dann ist der schöne Geburtenüberschuß dahin. Es gehen ja fast nur die Jungen. Also Zukunft ade. Gute Nacht, Leute, das wars.

Bemerkenswert jedoch fand Matthias Lange, was diese leise Order *Weiter!* bewirkte: Man konnte die Augen verschließen. Und dann ging es auch weiter.

Die Kinder sollten sich vor der Bühne anstellen, um in ihr neues Klassenzimmer zu gehen. Aber am Bühnenrand, höher als ihre Köpfe, stand der Eimer mit den vier Nelken.

Dieses Bild konnte Matthias Lange nicht ertragen. Er griff nach den Nelken und verteilte sie. Nicht willkürlich, sondern »für gute Disziplin«. Sein Gefühl, ein nützliches Werk getan zu haben, schien die Direktorin zu teilen. Sie ließ ihren Gesprächspartner kurzerhand stehen und kam zu Matthias Lange. Mit einem kräftigen Händedruck und einer typischen Lehrerinnenstimme, durchdringend und viel zu laut, stellte sie sich vor. »Schubert, freut mich, ich bin die Direktorin.«

»Ich weiß«, sagte Matthias Lange. »Lange, ich bin der Vater von der Katja.«

Die Direktorin und der Staatsanwalt sahen auf den leeren Blecheimer am Bühnenrand, und Matthias Lange sagte verlegen: »Nun ja.«

Nun ja, wollte er sagen, *wir haben getan, was wir konnten.*

8

Lenas großer Bruder war in Paulchens gelbem Trabant nach Karl-Marx-Stadt zurückgekehrt. Der Tag seiner Rückkehr leitete in barmherzigen Gesten den Spätsommer ein. Die Hitze zeigte erste Anzeichen von Erschöpfung, der Eifer der Sonne ließ nach; sie trat fast zwei Stunden früher ab als an ihren besten Tagen. Strahlend weiße Wolken standen hoch am Himmel, als wären sie in Bereitschaft, den letzten Potenzprotzereien der Sonne Einhalt zu gebieten.

Er hatte sich mit Lena im Eiscafé am Roten Turm verabredet. »Aber draußen!« sagte sie. »Ich habe eine Überraschung.«

Kurz nach drei saß er dort; sie wollte gleich nach ihrer Schicht kommen.

Dann sah er sie.

Sie kam die *Straße der Nationen* heruntergefahren, auf Rollschuhen. Sie schwebte heran wie ein großes flatterndes Sommerglück. Er hatte noch nie etwas so Schönes gesehen. Das volle, wellige Haar und ihre Brüste, jung wie der Mai, wippten im Rhythmus der Bewegungen. Auf Rollschuhen wirkte Lena noch größer, als sie ohnehin war. Ihre fließenden, harmonischen Bewegungen, ihre aufrechte Positur verliehen ihr königinnenhafte Präsenz. Sie trug ein Sommerkleidchen, orange mit großen weißen Blütenmotiven. Die Rollschuhe nötigten zu einer Haltung, in der die Vorzüge ihrer Figur zur Geltung kamen: Ihre langen Beine wurden durch die leicht eingeknickten Knie betont, während der durchgestreckte Rücken Lenas Rundungen um so deutlicher ausbildete.

Sie kam vor dem Eiscafé zum Stehen und schaute sich um. Lena zog die Blicke der Passanten auf sich, und er war der Glückliche, der mit dieser Frau verabredet war.

Sie war etwas außer Atem, ihr Gesicht hatte eine frische Farbe, und ihre Augen leuchteten. »Hast du schon gehört?« sagte sie zur Begrüßung. »Es gibt eine neue Theorie. Die Chaostheorie.« Sie rückte einen Stuhl zurecht, darauf bedacht, das Gleichgewicht nicht zu verlieren. Als sie saß, sagte sie: »Alles ist Chaos!« Sie warf die Hände in die Luft, um zu zeigen, was sie mit *alles* meinte. Sie war noch immer außer Atem und mußte ein paarmal tief Luft holen, ehe sie weiterreden konnte. »Die Chaostheorie sagt, daß der Flügelschlag eines Schmetterlings in Thailand etwas in Gang setzen kann, was zu einem Hurrikan in den USA führt.«

»Und warum freust du dich so darüber? Es ist ja schön, daß du dich freust, aber wieso freust du dich, wenn Schmetterlinge Hurrikane auslösen?«

»Ich freu mich, daß du wieder da bist.«

»So?«

»Ja. Ich hab gedacht, daß du auch … Als du nicht aus dem Zug ausgestiegen bist, da dachte ich: Das wars. Der nächste weg.«

»Dann freust du dich also nicht darüber, daß Hurrikane auch von

Schmetterlingen gemacht werden können«, sagte Lenas großer Bruder, dem die bekenntnishafte Wendung des Gesprächs ein hilfloses Gefühl bereitete.

»Doch«, sagte sie. »Darüber freu ich mich auch. Weil das nämlich bedeutet, daß der ganze Zauber hier auch mal zu Ende gehen kann.«

Lenas großer Bruder war sprachlos.

»Seitdem ich das weiß, bin ich froh«, sagte sie.

»Ich kann mir zwar nicht vorstellen, wie es weitergeht«, sagte er, verwirrt davon, wie leicht das Unmögliche zu formulieren war, »aber ich kann mir auch nicht vorstellen, daß es zu Ende geht.«

»Doch!« sagte Lena. »Mit der Chaostheorie ist das aber ganz einfach.«

Sie nahm einen Eisbecher, den die Kellnerin noch nicht abgeräumt hatte und stellte ihn vor sich auf. »Hinter dir sitzt einer, der ein Buch liest«, sagte Lena leise.

Lenas großer Bruder drehte sich um und sah: Jemand las ein Buch.

»Wie heißt noch mal dieses Wasser, das sich bildet, wenn irgendwas mit warm und kalt einen Gegensatz bildet?« fragte sie.

»Kondenswasser?«

»Genau, *Kondens*wasser. – Dieser Eisbecher hier«, sagte Lena und zeigte auf den Eisbecher vor ihr, »ist voller Kondenswasser. Und wenn die Kellnerin endlich kommt und das Ding wegräumt, macht sie das mit soviel Schwung, daß ein Tropfen wegfliegt. Der landet deinem Hintermann im Nacken. Der merkt das – und schaut zum Himmel, weil er glaubt, daß es zu regnen anfängt. Er guckt hoch und – ah, blauer Himmel. Bevor er aber weiterliest, wirft er noch einen Blick in die Runde – und sieht auf der anderen Straßenseite seine Jugendliebe.«

»Seine Jugendliebe?«

»Genau, seine Jugendliebe, die er schon ewig nicht mehr gesehen hat. Er winkt, und sie setzt sich zu ihm. Sie fragt ihn: Sag mal, bist du immer noch in der Partei? Es ist ihm unglaublich peinlich, er ist noch in der Partei – aber er erzählt ihr, daß er rausgeschmissen wurde. Sie findet nun, man kann sich vielleicht mal treffen. Das heißt, er muß was unternehmen. Er fängt an, absichtlich Mist zu bauen, damit er aus der Partei rausgeschmissen wird – denn wenn rauskommt, daß er noch in der Partei ist, steht er total blamiert da. Die sicherste Methode, um rausgeschmissen zu werden, ist: Einfach laut sagen, was einen anstinkt und schon immer angestunken hat. Das macht er. Und plötzlich fangen auch andere an, weil sie das toll finden, wie der sich Luft macht. Und mit einemmal grassiert das – alle sagen, wie sehr sie die Schnauze voll haben. Damit ist das Land praktisch unregierbar. Und womit fing es an? Mit einem Tröpfchen Kondenswasser.«

Lenas großer Bruder kommentierte das alles mit einem Blick: Er drehte die Augen himmelwärts.

»Doch!« sagte Lena. »Es kann so kommen!«

Die Kellnerin begann den Tisch abzuräumen. Lena verfolgte gebannt ihre Bewegungen. Die Kellnerin nahm den leeren Eisbecher vom Tisch, ohne einen Tropfen Kondenswasser zu verspritzen. Lena schaute ihren Bruder enttäuscht an. »Wieder nichts mit dem Umsturz.«

Die Kellnerin kam erneut und nahm die Bestellung auf. Als sie ging, sagte Lena nachdenklich: »Überall hocken Zufälle. Das, was wir für den Zustand der Welt halten, ist wahrscheinlich etwas sehr Empfindliches, etwas Flüchtiges. Es beginnt immer mit einem Wassertröpfchen. Oder mit dem Flügelschlag eines Schmetterlings. Das ist mein Empfinden. Mein Empfinden von der Welt.«

Ihr Blick wanderte in die Ferne – aber plötzlich stand sie auf, wie von einem Seil hochgezogen.

»Sag mal, ist Paulchen wieder da?«

Sie hatte vergessen, daß sie Rollschuhe an den Füßen hatte und fiel unsanft auf den schmiedeeisernen Stuhl zurück. »Das ist sein Auto!« sagte sie und zeigte in die Richtung.

»Das ist *meine* Überraschung«, sagte Lenas Bruder. »Hat er mir überlassen.«

»Du hast ihn getroffen? Was hat er gesagt?« fragte sie.

»Er hat gesagt, daß man einen Neunundzwanzigjährigen nicht Paulchen nennt. Es sei denn, man will seine neunundzwanzig Jahre nicht wahrhaben und aus ihm einen Sechsjährigen machen.«

Lena schnaubte und schaute weg. Eine Zornesfalte prangte auf ihrer Stirn.

Er gab ihr die Fotos von Paulchen im Samariter-Lager. Die Kellnerin servierte, und Lena betrachtete die Fotos. Das war nicht ihr Paulchen. Der war ein Hübscher, hatte braune, warme Augen und eine zarte Haut, die bei den ersten Sonnenstrahlen eine gleichmäßige Bräune annahm. Ein sanfter Mensch mit schönen Händen. Lena hatte ihm oft gesagt, wie schön es sei, ihm beim Schlafen zuzuschauen. Ein Anblick des Friedens und der Harmonie. Es hatte Lena glücklich gemacht, wenn sie ihm im Schlaf behutsam eine Locke aus der Stirn strich.

Der Paul auf den Fotos war unrasiert, er guckte nicht sanft, sondern zornig und manisch. »Wenn einer wütend sein darf, dann bin ich das«, sagte Lena. »Der ist einfach weg, ohne was zu sagen, von heute auf morgen. Und ich? Ich steh da, wie irgend so ein Scheißding, das man einfach so sitzenläßt.« Sie begann zu weinen und steckte ihren Löffel wütend in das Eis. »Ich heule nicht, nicht wegen dem!« sagte sie. »So eine wie mich, die läßt man doch nicht einfach sitzen, ohne ein Wort! Wir haben uns so gut verstanden. Was soll ich denn jetzt davon halten?«

Lena heulte tatsächlich nicht *wegen dem.* Auch nicht aus verletztem Stolz. Das mit den Männern war ihr alles nicht geheuer.

»Weißt du, was mir Paulchen erzählt hat? – Daß ihr eigentlich nie etwas miteinander hattet.« *Sie hat mich nie rangelassen* – so hatte sich Paulchen ausgedrückt, aber es klang Lenas großem Bruder zu grob.

»Na und?« sagte Lena trotzig. »Muß man denn immer gleich in die Kiste?«

»Immer … gleich …«, sagte ihr großer Bruder und wog ihre Worte. »Du warst mit ihm wie lange zusammen?«

»Das weißt du doch«, sagte sie. Es waren anderthalb Jahre.

»Und irgendwann wolltest du ihn für sein Warten belohnen. Die Königin öffnet ihre Schatzkammern, und der edle Ritter darf sich etwas aussuchen.«

»Ja«, sagte Lena und lächelte. Ihr Blick ging in die Ferne, als stellte sie sich den Moment vor, an dem das geschähe.

Lena war nicht glücklich. Gewisse körperliche Annäherungen jagten ihr Angst ein. Dazu kam eine Angst, vor dem Leben zu versagen. Sie war eine erwachsene Frau und war es doch nicht. Sie fühlte weder Neugier noch Lust.

Lena arbeitete mit menschlichen Körpern – aber sie war unempfänglich für die Wucht des Körperlichen. Sie registrierte, daß sie oft die letzte gewesen ist: Die letzte in ihrer Klasse, deren Brüste wuchsen, die letzte, die ihre Menstruation hatte ... Während sich ihre Mitschülerinnen darüber unterhielten, wie es ist, sich von einem festen Freund zu trennen, hatte Lena noch nicht mal einen – obwohl immer sie diejenige war, »die sich des größten Ansturms erfreute«, wie ihr Klassenlehrer lakonisch bemerkte. Auf einer Klassenfahrt im zweiten Studienjahr unterhielten sich die Physiotherapie-Studentinnen vor dem Einschlafen über ihre Orgasmuserfahrungen: Findet ihr auch die eigenhändigen am schönsten, macht ihr es schon lange selbst, wie oft, womit, woran denkt ihr ... Je mehr das Thema vertieft wurde, desto mehr heizte sich die Stimmung auf – bis die Erfahrungsberichte in einen praktischen Teil übergingen. Eine machte es klassisch mit der Hand, eine unter Verwendung eines Lineals, eine dritte ritt auf der Tischkante, preßte sich dagegen. Lena stellte sich schlafend, doch sie schaute heimlich zu. Es war fremd, es war abstoßend – zugleich aber faszinierend. Dieses Hineintaumeln in eine Wonne, so mächtig, daß sich die Welt abschaltete. Als Lena wieder zu Hause war, versuchte sie es auch. Doch es war langweilig. Weit und breit kein Anflug von Ekstase, von Überschwemmungen der Lust. Trotz zwanzig Minuten ernsthaftester Bemühungen. Doch wenn alle *davon* redeten, wenn sich alles *darum* drehte – und Lena dafür unempfänglich war –, dann, fürchtete sie, würde sie etwas Wichtiges verpassen. Es keimte die Ahnung, daß mit ihr etwas nicht stimmt.

Davon sprach Lena, während ihr Vanille-Schoko-Eis schmolz. Und je länger sie redete, desto mehr erkannte Lenas großer Bruder sein eigenes Unglück in ihrem wieder. Er hatte den Verdacht, daß er an ihrer Unfähigkeit, sich hinzugeben, auf subtile Weise beteiligt war. Sie hatten eben noch über die Chaostheorie gesprochen, die sich mit vagabundierenden Wechselwirkungen beschäftigt. Mit großen Folgen, deren Ursachen mal winzig und entlegen waren.

Lenas großer Bruder hatte ein Geheimnis. Wenn sein Leben ein Apfel war, dann gab es eine faule Stelle – von der niemand wußte. Und das wäre der Moment, davon zu erzählen. Doch er sagte stattdessen: »Und jetzt fährst du Rollschuh, um besser ausreißen zu können?«

»Quatsch«, sagte sie und lachte. »Das ist wegen der Chaostheorie. Einfach ein bißchen Unruhe reinbringen. Das Normale stören, verstehst du?«

»Nicht so richtig, fürchte ich.«

»Vielleicht wird was draus. Ich mache einfach etwas, was normalerweise keiner macht. Und wenn noch mehr machen, was normalerweise keiner macht, wenn alle etwas machen, was neu ist, dann bleibt vielleicht bald nichts mehr beim alten.«

Sie verabschiedeten sich, und sie entschwebte. Er schaute ihr hinterher. Es ist die anmutigste Art, hilflos zu sein, dachte er.

Sie und nicht er, so zeigte sich bald, hatte das Wesen jener Tage erfaßt. Es brach eine Zeit an, in der tatsächlich vieles anders wurde, weil viele etwas machten, das sie bis dahin nicht gemacht hatten. Eine Mutter schreibt an den Innenminister. Eine Schriftstellerin tritt aus der Partei aus. Ein Direktor läßt sich scheiden. Ein immer folgsamer Sportstar gibt andere Interviews. Ein Professor macht Yoga. Eine Tierärztin wird Vegetarierin. Ein Journalistikstudent bestellt die Zeitung ab. Ein Hausmeister hört auf zu rauchen. Eine Klavierlehrerin besucht einen Selbstverteidigungskurs. Eine Masseuse fährt auf Rollschuhen durch die Stadt. Alle machten etwas, das schon lange fällig war. Das Netz aus alten Gewohnheiten und Abhängigkeiten, aus Untätigkeit, Gleichgültigkeit und Ohnmacht war löchrig. Bald würde es ganz reißen.

9

Carola hatte ihren Eltern einen langen Brief geschrieben. Sie schilderte die Gründe ihres klammheimlichen Verschwindens, hoffte, daß ihre Eltern eines Tages verzeihen würden, beschrieb ihre ersten Wochen im Westen und bat um eine Abschrift ihres Abiturzeugnisses, da sie Psychologie, Ethnologie und Publizistik studieren wolle. Frau Schreiter wußte nicht, was Ethnologie ist, befragte das Lexikon und konnte einen stillen Stolz nicht unterdrücken: Ihre Tochter will etwas studieren, von dem die Mutter nie gehört hatte. Es ist doch schön, so eigenständige Kinder zu haben – es ist doch für eine Mutter das Schönste überhaupt, versuchte sich Frau Schreiter einzureden, als sie die Abschrift von Carolas Abiturzeugnis in einen Umschlag tat. Trotzdem mußte sie weinen.

Dr.-Ing. Helfried Schreiter stand den Studienwünschen seiner Tochter einigermaßen verständnislos gegenüber. Psychologie, Ethnologie und Publizistik – was will sie damit anfangen? Die Zeitungsschreiber auf den Fidschi-Inseln psychologisch durchleuchten? Zeitungsartikel über die Psychologen auf den Fidschis schreiben? Seine Tochter war ihm fremd geworden. Alles war ihm fremd geworden. In Leipzig demonstrierten jeden Montag die Menschen, jeden Montag wurden es mehr. Die Polizei bekam es nicht in den Griff. Die Schreiters verfolgten diese Demonstrationen genau, denn ihr Sohn Marco, Carolas Zwillingsbruder, machte seinen Wehrdienst bei der Bereitschaftspolizei. Er hatte es sich nicht ausgesucht.

Es war Dr.-Ing. Helfried Schreiter ein Rätsel, wie Demonstranten etwas durchsetzen wollen. Sollen sie doch gehen und krakeelen, es bleibt ja doch alles beim alten.

Nein, es blieb nicht alles beim alten. Selbst er, Dr.-Ing. Helfried Schreiter war nicht mehr der, der er mal war. Mehrere Male schon war er von seiner Frau gemahnt worden, endlich die Sitzpolster des Citroëns zu reinigen, sich um den häßlichen Schmutzrand zu kümmern, den die trübe, schlammige Brühe des Balaton hinterlassen hatte. Früher hätte es die Ermahnung gar nicht gebraucht. Früher hätte er sich niemals mit nassen Hosen in sein Auto gesetzt. Doch jetzt war es anders. Helfried Schreiter ließ die Polster, wie sie waren, ohne seiner Frau erklären zu können, daß ihn diese Schmutzränder an einen intensiven, auf unverständliche Weise sogar schönen Moment seines Vaterseins erinnern. Wenn er in seinen Citroën GSA einstieg, dachte er nicht mehr an jenen Anruf von Valentin Eich, *Sag mal, Chef vom Sachsenring* ... Nein, der Anblick der schmutzigen Ränder versetzte ihn mitten in den Balaton, als er nach Carola gebrüllt hatte, mit all seiner Kraft, all seinen Sinnen. Die schmutzigen Ränder erinnerten ihn daran, daß er vor kurzem noch – zu seinem eigenen Erstaunen – gelebt hatte. Er wußte nicht, wie er seiner Frau dies seltsame Empfinden anvertrauen sollte, ohne sie zu erschrekken. Er hatte noch nie so gedacht.

Eines Tages, nach der Arbeit, empfing ihn seine Frau ganz aufgeregt. Sie hatte Bereitschaftspolizei gesehen, im Fernsehen. Schon seit Wochen wurde sie ganz starr, wenn das Westfernsehen von den Demonstrationen aus Leipzig berichtete, das war Helfried Schreiter längst aufgefallen. Und nun hatte Frau Schreiter eine Kette von Polizisten gesehen, »wie die Nazis standen sie da, in ihren Schaftstiefeln und mit den Wülsten in den Hosen. Jawohl, wie Nazis, wie die SA, mir ist richtig schlecht geworden von dem Anblick.« Helfried Schreiter wollte davon nichts wissen. Er hielt es für ein Unding, daß in Karl-Marx-Stadt demonstriert wird. »Und wenn die ihn nach Leipzig abkommandieren? Wenn die ihm befehlen, auf die Leute loszugehen?« sagte Frau Schreiter, ganz außer sich. »Die tun doch nichts, die Leute, die demonstrieren doch bloß! *Reisefreiheit statt Massenflucht* haben sie auf ein Laken geschrieben, was ist daran unvernünftig? Die machen unseren Sohn zu einem Verbrecher, wie die Militärjunta in Chile! Kannst du dir vorstellen, daß er eines Tages zur Tür reinkommt und sagt, daß er Leute erschossen hat, wie in China, auf dem Platz des Himmlischen Friedens? Und die Anständigen, die gut erzogen sind und so was nicht machen, auf das eigene Volk schießen, die kommen gleich vors Kriegsgericht. Helfried, ich sag dir, wenn das nicht bald aufhört ...« Dr.-Ing. Helfried Schreiter glaubte erstens nicht, daß sein Sohn für solche Einsätze ausgesucht wird. Der war doch viel zu weich für so was. Zweitens glaubte Dr.-Ing. Helfried Schreiter nicht, daß die Volkspolizei auf das Volk losgehen muß. Und wenn, dann würde es – drittens – kein Massaker geben. Es wird ein paar Schüsse in die Luft geben, sagte er, und alle werden auseinanderrennen. Und – viertens – werde nicht Marco in die Luft schießen, sondern ein Offizier.

Die Nüchternheit ihres Gatten, sein fehlendes Empfinden für die Dramatik der Lage, ließ Frau Schreiters Verzweiflung nur noch stärker werden. »Aber kannst du dir nicht vorstellen, was er jetzt durchmacht in der Kaserne? Die ganze Scharfmacherei, die werden denen ja sonstwas erzählen. In der Zeitung steht was von Mob und Pöbel, was weiß ich! Die haben doch gar keine Möglichkeit, sich zu informieren. Besuchen dürfen wir ihn nicht mehr. Wir wissen gar nicht, wie es ihm geht, und er weiß nicht, was wir uns für Sorgen machen. *Er ist neunzehn!*«

»Mit neunzehn ist man kein Kind mehr«, sagte Dr.-Ing. Helfried Schreiter.

»Aber er ist immer mein Kind!« entgegnete Frau Schreiter. Und dann sagte sie in einem neuen, ruhigen Ton, als mache sie einen vernünftigen, ernstgemeinten Vorschlag: »Eigentlich müßten wir hinfahren und ihn dort rausholen. Hinfahren, ihn rausholen und verstecken – bis alles vorbei ist!«

»Was meinst du mit *bis alles vorbei ist*?« fragte Dr.-Ing. Helfried Schreiter verblüfft. Wie soll etwas vorbei sein, was nie vorbei sein wird?

»Ich weiß nicht«, sagte Frau Schreiter ratlos. Es gab so vieles in ihren Gedanken, von dem er nichts wußte.

Für Frau Schreiter waren die bürgerlichen Freiheiten ein entbehrlicher Luxus. Daß eine Regierung gewählt werden müsse, fand sie nicht unbedingt. Daß ein junger Mensch der Gesellschaft Opfer bringen muß, schien ihr vernünftig. Für das Streben nach Glück war ein ausreichender Rahmen gesetzt, fand sie lange. Jetzt fand sie es nicht mehr. Sie machte sich Sorgen. Sie verlor Gewicht. Sie hatte Alpträume.

An einem Samstagnachmittag setzte sie sich an ihren Schreibtisch, spannte einen Bogen weißes Papier in ihre Schreibmaschine und begann einen Brief an den Innenminister. Sie hatte Schwierigkeiten bei der Anrede. »Sehr geehrter Genosse Innenminister!« erschien ihr devot, »Werter Herr Innenminister!« zu dreist. Sie war ja auch Genossin, glaubte aber nicht, daß in der jetzigen Situation geduldiges Zureden angebracht wäre. Der Riß zwischen ihrem Dasein als zuverlässige Genossin und als gute, sorgende Mutter durfte nicht schöngeredet werden. Daß sie in derselben Partei war wie der Innenminister, verlieh ihrem Anliegen Integrität – vielleicht durfte sie Sätze schreiben, die bei einem Nicht-Genossen als Beleg für seine antisozialistische Verblendung gegolten hätten. Deshalb begann Frau Schreiter mit einer seriösen Ansprache, setzte aber gleich dahinter ein Komma, um zu signalisieren, daß in diesem Brief nicht der Weihrauch wallen werde, sondern daß sie direkt zu ihrem Anliegen vorzustoßen gedenke.

»Sehr geehrter Genosse Innenminister,

mein Sohn leistet seinen Wehrdienst bei der Bereitschaftspolizei in Karl-Marx-Stadt.« Das war klar und nüchtern, und die Verweigerung des Euphemismus *Ehrendienst* ließ auf eine bestenfalls dringliche, wenn nicht frostige Haltung der Briefeschreiberin schließen.

Gut auch, daß sie gleich zu Beginn klarmachte, daß sie mit der Legitimität einer Mutter an die höchsten Instanzen heranging. Aber wie weiter? »In jüngster Zeit zeigt das Fernsehen« – daß es das Westfernsehen war, wollte sie nicht extra betonen, aber es war eh klar –, »wie die Bereitschaftspolizei gegen illegale, doch friedliche Demonstrationen gewalttätig vorgeht.« Auch dieser Satz konstatierte nur nüchtern – da ließ sich schwer widersprechen. Für den nächsten Satz fehlte ihr ein entscheidendes Wort. Sie wollte nicht schreiben: »Dies bereitet mir Sorgen, als Genossin und als Mutter.« Sorgen waren ihr zu matt – sie suchte ja keinen Trost. »Dies empört mich, als Genossin und als Mutter« wirkte ihr zu ausgestellt, erst recht in einem maschinegeschriebenen Brief. »Dies bereitet mir Kummer« ließ sie so gebrochen scheinen, als erflehe sie Mitleid. »Dies macht mich krank« traf den Nagel auf den Kopf, doch leider war das eine Floskel, unter der kaum noch die wahre Dramatik hindurchschien. »Dies kann ich nicht länger hinnehmen« schrieb sie schließlich, »als Genossin und als Mutter«, wohl wissend, daß sie gar keine Möglichkeiten hatte, den nicht hinnehmbaren Zustand zu beenden. »Ich will nicht, daß mein Sohn auf Menschen schießen muß, weil die Regierung mit diesen Menschen nicht reden kann oder will. Ich will nicht, daß mein Sohn bestraft wird, weil er sich weigert, auf Menschen zu schießen, mit denen die Regierung reden sollte. In der gegenwärtigen aufgeheizten Situation drohen dramatische Zuspitzungen. Ich erwarte von Ihnen, sehr geehrter Genosse Minister, daß mein Sohn von seinen Vorgesetzten, die Ihre Untergebenen sind, keine Befehle erhält, durch deren Ausführung sein Gewissen und sein Ansehen Schaden nehmen.«

Das reichte. Ein kurzer, klarer, sogar ein couragierter Brief. Fehlte nur noch die Abschiedsformel. »Mit freundlichen Grüßen« – das ging gar nicht. »Mit sozialistischem Gruß«, sonst die übliche Formel bei Briefen an die Obrigkeit, war hier unpassend: Es war einfach Zirkus, sich jetzt noch sozialistisch zu grüßen. »Hochachtungsvoll!« wirkte spitz, fast warnend, aber nach diesem konzentrierten Brief war es irgendwie zickig. Deshalb verknappte Frau Schreiter den Abschluß auf »Zwickau, 19. September 1989 / Roswitha Schreiter«, ergänzt um ihre Unterschrift.

Sie brachte den Brief sogleich zum Briefkasten. Sie wußte nicht, was sie mit den beiden Durchschlägen anfangen sollte. Sie wußte nicht, wann sie ihrem Mann, dem Generaldirektor Dr.-Ing. Helfried Schreiter, von diesem Brief erzählen sollte. Sie wußte nicht, wie sie es ihm erzählen sollte. Frau Schreiter wußte nicht mal, wie sie diese ganze Situation beurteilen sollte. So versuchte sie, die Welt mit den Augen ihrer Kinder zu sehen.

Es ging den Schreiters immer gut. Sie hatten ein Haus und ein Waldgrundstück mit einem Steinbungalow, sie hatten ein schönes Auto, und sie fuhren zweimal im Jahr in den Urlaub. Was Frau Schreiter gefiel, konnte sie sich leisten. Sie hatte alles, ihr fehlte nichts. Aber als sie die Welt mit den Augen ihrer Kinder sah, fand sie, so kann es nicht mehr weitergehen.

10

Oberleutnant Lutz Neustein saß auf einer Holzbank und analysierte die Situation. Was die Zeitungen schreiben, ist eine Schande. Ohne das Westfernsehen würde doch kein Mensch verstehen, was im Lande los ist.

Die Holzbank stand auf der Ladefläche eines Mannschaftswagens der Bereitschaftspolizei. Lutz Neustein war jedoch Oberleutnant der Kriminalpolizei. Und der Mannschaftswagen wiederum stand auf dem Innenhof des Ministeriums für Staatssicherheit. So deutlich wurde ihm noch nie gezeigt, daß letzten Endes alles eine Soße ist: die Schutz- und Sicherheitsorgane.

Aber was die Zeitungen schrieben, war eine Schande, seit Wochen schon. Es ging damit los, daß die Ungarn eines Tages, eines vermaledeiten Tages, das ganze Samariter-Lager in den Westen ziehen ließen. Und was schreiben unsre? *Verraten und verkauft!* Mokieren sich darüber, daß sich die Ungarn nicht an bilaterale Verträge hielten. Welch kraftlose, pedantische, weltfremde Argumentation. Die ungarische Regierung hingegen hatte erklärt, daß sie auf ihrem Territorium nicht länger die Probleme zu lösen gedenke, die anderswo entstanden sind. Das war doch eine griffige Formel. Die gefiel Oberleutnant Lutz Neustein – aber das sagte er niemandem, denn sie stand nicht in der Zeitung. Zumindest in keiner, die er am Kiosk kaufen konnte.

Die Ohnmacht hatte die Seiten gewechselt – so nannte es Oberleutnant Lutz Neustein. Es gab ein Schlupfloch, durch das sich der Strom jener in den gescheckten Hosen ungehindert in den Westen ergießen konnte. Wer aber nach diesem vermaledeiten Tag ein Ungarn-Visum beantragte, bekam einen abschlägigen Bescheid. Die Zeitungen schrieben natürlich nichts darüber. Es brauchte einige Wochen, bis die neue Praxis offensichtlich wurde. Die Ohnmacht hatte wieder, diesmal klammheimlich, die Seiten gewechselt. Denn was nutzt ein Schlupfloch, wenn der Weg dorthin versperrt ist?

Doch alle, die nach jenem vermaledeiten Tag ihr Ungarn-Visum beantragten, waren schon voller Vorfreude auf den Westen. Nach Ungarn zu kommen, war nie ein Problem, und von Ungarn aus zu fliehen, seit neuestem auch nicht. Daß es nun doch ein Problem wurde, daß es *unmöglich* war, nach Ungarn zu kommen, wollten die in den gescheckten Jeans nicht hinnehmen. Das konnte Oberleutnant Lutz Neustein mühelos nachvollziehen. Welcher Hirni hatte bloß zugelassen, daß sich Zigtausende schon so gut wie drüben wähnen durften? Diese Hoffnung hätte gar nicht erst keimen dürfen. Denn wo das hinführt, das sehen wir ja jetzt. Deshalb saß er ja hier, auf einem Mannschaftswagen der Bereitschaftspolizei, im Innenhof des Ministeriums für Staatssicherheit, er, der Oberleutnant der Kriminalpolizei.

Der Weg vors Loch war versperrt. Der halbe Weg vors Loch jedoch war Prag. Da gab es eine westdeutsche Botschaft, und die wurde

Brennpunkt des Geschehens. Innerhalb weniger Tage lebten auf dem Gelände der Botschaft mehr Menschen als in der Stadt, in der Lutz Neustein geboren worden war – und das, obwohl die Botschaft kleiner war als die Schule, die Lutz Neustein besucht hatte. Aber die Tschechen kniffen die Arschbacken zusammen, machten nicht einfach ihre Grenzen auf, waren nicht so humanistisch verzärtelte Sensibelchen wie die Ungarn. Die standen das durch, obwohl da Bilder um die Welt gingen – Lutz Neustein hätte es nicht für möglich gehalten, wenn er es nicht selbst im Westfernsehen gesehen hätte.

Also unterm Strich: eine Menschenmasse, so groß wie eine Kleinstadt, auf einer Fläche, so groß wie ein Schulgelände. Anfang Oktober wird nächtens die Kälte empfindlich. Und scheißen müssen sie schließlich auch. Zurück? Um keinen Preis. Aber raus kommen sie nicht. Ein klassisches Patt.

Die Lösung war dann die Sache mit den Zügen. Darüber schrieben die Zeitungen, aber die Idee war so hirnrissig, daß sie nur von ganz oben kommen konnte. Von ganz, ganz oben. Vom größten der Idioten, aber diese grimmige Erkenntnis behielt Lutz Neustein lieber für sich.

Der Plan war, die Prager Botschaft leer zu machen. Die Flüchtlinge sollten mit Zügen der Deutschen Reichsbahn, mit *unseren* Zügen, in den Westen gefahren werden, allerdings – das war der Clou, die gräßliche Pointe – über *unser* Land. Jawohl, sie sollten über das Land geleitet werden, dem sie um jeden Preis entrinnen wollten. Die eine Hälfte von denen in den Zügen scheißt sich vor Angst in die Hosen – haben schließlich jahrelang erfahren dürfen, daß sie uns alles zutrauen müssen –, die andere Hälfte läßt noch mal richtig ihren Haß raus. Oberleutnant Lutz Neustein wollte nicht derjenige sein, der hinterher den Zug aufräumt. Einen Trümmerhaufen werden sie zurückschicken, als letzten Gruß ins sozialistische Heimatland.

Aber was sich in den Zügen abspielen wird, ist gar nichts im Vergleich zu dem, was sich *an* den Zügen abspielen wird: Da werden Tausende versuchen, aufzuspringen. Da wird die Kacke so richtig am Dampfen sein. Deshalb sitzt er hier, auf einem Mannschaftswagen der Bereitschaftspolizei im Innenhof des Ministeriums der Staatssicherheit, er, der Oberleutnant der Kriminalpolizei. Kriegt einen Schnellkurs in Straßenschlacht. Soll in zwei, drei Tagen geschult werden, wie auf einem Abschnitt der Berliner Innenstadt: *Maßnahmen zur Sicherung der öffentlichen Ruhe und Ordnung am Nationalfeiertag* – irgend so was, was sich kein Mensch merken kann. Das hat was von Volkssturm, vermutlich völlig praxisfern. Ja, wie auch: Wann hats bei uns schon mal Unruhen gegeben? Ist lange her.

11

Auch zwei Trickbeatles, der dünne Jakob und Paulchens Bruder Sebastian, saßen in den Zügen. Zur Hinterlassenschaft des dünnen Jakob gehörte eine Zweiraumwohnung mit Gasheizung, die er, samt Möbeln, Lena überließ. Lena zog aus dem Schwesternwohnheim in die Wohnung des dünnen Jakob. Für lange Zeit hörte sie nichts mehr von ihm.

Die beiden zurückgebliebenen Trickbeatles träumten sich nicht in den Westen, sondern nach Leipzig. *Montagsdemos*! sagten sie sehnsüchtig und gingen auf Distanz zum *Trickbeat*, der ohne Rebellion war. *Montagsdemos! So was müßte es auch hier geben!* Die Sache mit den Zügen bot endlich die Gelegenheit, zu der sie ihre Empörung auf die Straße tragen konnten. Auf die Bahnhofstraße.

Auch Lena kam. Für Rollschuhe war es zu ernst. Sie stand in der ersten Reihe und redete sich um Kopf und Kragen. Ihr großer Bruder knipste. Es war ein doppelter Akt von Tollkühnheit, ein geschwisterliches Kopfüber.

Lena redete und gestikulierte, mit feurigen, wütenden Augen, bebendem Kinn und einer doppelt prangenden Zornesfalte. Die Polizisten, mit mahlenden Unterkiefern, starrten an Lena vorbei. Ihre

Hände, so zeigten es später die Fotos, berührten fast die Gesichter der Uniformierten. Lena kochte, und was den Deckel hob, war der Irrsinn. »Wißt ihr eigentlich, wofür ihr euch hergebt? Wißt ihr das? Schämt ihr euch nicht?« Ihre Stimme war ein heiseres Wühlen, und sie sprach langsam, wie zum Mitschreiben, da sie vor Erregung heftig atmete. »Was denkt ihr eigentlich, wenn ihr morgen früh in den Spiegel schaut? Seid ihr stolz auf euch, oder was? Findet ihr euch toll? Weiß deine Mutter, daß du hier stehst? Deine Nachbarn? Hast du überhaupt ne Frau? Was sagt die denn dazu, daß du hier stehst? In den Westen dürfen wir nicht. In den Osten dürfen wir nicht. Nach Süden dürfen wir nicht mehr. Und seit heute dürfen wir auch nicht mehr zum Bahnhof. Und morgen? Morgen darf niemand mehr das Haus verlassen. Da steht ihr dann vor jeder Tür, oder was!«

Es war halsbrecherisch, jedes Wort war ein Verhaftungsgrund. Doch Lena hörte einfach nicht auf. Und niemand verhaftete sie. Niemand verhaftete Lenas großen Bruder. Vielleicht, weil es nur einen Befehl gab, den Befehl, niemand durchzulassen. Aber wer brandreden, schimpfen, hetzen, spotten, beleidigen, aufwiegeln, höhnen, in den Dreck oder durch den Kakao ziehen wollte, wurde ignoriert, wurde übersehen und überhört.

An einer anderen Stelle der Polizeikette hatten sich einige Dutzend Gescheckte versammelt. Sie trugen weiße Bänder an den Handgelenken oder in den Knopflöchern ihrer Brusttaschen. Sie riefen in den Nachthimmel: »Wir wollen raus! Wir wollen raus! Wir wollen raus!«

»Das könnte euch so passen«, redete Lena leidenschaftlich gegen die Wand aus Polizisten. »Wir bleiben hier, und IHR geht!«

»Genau!« rief jemand, der hinter Lena stand. »Wir bleiben hier!«

Eine Minute später rief auch der Haufen um Lena im Chor: »Wir bleiben hier! Wir bleiben hier! Wir bleiben hier!«

Und so kam es zu den ersten freien Wahlen.

Es sprach sich in der Stadt schnell herum, daß am Bahnhof was los war, und wer jetzt kam, der konnte frei wählen: Ging er zu denen, die »Wir wollen raus!« riefen, oder zu denen, die mit »Wir bleiben hier!« drohten. Die Wahl endete unentschieden: Die Hierbleiber waren zwar in der Überzahl, doch die Rauswoller waren lauter.

Die Fotos, die Lenas Bruder in jener Nacht knipste, sind später oft gedruckt worden. Es waren seltene Fotos. Polizisten mögen es nicht, fotografiert zu werden, schon gar nicht aus allernächster Nähe. Doch die Leica wurde ihm nicht aus der Hand geschlagen, und sein Film wurde auch nicht eingezogen. Lenas Bruder blieb unbehelligt, obwohl er genau zwischen den Fronten war. Vielleicht half ihm, daß er trotz der Nacht auf das Blitzlicht verzichtete, daß er sich statt dessen auf sein lichtstarkes Objektiv sowie die statuenhafte Starre seines rechten Armes verließ. Vielleicht half ihm, daß seine Leica so diskret und anheimelnd klickte, daß sie im allgemeinen Tumult überhört wurde. Vielleicht half ihm, daß er es unterließ, durch den Sucher zu schauen, wodurch er sein Tun verleugnete. So knipste er straflos die wütende Lena, die einem stur dreinblickenden Polizisten in einer Wand aus stur dreinblickenden Polizisten frontal gegenüberstand, Nasenspitze an Nasenspitze. Ein dünnes, gezacktes Licht dazwischen, das von einer Leuchtreklame weit im Hintergrund stammte, erscheint wie eine elektrostatische Entladung zwischen den Nasenspitzen. Dieser Moment ist so intensiv, daß das Bild nie ironisch wirkt. Kein Betrachter hat je die Echtheit des Funkens bezweifelt.

Wenige Augenblicke, nachdem sich Lena von dem Polizisten abgewendet hatte, nachdem sie an ihm verzweifelt war, machte Lenas Bruder ein weiteres Foto von ihr. Der Ruf »Wir bleiben hier!« hatte die Umstehenden ergriffen, und während die sich in eine Euphorie des Protestes steigerten, kam Lena zur Besinnung. Sie nahm ihren großen Bruder wahr, und daß der die ganze Zeit hatte knipsen können. Da war was faul. Der große Bruder mit der Leica. *Big Brother is watching you.* Sie konnte diesen häßlichen Gedanken nicht aufhalten. *Wer so dicht bei den Polizisten Fotos macht, ist bei der Stasi. Und das* – in dem Augenblick knipste er sie – *ist für meine Akte.*

Welch ein Verrat! stand in ihrem Gesicht.

Die Rauswoller versuchten, an die Gleise zu kommen. Polizisten rannten umher, in Hundertschaften, mit Helmen und großen Schilden. Wasser wurde geworfen gegen den erhitzten Protest, in scharfen Fontänen.

Lena ging mit den beiden Trickbeatles und ihrem großen Bruder in ihre neue Wohnung. Was bei anderen Bands *Bandquatsche* hieß, hieß bei *PlanQuadrat* immer *Lagebesprechung.* Die Lage war finster. Es existierte, »schon mal rein rechnerisch«, wie einer der zurückgebliebenen Trickbeatles sagte, nur noch eine halbe Band, in Wahrheit sogar noch weniger als eine halbe Band – ohne Paulchen war auch eine rechnerisch komplette Band »nicht spielfähig«. Und dann sagte Lena: »Ich hab keinen Bock, Trickbeat zu hören.«

»Genau«, sagten die zurückgebliebenen Trickbeatles wie aus einem Mund. Was sie bislang in erhabenen Worten als »musikalisches Schaffen« umschrieben hatten, war jetzt nur noch »Elektrogemurkse«.

»Ich will was hören, was diesem Laden hier den letzten Tritt versetzt«, sagte Lena.

»Trittbeat«, sagte Lenas großer Bruder.

»Haben wir nie gespielt«, sagte einer der zurückgebliebenen Trickbeatles traurig.

So beschlossen sie, die Band aufzulösen. Sie hörten voller Sentimentalität Bänder »aus der Frühzeit«, wie einer der zurückgebliebenen Trickbeatles sagte, »aus der Vor-Paulchen-Ära«. In der Wohnung des dünnen Jakob stand eine ganze Kiste davon. Es war wie eine Zeitreise, und als die Bänder durchgelaufen waren, verabschiedeten sich die zurückgebliebenen Trickbeatles.

»Warum machst du beim Fotografieren immer die Augen zu?« fragte Lena, kaum war die Tür ins Schloß gefallen.

»Du bist die erste, die mich das fragt.«

»Weich nicht aus«, sagte sie. »Ist doch komisch, daß du ausgerechnet immer dann die Augen zumachst, wenn du klickst. Als ob du … nicht mehr hinsehen kannst und statt dessen ein Foto machst, so stellvertretend, was weiß ich.«

»Vielleicht, weil das Wichtige immer dann passiert, wenn wir die Augen zuhaben.«

»Glaubst du das wirklich?« fragte sie.

»Nein«, sagte ihr großer Bruder.

»Weshalb dann?« fragte sie, und weil er nichts erwiderte, setzte sie fort, indem sie ihn genau beobachtete: »Du wirkst wie eine gespaltene Persönlichkeit. Als ob du gleichzeitig anwesend und abwesend sein willst. Als ob du nichts zu tun haben willst mit dem, was du machst.«

Das war deutlich. Er saß stumm da, schaute auf den Grund seiner Teeschale und spürte, wie unausweichlich es für ihn wurde, zu erzählen, was er noch nie erzählt hatte. Sie ließ ihm Zeit, die Worte zu finden, die er für die Geschichte brauchte, die sein halbes Leben belastete, eine Geschichte, die er selbst nicht verstand – am allerwenigsten die Rolle, die er dabei gespielt hatte.

»Als ich siebzehn war …«, begann er schließlich. »Ich war damals Lehrling, bei Foto-Pietsch, vier Tage in der Woche. Am Freitag war immer Theorie, hier in der Berufsschule. Ein paar von uns mußten mit der Bahn fahren. Einmal haben wir uns auf der Rückfahrt über Hypnose unterhalten. Ich weiß nicht, wie wir darauf gekommen sind. Wir hatten abstruse Vorstellungen, wie aus Gespenstergeschichten. Meine Freunde sind nach und nach ausgestiegen: Hohenstein-Ernstthal, Glauchau, Mosel. Als niemand mehr da war, lehnt sich einer rüber, der da die ganze Zeit gesessen hat, und sagt: ›Willst du mal hypnotisiert werden?‹ Als meine Freunde noch im Zug waren, hatte ich das Maul weit aufgerissen. Ich würde das gern mal erleben, als ne schräge Erfahrung, und so weiter. Er sagte, daß er mich hypnotisieren könnte, aber nicht hier, im Zug – ich müßte schon zu ihm kommen. Wir verabredeten uns für Samstag. Er wohnte in Glauchau, und das hatte mich stutzig gemacht: Wieso ist er dann in Glauchau nicht ausgestiegen? Kurz und gut – ich hab die

Verabredung sausen lassen. Aber drei Wochen später sitzt er wieder im Zug und sagt, daß er auch zu mir kommen kann. Er hatte eine unangenehme Art zu sprechen, er hat die Wörter immer so gepreßt und mich dabei immer so angestarrt durch seine Brille, die sehr starke Gläser hatte. Er war vielleicht dreißig. Aber daß er zu mir kommen wollte, hat mich irgendwie beruhigt. Der Typ war mir unsympathisch, aber es ist ja ein Heimspiel. In meiner Wohnung bin ich Chef. Dachte ich.«

Lena hörte mit offenem Mund zu.

»Er kam am nächsten Tag. Meine Eltern waren nicht da. Er machte gar nicht viele Worte; er hatte meine Antipathie schon gespürt. Seine ganze Persönlichkeit – seine Aufdringlichkeit, seine Stimme, sein Blick – war wie eine Kralle. Ich sollte mich in den Sessel setzen, und dann hypnotisierte er mich. Als ich wieder aufwachte, war er weg. Ich wußte nicht, was er mit mir gemacht hatte, aber mir wurde es unheimlich. Etwas roch merkwürdig. Ich mußte ziemlich geschwitzt haben. Meine Sachen waren halb rausgezogen, der Hosenstall offen. Er hatte etwas mit mir angestellt oder mich was anstellen lassen. Ich hatte keine Ahnung, was. Da saß ich nun mit meinem Körper, der ein Spielzeug für irgendwelche perversen Spiele war. Ich habe mich ... nein, nicht nur geschämt – ich wollte nicht mehr ich sein. Ich wollte mich loswerden, ich wollte mich neu haben. Es war völlig ausgeschlossen, daß ich zu ihm gehe und ihn frage, was er mit mir gemacht hat. Ich wollte ihn um keinen Preis wiedersehen. Und meine Eltern? – Wie kannst du nur einen Fremden in unsere Wohnung lassen!« Den letzten Satz sagte Lenas großer Bruder mit verstellter Stimme, elterliche Vorwürfe imitierend.

»Dann habe ich gelesen, daß du unter Hypnose nichts machst, was du nicht ohnehin willst – und das hat mich völlig verwirrt. Heißt es, daß ich mit Männern will? Ich fand das nicht. Ich fühlte mich zu Frauen hingezogen – aber warum habe ich mich dann von dem mißbrauchen lassen? Und was noch schlimmer war: Ich habe Sex als etwas Peinliches, Schmutziges, Ekelerregendes und Fremdes erlebt. Ich habe es als etwas *Perverses* erlebt. Und diese Einstellung bin ich im Grunde meines Herzens nie losgeworden.«

Sie schwiegen eine Weile. Lenas Bruder wußte, daß Lena gerade die letzten Sätze verstehen würde, denn es war nicht ausgeschlossen, daß er ihr subtile Lektionen erteilte, durchaus ungewollt. Er liebte sie, und die Eifersucht nagte an ihm, wenn sie von anderen umgeben war. Wenn etwas in ihm sie in sein Kloster zwingen wollte, dann hatte dieses Etwas ganze Arbeit geleistet. Sie hatte noch niemanden rangelassen. Und ein Neunundzwanzigjähriger fühlt sich bei ihr wie ein Sechsjähriger.

»Ich bin zum Glück noch nie vergewaltigt worden«, sagte Lena.

Lenas großer Bruder hatte diesen Begriff vermieden; er schien ihm zu dramatisch. Aber er war Lena dankbar, daß sie ihn so verstand. Er konnte sich nicht sicher sein, ob es gegen seinen Willen geschehen war – das jedoch ist der Kern der Vergewaltigung.

»Ich hab ihn sogar mal wieder gesehen, allerdings nur auf Fotos, die bei Foto-Pietsch entwickelt wurden, wahrscheinlich von einer Silberhochzeit. Mitte der Siebziger wurden Silberhochzeiten bis zum Abwinken gefeiert. Im Krieg sind die Männer an der Front gefallen, die Frauen bei Bombenangriffen, und die Überlebenden haben sich nach einer Anstandsfrist neu gepaart. Also eine Silberhochzeit. Er saß da, mitten in dieser Riesensippe, aber ohne Anhang – immer ohne Anhang. Mal prostete er dem Fotografen zu und grinste sein perverses Grinsen in die Kamera, mal schaute er beim Tanzen zu ... Dann wurden die Fotos abgeholt, von einem Armeeoffizier. Der Meister ist mit im Laden, aber ich gebe die Fotos raus. Ich breite die Fotos aus, als ob ich zeigen will, wie sie geworden sind. Und dann zeige ich auf den Kerl und sage so langsam, wie du heute mit den Bullen geredet hast, denn ich war natürlich auch total aufgeregt: ›Sagen Sie allen, daß sie sich vor dem in acht nehmen müssen. Das ist ein Schwein, das ist eine ganz elende, miese Drecksau.‹ Der Meister guckt nur hoch, greift aber nicht ein. Der Offizier steckt die Bilder ein, als hätte ich gar nichts gesagt. Oder als hätte ich nichts

Neues gesagt. Ein Jahr später werde ich einberufen. Und wen treffe ich in der Kaserne wieder?«

»Nee!«

»Doch. Genau diesen Offizier. Und der erkennt mich sogar. ›Haben Sie nicht mal bei Foto-Pietsch in Zwickau gearbeitet?‹ Ich sage, ja, und plötzlich weiß ich, wie die beiden zueinander stehen, ich weiß es einfach. ›Wie geht's eigentlich Ihrem Bruder?‹ frage ich ihn. Und der sagt: ›Meinen Bruder vergessen Sie mal ganz schnell.‹«

Lena schüttelte den Kopf. Sie war entsetzt.

»Du wolltest wissen, wieso ich beim Knipsen die Augen schließe«, sagte ihr großer Bruder. »Ich glaube, weil mir der Unterschied zwischen dem, was ich noch sehe, und dem, was dann stattfindet, so viel bedeutet.«

»Gibts denn einen?« fragte Lena.

»Das ist mal so, mal so«, sagte ihr großer Bruder. »Manchmal gibt es keinen, und manchmal ist das, was ich zuletzt gesehen habe, gar nicht mehr zu erkennen. Wenn jemand ins Bild läuft. Das Fotografieren hat mich nicht schlauer gemacht. Ich weiß nicht, was damals passiert ist, als ich die Augen zu hatte. Alles oder nichts oder irgendwas ...«

Lena konnte in dieser Nacht nicht einschlafen, sie war viel zu erregt, sie bebte am ganzen Körper. Sie stand auf, um ein bestimmtes Lied aus der Frühzeit zu hören, ein Lied, zu dem es nie einen Text gegeben hatte. Lena setzte sich an den Küchentisch und schrieb binnen zwanzig Minuten einen passenden Text. Dann legte sie sich wieder hin und schlief.

Am nächsten Tag rief Lena das Rundfunkstudio an, gab sich als Mitglied von *PlanQuadrat* aus und bat um einen Studiotermin, um den dritten und letzten Titel der Kleeblatt-LP zu produzieren. Nur die Gesangsspur sei noch aufzunehmen, den Rest habe die Band schon erledigt, sagte Lena. Die Redakteurin Inessa bot ihr an, die Aufnahme noch am selben Tag zu machen.

Lena schnallte die Rollschuhe an, fuhr ins Studio und sang das

Lied. Sie hatte keine Gesangsausbildung. Sie war darauf gefaßt, daß die Aufnahme nach zwei Minuten abgebrochen wird. Sie war darauf gefaßt, gleich im Studio verhaftet zu werden. Doch nichts dergleichen geschah. Es war genau wie in der letzten Nacht, als sie die Staatsmacht beschimpft hatte. Als ob sich das Meer vor ihr teilt. Inessa und der Tontechniker nahmen das Lied auf, ohne Text oder Gesang zu kommentieren, als würde Lena chinesisch singen. Und vielleicht waren es die Rollschuhe an ihren Füßen, die ihr beim Gesang Schwung verliehen, eine gewisse schlumpige Grazie. Sie rollerte fröhlich durch ihr Lied, wie sie einst den Boulevard heruntergerollert kam.

Inessa schlug vor, den Refrain durch Gruppengesang zu verstärken. Lenas Lied erinnere sie an John Lennons »Give Peace A Chance«. Den halben Nachmittag lief Inessa im Sendestudio herum und holte jeden vors Mikrophon, der nur halbwegs singen konnte: Moderatoren, Redakteure, Techniker, den Pförtner und sogar einen Studiogast, der in Sibirien an der Erdgastrasse mitgebaut hatte, und während von dem Lied des Beatle die Sage geht, daß es mit dem Personal des *Montreal Queen Elizabeth Hotel* gesungen wurde, so wurde Lenas Lied tatsächlich von den Mitarbeitern des Staatlichen Rundfunks gesungen.

12

Am Sonntag nach der Sache mit den Zügen war am Theater der »Tag der offenen Tür« angesetzt. Der Termin stand lange fest, doch per Mundpropaganda wurde verbreitet, daß Bürgerrechtler die Bühne besetzen und einen flammenden Aufruf verlesen wollten. Bereits vormittags um zehn war das Theater voll, auch Lena und ihr großer Bruder waren drin; Hunderte blieben vor der Tür. Die Opposition war praktisch noch nicht vorhanden, aber bereits unglaublich populär.

Statt eines flammenden Aufrufs kamen Prunkstücke des Repertoires, laut Programm. Es begann mit Darbietungen des klassischen Balletts. Die Stasi hatte ganze Sitzreihen in Beschlag genommen, und nie hätten sie sich träumen lassen, von Berufs wegen klassisches Ballett observieren zu müssen. Angeekelt wohnten sie dem Geschehen bei – erkennbar haßerfüllt gegen ihre Geschlechtsgenossen, die in Strumpfhosen herumhüpften und flachbrüstige Weiber spazierentrugen. Das Publikum wartete, daß es losgeht, die Stasi wartete, daß es losgeht, und sogar das Ballett wartete darauf – um ohne Umschweife von der Bühne zu flüchten, wenn es losgeht. Doch kein Oppositioneller erklomm die Bühne. Die Zuschauer redeten miteinander, und niemand beachtete das Ballett. Es gab nicht mal einen Höflichkeitsapplaus, als das Ballett die Bühne verließ und dem Kindertheater Platz machte. Nun wurde es der Stasi zu bunt: Ballett und Kasperletheater waren nichts für einen Geheimdienst, der über sich verbreiten ließ, nach dem israelischen Mossad der zweitbeste der Welt zu sein. Wegen Überfüllung wurde das Theater für geschlossen erklärt – und mußte geräumt werden. Am Tag der offenen Tür war die Tür nur noch zum Gehen offen.

Vor dem Theater war die Lage einigermaßen konfus. Die Gemüter, vom Oppositionsgeist erhitzt, ja entzündet, wollten sich mit der Räumung nicht abfinden. Kein Aufruf war verlesen worden. Eine Demo jetzt, das war das mindeste. Die Frage war: wohin? Und: Was singen wir? Zwei bürgerrechtlerisch anmutende Gestalten – beide mit Jeans, wildwucherndem Vollbart und Nickelbrille, Mitte Dreißig; ihre Wesensverwandtschaft war die von Zwillingsbrüdern – engagierten sich in der Richtungsfrage, umringt von Hunderten, und wie ein Foto von Lenas Bruder belegt, zeigten sie in genau entgegengesetzte Richtungen.

Die Frage nach dem Gesang war noch schwieriger, denn das Liedgut wurde im Musikunterricht nach zentralen Lehrplänen vermittelt – und so fühlten sich die Demonstranten lediglich in Kampfliedern textsicher. *Die Internationale* wollten manche singen, weil in ihr das Wort *Menschenrecht* vorkommt sowie die Zeile *uns aus dem Elend zu erlösen, können wir nur selber tun*; und überhaupt *Völker, hört die Signale* – die Völker der ganzen Welt sollten die Instanz sein, von der die Demonstranten gehört werden wollten. Aber schon die nächste Zeile, *auf zum letzten Gefecht*, war äußerst fragwürdig: Gewaltlosigkeit und Gefecht vertrugen sich nicht miteinander, und ein *letztes Gefecht* hatte den Ruch von Niederlage. *Brüder zur Sonne, zur Freiheit* wollte jemand singen, doch eine igelköpfige Frau intervenierte: wennschon, *Brüder und Schwestern zur Freiheit*. Und in der zweiten Zeile *Brüder zum Lichte empor*? fragte jemand. *Dem Morgenrot entgegen* schlug ein nächster vor, ein anderer gar die *Moorsoldaten*. Plötzlich sang eine glockenhelle, hohe Stimme die erste Strophe von *Die Gedanken sind frei*. Es war eine Schauspielerin des Theaters. Ob sie einem starken Gefühl die Bahn brach oder nur einen weiteren Kandidaten nominierte, blieb offen. Ihr Auftritt war zweifellos ergreifend, doch kaum einer kannte das Lied, und es ließ sich schlecht zu ihm marschieren. Ohne Lied und ohne Ziel begab sich der Zug auf den Weg.

Lena hatte das Gefühl, in eine Falle zu laufen: Entlang der Strecke standen Wasserwerfer, verborgen in Nebenstraßen. Mannschaftswagen der Polizei zeigten sich, in sicherer Entfernung. Kein Zweifel: Der Zug war verraten worden, von denen, die an der Spitze gingen. Und da wollte Lena nicht dabei sein. Zumal es ihr jedesmal kalt den Rücken herunterlief, wenn sie sich daran erinnerte, wie sie am Bahnhof so dicht vor den Polizisten gestanden hatte, weißglühend vor Wut. Ein Engel mußte seine Hand über sie gehalten haben. Noch mal würde sie ein solches Glück nicht haben. Heute wird es weh tun, dachte sie und ging. Sie kam ganz einfach weg.

Es war ein strahlender Sonntagmittag im Oktober, frisch und sonnig. Wenn sie schießen, dachte sie, während sie durch die Straßen lief, dann ruf ich nicht mehr: Wir bleiben hier. Wenn sie schießen, geh ich auch.

Ihr großer Bruder blieb, um zu knipsen.

13

Daniel Detjen war in Frauenkleidern unterwegs. Er war nicht mehr weggekommen. Auf der Schönhauser hatten sie demonstriert, vielleicht tausend waren es gewesen, die am Abend von der Gethsemanekirche ins Stadtzentrum wollten. Weit kamen sie nicht – die Schönhauser Allee war abgeriegelt. LKWs, an deren Motorhauben Segmente von Gitterzäunen befestigt waren, standen auf der ganzen Breite der Straße nebeneinander. Solche Polizeiwagen kannte Daniel Detjen nur aus dem Westfernsehen. Auch den Begriff *Räumgitter* kannte er von da.

Die Sperrlinie rückte – Daniel Detjen wollte es fast zaghaft nennen – gegen die Demonstranten vor. Nur wenige Meter pro Minute. Die Demonstranten riefen: »Keine Gewalt!« Fünf Meter, drei Meter standen sie vor den Räumgittern. Sie waren nicht nur besonnene, sie waren geradezu wohlerzogene Demonstranten. Keine Drohung, keine Provokation, keine Hitze – nur das Beharren darauf, stadteinwärts zu gehen.

Zwischen den LKWs lauerten Greiftrupps in Zivil. Junge Männer mit blassen Gesichtern. Wie Larven so unreif. Auf Kommando stießen sie überfallartig heraus und griffen sich den Demonstranten, der ihnen am nächsten war. Eintrainierte Attacken, völlig übertrieben, fand Daniel. Auch ihn schnappten sie so. Anstatt ihn anzusprechen, daß er vorläufig festgenommen sei und bitte folgen möge. Er hätte sich gefügt, wie es sich für einen wohlerzogenen Demonstranten ziemt.

Daniel wurde unsanft in eine Nebenstraße geführt. Dort mußte er auf einen LKW steigen. Er sah Demonstranten wieder, die vor ihm verhaftet worden waren. Er mußte »Schnauze halten!«. Nach und nach füllte sich der LKW – dann fuhr er los, mit verschlossener Plane.

Auf einem Hof mußten sie aussteigen, dann ging es durch eine Stahltür und über Treppen. Auf einem langen Gang wurden sie mit dem Gesicht zur Wand gestellt. Sie waren in etwas, das Knast, Kaserne, komischerweise aber auch ein altes Schwimmbad sein konnte, fand Daniel Detjen. Die Stimmen der Aufseher hallten, und Daniel wußte, daß alle Demonstranten jetzt dasselbe denken: an dreiunddreißig, an die Verhaftungen durch die SA.

Sie mußten sich ausziehen, bis auf die Unterwäsche und ihre Uhren ablegen. *Fliegerstellung einnehmen*, befahl ein Aufseher. Auch so ein Naziwort, fand Daniel. Dieses Vokabular wurde mal eingemottet, aber wenn es gebraucht wird, ist es sofort wieder da und funktioniert, als wäre es nie weggewesen.

Sie mußten stehen, ewig stehen. Manche weinten, manche flehten, manche schissen sich ein, manche beteten leise. Es war Bewegung in dem Haus oder auf dem Gelände. Das beruhigte Daniel in seiner Angst, die er sich leider eingestehen mußte: *Einen* können sie unauffällig um die Ecke bringen, vielleicht sogar ein halbes Dutzend – aber nicht Hunderte.

Daniel weinte nicht, noch betete er, er flehte nicht und schiß sich auch nicht ein. Daniel Detjen hing seinen Gedanken nach. Er hatte einen aus dem Greiftrupp erkannt: ein ehemaliger Mitschüler, Karsten Juballa, Sohn eines Sportlehrers. Karsten sollte ein strammer, kerniger Junge werden. Er war durchaus sportlich, er war schnell und stark – aber den Köpper vom Dreier brachte er nicht. Sie machten sich oft einen Jux daraus, mit weitaufgerissenen Augen auf Karsten loszugehen und dazu mit der Faust auszuholen. Karsten reagierte mit einem angeborenen, sehr ausgeprägten Angst-, Schutz- und Fluchtreflex, zugleich befahl aber der übermächtige Vater, der im Hinterkopf nistete: *Wehr dich!* So bot Karsten in Momenten vorgetäuschter Bedrohung ein Schauspiel der Zerrissenheit: Ängstlich war er, und mutig mußte er sein.

Auf der Schönhauser gehörte Karsten nicht zu den Greifern. Es wirkte, als hätte er Order, die wohlerzogenen Demonstranten aufzuheizen – vermutlich, um ein rabiateres Vorgehen zu legitimieren. Karsten war zwischen den LKWs mit den Räumgittern hervorgestoßen, hatte sich dann aber nicht auf einen Demonstranten gestürzt, sondern vor den LKWs einen Veitstanz aufgeführt – ein wildes, lächerliches und völlig unangebrachtes Herumgehopse. Das fand Daniel Detjen, als er in der *Fliegerstellung* seinen Gedanken nachhing, dann aber doch komisch, saukomisch: Wenn einem Karsten Juballa befohlen wird, bedrohlich zu sein, dann fallen ihm nur die lächerlichen Gesten ein, mit denen wir ihm Angst eingejagt haben.

Nach Stunden, des Zeitgefühls völlig beraubt, kam Daniel Detjen in Unterwäsche, als Nummer 46 vor einen Richter, der die Verhafteten in Schnellprozessen verurteilte. Als Daniel auf den rüden Ton die Augen zur Decke verdrehte, mußte er kurz stutzen: Neben der Leuchtstoffröhre war ein Fußabdruck, dessen Herkunft er sich nicht erklären konnte. Welch merkwürdiger Ort. Daniel Detjen wurde wegen »Störung der öffentlichen Ordnung« und, weil er die öffentliche Ordnung ausgerechnet am Wochenende des Nationalfeiertages gestört hatte, wegen »Öffentlicher Herabwürdigung« zu einer Geldstrafe von 1000 Mark verurteilt. Die Berufsangabe Rechtsanwaltsgehilfe kommentierte der Richter nur mit einem höhnischen Schnauben; Daniels Präzisierung »bei Gisela Blank« machte keinen Eindruck, obwohl Gisela Blank immerhin auch die 1A-Fälle verteidigte. Seine Sachen bekam er nicht zurück; statt dessen erhielt er Kleider vom Frauenstapel. Der Leutnant, der ihm die Sachen geben ließ, fand sich großartig. Daniel zog kommentarlos die Frauenkleider an. Die Psyche dieses Leutnants wollte er später analysieren.

Dann wurde er wieder auf einen LKW gesetzt. Die Plane wurde heruntergeschlagen, und er war allein mit einem Bewacher, der düster schwieg.

Der Motor wurde angelassen, die Fahrt ging los, Daniel Detjen wußte nicht, wohin. Die weiden sich nur an meiner Angst, beruhigte sich Daniel. Die wollen nur, daß ich die Nerven verliere, um sich halb totzulachen.

Daniel überlegte, ob er vielleicht doch in Gefahr ist. Saumseliger

Optimismus wäre naiv, wenn er als Gefangener, nachts, während des Ausnahmezustandes allein auf einem LKW mit unbekanntem Ziel unterwegs ist. Würden sie ihn tatsächlich umbringen wollen, dann wiesen die Frauenkleider eine falsche Fährte, würde die Leiche gefunden. Dann vertuschten die Frauenkleider etwas.

Wie viele haben ihn gesehen? Der Bewacher, Fahrer, Beifahrer, der Leutnant mit den Frauensachen und sein Gehilfe sowie der Richter und der Wachmann, der ihn zum Richter brachte. Sieben Leute. Ein bißchen viel Zeugen, ein bißchen zuviel Mitwisser für so eine Tat. Außerdem wurde die Verurteilung aktenkundig gemacht und sein Bargeld gegen Quittung eingezogen, als erste Rate seiner Geldstrafe. Ein bißchen viel Schreibkram, ein bißchen viel Spuren, um ihn anschließend umzubringen.

Dies denken zu müssen, verzeih ich euch nie, dachte Daniel müde.

Der LKW nahm ein paar Kurven, Daniel mußte sich festhalten. Dann fuhr der Wagen langsamer, auf einem holprigen Weg. Ah, der berühmte Feldweg, auf dem solche Fahrten immer enden.

Daniel Detjen wurde abgesetzt. Er wußte nicht, wo er sich befand. Er wußte nicht, wie spät es war. Zwar bekam er seine Uhr zurück, doch die Zeiger waren verstellt, sie zeigten – na sicher doch! – fünf vor zwölf. Der Humor der Juballas. Es war viel später; um halb elf ungefähr war er auf der Schönhauser gegriffen worden.

Die Ladeklappe des LKW wurde hochgeklappt. Daniel Detjen stand auf dem Feldweg und sah dem LKW hinterher. Bevor der – der Motor war kaum noch zu hören – auf die Landstraße bog, leuchteten seine Bremslichter hell auf.

Gut, sie hatten ihn nicht in schönster deutscher Tradition »auf der Flucht erschossen«. Er war allein, ohne Geld und stand in Frauenkleidern an einem unbekannten Ort. Es war wie ein billiger Spuk. Er fühlte sich nicht mal wie in einem schlechten Traum. Eigentlich sollte jemand aus dem Gebüsch kommen, ihm seine Sachen geben und ihn hier wegbringen. Die Frauenkleider waren Firlefanz, ein Faschingskostüm; in jenen Faltungen der Seele, in denen sie demütigen sollten, spürte er nur ein taubes Gefühl.

Daniel Detjen machte sich auf den Weg. Erst mal zur Landstraße. Das Schlimmste war überstanden. Außerdem: Dustin Hoffman mußte es tun. Tony Curtis auch. Und dieser andere, nicht John Lennon, sondern – richtig, *Jack Lemmon*, mußte auch. So gesehen, bin ich in bester Gesellschaft.

14

An jenem Montag, als das erste Mal legal demonstriert werden konnte, war Lenas letzter Patient ein vierunddreißigjähriger Uhrmacher, der auf Hexenschuß behandelt wurde. Er sah nicht aus wie ein Uhrmacher – er war ein Recke, ein Seemann. Lena konnte sich erinnern, ihn schon mal gesehen zu haben: Damals hatte er in einem Park-Café einen Stuhl mit einer Fremden, die von der Sonne geblendet war, lachend eine halbe Runde um den Tisch getragen und abgesetzt. »Sehr aufmerksam«, bedankte sich die Umgesetzte, nachdem sie ihren Schreck überwunden hatte. Eine gute, universelle Floskel, hatte Lena damals gedacht; und: Schade, daß niemand mehr *Sehr aufmerksam* sagt.

Mit diesem Urbild von Mann auf der Pritsche unterhielt sich Lena an jenem Montag. Die Unterhaltung ging in einen kleinen Flirt über, und als der Uhrmacher sich für Lenas Armbanduhr interessierte, ergab es sich, daß er ihr Handgelenk berührte. Als er von der Uhr zu Lena blickte, hielt er ihre Hand noch immer. Lena bekam Herzklopfen.

Der Uhrmacher reagierte auf seine Art: Lenas warme, sanfte Stimme, die geübten Griffe ihrer weichen, warmen Hände, ihre Figur, die auch in der Schwesterntracht zur Geltung kam, die knisternde Atmosphäre und schließlich die Massage der Ileosacralgelenke hatten ihm eine Erektion bis zum oberen Anschlag beschert, was offensichtlich wurde, als er sich auf den Rücken drehen sollte. Die Turnhose kaschierte nichts. Es kam vor, daß Patienten in diese Situation gerieten, und wenn sie sich ertappt und blamiert fühlten, dann linderte Lena mit einem Lächeln die Pein.

»Na los«, sagte der Uhrmacher.

»Was?« sagte Lena. Ihre Miene verfinsterte sich, und sie schien ihre Krallen auszufahren.

»Nimm ihn doch in die Hand«, sagte der Uhrmacher.

Lena verließ das Zimmer, türknallend. Sie war wütend. Männer sind abscheulich. Daß sie immer ihren Trieb zum Gegenstand machen. Daß sie glauben, Ficken sei das Größte. Und vermutlich glauben sie es nicht nur, vermutlich ist es für sie tatsächlich das Größte.

Aber es war für Lena die Gelegenheit, mal ihre Rolle der blütenweißen Krankenschwester zu vergessen, und sie wußte das. Tugendbolde sind die langweiligsten Menschen der Welt. Ein bißchen Doppelleben, ein kleines Geheimnis, ein Abgrund hat noch niemandem geschadet. Ihre Wut verrauchte. Sie nahm sich Zeit für den Gedanken. Was ist so schlimm daran, den Schwanz eines Mannes in die Hand zu nehmen und ein bißchen damit herumzuspielen? Sie könnte beobachten, wie es dem Uhrmacher dabei ergeht und hätte einen Mann, der einen Stuhl mit einem Menschen darauf einfach wegstellt, in ihrer Gewalt. Sie müßte nur …

»Das geht doch nicht«, sagte sie sich schließlich. Sie war mit dieser Antwort nicht glücklich; sie drückte haargenau das aus, was sie fühlte. Dann bat sie eine Kollegin, weiterzumachen. Das war üblich bei Vorfällen dieser Art.

Lena ließ sich von Dr. Matthies abholen, und dann fuhr der wilde Willi mit Blaulicht zur Demonstration. Lena hatte sich nicht umgezogen, dazu fehlte die Zeit, denn sie hatte Angst, etwas zu verpassen. Als der Krankenwagen den Demonstrationszug erreicht hatte, fuhr er im Schrittempo mit. Lena und Dr. Matthies stiegen aus und gingen neben dem Krankenwagen her, als Teil der Menge. »Es war wie in nem Russenfilm«, sagte der wilde Willi später. »Revolution und schnucklige Blicke, aber bitte alles im Rahmen!«

Lenas erste freie Demonstration war ein merkwürdig romantischer Spaziergang, zugleich auch eine aufwühlende Erfahrung. Die Erregung war groß, aber es war eine andere Erregung als bei der Demo vor dem Bahnhof. Das Dunkle war weg, Optimismus, ja Euphorie dominierte. Es wurde viel gejuchzt und gerufen, dazu wurde rhythmisch geklatscht. Alles bewegte sich, alle schienen sich irgendwie abzureagieren. Es war Leben in der Masse. Immer wieder lachten Leute ohne erkennbaren Grund auf, als hätten sie Drogen genommen. Die Ahnung von Freiheit war berauschend, beglückend, und daß Demonstrationen eine so körperliche Erfahrung sein können, hatte niemand gedacht; sie kannten nur das angeordnete Vorbeitrotten an Tribünen.

Der Demonstrationszug benahm sich wie ein Antragsteller, der immer aufs falsche Amt geschickt wird: Erst ging es zum Polizeipräsidium, dann zum Rat des Bezirks, schließlich zur Staatssicherheit. Die Redner stiegen auf Bierkästen. Doch auch die Staatssicherheitszentrale war nicht die letztgültige Instanz. Und plötzlich war allen klar, wohin sie wirklich wollten: Sie wollten zum Chef. Zu dem, der damit angefangen hatte. Zu Karl Marx persönlich.

Den gab es als Monument, als Koloß, als Wahrzeichen. Das Karl-Marx-Denkmal war nur Kopf, und im Profil wirkte es wie eine pralle Riesentitte.

Dies Denkmal war nicht zu widerlegen. Es war nicht nur groß, es war auch in der Pose geglückt. Karl Marx sitzt nicht hoch zu Roß, er spreizt nicht auf lächerliche Art seinen Fuß ab – er ruht mit seinem riesigen Kopf auf einem riesigen Sockel. Die breite Stirn scheint viel Denkerhirn zu beherbergen. Ein fleischiges Gesicht, eine verwegene Frisur – der Beethoven des Kommunismus. Das Denkmal war so scheußlich gelungen, daß es die Karl-Marx-Städter *Nischl* nannten, was eine sächsische, leicht abfällige, aber manchmal auch liebevolle Bezeichnung für *Kopf* ist.

Es war instinktiv richtig, zum *Nischl* zu gehen, praktisch aber das Verkehrteste. Ein Redner mit Karl Marx im Rücken wirkt wie dessen Gesandter, dessen Sprachrohr. Wer in frontaler Opposition zu reden anhob, wurde von dem ruhenden Giganten einfach verschluckt.

So wurden die ersten Reden ein Opfer des Ortes. Peinliche Bekenntnisse. Eine junge Englischlehrerin rief aus, daß es zu wenige Kommunisten gäbe, deren Köpfe so groß, aber zu viele, deren Köpfe so hohl seien. Ein anderer Redner sprach das Denkmal direkt an: »Karl Marx, hättest du dir träumen lassen, daß eines Tages in deinem Namen …«

Plötzlich stand Lena auf dem Krankenwagen, wie ein genialer Einfall. Sie war schön wie die Verheißung dieses Tages. Lena trug noch ihre weiße Schwesterntracht. Unter der war nichts, außer einem knappen Schlüpfer. Sie hatte den Haarknoten gelöst und ein Mikrophon in der Hand.

Da zeigte sich das Neue. Es gab Gedränge; die Männer hatten bemerkt, daß sich direkt am Krankenwagen weit, weit an ihren langen Beinen emporschauen läßt …

»Früher habe ich immer gedacht«, begann Lena und zeigte auf den *Nischl*, »da drin sitzt die Stasi.«

»Früher habe ich immer gedacht, die Kinder bringt der Klapperstorch!« rief einer. So, wie Lena auf dem Dach des Krankenwagens stand, war es kein Wunder, daß sie mit Anzüglichkeiten konfrontiert wurde.

»Aber das sind so viele, die passen da gar nicht rein.«

Lena war die einzige, die ein Mikrophon benutzte, und niemand hatte so weit oben gestanden. Der ganze Platz konnte sie sehen und hören. Sie sprach von ihrer Arbeit im Krankenhaus und von ihren Patienten: verkrampft von der Angst, verspannt vom Ducken, krumm vom Katzbuckeln, hart vom Einstecken der vielen Schläge.

»Wir haben ja nie offen gesagt, was wir denken. Wir haben es nie gelernt. Und wenn ich jetzt hier oben stehe, dann weiß ich nicht, was ich zuerst sagen soll. Ich finde, wir müssen auf jeden Fall weitermachen.« Sie wurde von Beifall unterbrochen. »Ja! Wir müssen weitermachen. Es hat doch gerade erst angefangen, oder?« Jetzt hatte sie gelernt, den Beifall zu locken, und siehe – er kam! »Und wenn es uns schon am Anfang so gut gefällt, wie werden wir uns erst fühlen, wenn wir nicht mehr aufhören?« Während es dafür Riesenbeifall und Jubel gab, gelang Lenas großem Bruder das schönste Foto, das er je von ihr gemacht hat.

Lena lächelte, und ihre blauen Augen leuchteten – man konnte glauben, sie dufteten. Der Himmel über ihr war voller zerwühlter weißer Wolken, doch Lena war erleichtert, ja, wie befreit. Nicht nur, weil sie zum Mikrophon gegriffen hatte und sich alle um sie scharten und ihr applaudierten, sondern auch – das zeigte ihr erinnerungsvoller Blick – *weil etwas vorbei ist.* Die Anspannung, die finstre Gefahr waren weg. Ihre Gesichtszüge waren harmonisch. Niemand auf dem Bild hatte eine negative Ausstrahlung, Lena faszinierte alle. Der wilde Willi hatte sich halb aus dem Krankenwagenfenster gewunden, um Lena zu erleben.

Lena hob die Hand und der Jubel verebbte. »Ich habe diese Nacht etwas geträumt. Ich habe geträumt, daß wir alle vor Freude die Blätter hochwerfen, die auf der Straße liegen. Überall wirbeln Blätter herum. Ich weiß nicht, was passiert ist, aber es steht ein großes, ein unermeßliches Glück bevor, noch in diesem Herbst.«

Der ganze Platz schwieg verblüfft, und Lena, die sich nicht sicher war, ob ihre Rede großartig oder peinlich war, erfuhr, daß die gewaltigste Wirkung einer Rede darin besteht, für einen Moment vollkommene Stille in die Massen zu senken.

Eine Woche später war Lena die Nummer eins der Hitparaden. Wer ihr Lied hören wollte, brauchte nur das Radio einzuschalten und die Senderskala herauf- oder herunterkurbeln. Irgendein Sender spielte es immer.

15

Sitztn Typ vor mir
In der Straßenbahn
Holt was ausm Ohr
Und schaut es sich an

Warum können wir
Keine Freunde sein
Warum können wir
Keine Freunde sein

Sitztn Typ vor mir
Im Personalbüro
Hat sich informiert
Und ich weiß auch wo

Warum können wir
Keine Freunde sein
Warum können wir
Keine Freunde sein

Liestn Typ was vor
Zur Nachrichtenzeit
Lebt schon längst in ner
Andren Wirklichkeit

Warum können wir
Keine Freunde sein
Warum können wir
Keine Freunde sein

Sitzen Typen an
Den Hebeln der Macht
Und wir leben wie
Von denen ausgedacht

Warum können wir
Keine Freunde sein
Warum können wir
Keine Freunde sein

»Ich will was hören, was diesem Laden hier den letzten Tritt versetzt«, hatte Lena gesagt, als sich in der Wohnung des dünnen Jakob, die jetzt ihre Wohnung war, die Band auflöste und in einer Stimmung bilanzierender Melancholie Bänder »aus der Frühzeit« hörte. Dabei tauchte ein Reggae-Rhythmus auf, der eine feiernde Melodie unterlegte. Etwas, das man einen Party-Hit nennt. Oder einen Fan-Gesang. Oder sogar ein Sauflied. Für diese Melodie gab es nie einen Text, und als die Trickbeatles unter Paulchens Einfluß auf völlig anderen Pfaden wandelten und Party-Hits das Allerletzte waren, was sie spielen wollten, geriet der halbfertige Song in Vergessenheit.

Als Lena in jener Nacht nicht schlafen konnte, wollte sie nicht nur etwas hören, was diesem Laden den letzten Tritt versetzt – sie wollte diesen Tritt selbst versetzen. Sie stand auf, setzte sich an den Küchentisch und hatte binnen Minuten den Frust vom Bahnhofsplatz zu einem Text umgeschmolzen, der an sich nichts Besonderes war. Am nächsten Vormittag rief sie die Redakteurin an. Am Nachmittag rollte sie ins Studio, und drei Wochen später kam das Lied heraus, genau zum richtigen Zeitpunkt. In jenen Wochen war das lässig lärmende Lied die passende musikalische Untermalung.

Der Song wurde ein Hit. In den Rundfunkanstalten freute sich die eine Hälfte der Redakteure, endlich solche Lieder spielen zu können, die andere Hälfte wollte sich durch häufiges Spielen noch auf die andere Seite schummeln. Sogar im Westradio lief ständig Lenas Lied – entweder, um die DDR-Berichterstattung einzuleiten oder um sie abzurunden, und nie fehlte der Hinweis auf einen »neuen, frechen Ton«. Vor allem aber wurde Lenas Lied auf den Demos gesungen oder anläßlich der öffentlichen Dialoge, bei denen sich die Mächtigen den Unzufriedenen stellten. Wenn die Unzufriedenen merkten, daß sie nicht zufriedener wurden, pfiffen sie nicht, sondern begannen sich einzuklatschen und dazu den Refrain von Lenas Lied zu singen. Dann war der Rücktritt fällig. Lenas Lied wurde dem Bürgermeister von Karl-Marx-Stadt viertausendstimmenfach, dem Parteisekretär des Bezirkes Karl-Marx-Stadt aus sechzigtausend Kehlen, dem Polizeipräsidenten mit fünfundachtzigtausend Stimmen vorgesungen – und schließlich, am 6. November 1989, während der größten Montagsdemonstration in Karl-Marx-Stadt, sangen einhundertfünfzigtausend Menschen am Karl-Marx-Denkmal zehn Minuten lang »Warum können wir keine Freunde sein, warum können wir keine Freunde sein«.

Lena lebte für einige Wochen das Leben einer Volksheldin. Ihr widerfuhr eine allgegenwärtige, wenn auch ungelenke Sympathie. Wenn sie in einen Bus einstieg, applaudierten die Leute. Fahrstühle, deren Türen fast schon geschlossen waren, öffneten sich wieder. Fremde kamen ins Krankenhaus und brachten Blumen. Viermal wurde sie eingeladen, für die Taufe kleiner Lenas Patin zu stehen. Als die Blätter fielen und zusammengeharkt wurden, knipste Lenas großer Bruder immer wieder Menschen, die, wie Lena es prophezeit hatte, die Blätter hochwirbeln ließen.

Die Blätter hochwerfen war ein Signal, das Lena der ganzen Stadt gegeben hatte. Es bedeutete: Es geht weiter. Es ist wieder ein kleiner Sieg errungen. Ihre Rede hatte etwas Jungfräuliches – sie hätte diese Rede nicht gehalten, wenn sie nur eineinhalb Stunden zuvor dem Ansinnen des Uhrmachers nachgekommen wäre und sein Sperma zutage gefördert hätte. Es wäre dann eine andere Rede geworden und eine andere Revolution.

Die Blätter hochwerfen hatte mehr Poesie als der Schlachtruf »Wir sind das Volk!«, mit dem sich jene, die ihn riefen, nur verrieten als Abtrünnige der süßen Illusion, es sei den Genossen dort droben wahrhaftig an Volksherrschaft gelegen. Lena hat die Sprengkraft dieser Losung nie verstanden, weil sie mit einer Lüge aufräumte, die, um geglaubt zu werden, ein beleidigendes Maß an Einfalt voraussetzte. Und weil Lena von denen, die an diese Lüge glaubten, fast ebensowenig hielt wie von denen, die sie in die Welt setzten.

Lena war spätestens seit ihrer Rede auf dem Krankenwagen eine Jeanne d'Arc von Karl-Marx-Stadt. Lena war jung, aber ihr Instinktwissen um die Einmaligkeit dessen, was wir erleben, gab ihr eine Autorität, die unglaublich mitreißend war. Sie sah sich nicht als Revolutionärin; sie fühlte sich einfach durch die Umstände ermächtigt, das zu tun, was sie tat. Womit auch immer sie in Erscheinung trat, sie traf einen Nerv. Schon am Bahnhof, als sie allein vor den Polizisten stand, wünschten sich alle ihre tollkühne Wut. Ihre Auftritte hatten etwas Unwiderstehliches; man konnte meinen, sie *wohnt* in dieser aufregenden Zeit. Lena, die das Einmalige, das Nochnieerlebte und das Niewiederkommende dieser Wochen verkörperte, machte einer ganzen Stadt Lust auf Veränderung, auf Revolution und auf Freiheit. Plötzlich merkten viele, daß sie sich lange, lange keine Gedanken mehr darüber gemacht hatten, welche Freude und welche Glücksgefühle in ihnen schlummerten. Aber als Lena von ihrem Traum erzählte, da wünschte sich eine ganze Stadt, daß etwas passieren möge, das sie dazu brachte, die Blätter hochzuwerfen.

Bald.

Zweites Buch

DIE ERSTE SEKUNDE DER EWIGKEIT

1. Ein Hörspiel auf allen Sendern
2. Nur noch schlafen
3. Ein Staatsanwalt vernichtet den Beweis
4. Volle Fuhre nach Berlin
5. Blumen wie nie, Platten wie nie, Stalin wie nie
6. Linie 1
7. Der Deutsche
8. Waldemar macht einen Handstand
9. Die Stunde der großen Abrechnung
10. Lutz Neustein sitzt auf einer Holzbank (II)

1

Lenas großer Bruder wußte seit langem, daß die besten Fotos dann entstehen, wenn er überhaupt nicht bemerkt wird. Der beste Fotograf ist der unsichtbare Fotograf. Lenas Bruder feilte an seiner Unsichtbarwerdung – er benutzte eine unscheinbare Kamera, die er unauffällig bediente. Er liebte den Schnappschuß als Methode, er verzichtete darauf, seine Szene zu arrangieren. Wie er seine Bilder gestaltete, davon bekamen die auf den Bildern überhaupt nichts mit. Wenn es dennoch geschah, reagierten sie immer gleich: mit Mißtrauen. Lenas großer Bruder besaß unzählige Bilder von Menschen, die, als sie entdeckten, daß sie fotografiert werden, einen Blick abschickten, als würden sie in ihrer Ruhe gestört. Lenas Bruder glaubte, in dieser Reaktion einen Instinkt anzutreffen, der noch aus dem Tierleben stammt. Selbst wenn er die Erlaubnis zum Fotografieren einholt – was zum Beispiel bei einer Fotoserie in einem Eisenbahnabteil unumgänglich ist –, gibt es dieses Mißtrauen. Es durchläuft immer vier Phasen.

Am Anfang steht das Fratzenschneiden. Die Fotografierten stellen die Hände an die Ohren oder winken. Sie sagen »Cheese!«. Sie bieten ein Motiv, das nichts preisgibt. Dann wird über Fotos und das Fotografieren geredet; die philosophischen und ästhetischen Prämissen des Fotografen werden auf die Probe gestellt, die Fotografierten wollen sich des Wohlwollens, der Harmlosigkeit des Fotografen versichern. Trotzdem verlangen sie eine Art Vetorecht über die Veröffentlichung. Wenn der Fotograf mit seiner Arbeit unverdrossen fortfährt, wird die Kamera schließlich nicht mehr als lustig, sondern als lästig empfunden. In Phase II drehen sich die Leute weg, maulen, »es ist langsam gut«. Mitunter tragen sie ihre Auflehnung sogar handgreiflich vor. Lenas großer Bruder findet, daß es durchaus an diesen Punkt kommen muß; er *will* die offene Meuterei – weil sie natürlich ist. Doch auf Proteste reagiert er nicht, die Kamera nimmt er nicht herunter, denn er weiß, erst, wenn der Unwillen offen ausgesprochen ist, kann Phase III kommen: Sie finden sich damit ab, daß sie den Fotografen nicht mehr loswerden. Sie ignorieren ihn demonstrativ, aber schließlich akzeptieren sie ihn als Bestandteil ihrer Umgebung – und erst, wenn Lenas großer Bruder sicher sein kann, daß er in Phase IV ist, in der sie sich nicht mehr für oder gegen die Kamera verhalten, erst dann legt er einen unbelichteten Film ein. Endlich sind sie mit dem kleinen klickenden Monster vertraut. Endlich kann er darangehen, dem Leben die Bilder zu entreißen.

So hat Lenas großer Bruder stets ein paar Filme dabei, die er in den Phasen I bis III immer wieder belichtet – bis die Perforation reißt.

Daß Lenas großer Bruder zu einem Stil des sanften Betruges fand, war seiner dürftigen Auftragslage geschuldet. Die ohnehin schon wenigen Zeitungen und Zeitschriften wollten ihre Lügen bebildern – sie brauchten keinen Fotografen, der dem wahren Leben wahre Bilder entreißt. Unter den Kennern jedoch galt er als Talent, der einen Stil, eine Handschrift hat und es weiterbringen würde, wenn er nicht mit der Sturheit eines Eremiten an seiner rückständigen Technik festhielte.

Doch von einem Tag auf den anderen, als die Presse in die Freiheit entlassen wurde, galt Lenas großer Bruder als interessanter, ungemein lebendiger Fotograf. Kein anderer hatte so starke Bilder von Lena: Lena auf dem Krankenwagen, Lena rollend auf dem Boulevard, Lena im Studio – die Karl-Marx-Städter Zeitungen druckten alles, was Lena zeigte. Lenas großer Bruder hatte auch großartige, sensationell dichte Fotos von den Demonstrationen, von der Sache mit den Zügen. Er hatte die Flüchtlingsgeschichten von Budapest und Prag geknipst. Er hatte reihenweise Stasi in der Ballettvorführung geknipst. Die selige Wut der singenden Demonstranten. Sie fiel auf, die Originalität seines Blicks, die unglaubliche Akzeptanz unterschiedlichster Milieus, das Einfühlungsvermögen in eine Situation, die magische Kompetenz. Er wußte mit Licht und Schatten umzugehen und war erkennbar vertraut mit den Ingredienzen der Laborchemie. Plötzlich verstand die gesamte Fotoszene des Landes nicht, wie er so lange hatte übersehen werden können. Und so kam sehr bald ein Angebot von der *NBI*.

Daß die *NBI* die auflagenstärkste Illustrierte war, spiegelte ihr Maß an Konformität wider. Wenn der teure Genosse Erich mit einem Riesenplüschteddy im Arm von einer Tribüne herunterwinkte, dann zeigte das die *NBI*, in Farbe. Dringend mußte die *NBI* nun ihren Ruf als brav-buntes Blatt verlieren, wollte sie die führende Illustrierte bleiben. Deshalb wurde Lenas großer Bruder eingeladen, für die Silvesterausgabe eine Fotostrecke zu liefern. Die Idee kam vom Bildchef der *NBI*, der Lenas großen Bruder einen »jungen Wilden« nannte, nachdem er schnell begriffen hatte, daß ein anderer Wind weht.

Doch Lenas großer Bruder fühlte sich mit dem Angebot nicht wohl. Sein Unbehagen war hygienischer Natur. Er kannte solche wie den *NBI*-Bildchef und wollte es ihm nicht zu leicht machen. So erstellte er sorgfältig eine Serie aus seinen dreißigfach belichteten Filmen. Die Motive zeigten Chaos – ein interessantes Chaos, das sich durch konzentriertes Betrachten bis zu einem gewissen Grad dechiffrieren ließ. Die Bilder referierten en passant die Opulenz des Lebens und ließen großzügig den Zufall walten. Ein unentschlüsselbarer Rest blieb immer. Die Fotos waren durchweg überbelichtet, wurden aber beim Entwickeln dank alchimistischer Tricks ansehnlich. Sie wirkten nicht mißraten – nur ungewohnt. Sie waren, bei etwas gutem Willen, Kunst.

Doch die foliographischen Standards der *NBI* genügten nicht, um die Plastizität und die fein ziselierten Abstufungen herzustellen, die für Bildwirkung und Bildentschlüsselung so wichtig waren. Wenn er das aber sagt, wußte der *NBI*-Bildchef, dann könnte er Lenas Bruder gleich zu einer West-Illustrierten schicken. Und wenn dort die Fotos kommen – man weiß ja nie –, dann stünde er als Zensor da. Er wußte doch, wie's zugeht auf der Welt. Er saß schon in Redaktionskonferenzen, als Lenas großer Bruder noch nicht mal geboren war.

Feige wie er war, quälte ihn der Gedanke, daß er sich, so oder so, nur falsch entscheiden kann. Er bat um ein Gespräch, von Angesicht zu Angesicht, und Lenas großer Bruder setzte sich in Paulchens gelben Trabant und fuhr nach Berlin.

Wie erwartet, wand sich der *NBI*-Bildchef. Er wolle ja gern etwas von diesem jungen Wilden bringen – aber nichts gar zu Wildes. Lenas großer Bruder beharrte auf den Fotos. »Wenn schon wild, dann richtig.« Der Bildchef räumte ein, er könne sich *ein* solches Foto vorstellen – aber nicht acht oder zwölf. »Unsere Leser kennen so etwas nicht«, sagte er in seiner Verlegenheit. »Die Leser des *Stern* auch nicht«, erwiderte Lenas großer Bruder, was die Not seines Gegenübers nur verschlimmerte: Eine Fotostrecke abzulehnen, die im Westen mit Bravour genommen würde, wäre sein Waterloo.

Als sie sich verabschiedeten – beide belogen sich mit dem Versprechen, noch mal über das Problem nachzudenken –, hatte Lenas großer Bruder das gute Gefühl, sich von schlechter Gesellschaft ferngehalten zu haben.

Das Gegenteil der *NBI* war der *Sonntag*: Eine kulturelle Wochenzeitung, die wegen stiefmütterlicher Papierzuteilung in kleiner Auflage erschien, dafür aber vom Zensor nur mit einem schläfrigen Auge gelesen wurde.

Lenas großer Bruder rief beim *Sonntag* an. Als er sich Barbara, einer Redakteurin vorstellen wollte, unterbrach sie ihn: »Ich kenne Sie.« Wenn er in Berlin sei, könne er doch gleich ein paar Bilder für den *Sonntag* machen. In ihrer Wohnung treffe sich am Abend eine bürgerrechtlerische Schar, um die Reform des Bildungswesens zu diskutieren. Dieser Menschenschlag sei es wert, für die Leser des *Sonntag* porträtiert zu werden.

So verbrachte Lenas Bruder den Abend in Barbaras Wohnung, die binnen Minuten vollgequalmt war. Die Schar war betont gegen die Mode gekleidet, die Diskussion zog sich. Wurde der Gedanke ventiliert, im reformierten Bildungswesen müsse jedes Kind ein Instrument lernen, intervenierte ein gewisser Ralf: »Kein neuer Zwang!« Ralf entpuppte sich als Wortführer; seine führenden Worte lauteten »anmahnen«, »Befindlichkeiten«, »subaltern« und »subsumieren«. Lenas Bruder knipste und ging um elf in die Küche, eine Kleinigkeit essen. Er stellte das Radio an, um Nachrichten zu hören, doch es kamen keine. Als er aufgegessen hatte, ging er ins Wohnzimmer und sagte: »Die Mauer ist auf.« Barbara schaltete das Radio ein: Jubel an den Grenzübergängen, Trabis auf dem Ku'damm, Glücksgesänge am Brandenburger Tor. Lenas großer Bruder fotografierte die andächtig lauschende Schar. Ein leuchtendes Staunen floß aus den Augen. Er hatte noch nie Menschen knipsen können, die vom Eintreten des Utopischen überwältigt wurden. Die Reaktion war nicht Jubel, sondern feierliches Ergriffensein.

Dann erklärte Ralf, daß man sich wohl nicht getroffen habe, um ein Hörspiel zu hören, jawohl ein Hörspiel. Es habe schon früher Hörspiele gegeben, welche die Fiktion wie ein reales Ereignis behandelten, und subalterne Hörer, die darauf reingefallen sind. Schon Orson Welles' Krieg-der-Welten-Hörspiel klang plausibel. Die Schar einigte sich darauf, ein Hörspiel zu hören, für einen Moment aber tatsächlich geglaubt zu haben, die Mauer sei gefallen. *Förderstufenkonzepte anmahnen*, sagte Ralf gerade, als Lenas großer Bruder ging, um sich den Befindlichkeiten der Reingefallenen zu widmen.

Fünf Minuten nachdem er die Wohnung verlassen hatte, simulierte Barbara ein menschliches Bedürfnis. Sie ging in die Küche und schaltete heimlich das Radio ein. Als sie nach zwei Minuten in ihr verrauchtes Wohnzimmer zurückkehrte, war ihr etwas anzumerken. Die bürgerrechtlerische Schar unterbrach die Diskussion über die Reform des Bildungswesens und fragte: »Was ist?«

»Nichts«, sagte Barbara. »Aber das Hörspiel läuft jetzt auf *allen* Sendern.« Dann mußte sie lachen.

Lenas großer Bruder war schon unterwegs in Richtung Grenze, gemeinsam mit einem Pärchen, das sprühend und juchzend auf ihn zugerannt kam, als er seinen Wagen startete.

»Die Mauer ist auf«, hatte die Frau gerufen und aufgeregt ans Seitenfenster geklopft. »Nimmste uns mit?«

Lenas großer Bruder stieg aus und klappte seinen Sitz zurück.

»Ihr müßt mir sagen, wo's ist«, sagte er. »Ich bin nicht von hier.«

»Klar, zeigen wir dir!« sagte sie und trieb ihren deutlich jüngeren Begleiter an. »Karli, mach hinne! – Mensch, ich bin Verena!« sagte sie zu Lenas großem Bruder und lachte lauthals drauflos.

Verena Lange redete pausenlos, sie befand sich in einem rhetorischen Ausnahmezustand. Irre vor Glück. Mehr Luft als Worte. Ihre Erzählung handelte davon, daß sie eben erst nach Hause gekommen waren, Karli zunächst aufs Klo mußte und sie eine Platte auflegen wollte. Da sie sich mit Karlis Anlage nicht auskannte, schaltete sie versehentlich das Radio ein. Sie mußte auf Karli warten, daß der den Plattenspieler in Betrieb setzt, und so lief die ganze Zeit das Radio, aufgeregte Stimmen ... Im selben Moment, als Verena begriff, was sie da hörte, rief sie: *Karli, die Mauer ist auf!*

Karli widersprach – nicht gerufen habe sie, sondern gekreischt; noch nie habe er sie so schreien hören. – Fast im gleichen Augenblick habe Karli im Zimmer gestanden, mit runtergelassenen Hosen, das Klopapier in der Hand. Karli, habe sie gesagt, die sind alle in Westberlin, da müssen wir auch hin! Und keine Minute später seien sie ... »Karli, hast du überhaupt gespült?« fragte sie unvermittelt. »Na, das ist ne schöne Scheiße, das wird aber stinken, wenn du wieder zurückkommst!« Sie küßte ihn und kuschelte sich zärtlich an ihn.

»Auf dem Ku'damm wird gefeiert, der ist voll, ich weiß gar nicht, ob wir dahin finden, ich kenn mich ja nicht aus. Ich weiß nicht mal, ob Ku'damm und Kurfürstendamm dasselbe ist.«

Warum sie denn als erstes an den Ku'damm denkt, fragte Karli.

»Ich muß für Katja doch was mitbringen, einen Beweis! Wenn ich der morgen früh erzähle, daß ich im Westen war, da glaubt die doch, ich habn Knall!«

Lenas großer Bruder fuhr schneller als erlaubt, und als der Straßenbelag von Asphalt zu Kopfsteinpflaster wechselte, wurde das Fahrgeräusch intensiver, verbindlicher. Verena winkte anderen Autos zu. Das gelbe Auto wurde angehupt, und Lenas großer Bruder hupte zurück. Augenblicke später überkam es auch ihn – dieser Dammbruch des Glücks, und Lenas großer Bruder begann zu reden, als hinge sein Leben davon ab. Er verschleuderte Worte; so kannte er sich gar nicht. Daß er am Morgen noch in seiner Heimatstadt war und nie geglaubt hätte, daß in dieser Nacht, und er nur zufällig, weil der *Sonntag* – nein, er konnte es nicht so rund und schön erzählen wie die Museumskuratorin Verena Lange, die von Berufs wegen im freien Reden geübt war, und der selbst im Strudel der Emotionen ein leuchtender Vortrag gelang. Er fuhr schnell, es ging über Kopfsteinpflaster – diese Mischung aus Nacht, Euphorie, Geschwindigkeit, Lärm und verbotener Liebe machte diese Momente zu etwas, vor dem er, auch als Fotograf, kapitulieren mußte.

Die Fotos jener Nacht gehörten nicht zu seinen besten. Als Faustregel entdeckte er später: je verwackelter, desto besser. Viele fotografierten in jener Nacht, und alle fotografierten dasselbe. Es waren Bilder, die das Geschehen nur abgriffen. Lenas Bruder trachtete stets danach, dem Leben die Bilder zu entreißen. Doch in jener Nacht machten sich die Bilder zur Hure – jeder konnte sie haben. Die Bilder jener Nacht beweisen lediglich, daß etwas stattgefunden hat und zeigten jene, die dabei waren – aber ähnlich wie Kriegsbilder waren sie nicht in der Lage, die emotionale Urgewalt des Geschehens zu fassen.

Lenas großer Bruder steckte seine Leica in die Tasche und lief durch die Stadt, die im Taumel war. Immer wieder fielen ihm Menschen um den Hals und riefen: *Wahnsinn!* Er ließ es geschehen. Auch mit ihm stimmte etwas nicht – er wurde immer wieder von Lachanfällen gepackt. Bis in die Morgenstunden war Lenas großer Bruder unterwegs, ein lachender Wanderer im Märchenland.

Staatsanwalt Matthias Lange war Fels in der Brandung. Er stand am höchsten Punkt der Bornholmer Brücke und blickte gen Osten. So etwas hatte er noch nicht gesehen. So etwas hatte die Welt noch nicht gesehen. Der Mauerfall als Volksfest, mit Menschengewühl, Autokorso, Sekt, Gesängen und Hupkonzert. Doch Matthias Lange feierte nicht. »Mensch, freu dich!« riefen ihm fast jede Minute unbekannte Leute zu, und bereits dreimal wurde er zur Aufmunterung geküßt, bekam *einen Schmatz auf die Backe.* Mensch, freu dich! Er konnte sich nicht freuen. Warum eigentlich nicht?

Die Entscheidungen auf der Arbeit würden jetzt einfacher sein. Es gab diese blöden, saublöden Anzeigen in letzter Zeit: Wahlbetrug, polizeiliche Übergriffe, Bereicherung im Amt. Kein Mensch hat sich früher solche Anzeigen getraut, und wers trotzdem wagte, wurde gleich einkassiert. Verleumdung, öffentliche Herabwürdigung, staatsfeindliche Hetze – es gab immer wieder welche, die es darauf anlegten, die Paragraphen kennenzulernen. Aber seit ein paar Wochen war das anders. Da kann eine Architektin in sein Büro humpeln, ein Attest in der eingegipsten Hand, und den unbekannten Polizisten anzeigen. Was macht man mit so einer? Verhaften geht heutzutage nicht mehr. Bleibt *Verfahren verschleppen* oder *Ermitteln.* Ist beides riskant, solange man nicht weiß, wie es ausgeht. Man stelle sich vor, er ermittelt den Polizisten, bereitet den Prozeß vor – und dann kommt ein Putsch. Gute Nacht, Herr Lange. Oder er sabotiert die Aufklärung, und die humpelnde Architektin ist plötzlich die neue Bürgermeisterin. Ebenfalls gute Nacht, Herr Lange. Da bringt doch dieser Mauerfall etwas Klarheit in die Angelegenheit. Ein Sieg, ein großer, ein überwältigender Sieg für die Architektin. Also ermitteln. Na also, sagte sich der Staatsanwalt Matthias Lange, sei doch froh! Feiern konnte er noch nicht, aber die Furchen in seinem Gesicht wichen einem ersten Lächeln.

Das Lächeln verschwand, als er seine Frau im Gewühl zu erkennen glaubte. Tatsächlich, sie war es. Sie hielt einen fremden Mann umschlungen und lief neben ihm her, glücklich durch die feiernde Suppe schlingernd. Hing an ihm wie eine Ertrinkende an der Rettungsboje. Hatte sich auch von dieser allgemeinen Verbrüderungsstimmung anstecken lassen. Sie hätte sich einen mit mehr Niveau aussuchen können, fand Matthias Lange, nicht so einen Rollkragenlümmel. Aber er wollte es ihr nicht verübeln. Nicht in dieser Nacht.

Die beiden trieben genau auf Matthias Lange zu, den Fels in der Brandung. Mal sehen, wann sie mich bemerkt, dachte er. Angefreundet haben sie sich auch schon. Reden fröhlich und vertraut. Verena war, so viel wußte Matthias Lange über seine Frau, ein anhänglicher, berührungsbedürftiger und umarmungslustiger Mensch. Aber daß der Rollkragenlümmel Verena so dicht an sich gezogen hatte, ließ Eifersucht aufkeimen. Gut, daß er hier steht. Muß sie nicht länger wildfremde Menschen umarmen.

Verena Lange bemerkte ihren Mann tatsächlich erst, als sie fast mit ihm zusammenstieß. »Matthias«, sagte sie selig, entwand sich Karli mit einer sanften Bewegung und ging mit ihrem Mann einfach weiter.

Karli sah den beiden hinterher. Verena hatte die Arme um den nächsten geschlungen, genauso wie bis eben noch um ihn.

Carola Schreiter schlief beinahe. Die Gedanken, denen sie nachhing, hatten bereits einen traumartigen Effet. Sie irrten durch Carolas Kopf und wußten nicht mehr, zu welchem Zweck sie gedacht worden waren. Carola sah sich eine Klinke herunterdrücken. Aus irgendeinem Grund wußte sie, daß sie beim Innensenator war. An der Tür stand *Referat für Konzertanmeldungen.*

Auf dem Schreibtisch neben ihrem Bett lagen Formulare, Broschüren der Universität und ein *Ratgeber Mietrecht.* Carola hatte sich der Bürokratie mit Lust ergeben. Sie hatte ihr Abitur bei der Senatsverwaltung für Schule, Berufsbildung und Sport für ein Hochschulstudium im Land Berlin anerkennen lassen. Sie hatte diverse Studienordnungen gelesen und entschieden, Ethnologie mit den Nebenfächern Psychologie und Theaterwissenschaften zu studieren. Sie hatte sich im Immatrikulationsbüro der Freien Universität Berlin immatrikuliert. Sie hatte sich die Vorlesungsverzeichnisse angeschaut, Begrüßungswochen besucht und im ersten Semester zunächst sechzehn Kurse belegt, die sie, je nach Eindruck, auf ein vernünftiges Maß von höchstens zwanzig Semesterwochenstunden reduzieren wollte. Sie hatte nach dem Studium der BAföG-Richtlinien beschlossen, zunächst kein BAföG zu beantragen, sondern sich beim Finanzamt Berlin-Kreuzberg eine Lohnsteuerkarte ausstellen zu lassen, um in der *Hasenheide* an der Bar zu jobben. Sie hatte sich beim Einwohnermeldeamt polizeilich gemeldet und einen Personalausweis beantragt. Sie war Mitglied der AOK geworden. Sie hatte beim Standesamt ihrer Geburtsstadt Dresden ein Duplikat der Geburtsurkunde und einen Auszug aus dem Geburtsregister angefordert sowie Entlassung aus der Staatsbürgerschaft beantragt. Sie hatte ein Girokonto bei der Sparkasse eröffnet. Sie hatte beim Studentenwerk der Freien Universität alle Unterlagen für einen Internationalen Studentenausweis eingereicht und bei der Berliner Verkehrs-Gesellschaft die nötigen Nachweise für ein kostengünstiges Azubi-Ticket vorgelegt.

Die Masse an Formularen, Fristen und Regularien, an beizubringenden Dokumenten und Unterschriften schüchterte sie nicht ein. Im Gegenteil: Es verschaffte ihr ein Gefühl von Macht und Lebenstüchtigkeit, wenn sie auf der Klaviatur der Bürokratie immer virtuoser zu spielen wußte. Sie fühlte sich gereift, erwachsen geworden. Wer die Regeln kennt, kann mitspielen, ist kein Außenseiter. Sie wollte dazugehören.

Die Bürokratie ist das Kleingedruckte im Vertrag über deine Freiheit. Diese Erkenntnis kam Carola nach wenigen Wochen und traf sie mit der Wucht einer Erleuchtung. Der Anlaß hingegen war absurd, ja lächerlich: Sie suchte im größten Seminargebäude der Freien Universität nach dem Raum JK 21 / 201. Und dabei begriff sie, daß die Universität ein riesiges undurchsichtiges Verhau ist, das Fegefeuer der Bürokratie, und das einzig Sinnvolle, Nützliche, das du auf der Uni lernst, ist, daß du dich, mit nichts als dem Abitur in der Hand, hineinwühlst in all die Vorlesungsverzeichnisse, Studien- und Prüfungsordnungen, Sprechzeiten, Öffnungszeiten, dich hineinwühlst, indem du Räume findest, Fristen einhältst, Studienpläne erstellst, Beratungen aufsuchst, Aushänge beachtest, Stipendien beantragst, Prüfungsanmeldungen vornimmst – um schließlich aus alldem mit einem Diplom in der Hand wiederaufzutauchen. Die Universität ist die Einübung in die Bürokratie, und ein Diplom ist nur der Beweis, daß du dich in ihr zu behaupten weißt. Erst dann bist du es wert, dein Haupt aus dem Staub zu erheben.

Nicht ohne Beschämung wurde ihr bewußt, wie pervers es doch war, Lust an Bürokratie zu empfinden und das Maß der eigenen Freiheit danach zu bestimmen, wie sicher sie den Regeln zu folgen verstand. Carola merkte durchaus, wie sie binnen weniger Wochen kalt, rational und praktisch wurde. Wie alles Verspielte und Verträumte, alles Romantische in kürzester Zeit verkümmerte. Sie war nicht mehr der Mensch, der den Präsidenten der Universität mit einem handgeschriebenen Brief bitten wollte, sie zum Studium zuzulassen. Sie war nicht mehr der Mensch, der ohne Genehmigung, ohne Antrag und positiven Bescheid, sondern *einfach so* die ungarisch-österreichische Grenze überschritten hatte.

Der Übergang vom Wachsein zum Schlafen ging einher mit einem Loslassen der eingeübten Logik, die Gedanken, die eben noch im Gleichschritt der Folgerichtigkeit marschierten, verloren den Tritt und taumelten ins Traumland. Ein andauerndes Hupen erzeugte in ihr noch das Wort *Hupkonzert*, doch anstatt zu fragen, wieso ein Hupkonzert stattfindet, meldete ihr eingeschläferter Geist, daß öffentliche Konzerte nach 22 Uhr einer Ausnahmegenehmigung des Innensenators bedürfen ... Das Klingeln an der Tür, mit dem Carola im Moment dieses ersten Traumgedankens gestört wurde, erschien ihr penetrant und viel zu laut. Die Pause zwischen dem *Ding* und dem *Dong* verriet ihr, daß es die Klingel an der Haustür war, die gedrückt wurde, und daß derjenige, der die Klingel drückte, nicht wußte, daß hier oben ein Türgong war – sonst hätte er nicht lange, sondern mehrmals ganz kurz auf den Klingelknopf gedrückt. Nach einem zweiten Klingeln, bei dem der Abstand zwischen *Ding* und *Dong* sogar noch länger war, knarrten die Dielen. Thilo ging. Sie hörte ihn etwas in die Wechselsprechanlage sagen. Augenblicke später stand er in ihrem Zimmer.

»Deine Mutter«, sagte er. »Da unten steht deine Mutter!«

»Wie denn«, sagte Carola und blinzelte gegen das Licht im Flur. »Meine Mutter ist doch drüben.«

»Da war eine, die hat gesagt, sie wäre deine Mutter«, sagte Thilo. »Ich will zu Carola, hat sie gesagt. Ich bin die Mutter. Klang ziemlich aufgeregt.«

Darauf konnte sich Carola keinen Reim machen, und ehe ihr eine Entgegnung einfiel, klingelte es. Thilo ging, um zu öffnen. Carola horchte.

Ja, sie hörte eine Stimme, die nach ihrer Mutter klang, auch die Schritte – und als sie die Silhouette ihrer Mutter in der Tür sah, schrie Carola vor Schreck, einen spitzen, unterdrückten Schrei.

»Carola«, sagte ihre Mutter. »Du bist noch im Bett?«

Sie schaltete das Licht ein und ging auf Carola zu, die vor Angst aufrecht im Bett saß.

»Wieso?« fragte Carola. Sie verstand überhaupt nichts. Wieso taucht ihre Mutter plötzlich im Westen auf? Wieso hat sie weder geschrieben noch angerufen? Wieso ist sie so glücklich? Wieso kommt sie ohne Carolas Vater, mit dem sie doch immer alles gemeinsam unternimmt? Und wieso fragt ihre Mutter sie um halb zwölf in der Nacht, wieso sie *noch* im Bett ist?

»Weißt du denn nicht, was passiert ist? Die Mauer ist auf!«

»Die haben die Mauer einfach aufgemacht?« fragte Carola. Sie war fassungslos.

»Klar!« sagte ihre Mutter. »Laß dich drücken, mein Kind!« Sie setzte sich auf die Bettkante, schlang ihre Arme um Carola und merkte, daß auch sie sich gegen ein Aufwallen starker Gefühle nicht wehren konnte.

»Der Vati hat ... Der Vati wollt nicht mit, der hat gesagt, daß ich nie bei dir ankomm.« Frau Schreiter gab sich keine Mühe, ihre Tränen zurückzuhalten. Sie drückte Carola mit aller Kraft an sich. »Aber siehste – nun bin ich hier!«

Carola machte sich schlaff und überließ sich der Mutter. Ihr paßte dieser unangemeldete Besuch überhaupt nicht. Sie war dabei, ein neues Leben zu beginnen – und plötzlich brach das alte Leben ein, stand im Zimmer, ungebeten, sächselnd, laut, nannte sie *mein Kind*, sprach vom *Vati*, machte einen auf tränenreiches Wiedersehen und interessierte sich überhaupt nicht für Carolas Erfolge der letzten Wochen.

»Darf ich euch erst mal bekannt machen«, sagte Carola. »Das ist Thilo – und das ist meine Mutter.«

»Hab ich mir schon gedacht«, sagte Thilo und gab Carolas Mutter die Hand.

Die blickte ihn aus verheulten Augen an und löste ihren Griff um Carola. »Angenehm«, sagte sie und schniefte ungeniert. »Entschuldigung, aber ich ...« Es ging nicht, sie weinte schon wieder.

»Bist du mit dem Auto gekommen?« fragte Carola, um Versachlichung bemüht.

»Nu«, sagte Frau Schreiter. »Glaubst du, ich hab einen Parkplatz gefunden? Nicht die Spur! Nirgends een Parkplatz! Ich fahr hier rum, weeß, da oben ist meene Tochter – aber nirgends gibts een Parkplatz. Da hab ichs auf dem Bürgersteig abgestellt.«

»Das ist riskant«, sagte Carola. »Da kanns dir halt abgeschleppt werden.«

Frau Schreiter hatte Mühe, Carola wiederzuerkennen. So kalt war sie früher nicht, und dieses *halt*, von dem Frau Schreiter nicht wußte, was es eigentlich bedeuten soll, weil es überall hinpaßte, hatte Carola auch nie benutzt, nie. Dieses *halt* war wie der Duft im Intershop: So wie der nach Westen roch, so klangen Gespräche nach Westen, wenn in ihnen gehaltet wurde.

»Aber doch nicht heute«, sagte Frau Schreiter. »In so ner Nacht wirds mir doch nicht halt abgeschleppt.« Sie merkte selbst, daß es nicht stimmte. Carola, die konnte das, die war schon richtig westlich. Gewandt und schön. Sie hatte eine neue Frisur, voller wirkte das Haar, gesünder. Sie bekam Lust, mit beiden Händen hineinzufahren.

»Schön siehst du aus!« sagte sie aus tiefster Seele.

»Sag ich auch immer«, sagte Thilo lachend.

»Stimmt!« sagte Carola.

»Willst du noch mal aufstehn?« fragte Thilo.

»Da fragen Sie noch?« sagte Carolas Mutter. »Carola, wenn du wüßtest, was draußen los ist!«

Carolas Mutter erhob sich, und die Worte sprudelten aus ihr. Sie schaute sich im Zimmer um, mit hastigen Blicken, sich um ihre eigene Achse drehend. Sie erzählte von den Zuständen an der Grenze, lud Thilo zu Weihnachten nach Zwickau ein, wo die ganze Familie beisammen wäre, da ja nun auch Carola wieder nach Hause kommen könnte.

Carola zog sich an. Als sie aus der Wohnungstür trat, sagte Frau Schreiter voller Bewunderung: »Carola, weißt du, wie du aussiehst? Wie eine ausm Westen!«

Carola schaute ihre Mutter entsetzt an, doch die redete weiter. »Wenn man dich so sieht, du bist gar nicht zu unterscheiden von denen!«

Sie war stolz auf Carola. »Und zu Weihnachten kommste doch! Und den Thilo bringste mit.«

»Thilo«, sagte Carola.

»Thilo. Oder was hab ich gesagt?«

»Du sagst immer Diehlo.«

Frau Schreiter schwieg betroffen.

»Wollen wir an die Mauer gehen?« fragte Thilo.

Niemand widersprach. Carola fühlte einen gewissen Unwillen. Sie war im Westen, und jetzt holte sie der Osten, aus dem sie weggelaufen war, wieder ein. Ihre Mutter glaubte, sie sei eine ausm Osten, die sich nur westlich verkleidet hätte. Sie sollte an die Grenze, gukken, wie die aus dem Osten kommen. Was hatte sie mit denen zu tun? Sie studierte Ethnologie, interessierte sich für exotische Kulturen, wovon die, die da kamen, keine Ahnung hatten. Sie war keine von denen! Wieso glaubte Thilo, die würden sie interessieren?

»Erst mal das Auto umparken«, sagte Carola. »Thilo kennt eine Stelle, da gibts immer Parkplätze.«

Als Carola eine Stunde später mit ihrer Mutter und mit Thilo am Grenzübergang Oberbaumbrücke den Strom der Jubelnden und Feiernden sah, die mit glücklichen, mit erlösten Gesichtern aus dem Osten kamen, ärgerte sie sich. Wenn jetzt jeder einfach so in den Westen kann, dann war sie nichts Besonderes mehr. Denen im Osten ist etwas in den Schoß gefallen, das wohl auch ihr – Carolas – Verdienst war: Nur weil im Sommer Zehntausende gingen, kam im Herbst Unruhe in die Gesellschaft. Wäre im Sommer niemand gegangen, dann wäre überhaupt nichts geschehen. Überhaupt fand sie diesen ganzen Verlauf, mit Demonstrationen, Kerzen, Liedern und Gebeten ziemlich ostig. Und wenn die Mauer jetzt auf ist, dann war das eine noch größere Willkür als beim Mauerbau. Damals gab es wenigstens Pläne.

Carola fühlte sich klüger als die Freude ihrer Mutter. Klüger als die Freude derer, die kamen. Wartet nur ab, dachte Carola. Ihr braucht auch Regeln, um eure Freiheit zu verwalten. Ihr könnt nicht ewig Politik machen mit den Forderungen eurer Demos. Und sie dachte grimmig, als sie die freudigen Gesichter sah, immer und immer wieder: Ihr habt doch keine Ahnung.

2

Neuerdings kam Daniel Detjen kaum vor drei Uhr ins Bett. Ständig war etwas, alle hatten Pläne, und immer wurde er hinzugeholt. Letzte Woche wollte ein Freund, den er von der Esperanto-Gesellschaft kannte, eine Partei gründen. Gestern war er bei einer Künstlergruppe, die sich ein ausgebombtes Warenhaus unter den Nagel reißen wollte. Und diesen Abend verbrachte er bei einem Studenten der Kulturwissenschaften, der einen Verlag gründen wollte.

Daniel Detjen bekam kaum Besuch in den letzten Wochen. Wer früher sein Sofa bevölkerte, hatte nichts Besseres zu tun. Jetzt bevölkerte Daniel die Sofas anderer Leute. Er war unversehens aus dem Zentrum an die Peripherie gerückt. Aber das beunruhigte ihn nicht. Die Partei wurde nicht gegründet, weil es wenig Sinn hatte, »mitten im Sturm ein Schiff zu bauen«, wie er sagte. Die Künstler machten zu viele Worte; sie waren blind für den Charme, den ein Handstreich hat. Und die als Autoren des Verlages vorgesehen waren, saßen früher auf Daniels Sofa und trugen zur Versteinerung seiner Teekanne bei.

Eine merkwürdige Stimmung lag über der Stadt. Die Stadt schlief nicht, aber sie war auch nicht wach. In fast jedem Haus brannte irgendwo noch Licht. Oder Fernseher liefen – Daniel sah an den Dekken und Wänden ein schwachblaues Leuchten und Flackern. Es war dreiviertel drei. Was kam um diese Zeit im Fernsehen? Doch nur das Testbild.

Manche Fenster waren nur angelehnt. Daniel hörte aufgeregte Wortkaskaden eines Reporters. Er blieb stehen und lauschte. Nein, da war nichts zu verstehen, nicht mal, ob der Reporter deutsch sprach. Nur die Erregung, die war eindeutig. Ja, etwas war geschehen. Auch wenn es nur wenige Wohnungen waren, in denen der Fernseher lief, nur wenige Wohnungen, in denen Licht brannte – für eine Nacht auf Freitag, für diese Uhrzeit waren es noch immer zu viele. Wieder ein offenes Fenster, wieder eine erregte Stimme, vermutlich aus dem Radio. Sie haben die Mauer aufgemacht, dachte er. Oder es hat einen Putsch gegeben.

Daniel Detjen war ein Kind des Kalten Krieges, aufgewachsen in dem Bewußtsein, daß sich zwei Supermächte Auge in Auge gegenüberstanden und sich die Colts gegenseitig an die Schläfe hielten. Es blieb nicht aus, daß er sich zuweilen vorstellte, wie sich ein Krieg ankündigt. So, wie er die Stadt jetzt erlebte, stellte er sich die letzten Minuten des Friedens vor: Tief in der Nacht laufen die Fernseher, doch die Straßen sind menschenleer. Aber Krieg, jetzt, hielt er für ganz und gar unwahrscheinlich. Es gab seit Wochen nur gute Nachrichten, nichts als gute Nachrichten.

Als Daniel die Toreinfahrt seines Hauses passierte, erwartete er bereits, oben im Radio zu hören, daß die Mauer auf ist. Er nahm zwei Stufen auf einmal.

Im *SFB* hörte er aufgeregte Stimmen, dieselbe Erregung von unterwegs. Verkehrschaos am Ku'damm wegen einer Flut von Trabis. Passanten schrien Unverständliches ins Mikrophon, das Wort *Wahnsinn* stach hervor. Die Reporterin schrie gegen den Lärm an, wiederholte aber auch nur unaufhörlich, daß sich Unglaubliches abspielt.

Daniel Detjen war hundemüde. Er war seit Wochen nicht vor drei Uhr ins Bett gekommen. Die guten Nachrichten hatten seinen Schlafrhythmus durcheinandergebracht. Und es gab nur noch gute Nachrichten. Plötzlich herrschte Pressefreiheit. Demonstrationen waren nicht mehr verboten. Wer wollte, konnte eine Partei gründen. Die Regierung trat zurück. Die Parteiführung trat zurück. Es sollte freie Wahlen geben. Und nun fiel die Mauer. Daniel war zu müde, um wegen einer guten Nachricht, einer von vielen, noch mal auf die Straße zu gehen. Erst mal schlafen. Morgen ist auch noch ein Tag.

3

Staatsanwalt Matthias Lange ärgerte sich, wenn er an die letzte Nacht dachte. Er war mit Verena am Kurfürstendamm gewesen, »nur mal gucken«. Aber was Verena da machte, war mehr, viel mehr. Sie tanzte, feierte und sang. Er mußte daran denken, daß ihre Mutter gesagt hatte, Verena sei »ein einziges Freudenfest«. Er hingegen, Staatsanwalt Matthias Lange, war ein Mensch, der sich nicht gern mit den Gefühlen anderer Menschen gemein machte.

»Findest du nicht, daß du in der letzten Nacht zu weit gegangen bist?« fragte Matthias Lange seine Frau beim Frühstück.

»Wegen dem Spaghetti-Eis?« fragte Verena. Daß sie grinsen mußte, ärgerte ihn.

»Wie du ihn gefragt hast: Was ist denn *Spaghetti-Eis*? Und wie du ihn dabei angeschaut hast!«

»Er hats von sich aus gemacht!« sagte Verena. »Ich hab in der Karte gelesen: ›Spaghetti-Eis‹ und konnte mir nichts darunter vorstellen. Ich hab nur gefragt!«

»Ach!« sagte Matthias Lange ärgerlich. »Schon daß wir in dieses Café Kranzler gegangen sind, zum *nur mal gucken*, ja ja. Und dann fragst du ganz unschuldig, was Spaghetti-Eis ist. Man wird doch wohl noch fragen dürfen, ja ja. Aber als der das Tellerchen genommen hat und das Eis durch die Presse gedrückt hat, Himbeersirup drübergegossen hat und, ach ja, Sahne gabs ja auch noch – du hattest genug Zeit, um zu sagen: Lassense mal, vielen Dank, muß nicht sein. Wir sind da rein, weil es dir draußen zu kalt war, das hättest du auch sagen können. Überhaupt, Eis im November! Hast du doch noch nie gegessen. Aber geschenkt nimmst du's natürlich!«

»Was stört dich denn daran?« fragte Verena gereizt.

»Daß wir dastehen wie Bedürftige«, sagte Matthias Lange. »Wie halbverhungerte Hinterwäldler.«

Der Büfettier hatte Verena mit einem galanten: »Bitte sehr, einmal Spaghetti-Eis für die Dame!« das Tellerchen gereicht. Ein richtiger Kavalier war er. Wie eine Bedürftige hatte er sie nicht behandelt.

Doch Verena erwiderte nichts. Sie hatte Katja in die Küche kommen hören und wollte den Ehestreit nicht in Gegenwart des Kindes fortsetzen.

Katja setzte sich an den Tisch. Verena wechselte in die Mutterrolle.

»Weißt du, wo Papa und ich letzte Nacht waren?« fragte sie in einem Tonfall, der eine Sensation ankündigte. »Wir waren im Westen!«

Katja guckte die Eltern an. Die Mutter, den Vater, dann wieder die Mutter. »Aber wir dürfen doch nicht in den Westen«, sagte sie.

»Doch«, sagte Verena. »Jetzt dürfen alle.«

Katja glaubte ihr nicht.

Verena holte aus ihrer Handtasche etwas, das sie *Puschel* nannte: Ein Stöckchen, an dessen Ende ein Bausch aus blauem Lametta glänzte. Damit dekorierte sie Katjas Frühstücksbrötchen.

»Im Westen stecken die das ins Eis«, sagte Verena. »Dann sieht es schöner aus.«

Katja betrachtete ihr Brötchen, nahm den Puschel und spielte mit ihm herum. Das kräftige Blau glitzerte und verteilte das Licht in kleinen Sprenkeln. Nichts in der Küche der Familie Lange leuchtete wie das blaue Lametta.

»Dann wart ihr ja wirklich im Westen!« rief Katja.

Katja gab den Puschel für den Rest des Morgens nicht aus der Hand, und als sie ihn in ihre Mappe stecken wollte, sagte Staatsanwalt Matthias Lange streng: »Katja! Es muß ja nicht gleich jeder wissen, daß wir letzte Nacht in Westberlin waren.«

»Warum nicht?« fragte Verena. Zu Katja sagte sie: »Du kannst den Puschel einstecken.«

Da nahm Matthias Lange seiner Tochter den Puschel weg, zerbrach ihn und warf ihn in den Müll. Katja fing sofort an, laut zu weinen. Verena fuhr ihren Mann an: »Da kann doch das Kind nichts dafür!«

Der Staatsanwalt schrie: »Daß ihr mir nun auch das Leben schwer macht!«

Verena schrie zurück: »Du selbst machst es dir schwer, du selbst! Es ist vorbei, hast du es nicht gemerkt!«

Sie tröstete Katja. Der Staatsanwalt war ganz still.

Als Katja aufgehört hatte zu weinen, ging Matthias Lange zum Mülleimer, holte den Puschel heraus und schaute, was er ihm angetan hatte. Er hatte nicht nur das Stöckchen zerbrochen. Auch das Lametta war zerfetzt und zerknüllt. Da war nichts mehr zu machen.

»Geh jetzt zur Schule«, sagte Matthias Lange mit belegter Stimme. »Heut nachmittag gehn wir zusammen in den Westen, dann bekommst du ein neues Puschel. Das du morgen auch in die Schule mitnehmen darfst.«

Katja ging zu ihrem Vater, der am Mülleimer hockte, schlang die Arme um seinen Hals, gab ihm einen Kuß und fragte: »Mama, heißt es *der* Puschel oder *das* Puschel?«

Matthias Lange sagte: »Das Puschel«, Verena im selben Augenblick: »Der Puschel.« Katja wußte Bescheid. »Na, ihr werdet euch ja nie einig«, sagte sie.

Kurz darauf hörte Matthias Lange die Tür schlagen. Er saß am Küchentisch. Verena war im Bad. Es war still in der Wohnung. Der Staatsanwalt Matthias Lange starrte auf die Überreste der Eisdekoration.

»Vorbei«, sagte er. »Vorbei.«

4

Lena saß im Schwesternzimmer, als Dr. Matthies anrief. »Lena, ich versuch grad, ne Fuhre vollzukriegen«, sagte er. »Willst du mit nach Berlin?«

»Seit wann hast du ein Auto?« fragte Lena.

»Wir nehmen den Krankenwagen. Der wilde Willi fährt, und am Abend geht's wieder zurück.«

»Den Krankenwagen? Geht das nicht ein bißchen weit?«

»Heut ist nichts los, kein Herzinfarkt, kein Bruch – nichts. Heut sind alle gesund.«

»Hier sagen auch alle ihre Termine ab«, gab Lena zu. »Wir sitzen nur rum.«

»Frag rum, wer noch mitkommen will«, sagte Dr. Matthies. »Platz ist reichlich.«

Als der Krankenwagen des wilden Willi nach Berlin fuhr, kamen auch die beiden Trickbeatles mit, die Lena nun auch offiziell »die beiden zurückgebliebenen Trickbeatles« nannte, sowie zwei Physiotherapeutinnen, die der wilde Willi unablässig als »die zarten Masseusen« bezeichnete. Er meinte »sanft«, aber der wilde Willi war nicht der Mensch, der sich die Mühe machte, zwischen »sanft« und »zart« zu unterscheiden. Und auch den beiden zarten Masseusen sagte der wilde Willi, daß er nicht etwa besoffen sei, sondern nur wegen seiner großen Zunge – »Hier!« – so komisch spreche. Die zarten Masseusen kicherten dazu.

Als sie auf der Autobahn das erste Mal eine Tafel mit den Kilometern bis Berlin sahen, fragte Lena: »Was wollt ihr im Westen als erstes, als allerersten machen?«

Nach kurzem Nachdenken murmelten der wilde Willi, die beiden zurückgebliebenen Trickbeatles und die zarten Masseusen etwas von Begrüßungsgeld.

»Und danach?« fragte Lena.

Nach einer längeren Denkpause sagte Dr. Matthies: »Mal sehen«, die zarten Masseusen sagten: »Mal schauen … was es so in den Geschäften gibt« und nickten sich entschlossen zu. Die beiden zurückgebliebenen Trickbeatles wollten »in den Plattenläden stöbern«.

»Und du?« fragte Dr. Matthies.

»U-Bahn fahren«, sagte Lena.

Lena zählte drei Gründe auf, weshalb der Westen für sie mehr wäre als Begrüßungsgeld: *Easy Rider*, *Hair* und *Fame*. Sie wollte dorthin, wo die Hippies auf den Dächern der Straßenkreuzer tanzen, dorthin, wo die Stadt nie schläft, dorthin, wo alles ist, was ihr in Karl-Marx-Stadt fehlt. Sie wollte das ganz dicke Ding. Deshalb wollte sie, seit langem schon, U-Bahn fahren. »Wenn das das dicke Ding ist«, sagte der wilde Willi. Auf den nächsten sechzig Autobahnkilometern sprach Lena über die Linie 1. Sie wollte U-Bahn fahren wie im Kino. Lena war Fan von *Linie 1*, dreimal hatte sie den Film im Kino gesehen, und als das Musical auf Tournee ging und für zwei Abende nach Karl-Marx-Stadt kommen sollte, stellte sie sich nachts um zwei nach Karten an. Als sich einer der Darsteller am ersten Abend in einer Bühnenunebenheit den Fuß verknackste und am nächsten Tag in der Physiotherapie auftauchte, um sich wieder fit machen zu lassen, improvisierte Lena eine Blitzintrige, so daß ihr jener Schauspieler als Patient zufiel und sie zur zweiten Vorstellung sogar hinter die Bühne durfte. Am Nachmittag führte sie diesen Schauspieler – sein Name war Roger – durch Karl-Marx-Stadt. Roger wollte das Haus sehen, in dem Katarina Witt wohnt, und fand es »irre«, daß das ein ganz gewöhnlicher Plattenbau war. Auch das riesige Karl-Marx-Denkmal fand er »irre«. Das Ostgeld war ihm nicht geläufig; bevor er einen Schein aus der Hand geben konnte, mußte er ihn erst anschauen, welchen Wert er überhaupt darstellt.

Dieser Nachmittag mit Roger war für Lena eine Art Erweckungserlebnis. Sie erfuhr, daß es noch »etwas anderes« gab. Sie fand ihr Karl-Marx-Stadt, das ihre Heimat und ihre Welt war, mit den Augen Rogers gesehen, ziemlich unbedeutend. Sie empfand es als Vergeudung von Glanz, wenn ein so ausgefüllter und weitgereister Mensch wie Roger seine Kunst ausgerechnet auf einer holprigen Bühne zeigt, in dieser lächerlichen Stadt, wo die Weltstars in Plattenbauten wohnen und zugleich abnorm große Köpfe aufgestellt werden.

Roger hatte erwähnt, daß die Linie 1 gleich hinter der Grenze beginnt und daß die alte Trasse sogar über die Oberbaumbrücke in den Osten führt. Auf ihrer nächsten Berlin-Reise ging Lena zur Oberbaumbrücke, um einen Zipfel der Linie 1 – das war *Welt* – mit eigenen Augen zu sehen. Sie sah ein gemauertes Viadukt, auf dessen Krone Birken wuchsen. Für Lena wurde die Oberbaumbrücke ein sehnsuchtsbeladener Ort, für den wilden Willi ein Stichwort: »Oberbaumbrücke? Da ist doch ein Grenzübergang. Da versuch ich…« Weiter kam er nicht, denn Lena stieß einen Schrei der Begeisterung aus.

Auf dem Parkplatz an der Oberbaumbrücke sah es aus, als sei eine Armada langsam fahrender Autos lahmgelegt worden, wie beim Autoscooter, wenn der Strom abgeschaltet wird. Eine erkennbare Parkordnung hatte sich nicht gebildet – die Fahrer hatten einfach, den Grenzübergang vor Augen, ihre Autos angehalten und verlassen. Die Zurückkehrenden fanden ihre Autos rettungslos zugeparkt, aber das wurde lachend zur Kenntnis genommen; an diesem Tag war ein zugeparktes Auto eine Kuriosität, eine Episode – kein Grund, zu fluchen, zu drohen oder anzuschwärzen. Alle Menschen waren Brüder.

Der Zustand der letzten Nacht, als die Grenze durchlässig war wie die zwischen Manhattan und Brooklyn, war vorüber; es gab wieder Kontrollen. Die Personalausweise von Lena, von Dr. Matthies, dem wilden Willi, den beiden zurückgebliebenen Trickbeatles und den zarten Masseusen wurden eingesammelt und wenige Minuten später wieder ausgeteilt. Die Ausweise hatten nun auf der letzten Seite einen seitenfüllenden Stempel: »Visum zur ~~ein~~/mehrmaligen Ausreise aus der DDR, gültig bis 09. 11. 90.« Der wilde Willi starrte den Stempel an, dann knöpfte er sich einen der Grenzer vor: »Eh, das ist nicht euer Ernst. Soll das alles sein? Wars wirklich nur das, was ihr uns nicht geben wolltet? Nur so einen pissigen Stempel hättet ihr uns geben müssen? Mehr haben wir nicht gebraucht? Ist ja nicht zu fassen!« Kopfschüttelnd ging er über den weißen Strich – kam aber gleich wieder zurück, um dem Grenzer noch zu sagen: »Ich bin nicht besoffen, obwohl ich so komisch spreche. Nicht, daß ihr denkt. Das ist nur, weil ich so ne große Zunge habe – hier!«

Noch immer wurde an der Grenze gejubelt und gefeiert, auch wenn sich nach über vierzehn Stunden der Jubel mit Erschöpfung mischte. Die Westberliner konnten sich nicht losreißen vom Anblick dieser vielen Gesichter des vollen Glücks. Sie schenkten Kaffee und heiße Suppe aus, verteilten Bananen und Schokoriegel, die in buntem, knisterndem Papier steckten. Mit denen, die kamen, wollten sie sich anfreunden.

Lena sah eines der Laubhäufchen, die in einem nahen Park zusammengeharkt waren, und rief: »Wart ihr jemals so glücklich?« Ihre Frage schuf einen Moment Ergriffenheit. Die Sonne warf ein fahles Licht, und in der kalten Novemberluft wallte der Atem. Sie waren frei, und Lena hatte es prophezeit.

»Jetzt kann die Ewigkeit beginnen!« rief Lena und ließ ein Lachen kullern.

Sie fragten sich, wie es weitergeht. Lena wollte »sofort« U-Bahn fahren, der wilde Willi wollte »auf keinen Fall sofort« U-Bahn fahren, Dr. Matthies wollte »vielleicht später« U-Bahn fahren, die Trickbeatles wollten »weder sofort noch später« U-Bahn fahren, und die zarten Masseusen wußten noch nicht, ob sie »vielleicht« U-Bahn fahren wollten. Ein Kompromiß war schwer vorstellbar, und da nichts darauf hinwies, daß kommende Entscheidungen einfacher werden würden, einigten sie sich schnell, in sechs Stunden wieder am Krankenwagen zu sein.

Das war das letzte Mal, daß sie so zusammen waren.

5

Die beiden zurückgebliebenen Trickbeatles fanden bald einen Plattenladen. In dem kleinen Verkaufsraum drängten sich ausschließlich Männer. Alle aus dem Osten, alles Kenner. Die beiden zurückgebliebenen Trickbeatles wurden sogar erkannt – so zumindest deuteten sie den wiederholten, doch scheu-ehrfürchtigen Blick eines Kunden.

Es gab zwei Sorten von Kunden: Die einen kauften gar nichts, die anderen hauten ihr gesamtes Begrüßungsgeld auf den Kopf. Der Plattenhändler erlebte den höchsten Tagesumsatz seines Lebens; der bisherige Rekord war bereits zur Mittagszeit um mehr als das Doppelte übertroffen. Im Sortiment klafften schon Lücken; die Klassiker der Rock-Avantgarde dünnten zuerst aus – *Velvet Underground* und *The Cream* waren, wie der Verkäufer lässig beschied, »restlos weggeputzt«; *Yes* und *Jethro Tull*, *Genesis* und *Fleetwood Mac*, *Kraftwerk* und *Spliff* gingen »wie die Feuerwehr«, und von *Ton, Steine, Scherben* hatte er aus einem Ramschverkauf noch einen ganzen Stapel im Keller, der bis zum Feierabend »uffjeroocht« sein würde.

Das Gedränge war so groß, daß der erste der zurückgebliebenen Trickbeatles zwanzig Minuten brauchte, um zu einem Regal durchzukommen. Die Platten standen hochkant hintereinander, die Bands waren nach dem Alphabet sortiert. Für den zurückgebliebenen Trickbeatle war alles greifbar von *Pink Floyd* bis *Police*. Dazwischen hätte vielleicht eines Tages *PlanQuadrat* gestanden, dachte er. Wir wären in bester Gesellschaft.

Die Band *Pink Floyd* hatte den zurückgebliebenen Trickbeatle immer interessiert. Sie begannen als Avantgarde und endeten im Stadion. PlanQuadrat wollte, so ihr Anspruch, *die Leute in neue Klangwelten mitnehmen*. Dieser Vorsatz wollte zwei völlig unterschiedliche, ja, gegensätzliche Dinge auf einmal – je nachdem, ob die *neuen Klangwelten* oder das *mitnehmen* betont wurde. Innovationen, die sich nicht durchsetzen, sind Niederlagen. Innovationen, die Rücksicht nehmen, verlieren Schwung. Kann man Avantgarde bleiben, selbst wenn man Stadien füllt? Bei Pink Floyd wurde das Monströse pompös, das Schräge kokett, das Kraftvolle tanzbar und das Rätselhafte flog raus. Avantgarde für Gehirnamputierte, das war Pink Floyd schließlich geworden, einfach nur peinlich. Wo war der

Moment der verlorenen Unschuld? Der zurückgebliebene Trickbeatle kannte das Pink-Floyd-Album *Atom Heart Mother* von 1971, ein experimentelles, avantgardistisches Album. Zwei Jahre später erschien ein Klassiker der Rockgeschichte, *The Dark Side of the Moon.* Dazwischen kam ein weithin unbekanntes Album, *Obscured by Clouds*, das der zurückgebliebene Trickbeatle nie hatte hören können. Sein *missing link* der Musikgeschichte. Er stand direkt davor. Er nahm die Platte aus dem Regal und versuchte, zu den Abspielplätzen durchzukommen, wo er noch mal eine Weile anstehen mußte, um in die Platte reinhören zu können.

Als es endlich soweit war, tippte ihm bereits während des ersten Titels jemand auf die Schultern und sagte, »daß noch andere warten«. Kurz darauf wurde er wieder angetippt, recht ungeduldig. Ein Kunde fragte, »ob es noch lange dauert«. Der zurückgebliebene Trickbeatle war ein Mensch, der sich nicht gern beim Musikhören stören ließ, erst recht nicht unterm Kopfhörer. Die ständigen Unterbrechungen, schon deren Erwartung, waren eine unzumutbare Bedingung, und so verließen die beiden zurückgebliebenen Trickbeatles den Plattenladen.

Sie holten ihr Begrüßungsgeld, 100 DM für jeden gegen Vorlage des Personalausweises, fuhren zur Gedächtniskirche und gingen in ein Kaufhaus, wo in der Plattenabteilung zehn Plattenspieler zur Verfügung standen. Auch hier waren die Bestände längst dezimiert, aber die *Obscured by Clouds* gab es noch. Der zurückgebliebene Trickbeatle hörte sich das Album an – und stellte fest, daß es absolut nichtssagend und völlig zu Recht vergessen war. Reine Zeitverschwendung.

Als die beiden zurückgebliebenen Trickbeatles Hunger bekamen, gingen sie zu McDonald's. Als sie in ihre Hamburger bissen, fragten sie sich: Das wars? Um dieses Essen so ein Kult? Das Brötchen, so labberig, als sei es ins Wasser gefallen, das Fleisch so dünn, daß es kaum herauszuschmecken war, dazu Ketchup und ein Salatblatt, drei Maiskörner, ein Scheibchen saure Gurke.

»Die schnurpst nicht mal«, sagte der eine zurückgebliebene Trickbeatle und schaute enttäuscht aus dem Fenster: Sie waren im Westen, und es schnurpste nicht.

Dr. Matthies war entlang der U-Bahnlinie, die als Hochbahn durch Kreuzberg verläuft, bis zum Halleschen Tor gegangen und hatte dort in einer der Filialen der Post sein Begrüßungsgeld geholt. Er fror, und so konnte er der Versuchung nicht widerstehen, das große Glashaus zu betreten, über dessen Eingang in dünnen Leuchtbuchstaben *Amerika-Gedenkbibliothek* stand.

Die Bibliothek war voll wie selten eine Bibliothek. Trotz des Andrangs lief der normale Betrieb; die Leser wußten die Etikette zu wahren.

Dr. Matthies stand in einer Fülle von Büchern. Mannshohe Regale, die in mehreren Zügen den Raum, so groß wie eine Bahnhofshalle, in Scheiben schnitten. Politik, Geschichte, Psychologie, amerikanische Literatur, europäische Literatur, Medizin, Biologie, Astronomie, Architektur, Kunstgeschichte, Soziologie, Religion, Philosophie. Das gesammelte Wissen der Menschheit, frei zugänglich, unzensiert. Nach welchem Buch sollte er greifen?

Dr. Matthies entschied sich, eine Stalin-Biographie anzulesen. Stalin war ihm instinktiv der heimliche, der untote Herrscher. Weshalb sonst wurde der Stalinismus von den Herrschenden verharmlost, verschwiegen, geleugnet, relativiert oder tabuisiert? Weil es nie wirklich mit ihm zu Ende war.

Dr. Matthies hatte zudem eine seltsame Beziehung zu Stalin: Er wurde ausgerechnet an dessen Todestag geboren, am 5. März 1953.

Dr. Matthies setzte sich an einen Tisch und mußte sich entscheiden, mit welchem Kapitel aus Stalins Leben er sich aufwärmen wollte. Mit dem als *Säuberung* bezeichneten Massenterror? Mit Trotzkis Ermordung? Dem Hitler-Stalin-Pakt? Um sich die Wahl zu erleichtern, schaute er ins Inhaltsverzeichnis. Das war zu seinem Erstaunen nicht hinten, sondern am Beginn des Buches. Es gab ein

Kapitel, das *Der erste Tod* und eines, das *Der zweite Tod* hieß. Dr. Matthies wußte, daß Stalin nach einigen Tagen im Koma an den Folgen einer Hirnblutung starb. Was war der erste Tod, was der zweite? Was war am 5. März 1953?

Dr. Matthies schlug das Kapitel auf. Der Autor, ein Amerikaner, hatte mit kriminalistischem Spürsinn den Tod Stalins rekonstruiert, indem er Lebensumstände, Zeugenaussagen, politische Situation und ärztliche Bulletins gegeneinander hielt.

Stalins Biograph deckte in siebzehn Seiten Kleinarbeit auf, daß eine neue Säuberung geplant war, eine, die an Grausamkeit jene Säuberungen zwischen neunzehnsechsunddreißig und neunzehnachtunddreißig weit übertreffen würde. Jüdischen Ärzten war gerade ein Schauprozeß gemacht worden – und das sollte der Auftakt sein. Das Politbüro, dem Stalin vorstand, hatte eine Heidenangst; die letzte Säuberung hatte fast dem gesamten Politbüro das Leben gekostet. Diesmal wollten sie nicht warten, bis Stalin sie alle umbringen läßt, und so handelten sie selbst. Stalin starb nicht im Bett. Er wurde, so las Dr. Matthies atemlos, umgebracht. Chruschtschow hat Stalin eigenhändig erwürgt, auf einer Sitzung und vor den Augen des gesamten Politbüros. Eine Szene von elementarer Brutalität. Ein grausamer Mensch wird auf grausame Weise getötet.

Der Mord mußte vor der Weltöffentlichkeit verschleiert werden. Doch die ärztlichen Bulletins, die aus einem toten Stalin einen Stalin machten, der fünf Tage mit dem Tode rang, waren höchst widersprüchlich. Behandlungen wurden eingeleitet, die beim verlautbarten Zustand schlicht sinnlos waren. Da hatte der Biograph recht, das konnte Dr. Matthies als Mediziner bestätigen. Er hätte es nicht verdächtig gefunden, doch las man die Bulletins mit einem gewissen Mißtrauen, dann waren die Schlußfolgerungen des Biographen von zwingender Logik.

Dr. Matthies saß noch in der Bibliothek, als er längst durchgewärmt war. Es war sein erster Tag im Westen, und schon mußte er anders von seinem Geburtstag denken. Er fühlte Verblüffung und

Begeisterung darüber, wie wagemutiges, freies Denken eines einzelnen über die Lüge, in Kraft gesetzt von einem Imperium, triumphiert. Er, geboren am 5. März 1953, erfuhr, daß er nicht an Stalins Todestag geboren worden war. Stalins Tod mußte umdatiert werden.

Mit bloßen Händen erwürgt! dachte Dr. Matthies immer wieder. *Welch häßliche Epoche! Erwürgt von den eigenen Leuten!*

Die zarten Masseusen erkundeten doch nicht die Kaufhäuser und Geschäfte. Sie entdeckten plötzlich ihre Aversion gegen Menschenmassen und gingen in Nebenstraßen, wo, keine zweihundert Meter vom Grenzübergang entfernt, nichts auf das epochale Ereignis hindeutete.

Da sahen sie den Blumenladen.

Sie hatten sich den Westen als etwas Buntes, Leuchtendes, Duftendes und Lebhaftes vorgestellt. Doch mit so etwas hatten sie nicht gerechnet. Sie waren überwältigt: prachtvolle Gebinde in kräftigen Farben, kleine, zierliche Schmucksträuße, herbstliche Sträuße in gelben, braunen und dunkelroten Tönen, rote Rosen, weiße Rosen, *blaue* Rosen. Gläserne Säulen, gefüllt mit farbigem Sand oder mit runden Kieselsteinen. Ein fröhlicher Türke kam aus dem Laden und fragte, ob sie nicht hereinkommen wollten. Drinnen gingen sie umher und lernten die Namen von Blumen, die sie nie gesehen hatten: Protea, Helikone, Steppenkerze und Lyatris. Der Türke sagte lachend, sie seien die ersten Deutschen, denen er deutsche Wörter beibringt.

»Sind wir deutsch?« fragten die zarten Masseusen. »Wir sind doch ...«

Sie drucksten herum, weil sie die drei Buchstaben nicht sagen wollten.

»Doch«, sagte der türkische Blumenhändler überzeugt. »Ist auch deutsch.«

Die beiden zarten Masseusen sahen sich an und kicherten. Deutsch zu sein, das fanden sie gut.

Lenas großer Bruder knipste mehr als an jedem anderen Tag seines Lebens. Er, der dem Leben die Bilder entreißen wollte, fühlte sich wie im Schlaraffenland. Die Exotik schien kein Ende zu nehmen.

Er knipste riesige Werbetafeln. Er knipste einen Punk mit zwei Schäferhunden und glaubte, er hätte sonstwas gesehen. Er knipste Ladenschilder mit arabischen Schriftzeichen und sechs schnurrbärtige Männer in einer Teestube, die er damals noch nicht mal als Türken identifizierte, er knipste Doppeldeckerbusse und Straßenmusiker, die er in den Gängen der U-Bahn sah. Er knipste berittene Polizei. Er knipste die überflüssigsten Bilder seines Lebens.

Später traf er Lena. Ein unglaublicher Zufall. Und als Lena dabei war, glückten ihm auch die Fotos.

6

Lena fuhr U-Bahn, einmal Linie 1, von Schlesisches Tor nach Ruhleben. Der Zug fuhr zunächst über der Erde, als Hochbahn. Die Wagen waren so voll, daß sie nicht aus dem Fenster sehen konnte. Alle kamen von der Grenze, und alle wollten ins Herz des Westens.

An der siebten Station, dem Bahnhof Kurfürstenstraße, kam es zu einer Verwechslung mit dem legendären Kurfürstendamm, und so leerte sich der Zug zur Hälfte. Jetzt hätte Lena hinausschauen können – doch mittlerweile fuhr der Zug unterirdisch. Am Bahnhof Zoologischer Garten stieg dann die andere Hälfte aus – aber da viele neu hereindrängten, war der Zug wieder voll.

Im Film war das anders, dachte Lena.

Am U-Bahnhof Ruhleben stieg Lena aus. Die Straße war asphaltiert, die Fahrbahnmarkierungen waren gleichmäßig und kräftig, die Motoren klangen tiefer und eleganter. Doch der November machte alles trübe und dreckig. Alltag im Westen, dachte sie, und ärgerte sich darüber, daß ihr ausgerechnet der Titel einer roten Fernsehsendung an einem solchen Tag das Stichwort einflüsterte.

Alles war üppig, großzügig bemessen: Die Stiefel der Frauen waren höher, die Jacken waren dicker, die Autos größer, die Mäntel länger und weiter. Die Werbetafeln waren groß wie Kinoleinwände. Lena hielt die Botschaften für bedeutend, bloß weil die da so riesig standen. Sie schrieb sich sogar den Namen eines Joghurt auf, der so frrrrrruchtig schmecken sollte.

Dann sah Lena eine Tafel, auf der ein Gulasch sehr vorteilhaft fotografiert war, ein Gulasch aus saftigem Rindfleisch, von einer glänzenden Soße umschlossen. Ein Stückchen Fleisch lag dabei, soeben aufgebrochen, innen rosig, mit kräftigen Fasern, und eine herzhaft duftende Schwade stieg auf... Ihr lief das Wasser im Munde zusammen, obwohl sie sich dagegen wehrte, heftig wehrte. Denn die Tafel warb für Hundefutter. Von Stund an haßte Lena jegliche Werbung. Wenn sie dir Appetit auf Hundefutter machen, dann geht das zu weit, entschied Lena.

Vor einer Bankfiliale erinnerte sie sich an das Begrüßungsgeld. Am Eingang mußte sie lesen, daß am Freitag nur bis 15 Uhr geöffnet ist, das Begrüßungsgeld danach im Rathaus ausgezahlt werde. Lena brauchte über eine Stunde, um das Rathaus zu finden. Dort mußte sie wieder anstehen, doch es war anders als an der Grenze. Sie fühlte sich so gewöhnlich, nach Geld anzustehen, und hatte ein schales Gefühl, weil sie Geld dafür nahm, aus der DDR zu sein.

Ein merkwürdig verkorkster Tag, dachte Lena. Überhaupt nicht romantisch, grandios, unvergeßlich. Es war so praktisch, so hausfrauenpraktisch, sich nach dem Abhaken der Linie-1-Tour um das Geld zu kümmern.

Lena fuhr mit der Linie 1 in die Richtung, aus der sie gekommen war. Die Bahnhöfe schienen nach Operettenpersonal benannt zu sein: Sie hießen nicht nur Kurfürstenstraße, sondern auch Kaiserin-Augusta-Allee, Hohenzollerndamm und Prinzenstraße. *Irre*, dachte sie – und plötzlich wußte sie, was sie wollte: Sie wollte Roger besuchen. Er sollte ihr die Linie 1 zeigen, so wie sie ihm Karl-Marx-Stadt gezeigt hatte. Seine Adresse hatte sie bei sich, wie einen Talisman; allerdings ohne den Vorsatz, sie zu benutzen. Aber nun wollte sie ihn nicht nur suchen, was das Natürlichste und Selbstverständlichste wäre; sondern sie hatte beschlossen, sich von ihm verführen zu lassen. Ein Westler aus der Theaterwelt, den sie nach dem Mauerfall wiedertrifft, ein Darsteller des Musicals *Linie 1*, interessant, vorzeigbar, weltenkundig – der lohnte Hingabe und Verschmelzung.

Jetzt hatte der Tag ein Ziel. Lena fuhr zunächst zum U-Bahnhof Kurfürstenstraße, wo sie auf der Hinfahrt einen Stadtplan entdeckt hatte; erst später stellte sie fest, daß auf jedem Bahnhof diese praktischen Karten hingen. Roger, so fand sie heraus, wohnte nicht an der Linie 1. Sie mußte einmal umsteigen und ein kleines Stück laufen. Als sie Rogers Haus erreichte, war es bereits dunkel. Roger kam just in dem Moment heraus, als Lena klingelte.

»Heee!« sagte sie und strahlte ihn an, und er, nachdem er sie erkannt hatte: »Heeee!« Und dann fielen sie sich in die Arme.

»Mensch, das ist ja ...«, sagte er.

»Ja, nicht!« sagte Lena mit leuchtenden Augen. »Wie findst'n das? Wir können uns jetzt besuchen!«

»Irre!« sagte Roger.

Lena spürte, daß Roger zu einer Frau unterwegs war, aber das eigentliche Problem hatte Lena überfallen, als sie sagte *Wir können uns jetzt besuchen.* Wie hohl und langweilig ist es, Roger besuchen zu können. Wenn sie gesagt hätte *Wir können uns nie mehr besuchen* – das wäre ein Angebot, das hätte eine Zukunft. Aber das? *Wir können uns jetzt besuchen* – wie öde!

Roger verabschiedete sich. Sie solle unbedingt anrufen, und Lena versprach es. Doch sie wußte, daß sie es nicht tun wird. Sie sagte, sie wolle noch woanders hin – nur um nicht mit Roger zur U-Bahn gehen zu müssen. Sie streunte umher und wurde wütend auf sich selbst, wütend, weil sie es nicht schaffte, an diesem glücklichen Tag glücklich zu sein. Alles war verkorkst. Dieses merkwürdige Auseinanderlaufen an der Grenze. Dieses ratlose, ziellose Umhertappen in Westberlin. Die Begegnung mit Roger. Das Herumfahren mit der

Linie 1, in die nirgends Gassenhauer singende Wilmersdorfer Witwen eingestiegen sind. Ihre Unternehmungen waren ohne Resonanz geblieben – um so intensiver dachte sie an ihre Karl-Marx-Städter Erfahrungen –, und da stand ihr großer Bruder vor ihr, in der Linie 1. Ein unglaublicher Zufall. Sofort überschlugen sie sich darin, dem anderen zu erzählen, was sie bisher erlebt hatten.

Die Fahrgäste in der U-Bahn zogen ihre Einkäufe aus den Taschen, betrachteten sie und zeigten sie sich gegenseitig: Bananen, Hausschuhe, kaba-fit, Platzdeckchen, Bücher. Da wurde auch Lena von dem Drang überfallen, etwas zu kaufen. »Los«, sagte sie zu ihrem großen Bruder, als der Zug am Zoologischen Garten hielt. »Irgendwas muß ich doch ausm Westen mitbringen. Ich kauf ... ne Schachtel Marlboro«, sagte sie und steuerte einen Zigarettenautomaten an.

Obwohl der Bahnhof von Menschen überquoll, hatte ihn Lenas großer Bruder bereits gesehen; bestimmte Menschen fallen auf. Seine Haare waren so weiß, daß Lenas großer Bruder zunächst eine Fellmütze zu sehen glaubte. Das Gesicht war ebenfalls weiß, wie gepudert. Er trug eine Sonnenbrille. Er war eine unwirkliche Erscheinung: Bekleidet mit einem tief dunkelblauen Anzug und schwarzen Slippers, die mit Troddeln verziert waren, trug er in der rechten Hand einen weinrot glänzenden Aktenkoffer aus Leder. Lenas großer Bruder schätzte ihn auf fünfzehn Jahre. Das Grobe und Häßliche dieses Alters, wenn Kinder aufplatzen und zu Männern werden, die schlechten Manieren – all das hatte der nicht; er wirkte fein und vorsichtig. Er war von einer Zaghaftigkeit, die ins Auge sprang. Er schien ein ungeliebtes Genie zu sein, ein einsames Wunderkind. Ein Albino, der sich schon in der Pubertät mit den Insignien der Geschäftswelt ausstaffierte.

Der Anblick dieses Menschen gab Rätsel auf.

Lena hatte noch nie einen Zigarettenautomaten gesehen; in Karl-Marx-Stadt waren sie abmontiert worden, als Lena noch nicht zur Schule ging. Also studierte sie die Gebrauchsanweisung: Sie mußte zwei Zweimarkstücke einwerfen und konnte dann eine Packung ziehen. Doch als sie die Münzen eingeworfen hatte und eine Schachtel Marlboro ziehen wollte, klemmte der Schuber. Auch das Geld fiel nicht durch; es schien verloren. Sie drückte auf den Knopf für die Geldrückgabe, klopfte gegen den Automaten, zog und rüttelte am Schuber – nichts.

Der Albino hatte die Szene beobachtet. Er näherte sich dem Automaten und sprach Lena von hinten an. Lena drehte sich um. Beim Anblick ihres Gegenübers stockte beiden der Atem – Lena, weil er so häßlich war, dem Albino, weil sie so schön war.

Der Albino bat Lena, einen Schritt beiseite zu treten. Sein Körper spannte sich. Dann legte er los. Er faßte den Automaten an wie Lena ihre Patienten – fachmännisch, behutsam, sicher. Er brachte die Seitenwand zum Vibrieren und klopfte mit dem Boden seiner Faust leicht gegen die Frontseite. Zugleich wandte er sein Gesicht Lena zu und erklärte, was er tat. Das Vibrieren verstärkte er, manchmal schlug er sogar mit dem Handteller gegen die Seitenwand, immer öfter, immer schneller – bis daraus ein Rhythmus entstand. Lena drehte sich um und lächelte ihrem großen Bruder zu: Das ist Linie 1, wie sie sein muß! Linie 1 pur! Schräge Vögel mit ausgefallenen Talenten!

Plötzlich hörte der Albino mit allem auf, und die Spannung wich aus seinem Körper. Er steckte eine weitere Münze in den Schlitz, trat beiseite und bat Lena mit einer gravitätischen Bewegung, das Werk zu vollenden: Sie konnte jetzt die Schachtel Marlboro ziehen. Lenas großer Bruder sah den Albino nur von hinten, sah, wie er etwas zu Lena sagte und wie sich sein Körper, der eben noch agil und einfallsreich am Automaten arbeitete, verkrampfte, wie er verdreht und schief wurde. Lenas Bruder konnte nicht hören, was der Albino sagte – aber er sah, wie Lena erst lachte, dann einen spöttischen Ausdruck annahm und ihn schließlich mit einem hochmütigen Kopfschütteln stehenließ.

»Was hat er gesagt?« fragte ihr großer Bruder neugierig.

»Ach«, sagte sie. »Der wollte, daß ich mit ihm nicht die *erste*, sondern die *letzte* rauche.«

»Aus der Altersklasse kriegst du schon Angebote?« fragte Lenas großer Bruder. »Der war doch erst fünfzehn.«

»Nee, nee«, sagte Lena. »Der war bestimmt schon neunzehn.«

»Neunzehn?«

Lena sagte: »Der war einfach etwas unterentwickelt.«

Sie schauten sich nach ihm um, aber er war verschwunden – wie ein Geist.

So einig die Erfahrungen waren, mit denen sie über die weiße Linie gingen, so verschieden waren sie, als sie sich in Westberlin zerstreuten. Und als sie zurückkamen, da war etwas anders. Es gab keinen Streit, nicht mal einen Mißton. Doch niemand konnte mit den Erlebnissen der anderen etwas anfangen.

Da schnurpst nichts, sagten die einen, *Mit bloßen Händen erwürgt*, der nächste, *die Schönsten sind aus dem Dschungel*, die dritten, Lena sagte: *Das mit dem Hundefutter geht zu weit*, und ihr großer Bruder sagte: *Ich hab alles verknipst.*

Als letzter kam der wilde Willi. Er war zu besoffen, um noch fahren zu können; das mußte einer der zurückgebliebenen Trickbeatles übernehmen. Der wilde Willi war von einem irischen Kegelverein in die Kneipe eingeladen worden und wollte nicht an Probleme wie die Rückfahrt denken. Nicht an so einem Tag.

Der wilde Willi sagte: *Irrland. Wir müssen Irrland werden!*

Der Krankenwagen war von Autos umstellt. Zwar hatte der wilde Willi beim Abstellen das Blaulicht eingeschaltet – wer wagt es, einen Krankenwagen bei laufendem Blaulicht zuzuparken? –, aber die Batterie hatte längst schlappgemacht. So wurde der Krankenwagen doch zugeparkt, und obendrein ließ er sich nicht starten. Die zurückgebliebenen Trickbeatles, die als erste zurück waren, hatten sofort mit der Befreiung des Krankenwagens begonnen. Sie hatten ein Hinzukommen von neuen Schichten aus parkenden Autos verhindert und dem Krankenwagen eine Schneise gebahnt, so daß er aus der Parkposition manövriert und auf der Straße angeschoben werden konnte. Alle machten mit, auch der wilde Willi, der mehr wankte, als daß er lief, auch die zarten Masseusen – alle schoben mit an.

Der November war kalt, er wollte drei Versuche, ehe der Motor lief. Sie standen da, mit naßgeschwitzten Unterhemden, verdreckten Händen, sahen sich an, und nichts würde wieder sein, wie es war.

7

Als Leo Lattke kam, war alles gelaufen. Und das zum zweiten Mal. Sie hatten ihn nach San Francisco geschickt, damit er vom Erdbeben berichtet. Erdbeben in San Francisco sind keine gewöhnlichen Erdbeben – jedes könnte das letzte sein. Eines Tages wird San Francisco durch ein Erdbeben verschwinden. Es wird nicht platt gemacht, nicht in Trümmer fallen, nein, es wird in die Erdspalte, die sich unter der Stadt immer mehr verbreitert, buchstäblich hineinfallen. Es wird zur Hölle fahren, das schöne San Francisco, und alle Welt weiß das. Deshalb sind Erdbeben in San Francisco etwas Besonderes; sie gemahnen daran, daß diese schöne Stadt, die sich nicht als Moloch, sondern, ganz unamerikanisch, mit einer anmutigen, hügeligen Skyline präsentiert, die als Hippierefugium und überhaupt für jeden Spleen offene Stadt wie die Spielecke Amerikas wirkt, eines Tages verschwinden wird wie einst Pompeji.

Leo Lattke hatte seine schnelle Ankunft in San Francisco den ausgezeichneten Beziehungen zu verdanken, die sein Nachrichtenmagazin zu den wichtigsten Fluggesellschaften unterhielt; für die Redakteure gab es universale, vertraglich gesicherte Mitflug-Garantien, selbst auf der Concorde war ein Platz versprochen. Als Leo Lattke in San Francisco dem Flugzeug, einer Boeing 767, entstieg, war er berauscht von seiner Professionalität, dank deren er vom anderen Ende der Welt eingeflogen wurde, auf daß die Katastrophe in seine Worte getaucht werde.

Gewiß, das Nachrichtenmagazin, für das er arbeitete, hatte mehrere Büros in den USA, aber keiner dort hatte diesen Leo-Lattke-Sound drauf. Die Themen, auf die er losgelassen wurde, waren vielleicht nichts Besonderes – sie wurden etwas Besonderes, indem er darüber schrieb. *It's the singer, not the song.* Das Blatt war nicht etwa mit Flaschen gespickt, im Gegenteil. Es waren hart arbeitende, gründlich recherchierende, keinen Aufwand scheuende Journalisten, die kein zynisches Verhältnis zu ihrem Beruf und ihrem Blatt hatten. Die Besten ihrer Zunft.

Das Nachrichtenmagazin, für das Leo Lattke arbeitete, war eine Instanz. Es hatte mehrere, wahrhaft staatserschütternde Affären aufgedeckt, Minister zu Fall und Bundeskanzler in Verlegenheit gebracht. Und nicht selten wurden parlamentarische Untersuchungsausschüsse ins Leben gerufen oder staatsanwaltschaftliche Ermittlungen eingeleitet, nur um zu erhärten, was schon im Blatt stand. Zudem erhielt sich das Blatt seine Unbestechlichkeit – bei seinen Enthüllungen gab es kein politisches Wohlwollen, kein taktisches Verhältnis zur Wahrheit, keine Tendenz, die Affären danach zu bewerten, welchem Lager die Protagonisten angehörten. Und so wurde das Blatt zum Synonym für die Vierte Gewalt, also einer Presse, vor der kein Mißstand von öffentlichem Belang sicher ist. Fast jeder Journalistikstudent träumte davon, eines Tages dort zu landen, und Leo Lattke, der keine klassische Journalistikausbildung hatte, konnte besonders in den ersten Arbeitswochen der Versuchung nicht widerstehen, sich aufzuwerten und zusätzliche Wichtigkeit zu verschaffen, indem er fallenließ, wer sein Zeug druckte.

Er war beim besten Blatt, und unter den Reportern dort galt er als Nummer eins. Deshalb mußte er San Francisco machen, nicht die aus Los Angeles, New York oder Washington. Die hatten vielleicht bessere Beziehungen ins Weiße Haus, oder sie hatten sich in die spezifischen Migrationsprobleme Kaliforniens eingearbeitet, aber aus dem Stand über ein Erdbeben in einer zum Untergang verurteilten Stadt zu schreiben, das war dann doch, bei allem Respekt, seine Sache. *Als Jeffrey Jackson, 55, in seinem Buick am 8. November 89 um 17.04 von der Embarcadero abbog und auf die Bay Bridge fuhr, glaubte er noch, daß Gott ihm das Glück nur mit kleiner Kelle auf den Teller tat: keine Dauerkarte für die Bears. Sekunden später, nach einer Vollbremsung, bei der seine Vorderräder noch über die Kante des Spaltes rutschten, in dem er drei Autos hatte verschwinden sehen, dachte Jeffrey Jackson anders über sein Schicksal.* Ja, das machte ihm keiner nach, dieses lässige Herbeizitieren des Profanen im Auge des Hurrikans, das per Protokollstil entfachte Interesse, den Instinkt für die Erzeugung des Dabeigewesen-Gefühls. Wenn Leo Lattke schrieb, dann glaubte der Leser hinterher, Lattke selbst hätte auf Jeffrey Jacksons Beifahrersitz gesessen.

Lattke schrieb die Reportage im Hotel, er stand unter Druck, denn der Abgabetermin war nahe. Da klingelte das Telefon – er solle nach Berlin fliegen; die Mauer sei gefallen. Leo Lattke haßte es, wenn er beim Arbeiten gestört wurde, und er wollte sich zwingen, erst den Artikel runterzureißen, ehe er den Fernseher einschaltete – aber von diesem Vorhaben kam er bald ab. Wer interessiert sich für ein Erdbeben, wenn in Berlin die Mauer fällt? Er beendete die Reportage bei laufendem Fernseher, ließ sie von einer Sarah, die sich mit einer synthetisch klingenden Stimme am Telefon meldete – »Hello Sir, how can I help you?« –, in die Redaktion faxen und fuhr zum Flughafen, um, diesmal via Zürich, nach Berlin zu fliegen. Die Maschine nach Berlin war voller Schweizer, die sich von der Euphorie der Fernsehbilder nicht im geringsten anstecken ließen. Immerhin hatten sie gehört, daß in Berlin die Mauer gefallen sein sollte; Sorgen bereitete den Schweizern lediglich, ob denn trotz des Verkehrschaos, das bei derartigen Ereignissen immer auszubrechen pflegt, Busse und Bahnen zuverlässig verkehren. Leo Lattke fühlte sich doppelt verhöhnt: Nicht nur, daß er, der heißeste Reporter der

Bundesrepublik, als letzter eintraf, wenn sich in Berlin Geschichte ereignete, er wurde auch noch mit diesen spießigen, desinteressierten, ignoranten Schweizer Langweilern eingeflogen.

Schon während des Fluges von San Francisco nach Zürich hatte er darüber nachgedacht, was er in Berlin eigentlich wollte. Er kam zu spät, klar. Und er würde sich das nie verzeihen. Es war der Super-GAU für den Reporter, eine Schmach, die nicht abzuwaschen ist. Aber er wollte eine Zäsur machen. Er war entschlossen, länger in Berlin zu bleiben. Es hätte keinen Sinn, jetzt noch über die Nacht des Mauerfalls zu schreiben. Es würde weitergehen, es würde irgendwie weitergehen müssen. Und da lohnte es sich, einzutauchen. Wenn Berlin drei Nächte durchgefeiert hat, werden die Fernsehteams einpacken. Aber er wird bleiben. Und zwar im Osten. Und dann wird er sich den ganzen Laden mal vornehmen, diese verkrampften Bürgerrechtler, die völlig konfusen Genossen, die hagestolzen Künstler. Immer schön einen nach dem anderen. Und er würde bestimmte Strömungen hochschreiben. Welche, wußte er noch nicht. Aber er wäre nahe genug dran, so nahe, daß er das Gras würde wachsen hören. Außerdem rannte in der DDR sowieso jeder Depp, der von seiner eigenen Wichtigkeit überzeugt ist, zuerst zu seinem Blatt. Der Kollege vom Ostberliner Büro konnte ein Lied davon singen. Lattke wurde schon auf dem Flug nach Zürich von einer Unruhe gepackt, als er sich vorstellte, daß er es in der Hand hätte, bestimmte Entwicklungen in Gang zu bringen. Wenn er Honecker hinter Gitter bringen will, dann müßte er sich nur einen Staatsanwalt dafür aussuchen – und ihn porträtieren. Wolln doch mal sehen, ob der Staatsanwalt hinter dem zurückbleiben kann, was ein Leo Lattke über ihn schreibt. Kein Strippenzieher wollte Lattke sein, keine graue Eminenz. Er sah das eher sportlich. Oder wie ein Spieler: Mal sehn, was geht.

Am Flughafen Tegel nahm Leo Lattke ein Taxi. Dem Taxifahrer war klar, daß jeder Neuankömmling eine Art Lagebericht erwartete. Einem entgegenkommenden taubenblauen Taxi hupte der Taxifahrer zu – dies sei eine Taxe von drüben, erklärte er, ein paar DDRler ließen sich im Taxi nach Westberlin fahren. Aber im Zentrum und besonders an den Grenzübergängen herrsche dickstes Gewühle. Er sei zum Flughafen gefahren, um diesem ganzen Chaos zu entrinnen – und prompt erwische er einen Fahrgast, der ihn ins dickste Gewühle führe, durch das er ja dann auch wieder – leer – zurück müsse.

Lattke hatte das Gefühl, tatsächlich sehr spät nach Berlin zu kommen, wenn die Taxifahrer schon wieder Klagelieder mit den Strophen *Leerfahrten* und *Standzeiten* singen.

Am Grenzübergang Invalidenstraße gab es Komplikationen. Der Taxifahrer dürfe als Westberliner passieren, Lattke als Westdeutscher hingegen nicht – er müsse den Grenzübergang Chausseestraße benutzen. Lattke nahm sich diesen Grenzer zur Brust. Oft genug hatte er vor diesen Fressen gekuscht. Das war vorbei. Er steige hier nicht aus, da müßten sie ihn schon rauszerren, aber die Zeiten, in denen Deutsche von Deutschen gehindert wurden, von Deutschland nach Deutschland zu gehen, sind vorbei. *Ist euch doch aufgefallen, oder?* Er genoß es, die Grenzer zu duzen, wenn auch über den Umweg des Plurals. Angesichts der Autoschlange, die hinter dem Taxi jedes Wendemanöver unmöglich machte, sah der Grenzer davon ab, Lattke zu einem anderen Grenzübergang zu schicken. Allerdings verlangte er den Zwangsumtausch – für Lattke *und* den Taxifahrer. Darauf reagierte Lattke mit einem cholerischen Ausbruch, was tatsächlich dazu führte, daß der Grenzer nur von Leo Lattke den Zwangsumtausch erhob.

Lattke sollte im Palasthotel wohnen, wo auch Kollegen seines Blattes, die allerdings an anderen Themen dran waren, gebucht hatten. Doch auch die waren der neuesten Entwicklung hoffnungslos hinterher. Lattke, der noch keine Lust hatte, in sein Zimmer zu gehen, setzte sich in die Kaminbar. Am Nebentisch interviewte eine seiner Kolleginnen den Bürgerrechtler Jürgen Warthe, einen Komponisten mit Berufsverbot. Lattke lugte hinüber, ohne die Kollegin bei der Arbeit zu stören oder gar Jürgen Warthe erkennen zu geben, daß auch er, Leo Lattke, Journalist ist. Das hätte Jürgen Warthe nicht überlebt. Er platzte schon jetzt vor Stolz. Es war ein unangenehmer, kleinlicher Stolz, der herhalten mußte, erlittene Kränkungen zu kompensieren. Lattke sah auf den ersten Blick, daß es für Jürgen Warthe das größte war, ein Diktiergerät zu besprechen, zumal für dieses Nachrichtenmagazin. So bedeutend hatte er sich noch nie gefühlt. Wie herrisch er die Kellnerin kujonierte, weil das Sahnekännchen auf seinem Tisch leer war. Dieser Jürgen Warthe, der soll bloß froh sein, daß er verboten wurde, dachte Lattke. Jetzt ist er nicht mehr verboten, aber wenn rauskommt, was er komponiert hat, ist er erledigt. Auf seine Fliege scheint er sich ja ne Menge einzubilden. Immer mit Fliege, als mache die Fliege allein den respektablen Politiker.

Lattke lauschte den Worten von Jürgen Warthe. Seine Angriffe auf die Staatspartei waren kernig, seine politischen Vorstellungen waren Phantastereien eines isolierten Intellektuellen, der viel Zeit mit anderen isolierten Intellektuellen verbracht hatte. Lattke war überzeugt, daß dieser Mann jahrelang Selbstgespräche geführt hatte und sich in diesen Selbstgesprächen das hinkaute, was er jetzt deklamierte. Er beobachtete Jürgen Warthe genau, dieses starre, maskenhafte Gesicht, in dem sich nur die Lippen und der Unterkiefer bewegten, wenn er die Sätze absonderte. Sätze, die er stur und in Sendequalität, aber ohne Emphase deklamierte. Es war ein essayistischer Redefluß, der keine Bestätigung erleben wollte, nicht mal ein zustimmendes Nicken. Warthes Augen fixierten einen imaginären Punkt, sie ignorierten sogar die Interviewerin, obwohl die über eine geradezu schockierend aufreizende Ausstrahlung verfügte. Auch den Hals hielt Warthe ganz fest, wie auch Schultern und Arme, die er beim Sprechen ebenfalls nicht einsetzte. Er war eine Sprechmaschine, eine lächerliche, traurige Sprechmaschine, die gerade ihre große Stunde hatte, die Stunde, für die sie gebaut war. Warthes Verkrampfung war ansteckend, und als Lattke den Blick von ihm löste, war es ihm ein Bedürfnis, den Kopf im Nacken zu rollen und den Oberkörper zu schütteln, um die Starre, die in ihn hineingekrochen war, wieder loszuwerden.

Die Kellnerin hingegen war erfüllt von dem Glück, das Lattke schon während der Fahrt zum Hotel auf den Straßen beobachtet hatte. Sie verströmte eine inspirierende Freude, die es zu einer Selbstverständlichkeit machte, mit ihr ein paar Worte zu wechseln. Jürgen Warthe zeigte diese Freude nicht. Es war kein Leuchten in seinen Augen. Während er ohne Haß, monoton, fast mutlos die »vollständige Entmachtung der SED« ins Aufnahmegerät diktierte, hatte sein Blick etwas hoch Konzentriertes, wie bei einem Hochspringer, der mit seinen ersten Trippelschrittchen unweigerlich Anlauf nimmt für den entscheidenden Sprung.

Leo Lattke bezahlte, nahm an der Rezeption einen Packen Briefe und Umschläge entgegen und ging über eine gewundene Freitreppe auf die Straße. Wo war er hineingeraten, wo sollte er ansetzen? Alles, woran die Herrschenden jahrzehntelang festgehalten hatten, war binnen weniger Wochen dahin. Ein starrer, monolithischer Staat war wie pulverisiert. Der eben noch in allen Amtsstuben hing, wurde aus allen Ämtern gejagt und würde bald selbst hängen sollen. Oppositionelle Gruppen wurden legalisiert, die Presse schrieb, was sie wollte. Die Meinungsvielfalt erreichte für die Obrigkeit unkontrollierbare Ausmaße – es grenzte gar an Meinungsfreiheit. Das Versprechen freier Wahlen war gegeben. Und mit der Öffnung der Mauer, die sich abspielte wie die Eröffnung eines Vergnügungsparks, hatten die Herrschenden ihr demütigendstes Herrschaftsinstrument aus der Hand gelegt. Wie sollte es weitergehen, da doch alles, wofür selbst Utopisten zwanzig Jahre veranschlagt hatten, schon binnen weniger Wochen erreicht wurde? In diesem Land war etwas in Bewegung geraten, und es war nicht mehr zu stoppen. Zu groß war die Lust, die Machtlosigkeit der Staatspartei zu erleben, nachdem sie jahrzehntelang allmächtig war. Ja, der Versuchung, die Ohnmacht umzukehren, sie zurückzugeben, wird nicht zu widerstehen sein. Sie werden der Partei alles kaputtschlagen, was ihr heilig ist, allein aus fröhlicher Rache. Was kann das sein, fragte sich Leo Lattke.

Einen Jürgen Warthe zu interviewen, war das Langweiligste von der Welt. Ihn in einem Porträt zu zerpflücken, reizte Leo Lattke auch nicht – es war keine Herausforderung. Er wollte die Zeit zu packen kriegen. Deshalb stand er auf der Straße, hatte den Versuch aufgeschoben, die schockierend aufreizende Kollegin an den Haken zu kriegen. Es war eine Zeit, die ihren eigenen, unbekannnen Geschmack hatte. Er wollte ihn beschreiben. Wozu war er Reporter? Schon auf Westberliner Seite, in der Nähe des Grenzüberganges, waren Leo Lattke die Gesichter der Menschen aus dem Osten aufgefallen, auf denen sich etwas ahnen ließ, was hier, in Ostberlin, ganz deutlich wurde: Eine wirkliche Befreiung hatte stattgefunden. Es lag ein Leuchten über diesen Menschen, aus ihnen flutete rauschhafte Freude. Die Augen strahlten, die Mienen waren gelöst, ihre Bewegungen hatten etwas Spontanes, so daß auch Menschen über dreißig, ungeschickt wie Kinder, Hüpfer vollführten, sich gegenseitig anfaßten oder auf die Schultern klopften. Und überall dieses freudig-fassungslose Kopfschütteln. Die zurückgekehrten Ostler holten, wenn sie an einer roten Ampel warten mußten, Bananen oder Apfelsinen oder Schokoriegel aus bunten Plastiktüten, die sie in Westberlin von LKWs herunter geschenkt bekommen hatten, um sie wildfremden Menschen, die ebenfalls an der Ampel warteten, zu zeigen. Andere setzten sich lachend Mützen auf, die auf Westberliner Straßen verteilt wurden, oder sie zeigten sich gegenseitig die Stempel in den Personalausweisen – sei es der Ausreisestempel der Grenzkontrolle oder der Vermerk über den Empfang des Begrüßungsgeldes. Es war das reine Glück.

Leo Lattke, der zwar nicht oft, aber doch einige Male in jenem Teil Berlins war, in dem der Fernsehturm als Prunkstück der Architektur galt, hatte nie für möglich gehalten, daß sich dieses triste, ihm jedesmal aufs Gemüt schlagende Straßenbild, jene offen ausgebreitete

Verödung so beleben könnte. Ostberlin war durch seine vor Glückseligkeit aufgekratzten Passanten nicht wiederzuerkennen. Es war, als hätte die ganze Stadt vor einer halben Stunde den Fick ihres Lebens gehabt – das Leuchten in den Augen zumindest war das Leuchten, das Leo Lattke von den Frauen nach einem Orgasmus kannte.

Seufzend gestand er sich ein, daß er diesen Gedanken wohl nicht in einer seiner Reportagen unterbringen könnte. Zwar kostete er es aus, seine Reden gelegentlich mit lässig eingestreuten Vulgarismen zu würzen – und, um sich an seiner Ausnahmestellung und Unantastbarkeit zu berauschen, gab es buchstäblich keinen gesellschaftlichen Rahmen, bei dem er sich diesbezügliche Hemmungen auferlegte –, aber seine Reportagen kamen ohne Schockvokabeln aus. An Provokationen ohne konkretes Gegenüber fehlte ihm jedes Vergnügen – der Sinn einer Provokation bestand für Leo Lattke darin, sich das Erlebnis einer unmittelbaren, entblößenden Reaktion zu verschaffen.

Je länger er diese Stimmung in den Straßen beobachtete, desto klarer wurde ihm, daß er einen Fotografen brauchte. Es wäre Wahnsinn, allein mit Worten das alles abdecken zu wollen. Und wann war Geschichte je so fotogen wie beim Mauerfall? Ja, dachte er, einen Fotografen sollen die ihm schicken. Aber nicht so einen Durchschnittswilli, der bei jedem Empfang des Bundespräsidenten sein Stativ aufbaut. Sie sollen ihm einen Fotografen schicken, der seiner – Lattkes – auch würdig ist. Am besten einen von hier, einen, der sich auskennt.

Als er an der Stadtbibliothek vorbeikam, die montags nur den Lesesaal geöffnet hatte, ging er hinein, nahm einen Stapel Fotobände aus dem Regal und blätterte darin. Er öffnete auch die Briefe, die er an der Rezeption erhalten hatte. Einer davon enthielt Fotos. Er betrachtete sie und dachte: Nicht schlecht. Dann verließ er den Lesesaal, ging ins Hotel, ließ sich mit der Redaktion in Hamburg verbinden und sagte, wen sie ihm herschaffen sollen. Die Fotobände hatte er nicht ins Regal zurückgestellt. Die Telefonistin mußte zweieinhalb Stunden gegen ein Besetztzeichen der überlasteten deutsch-deutschen Verbindungen antelefonieren. Und wie die in Hamburg die Adresse des Fotografen herausfänden war deren Angelegenheit. Er war schließlich Leo Lattke.

Eine Woche später bekam Lenas großer Bruder einen Brief von Lattkes Nachrichtenmagazin.

Sie hätten mit Leo Lattke einen Reporter in Berlin, der »noch jung« sei, »aber bereits mit den renommiertesten deutschen Journalistikpreisen geehrt«. Leo Lattke wolle, von der Redaktion vollauf unterstützt, seine Reportagen, die in den nächsten Wochen und Monaten entstehen sollten, von einem »in der DDR beheimateten Fotografen illustrieren lassen«. Dieses deutsch-deutsche Reportageprojekt sei von »erstrangiger Bedeutung« für das Blatt, es sei »Kernstück der DDR-Berichterstattung«, die weiterhin »massiv das Titelthema bleiben wird«. Die Redaktion sei »zuversichtlich, ein journalistisches Unternehmen auf den Weg zu bringen, das über die Tagesaktualität hinaus Bestand haben wird«. Aus diesem Brief ließ sich herauslesen, daß Leo Lattke die Diva des Blattes ist, einer, dem der Herausgeber persönlich bei einem guten Whisky ein neues Projekt schmackhaft macht.

Lenas großer Bruder hatte die Budapester Fotos ins Ostberliner Büro gebracht und darum gebeten, sie, wie verabredet, per Kurier nach Hamburg bringen zu lassen. Die Büroleiterin hielt Lenas großen Bruder für einen der zahllosen Wichtigtuer und sagte sich, daß sich Leo Lattke schon melden werde, wenn er die Fotos wirklich so dringend brauche. Natürlich meldete sich Leo Lattke nicht – und so blieben die Fotos liegen –, bis die Büroleiterin ein Hotelzimmer für Leo Lattke zu reservieren hatte. Sie erinnerte sich der Fotos und hinterlegte sie an der Rezeption. Sollte Leo Lattke das Zeug doch selbst wegschmeißen. Sie war entlastet.

Und Leo Lattke hätte die Bilder auch weggeschmissen. Wer war er denn, einen namenlosen Fotografen zu protegieren. Doch zufällig öffnete er den Umschlag in einem Moment, als er gerade zwei Dutzend Fotobände durchgesehen hatte, ohne sich auch nur mit einem anfreunden zu können. Mit den Fotos kann ich nichts anfangen, dachte Leo Lattke. Aber mit dem Fotografen.

So kam Lenas großer Bruder ins Palasthotel, das größte Fünf-Sterne-Hotel Berlins. Entworfen von schwedischen Baumeistern, die in den düsteren Tagen des skandinavischen Winters lernten, die Lichtausbeute zu optimieren. Mit seinen verspiegelten Scheiben und seinen vorspringenden Bettentrakten, die die Gesetze der Statik zu ignorieren schienen, wirkte das Haus wie eine riesige Raumstation, die aufgegeben und irdischer Nutzung zugeführt worden war.

Das Palasthotel war eine Stadt in der Stadt, wenn nicht ein Staat im Staate. Es gab keine Uhrzeit, zu der es keine warme Küche gab. Morgens ab sechs bot das Frühstücksrestaurant Schrippen aus der hauseigenen Bäckerei, von der Mittagszeit bis tief in die Nacht waren die Restaurants – ein französisches, zwei deutsche und ein asiatisches – geöffnet, es gab ein Café, eine Nostalgiekneipe, ein Selbstbedienungsrestaurant, es gab einen Nachtclub mit Live-Musik, es gab die kleine Pianobar und – *den* Treffpunkt, das eigentliche Zentrum: die »Kaminbar« in der Hotelhalle. Es gab das Fitness-Center, eine Sauna, ein Solarium, ein Schwimmbad, es gab einen Intershop, einen Friseur, ein Kongreßzentrum, es gab für Anlässe aller Art Salons und Repräsentationsräume verschiedener Größen, es gab einen hauseigenen Floristen. Wer sich die Schuhe neu besohlen lassen wollte, ging zum Service, wer Theaterkarten wollte, ging zum Service, wer Mietwagen, Flüge, Stadtrundfahrten, Dolmetscher, Sekretärinnen mit Fremdsprachenkenntnissen brauchte, ging zum Service. Wer sich einen blasen lassen wollte, ging in die Nachtbar; die Gorillas an der Tür ließen immer genügend käufliches Fleisch ein. Das Palasthotel hatte drei Luxuslimousinen, die im Schichtbetrieb von fünf Fahrern gefahren wurden, von denen drei die Grenze nach Westberlin passieren durften. Die Gründe, warum die beiden anderen nicht nach Westberlin durften, wußte niemand besser als Herr Wessel, der sich als »Hausdetektiv« ausgab.

Ab sieben schwärmten Zimmerfrauen aus, deren Zahl Legion war. Mehr als sechshundert Zimmer hatte das Hotel, vom Einzelzimmer bis zur Luxussuite mit fünf Schlafzimmern und drei Badezimmern.

Über allem thronte der Hoteldirektor Alfred Bunzuweit. »In meinem Reich geht der Ofen nie aus«, sagte er mit Kaiser Karl V., auch wenn er glaubte, es sei Ludwig der Vierzehnte gewesen, der den Ausspruch »In meinem Reich geht die Sonne nicht unter« prägte – denn schließlich war jener der »Sonnenkönig«. Würde man in derselben Logik Alfred Bunzuweit den »Ofenkönig« taufen, hätte er vermutlich nichts dagegen: Er hatte als Kochlehrling in einem Ferienheim des Gewerkschaftsbundes angefangen, wo er seine Frau Sybille kennenlernte, die dort zur Stenotypistin ausgebildet wurde. Alfred Bunzuweit war Koch im Berliner *Haus der Gewerkschaft* gewesen, dann folgte ein Fachschulstudium, von dem er als Küchenleiter zurückkehrte. Später stieg er zum gastronomischen Direktor des neueröffneten Hotel *Saxonia* auf und sollte, um die nächste Sprosse auf der Karriereleiter erklimmen zu können, eine Rede auf dem XI. Parteitag der SED halten. Bei diesem Auftritt, der live im Fernsehen übertragen wurde, versagte Alfred Bunzuweit kläglich. Die kompromittierendsten Sequenzen seines Auftritts wurden sogar im Westfernsehen gezeigt. Die erhofften höheren Weihen wurden ihm nicht zuteil, statt dessen wurde ihm die Leitung einer Autobahnraststätte überantwortet. Doch bereits nach zwei Jahren wurde er aus dieser Schmach erlöst: Der Direktor des Berliner Palasthotels war von einer Tourismusmesse im Westen nicht zurückgekehrt, und damit eine solche Blamage nie wieder vorkommt, wurde die offene Stelle mit einem besonders zuverlässigen Genossen besetzt: mit Alfred Bunzuweit. Daß er als »der Tankwart«, wie er hinter vorgehaltener Hand genannt wurde, mit Autoritätsproblemem kämpfte, daß sein Name als Alfred Bund-zu-weit parodiert und mit seinem Leibesumfang in Verbindung gebracht wurde, störte nicht das Gefühl von Seligkeit, in dem er schwamm. Er, Alfred Bunzuweit, der in den fünfziger Jahren in der Provinz als einfacher Kochlehrling angefangen hatte, hatte es zum Hoteldirektor des größten Berliner Fünf-Sterne-Hotels gebracht. In seinem Reich ging der Ofen nie aus – denn wenn der Koch, der für die letzten Gäste der Nachtbar noch einen überbackenen Toast bereiten mußte, endlich die Herdplatten ausschaltete, da wurden im Ofen der Patisserie schon die ersten Croissants für das Frühstück braun.

So wie der Ofen tatsächlich nie ausging, entsprach es der Wahrheit, daß dieses Hotel Alfred Bunzuweits Reich war. Nichts war zu gering, um seiner Intervention nicht würdig zu sein. Daß er im Zwirn des Direktors manchmal die Soße selbst abschmeckte, mochte für einen gelernten Koch noch angehen. Aber er war sich auch nicht zu schade, der Zimmerfrau zu zeigen, wie sie Laken einzuschlagen, der Garderobenfrau, wie sie Mäntel auf Bügel zu hängen, der Toilettenfrau, wie sie den Schrubber zu halten habe. Auf Alfred Bunzuweits Initiative hin wurden die Brötchenbackzeiten von fünfunddreißig auf dreißig Minuten verkürzt – heimlich dann jedoch auf dreiunddreißig Minuten erhöht; heimlich deshalb, weil sich Alfred Bunzuweit öffentlich brüstete, bereichsweise bis zu siebzehn Prozent über den Plan hinaus an Energie einzusparen. Außerdem wurden auf Alfred Bunzuweits Geheiß die Intervalle der Blumendekorationswechsel von sechs auf fünf Tage verkürzt – heimlich jedoch schrumpften die dekorativen Gebinde um ein Sechstel, weil die Intervallverkürzung bei gleichbleibend üppigen Gebinden einen außerplanmäßigen Mehrverbrauch an Blumen bedeutete. Ähnlich erging es seinen Weisungen, die die Lautstärke des Telefonklingelns am Empfangstresen, die Dresscodes für die Restaurants sowie die Putzpläne der Personaltoiletten betrafen. Einzig Alfred Bunzuweits Order, den Horizontalschwenkwinkel der Parkhausschranke von fünfundsiebzig auf neunzig Grad zu erhöhen, wurde kompromißlos in die Tat umgesetzt.

Lenas großer Bruder kam an einem Freitag. Sein Eintritt in das Reich, in dem der Ofen nie ausgeht, sollte klassisch vonstatten gehen: durch die Drehtür. Doch klassisch war einzig der kleine Slapstick, als sich sein Gepäck verklemmte. Um es freizukriegen, drehte er sich um, was ein Gast, der im Begriff war, das Hotel zu verlassen, mißverstand: Der drehte die Tür zu weit und rammte Lenas Bruder das nächste Segment in die Hacken.

Dieses Hotel flößte Lenas großem Bruder trotz seiner skandinavisch bescheidenen Architektur die Ehrfurcht eines Chorals ein. Ein Fünf-Sterne-Hotel beruft sich traditionell auf großbürgerliche Exklusivität, und dieses Hotel pflegte eine weitere Exklusivität: Nur jene, die immer mit Dollar und D-Mark zahlten, die VISA und American Express zückten, waren willkommen. Zwar gab es einige Zimmer, die in wenig frequentierten Zeiten für Ostgeld vermietet wurden, aber das machte die Teilung nur noch schlimmer: Stets und ständig wähnten sich jene als Gäste zweiter Klasse, und wenn ein Angestellter einen Wink übersah, einen Wunsch nicht von den Augen ablas oder gar ein Ansinnen abschlägig beschied, dann sollte daran immer das orange Dreieck auf dem Hotelausweis schuld sein, der die Ostmark-Zahler kenntlich machte – und nicht ein übersehbarer Wink, ausdrucksarme Augen oder ein überzogenes Ansinnen.

Lenas großer Bruder war nun ein doppelt ungewöhnlicher Gast: einer der ohnehin seltenen Ostdeutschen und zudem einer, dessen Rechnung in D-Mark auflief. Daß seine Rechnung durch das Blatt mit dem großen Namen bezahlt werden sollte und daß er neben Leo Lattke und einem weiteren Gast der einzige war, der unbefristet logierte, verlieh Lenas großem Bruder einen Status, der ohne Beispiel war.

Leo Lattke war bereits fast zwei Wochen im Palasthotel, aber so etwas hatte er noch nie erlebt: Ihm fiel nichts ein. Er saß im Auge des Hurrikans und war ohne Story. Ihm erschien alles belanglos. Nachdem die Mauer gefallen und die Freiheit ausgebrochen war, gab es nichts, was Reibung bot. Leo Lattke fand jede Geschichte um so uninteressanter, je länger er sich mit ihr beschäftigte. Doch jede gute Story wurde um so interessanter, je mehr er von ihr wußte. Leo Lattke empfand Berlin als ein aufgeschrecktes Gewimmel, konnte dem Ganzen nichts abgewinnen. Er langweilte sich mit sich selbst; etwas in ihm verweigerte sich der allgemeinen Erregung. Um dieses Gefühl zu bewältigen, begann er, Menschen zu porträtieren, die zu den Ereignissen gelangweilt Abstand einzunehmen probten – vielleicht, um das zu fassen, was ihn selbst lähmte. Aber das gelang nicht.

So saß er jeden Tag stundenlang in der Kaminbar, soff und machte das, was Menschen in seiner Lage tun: Er baute sich mit dem Ruhm vergangener Tage auf. Er beschwor ihn, als würde der seine Ohnmacht ungeschehen machen. Leo Lattke erzählte dem Portier Waldemar, der Barkellnerin, den Kollegen, *jedem*, was je von prominenter Seite über ihn gesagt, geschrieben, gedruckt, gesendet, gemeint, gelogen oder gepreisredet wurde. »The greatest talent of journalism«, soll Tom Wolfe gesagt haben, den er als einziger Journalist während dessen Recherchen in der Formel 1 porträtierenderweise hatte begleiten dürfen. Nicht »of *german* journalism« habe Tom Wolfe gesagt, betonte Leo Lattke, »nein, *of journalism*!« Und bevor er seine Festanstellung bekam, »den höchstdotierten Arbeitsvertrag in der Geschichte des deutschen Reportagejournalismus«, war er bereits als freier Mitarbeiter ein Reporter der Superlative: Der erste Freie, dessen Storys so gedruckt wurden, wie sie aus seiner Schreibmaschine kamen, ohne daß auch nur »ein Komma« geändert wurde. The greatest, der Einzige, der Höchstdotierte, der Erste – für Leo Lattke waren die Superlative das, was die Orden für die Brust eines Russen.

Leo Lattke war ein Mensch, der sich ausschließlich für sich selbst interessierte. Als sein amerikanischer Studienfreund Eric einst beiläufig und mit der größten Selbstverständlichkeit sagte: Das interessanteste ist der Mensch, dachte Leo Lattke mit derselben Selbstverständlichkeit: Das interessanteste bin ich. Zugleich aber beneidete er Eric, und um auch sich eine solche Wachheit aufzuzwingen, wurde Leo Lattke Reporter. Dieser Beruf, diese Daseinsform verlangte es, das Selbst abzustellen, es bewußtlos zu schlagen – um sich in andere hineinzustürzen. Leo Lattke hielt sich für genial, und so mußte er die von ihm Dargestellten groß aufladen, sehr interessant machen, um ihnen *vor sich selbst* die Berechtigung zu verleihen, von ihm dargestellt zu werden. Seine Demut war immer eine übersteigerte Demut, sein Ehrgeiz ein übersteigerter Ehrgeiz. Pausenlos war er zugange, die Reportage neu zu erfinden, und er kannte kein Maß. Aus einem mehrstündigen Interview verwendete er manchmal nur einen halben Satz, während eine hingeworfene Bemerkung am Buffet ausreichte, ihn für ein dreiseitiges Ministerporträt anzuheizen. Er schreckte vor nichts zurück, was als unseriös verpönt war. Aber seine Reportagen hatten Kraft, Spannung, Größe, Persönlichkeit, auch Pomp. Seine Reportagen waren deshalb so auffällig, so energetisch überproportioniert, weil sie von Leo Lattke im Zerrspiegel der eigenen Größe gesehen, geschrieben, wiedergegeben wurden: Er hielt sich für den GröRaZ, den Größten Reporter aller Zeiten. Und nun durchlebte er die Größte Schreibkrise aller Zeiten. Um ihn herum wogte Geschichte, und ihm fiel nichts ein. Er hoffte, daß die Arbeit mit Lenas großem Bruder ihn erlösen könne.

Sie trafen sich in den frühen Abendstunden in der Kaminbar. Leo Lattke überspielte seine Unsicherheit, indem er viel lauter redete als notwendig.

»Ich habe einen Bildband von euch gesehen, der hieß *Ansichten – Hierzulande*«, sagte er mit höhnischem Schnauben. »Was habt ihr euch für Mühe gegeben, als was Eigenes zu gelten. Aber als was, das habt ihr nie gesagt. Unsere Bildbände heißen *Das deutsche Wohnzimmer*. Und damit meinen wir *uns*. Das habt ihr nun davon: Wir sind deutsch, und ihr seid hierzulande.« Leo Lattke beugte sich vor. »Wie würdest du deinen ersten Fotoband nennen?«

»Weiß ich nicht.«

»Solltest du aber. Wer mit mir arbeitet, ist die längste Zeit ein Unbekannter gewesen.«

Leo Lattke fing an, über Fotos zu monologisieren. Das Thema hatte Lenas großer Bruder erwartet. Das Ausmaß der Unsicherheit nicht. Leo Lattke hatte eine großtuerische Art zu reden, als könnte der Vollklang seiner Stimme das Dürftige seiner Ansichten kompensieren. »Paß mal auf. Der Helmut Newton, der hat auch eine eigene Bildsprache. Der legt ein Model nackt auf die Rückbank eines Autos, das nachts am Straßenrand parkt. Die fingert sich in der Muschi rum – und der knipst das.« Lenas großer Bruder schaute sich irritiert um; Leo Lattke redete viel zu laut und machte ihn damit zum Komplizen seiner Niveauunterschreitung. »Oder die auf dem Balkon: Model, Highheels, steht nachts splitternackt auf ihrem Balkon im zwölften Stock, Champagnerglas auf der Brüstung. Oder dieses Paar im Fahrstuhl: Die kennen sich nicht, aber sie läßt ihren Pelzmantel offen, und was hat sie drunter? Nichts. Du gehst ja ganz anders durch die Stadt, wenn du einen Band Helmut Newton intus hast. Glaubst ja – es ist verrückt, aber es ist so –, daß du auf den Balkonen und Rückbänken nur deshalb nie nackte Models gesehen hast, weil du nie richtig hingeschaut hast. Und die Damen im Fahrstuhl guck ich mir jetzt auch genauer an, besonders, wenn sie Pelz tragen.«

Er lachte auf, es klang wie ein Krähen. »Die ganze Wahrnehmung verschiebt sich. Du glaubst an die Beute des Voyeurs und guckst anders hin. Und warum? – Eigene Bildsprache. Und bei deinen Fotos...«

Er überlegte. Seine Meinung über Helmut Newton trug er schon seit Jahren mit sich herum. Er sortierte die Fotos, die Lenas großer Bruder in Budapest-Csillebérc geknipst hatte, wieder und wieder, schob sie hin und her. Schließlich schaute er Lenas großen Bruder eine Weile an und sagte: »Für deine Fotos siehst du ziemlich harmlos aus.«

»Ich lebe davon, unterschätzt zu werden«, sagte Lenas großer Bruder.

Leo Lattke starrte den Fotografen an. Er erwog ernsthaft, es mit einem Spinner zu tun zu haben, mit einem Dreißigjährigen, von vierzig Jahren Sozialismus zugrunde gerichtet.

Leo Lattke hatte keine Chance, je zu den Unterschätzten zu gehören: Er war ein Mann von geradezu beleidigender Schönheit. Er war einsneunzig groß, hatte einen makellosen mediterranen Teint, dunkle kurze Haare, ein hervorspringendes Kinn und auffällig kleine Ohren. Überhaupt fiel immer wieder das Kleine an ihm auf: Der Kopf wirkte klein, ebenso sein Hintern. Zwar waren seine Hände groß, die Finger aber waren feingliedrig wie die eines Gynäkologen. Nur eins war an Lattke groß, grob und mißraten – sein Mund mit den schiefgehängten Lippen, stete Anschnauzbereitschaft signalisierend. Sie war ihm ins Gesicht geschrieben, diese Liebe zur Provokation. Einen Konsens aufzubrechen, in dem es sich alle gemütlich gemacht hatten – das liebte er. Das verschaffte ihm das Gefühl, einzig zu sein und stark. Seine Rüpelhaftigkeit hingegen war wohl auch Selbsthaß: Er wollte seine Wohlerzogenheit durch den Wolf drehen, seine Erziehungsinstanzen verhöhnen. Die Kombination gebildet/wohlerzogen fand er langweilig, gebildet/rüpelhaft viel spannender.

Leo Lattke begann, von seinen Plänen zu sprechen. Er wollte die besondere Reportage schreiben. Nicht diesen tagesaktuellen Mist über die Momente des »Waaaahnsinn!«, keine Enthüllungen aus der Speisekammer der Bonzen, kein Porträt eines überforderten Neu-Politikers, der sich trotz 18-Stunden-Arbeitstag standhaft weigert, den Unterschied zwischen wichtig und unwichtig zu lernen.

Leo Lattke redete lang und nutzlos. Er merkte, daß er nur darüber sprach, was er nicht machen wollte. Worüber er schreiben wollte, das wußte er nicht. Er verstummte und wurde nachdenklich.

»Nicht, daß deine Bilder besser sind als meine Texte«, sagte er schließlich.

»Das kann passieren«, sagte Lenas Bruder leise.

Leo Lattke stand abrupt auf. Die Kellnerin schaute herüber, ob er zahlen wolle, aber er machte keine Anstalten. Er ging einfach weg. Lenas großer Bruder versuchte, Leo Lattkes Gebaren zu deuten. Nach einem entspannten, harmonischen Arbeiten sah das alles nicht aus.

Dennoch war Lenas Bruder dankbar, daß Lattke weder lockte noch schmeichelte. Daß er nicht verhehlte, was für ein entsetzlicher Mensch er war. Daß er es Lenas Bruder unmöglich machte, ihn zu mögen. Daß er ihn vor die Wahl stellte, ihn zu ertragen oder nicht zu ertragen.

Lenas großer Bruder fand es verlockend, gleich wieder zu gehen. Was soll er sich umgeben mit diesem Leo Lattke und seiner Bildsprache und seiner besonderen Reportage, die er schreiben will, weil er das eigentliche Ereignis verpaßt hatte.

Als Lenas großer Bruder die praktischen Konsequenzen seiner Abreise erwog, wandte er den Kopf um – und er sah etwas, wofür er seine Meinung vollständig änderte. Er wußte nicht, wieso er sich umdrehte – aber was er sah, veranlaßte ihn zu bleiben.

Leo Lattke kam zurück; er war nur auf der Toilette gewesen. Er wirkte entspannt und signalisierte, daß er zum inoffiziellen Teil des Gesprächs übergehen wolle, zur privaten Kür.

»Was du da in Budapest an Fotoausrüstung hattest, war auch nicht mehr der Standard«, sagte Leo Lattke. »Da kannst du dir von unserm Honorar endlich ne vernünftige Kamera kaufen.«

»Wozu?« sagte Lenas großer Bruder. »Vielleicht leidet dann die eigene Bildsprache.«

Leo Lattke mußte einen Augenblick nachdenken. Dann entschied er, daß er nicht veralbert wurde. Trotzdem lachte er, lauter und ausgiebiger als während des bisherigen Gesprächs. Er verkrallte die Hände an der Tischkante und warf den Kopf zurück in den Nacken. Der Krampf, der ihn erfaßt hatte, lähmte nicht nur sein Schreiben, sondern auch sein Lachen.

Als er sich beruhigt hatte, ließ Lenas großer Bruder die Leica sinken und spannte sie neu.

»Haste mich jetzt fotografiert?« fragte Leo Lattke entgeistert.

Lenas großer Bruder ließ die Leica in der Innentasche verschwinden. Lattke schaute ihr hinterher und wurde kleinlaut, ja zahm. Es war ihm eine ungemütliche Vorstellung, sich so in einem Bildband wiederzufinden.

»Was hastn damit vor?« fragte er.

Lenas großer Bruder zwinkerte dem Reporter zu. »*Deutsche*«, sagte er dann.

Später setzte sich Lenas großer Bruder noch einmal auf denselben Platz. Er wollte herausfinden, ob er vielleicht einen Spiegel übersehen hatte. Ein Spiegel – das konnte blankes Messing sein, eine Scheibe, ein verchromter Lampenfuß. Selbst das Glas einer schwenkenden Tür wäre für den Sekundenbruchteil ein Spiegel. Aber da war nichts: kein blankes Messingschild, keine Scheibe, kein verchromter Lampenfuß, keine gläserne Tür. Und trotzdem hatte er sich umgedreht, als hätte er gewußt, daß er den Albino sehen wird. Es konnte nur eine hellseherische Ahnung gewesen sein.

Derselbe Albino, dem er mit Lena am 10. November vor dem Zigarettenautomaten am Bahnhof Zoo begegnet war, stand an der Rezeption, mit dem Rücken zu Lenas großem Bruder und ließ sich den Zimmerschlüssel geben. Er stand auf den Zehenspitzen und beugte sich, so weit er konnte, über den Tresen, um etwas zu erkunden. Er trug wieder den dunkelblauen, edlen Anzug und die schwarzen Schuhchen mit den Troddeln. Er war ein rätselhaftes Wesen, das Lenas großen Bruder faszinierte. Ein Rätsel, für das es wert war, zu bleiben.

8

Die Schreibhemmung wich nicht von Leo Lattke. Doch gegenüber Lenas großem Bruder markierte er den Künstler, der auf die Inspiration wartet, tat so, als gehörten Phasen des Nichtstuns ganz selbstverständlich dazu. Auch Lenas großer Bruder fotografierte viel weniger als zuvor. Zunächst nahm er Zuflucht bei einer bequemen Ausrede: Als Leo Lattkes Fotograf habe er nur dessen Storys zu bebildern. Und wenn der Reporter keine Story hat, dann hat er auch keine Bilder. Aber in Wirklichkeit hatten die Bilder neuerdings eine Beliebigkeit, die uninteressant war. Sie starben rapide aus, die einzigen Bilder, als würde eine Seuche wüten.

Lenas Bruder fühlte sich obendrein durch äußere Umstände gehemmt: Er erschrak darüber, wieviel er wert war. Sein Tageshonorar belief sich auf das Doppelte dessen, was er an Begrüßungsgeld erhalten hatte. Sein Hotelzimmer, anstandslos bezahlt von dem Magazin, in dessen Diensten Leo Lattke schrieb, ebenfalls. Lenas großer Bruder fühlte sich für die Kosten verantwortlich, die er verursachte, glaubte, den besonderen Aufwand durch besondere Taten rechtfertigen zu müssen. Die Tarnkappe des Unterschätzten, unter der er nach Bildern wilderte, paßte nicht auf einen Kopf, in dem große Honorare herumspukten.

Als die Fotos erschienen, die Lenas großer Bruder in der Wohnung der *Sonntag*-Redakteurin Barbara geknipst hatte, wurde er von Waldemar, dem Portier, darauf angesprochen. Es erstaunte Lenas großen Bruder, daß Waldemar in diesen aufregenden Wochen Zeit fand, die Zeitungen zu lesen.

»Wer sagt denn, daß ich die Zeitung *lese.*«

Was die beiden verband: Sie waren nicht das eine und nicht das andere. Waldemar, der gebürtige Pole, der als Zwölfjähriger die Heimat verlassen hatte, und Lenas großer Bruder, der als Ostdeutscher im Dienste eines Westdeutschen seine Heimat knipsen sollte. Die Währung, in der er und sein Hotelzimmer bezahlt wurden, machte ihn mit Menschen gleich, die ihm fremd waren, und entfremdete ihn von Menschen, denen er sich verbunden fühlte.

Es war Lenas großem Bruder unbegreiflich, womit Waldemar seine Zeit füllte: Er lebte von der Bequemlichkeit anderer Menschen; sein Arbeitsleben schien aus nichts anderem zu bestehen, als sich den Bequemen für niedere Dienste zur Verfügung zu halten. Waldemar war Anfang, vielleicht Mitte Zwanzig, er war picklig, dünn und hatte nervös zerbissene Lippen. Er schien noch in der Pubertät zu stecken. Sein ganzes Wesen drückte einen großen Trotz, eine allumfassende Ablehnung aus. Es war Lenas großem Bruder unerklärlich, wie so einer in eine Livree geriet. Erst als Waldemar beseelt von seinem Roman erzählte, wurde ihm der Mensch lebendig, sein Charakter glaubwürdig. Waldemar redete eine Viertelstunde, auf seinen chromblitzenden Kofferwagen gestützt, als sich die beiden zufällig in einem Korridor begegneten.

Es ging in Waldemars Roman »auf zweihundertzwölf Seiten, anderthalbzeilig«, um einen Stabhochspringer, der neun Jahre lang als ein großes, heimliches Talent trainiert wird, um bei den Olympischen Spielen einen »überraschenden« Sieg gegen die drei US-amerikanischen Superstars zu erringen. An seinem achtzehnten Geburtstag passiert ein folgenschwerer Unfall: Der Stab bricht, das heimliche Talent fällt aus Weltrekordhöhe kopfüber in die *Kasten* genannte Vertiefung, die dem Stab Halt gibt – und bricht sich das Genick. Das Talent überlebt knapp, ist ab dem vierten Halswirbel gelähmt und aufgrund einer zeitweiligen Sauerstoffunterversorgung des Gehirns auch hirngeschädigt: Der Körper hält nicht mehr von allein die Temperatur. Deshalb muß das Talent wie eine Mumie eingewickelt werden. Es kann sprechen, denken, sehen, atmen, essen, hören, riechen, schmecken – und es wird Trainer. Im Stürzen, zwischen dem Knacken des Stabes und dem Knacken des Halswirbels, hatte das Talent eine Vision von einem Training, das unabdingbar zum Erfolg führen muß. Das Konzept lautete *Der große Plan*. Das Talent überblickte seine gesamte Laufbahn wie aus der vierten Dimension und wußte, wie ein Training aussehen muß, das alles Zufällige, Nichteingeplante, die bösen Überraschungen und unvorhersehbaren Rückschläge aus den Karrieren verbannt. Alles bisherige Training war dagegen nur Quacksalberei. Das Talent erkannte, daß es nicht neun Jahre gebraucht hätte, um den Weltrekord zu springen, sondern dreizehn Jahre. Dann knackte der vierte Halswirbel, und der einschießende Schmerz brannte die Erleuchtung fest in die Hirnrinde. Das Talent wurde bewußtlos – und erwachte als Mumie.

Die Sportfunktionäre erhörten die Mumie und stellten ihr nicht nur eine Trainingsgruppe zur Verfügung, sondern auch einen Assistenten, der die Mumie auf einem Karren, der Ähnlichkeit mit dem Leichenkarren aus Pestzeiten hatte, herumzufahren und immer in Richtung des Geschehens zu schwenken hatte. Der Assistent war schon von Beruf Experte im Schwenken – nämlich Kameramann.

Erzählt wird die Geschichte von einem der dreizehn Schützlinge, die zum Erfolg geführt werden sollen. Absurd und weltfremd, erklärte Waldemar auf die betretene Nachfrage von Lenas großem Bruder, sei sie nur von außen betrachtet, innerhalb des Absurden lasse sich viel erzählen über den jugendlichen, sich entwickelnden Körper, über Zucht, Leistung, Grenzen, Ehrgeiz, Entsagung. Es ist doch eine Schande, rief Waldemar, daß die Schriftsteller dieses Landes nie über den Leistungssport geschrieben haben, wo doch alle Kinder Olympiasieger werden sollen. Was für eine riesige kollektive Erfahrung da vorliegt, aber die Damen und Herren Schriftsteller sind sich zu fein dafür, nur Dünkel haben sie übrig für den Leistungssport.

Waldemar hatte die Angewohnheit, mit anschwellender Stimme zu reden. Doch er wurde nicht lauter, sondern schriller, und erst wenn seine Stimme Kreischtöne produzierte, nahte Vollendung des Gedankens. Lenas großer Bruder unterbrach ihn manchmal durch Zwischenfragen – mit dem Ergebnis, daß Waldemar erneut Anlauf nahm und aus normaler Tonlage mehr und mehr ins Kreischen driftete.

Nur als Lenas großer Bruder wissen wollte, ob Waldemar selbst Stabhochspringer gewesen sei, kam die Antwort wortlos: Der Portier umfaßte das Gestänge seines Kofferwagens und wuchs scheinbar mühelos in einen Handstand – lang genug für ein Foto von Lenas großem Bruder und die Frage, ob der Roman überhaupt erscheint. Waldemar war um eine Antwort nicht verlegen: Bekanntlich gibt es eine Zensur, sagte er, nachdem seine Füße wieder zum Boden zurückgekehrt waren, und da sein Roman im Milieu des Leistungssports, also einer der bestgehüteten Tabuzonen spiele, hatte er bislang keine Chance auf Veröffentlichung. Allerdings werde in wenigen Tagen, am 1. Dezember, die Zensur, die faktisch seit einigen Wochen nicht mehr existiert, auch offiziell abgeschafft. Und diesen 1. Dezember, den Tag der Abschaffung der Zensur, wolle er begehen, indem er seine zweihundertzwölf Seiten, anderthalbzeilig, persönlich in den renommiertesten, nämlich den Aufbau-Verlag bringe. »Und dann«, sagte er, dem Kreischen näher als dem Reden, »werden wir ja sehen!«

Aus dem kann mal was werden, dachte Lenas großer Bruder.

9

Der wilde Willi war total verknallt. Er fand, Lena würde gut zu ihm passen und er zu ihr. Außer, daß er sie auf der Rückfahrt von Berlin nach Karl-Marx-Stadt ein paarmal zum Lachen gebracht hatte, war nichts zwischen ihnen vorgefallen – und trotzdem entwickelte er, dessen Tagwerk darin bestand, zu schalten und zu kuppeln, lässig schnippend die Sirene einzuschalten, sicher zu lenken, weich zu bremsen und zentimetergenau zwischen Hindernissen hindurchzufahren, etwas, was ihn selbst überraschte: Er entwickelte Gefühl. Als Krankenwagenfahrer war er einer, der sich »auf den Bock schwingt«, »den Gang reinknallt«, »Stoff gibt«, »das Horn durchpustet« und »die Knochen aufsammelt«. Daß er mit seinen einsneunundneunzig geduckt fahren mußte, um genug zu sehen und sich nicht ständig den Kopf zu stoßen, daß die vielen Ausweichmanöver über Bordsteinkanten und Schwellen, die Tempofahrten durch Schlaglöcher und über holprige Straßen den Fahrersitz ramponierten – und daß all das zusammengenommen seinen Rücken ruinierte, hätte er nie zugegeben, wenn Lena nicht Physiotherapeutin und er nicht in sie verknallt gewesen wäre. Nur mit einem Bekenntnis zum eigenen Leiden, einer gewissen verweichlichten Bereitschaft konnte der wilde Willi Lena regelmäßig treffen: Er ließ sich vom Orthopäden Massagen verschreiben, für die er bei Lena Termine machte.

Außer dem Gefühl entwickelte er auch Eifer: Lena war in Karl-Marx-Stadt das Sinnbild der Revolution. Um ihr ebenbürtig zu sein, wollte sich auch der wilde Willi revolutionär hervortun, indem er schwerwiegenden Gerüchten nachging – Gerüchten über Menschenversuche am Karl-Marx-Städter Bezirkskrankenhaus. In der Inneren Medizin, hieß es, würden Medikamente getestet. Der Chefarzt, ein Prof. Jens Hense, verabreiche seinen Patienten Präparate westdeutscher Hersteller, die als Arzneimittel nicht zugelassen wären. Die Gerüchte wollten sogar wissen, daß sich die Stasi und der Chefarzt den schmutzigen Lohn geteilt hätten.

Der wilde Willi machte das Wochenendgrundstück von Prof. Hense ausfindig und fotografierte, um sich für die große Abrechnung zu präparieren.

Die Stunde der großen Abrechnung fiel auf einen Montag, vier Uhr nachmittags: Belegschaftsversammlung. Der Speisesaal des Krankenhauses war voll wie nie zuvor. Viele saßen auf den Tischkanten oder lehnten an den gerippten Heizkörpern. Das Weiß der Ärzte, das Dunkelgrün und Violett der chirurgischen Teams bildete lockere Zusammenballungen inmitten des Rosas und Zartblaus der Schwestern. Die Chefärzte und der Ärztliche Direktor saßen nebeneinander an vier Tischen, die in größtmöglicher Entfernung zum Eingang aufgestellt waren.

»Jetzt haben wir sie!« sagte der wilde Willi zu Lena, als er sah, wie die Chefs vor der riesigen Belegschaft saßen, die Hände faltend oder nervös reibend, wie sie verlegen die Stirn massierten oder das Gesicht wie meditierend in die Hände legten. *Jetzt haben wir sie!* Ja, der wilde Willi wollte Lena eine Revolution zu Füßen legen!

Während der Ärztliche Direktor die Versammlung eröffnete, brachte der wilde Willi die Fotos vom Wochenendgrundstück Prof. Henses in Umlauf. Die Fotos gewannen bald an Prominenz, besonders bei denen, die sie noch nicht hatten, aber beobachten konnten, daß da was zirkuliert. Nicht nur die feinen Nasen witterten Enthüllung. Es roch streng nach Aufklärung. Und egal, wie tief die Fotos in die Reihen der Belegschaft vordrangen – daß sie vom wilden Willi kamen, war eine Information, die ihnen anzuhaften schien, denn wer die Fotos bekam, suchte ihn mit den Blicken.

Der Direktor des Krankenhauses dankte der Belegschaft für den aufopfernden Einsatz in schwierigen Zeiten, bedauerte den Mangel an Material und Personal, bevor er »in Bruch mit der alten Tradition«, wie er betonte, das Wort an die Belegschaft, auf deren Drängen diese Versammlung einberufen worden war, übergab.

Der wilde Willi, der seinen Arm schon eine Weile hochgestreckt hatte, ergriff es sogleich. »Ich habe eine Frage an Professor Hense«, sagte er mit seiner unverwechselbaren Stimme, die laut und volltönend war, doch immer etwas trunken klang. »Und zwar wegen den Menschenversuchen. Stimmt es, daß Sie für Westgeld Arzneimittel westdeutscher Pharmahersteller testen ließen?« Der wilde Willi hob einen Schlüssel hoch. »Ich hab abgeschlossen und laß niemanden raus, bis die Frage beantwortet ist.« Er schaute zu Lena, erste Anzeichen der Bewunderung erhoffend. Prof. Henses Antwort interessierte weniger.

»*Selbstverständlich* habe ich Präparate aus Westdeutschland verwendet. Aber doch nicht für Menschenversuche! Hier fehlt es doch an allem, und wenn ein Mensch todkrank ist und ihn nur noch ein Medikament retten kann, das in der Erprobung ist – aber *selbstverständlich* verabreiche ich dieses Medikament! Wollen Sie etwa, daß ich ein neues Präparat ablehne, den Patienten sterben lasse und das Präparat ein Jahr später auf den Weltmarkt als Medikament kommt, das wir uns nicht leisten können? Ist Ihnen das lieber?« Prof. Hense lehnte sich zurück und verschränkte die Arme.

»Aber Sie haben den Patienten nicht gesagt, daß ihr Medikament noch in der Erprobungsphase ist«, sagte der wilde Willi.

»Na *selbstverständlich* habe ich das nicht gesagt! Zum Wohle des Patienten. Auf der ganzen Welt wird kein Patient gesund, der sich als Versuchskaninchen fühlt.«

Der wilde Willi hatte nicht damit gerechnet, daß Prof. Hense die Vorwürfe so leicht abschütteln konnte.

»Sie haben auf Ihrem Grundstück eine Finnhütte«, rief eine Krankenschwester und hielt die Fotos des wilden Willi hoch. »Und alles ist ausm Westen! Der Mixer ist von Moulinex! Die Stereoanlage von AIWA! Da haben Sie doch irgendwas mit der Stasi geschachert!«

»Ist es verboten, eine Finnhütte zu bauen?« fragte Prof. Hense, dessen Ruhe im Kontrast zur Erregung der Krankenschwester nur um so überlegener wirkte. »Wollen Sie behaupten, daß eine Finnhütte ein Beweis für Menschenversuche ist? Und *selbstverständlich* ist meine Stereoanlage von AIWA! Patienten legen manchmal einen Umschlag hin, als Dankeschön. Und was ist drin? Ein Fünfzigmarkschein, aber in Braun. Oder nehmen Sie keine Geschenke von Patienten an?« Er machte eine Kunstpause und kostete es aus, daß die empörte Krankenschwester nichts zu erwidern wußte. »Wir können uns aber auch gerne darüber unterhalten, ob es Dienst am Kranken ist, in der Arbeitszeit zum Friseur zu gehen.«

Die empörte Krankenschwester schnappte nach Luft, und eine seichte Welle weiblichen Protestes schwappte durch den Saal, verebbte aber bald, bis auf... »Wissen Sie, was das für ein Kampf jedesmal ist um einen Friseurtermin?« fragte eine Krankenschwester gereizt. »Drei Wochen vorher anmelden, und wenn dann der Dienstplan rauskommt und wir den Termin ändern wollen, können wir gleich noch mal drei Wochen warten. Solln wir etwa rumlaufen wie Vogelscheuchen?«

»Das ist nur bei Carsten Kaschnitz, daß man drei Wochen warten muß«, rief eine Krankenschwester beschwichtigend dazwischen. »Bei der PGH sind sie auf Laufkundschaft spezialisiert, da braucht man keinen Termin.«

»Bei der *PGH*!« erwiderte die gereizte Krankenschwester. »Einmal und nie wieder! Ich hab mich zwei Monate nicht auf die Straße getraut!«

»Ich hab mich mal von meiner Kusine mitnehmen lassen zum Friseur in Stuttgart«, sagte eine andere, die in alle Richtungen redete, dabei ihren Kopf drehte und die Frisur präsentierte. »Da braucht man keinen Termin. Und wenn man warten muß – Täßchen Kaffee, bitte schön, die Dame, aber klar. – Und auch sonst« – sie schüttelte die Locken –, »ohne Worte sag ich nur, ohne Worte!« Niemand hatte ihren gesamten Redebeitrag verstanden. Hauptsache, ihre Stuttgarter Frisur wurde von allen Seiten gesehen.

»Da brauchst du gar nicht die Augen zu verdrehen«, sagte eine weitere Krankenschwester vorwurfsvoll zum wilden Willi. »Mir ist das Äußere auch wichtig. Zum Beispiel kriege ich manche Flecken aus meinem Kittel nicht raus, auch nicht bei Kochwäsche und mit den Fleckentfernern aus der HO. Was macht das denn in einem Krankenhaus für nen Eindruck, wenn wir mit schmutzigen Kitteln herumlaufen? Aber mit dem Fleckensalz aus dem Westen krieg ich meinen Kittel sauber. Deshalb fordere ich hiermit von der Leitung des Krankenhauses, daß uns genügend westliches Fleckensalz zur Verfügung gestellt wird.«

»Genau!« rief eine Schwester.

»Oder einen Lohnzuschuß in D-Mark, von dem wir im Westen Fleckensalz kaufen können!« beendete die auf ihren fleckenlosen Kittel bedachte Schwester.

Sind Frauen immer so doof? fragte sich Lena entsetzt. Kann es sein, daß mitten in der Revolution eine Betriebsversammlung schon nach zehn Minuten bei Friseur und Fleckensalz landet? Sind Frauen so doof?

»Wir verdienen überhaupt zu wenig!« rief eine Krankenschwester. Da reichte es Lena. »Ich fahr zum Gesundheitsminister persönlich, und dann leier ich dem ne Lohnerhöhung aus dem Kreuz. – Aber das ist doch alles nicht wichtig!« rief Lena, und wandte sich an Prof. Hense. »War die Stasi in die Menschenversuche eingeweiht?«

»Glauben Sie, ich mach so was heimlich?« sagte Prof. Hense, dessen Souveränität auch durch Lenas überfallartige Frage nicht zu erschüttern war. »Stellen Sie sich mal vor, es gäbe im Westen welche, die meine Patienten vergiften wollen! Damit ich erpreßbar bin. Nee, da muß ich mich doch absichern, mich und meine Patienten. Aber *selbstverständlich* war die Stasi eingeweiht! Und ich sage nochmals: Das waren keine Menschenversuche. Ich hatte Zugang zu den allerneuesten Entwicklungen auf dem Arzneimittelsektor. Ich habe für meine Patienten zugegriffen, bevor die Medikamente unbezahlbar wurden.«

»Sind durch die Behandlung mit den nicht zugelassenen Medikamenten …«, setzte der wilde Willi an – doch es wurde so unruhig, daß er für einen Moment nicht weitersprechen konnte. »Nicht schon wieder!« maulten viele im Saal. Der wilde Willi mißverstand die Unruhe und rief: »Ihr müßt nicht denken, daß ich besoffen bin. Ich spreche immer so komisch, weil nämlich meine Zunge so groß ist – hier!« Und dann streckte er seine Zunge weit heraus und drehte den Kopf nach allen Seiten. Hier und da gab es Gelächter.

Lena brachte die Frage des wilden Willi zu Ende. »Sind nach der Behandlung mit nicht zugelassenen Medikamenten Patienten gestorben?« fragte sie Prof. Hense.

»Selbstverständlich sind keine Patienten gestorben! Fragen Sie lieber, wie viele gerettet wurden!«

»Stimmt es, daß vier Patienten nach den Experimenten bis zum Lebensende zur Dialyse müssen?« fragte Lena.

»Diese Patienten *leben* aber noch«, sagte Prof. Hense, und die Unruhe im Saal wurde immer größer. Die Zeit arbeitete für ihn, das spürte Prof. Hense. Noch zwei, drei Minuten, höchstens noch eine Frage zu dem Thema, die er in gewohnter Selbstsicherheit beantworten mußte, dann war es geschafft. Dann würde die Wende andere Opfer fressen. »Wenn ein Patient die Wahl hat, entweder in sechs Wochen am dritten oder vierten Infarkt zu sterben oder ein Medikament zu nehmen, das vielleicht die Nieren schädigt, dann wählt der Patient in der Regel die zweite Alternative. Sie springen doch auch aus einem brennenden Haus, obwohl Sie sich dabei die Knochen brechen. Aber selbstverständlich!«

»Aber Herr Professor Hense«, sagte Dr. Matthies, und der Saal wandte sich ihm zu. »Sie müssen doch zugeben, daß das Vertrauen schweren Schaden genommen hat. Das zeigt doch diese Diskussion, die vielen hier schon zu lange geht.« Applaus brandete auf – und klang rasch wieder ab. Dr. Matthies sprach vielen Ungeduldigen aus der Seele. Doch der Saal war auch neugierig, was Dr. Matthies zu sagen hatte. »Wenn trotz Ihrer Gegenargumente immer noch von Menschenexperimenten die Rede ist, dann ist hier was im Schwange, was für das Arzt-Patienten-Verhältnis an diesem Krankenhaus einfach nicht hinnehmbar ist.« Und wieder gab es Applaus, laut, heftig, etwas länger – aber mit einem ebenso abrupten Ende. Die Neugier war noch immer groß. »Sie sollten deshalb als Chef der Inneren zurücktreten und Ihren Platz räumen für einen unbelasteten, am besten parteilosen Kollegen, der bis zur restlosen Klärung der Vorwürfe die Innere Klinik leitet. Was Sie als Chef der Inneren gemacht haben, ist mindestens ein Skandal und nicht nur Thema Nummer eins im Krankenhaus. Es ist Stadtgespräch. Ihr Nachfolger wird gegen eine Wand des Mißtrauens anzukämpfen haben. Deshalb sollte er auch nicht aus der Inneren kommen. Vielleicht nicht gerade von der Stomatologie, aber …«

»Um das mal abzukürzen«, unterbrach der Klinikleiter lustlos. »Wollen Sie es vielleicht selbst machen?« Applaus brandete auf. Beklatscht wurde weniger die Idee, vielmehr die Aussicht einer schnellen Erledigung. Dr. Matthies entschied, den Applaus als Aufmunterung zu verstehen. »Herr Professor«, sagte er ernst und vernehmlich, nachdem der Beifall abgeklungen war, »angesichts dieses Vertrauensvorschusses muß ich mich wohl oder übel ...« Er wußte den Satz nicht zu vollenden. Also lächelte er; er hatte bekommen, was er wollte. Er lächelte offensichtlicher als beabsichtigt: Die Mundwinkel zogen mit Macht Richtung Ohren; sie ließen sich einfach nicht zurückbeordern. Dr. Matthies sah nun leider wie ein Sieger aus und nicht wie jemand, der in schwerer Stunde Verantwortung ergreift.

Sind Männer immer so doof? fragte sich Lena. Können die nur an Karriere denken, an ihr eigenes Vorwärtskommen, an Posten, Positionen und an Einfluß – wenn sie nicht gerade an Sex denken? Sind Männer so doof?

Die Versammlung dauerte über fünf Stunden. Sie verirrte sich in abseitige Themen und begriff irgendwann, daß sich unmöglich alle mit allem befassen konnten. Also wurden Arbeitsgruppen gebildet. Der wilde Willi geriet in die Arbeitsgruppe *Deutsch-deutsche Kooperation*, wo die Westreisen winkten, Lena war in der Arbeitsgruppe *Mittleres medizinisches Personal / Soziale Rahmenbedingungen.*

Als der wilde Willi mit Lena den Saal verließ, hatten fünf Stunden Diskussion, Versammlung, Wortgefechte, Durcheinanderreden, Gezänk, Stehen und schlechte Luft, hatten fünf Stunden Anspannung und Langeweile ihren Geist in einen Zustand angenehmer Ermattung versetzt. Sie hatten das zerklüftete Gebirge der Empörung überwunden und nun die Ebene der großen Gleichgültigkeit erreicht. Und der wilde Willi hatte immer sein starkes Gefühl für Lena mitgeschleppt. Er sehnte sich nach einer Berührung. Wenn schon nicht nach einer intensiven, so doch nach einer gültigen – und so umarmte er sie. Er wußte, sie wird sich nicht wehren und es nicht übelnehmen. Er legte beide Arme um ihren Körper und drückte sie an sich. »Mensch, diese Unterschiede bei euch im mittleren medizinischen Personal find ich voll stressig«, sagte er, der, wenn es Romantik als Schulfach gäbe, immer sitzengeblieben wäre. »Wenn ich ne Schwester umarme, kann ich sie gleichzeitig aufknöpfen. Aber ihr Masseusen habt hinten keine Knopfleiste.« Er hielt Lena umschlungen und ließ ihr genügend Zeit, mit einem Angebot zum Aufknöpfen aufzuwarten. Doch Lena schob nur seine Arme zurück und sagte: »Deshalb bleiben wir Masseusen zugeknöpft – bis wir uns selbst aufknöpfen.«

»Das ist ne Antwort«, sagte der wilde Willi anerkennend und schaute Lena hinterher, die zurück auf ihre Station ging, um sich umzuziehen.

10

Oberleutnant Lutz Neustein saß auf einer Holzbank und analysierte die Situation. Die Bank stand im Flur des Roten Rathauses in Berlin, vor einem der Sitzungssäle. Drinnen tagte der Untersuchungsausschuß. Oberleutnant Lutz Neustein hatte oft vor Gericht aussagen müssen; ein Kriminalpolizist vor einem Gericht ist das Normalste von der Welt. Aber das hier war etwas anderes. Er sollte vor einem Untersuchungsausschuß aussagen, und es ging gegen Polizisten.

Runde Tische, gut und schön, fand Oberleutnant Lutz Neustein. Freie Wahlen, warum nicht, Pressefreiheit, Reisefreiheit – gerne. Aber diese Untersuchungsausschüsse sind doch was für Wichtigtuer. In jedem Land der Welt nimmt sich die Polizei mehr raus, als sie darf. Was also soll dieser Untersuchungsausschuß, diese zum Gremium gewordene Entrüstung? Klar war Gewalt im Spiel, als die ersten Demonstrationen unterdrückt wurden. Einen Monat später war die Regierung zurückgetreten. Sollten sich mal überlegen, mit welchen Schlachten, mit welchen Opfern das anderswo zugeht. Da kommen schnell ein paar Dutzend oder ein paar hundert Tote zusammen. Hier aber ist niemand zu Tode gekommen. Nicht mal zum Krüppel wurde einer geschlagen. Alles zusammengerechnet, bleibt unterm Strich deutlich weniger als ein halbes Jahr Krankenhaus.

Doch die sitzen seit Wochen im Roten Rathaus und tun, als sei sonstwas passiert. Es sind schon längst alle zurückgetreten – der Innenminister, der Polizeipräsident, und der Einsatzleiter wurde vor Wochen krank geschrieben –, aber die untersuchen weiter. Als ob es nichts Wichtigeres zu tun gäbe.

Oberleutnant Lutz Neustein wurde in den Saal gerufen. Er war das erste Mal in einem dieser ungewöhnlichen Räume. Wie eine Festung, dachte er, die Fenster schmal wie Schießscharten, aber die Mauern fast meterdick.

»Guten Tag«, sagte der Sitzungsleiter Jürgen Warthe zu Lutz Neustein. »Sie sind geladen als Zeuge vor den Untersuchungsausschuß zur Aufklärung der polizeilichen Übergriffe am 7./8. Oktober 1989. Ich leite die heutige Sitzung. Mein Name ist ...« Jürgen Warthe vernuschelte seinen Namen. Eitler Vogel, dachte Lutz Neustein. Bist wahnsinnig stolz darauf, daß dich jeder erkennt mit deiner Fliege. »Sagen Sie bitte als erstes Ihren Namen und Ihr Geburtsdatum!«

Lutz Neustein nannte beides; er war gerade dreißig Jahre alt geworden. Er sagte, er habe den Namen des Sitzungsleiters nicht verstanden.

Jürgen Warthe entgegnete mit schneidender Herablassung: »Wissen Sie, ich habe in so vielen Vernehmungen meinen Namen gesagt, daß ich ihn vor einem Angehörigen der Schutz- und Sicherheitsorgane nicht wiederholen werde!«

Nicht schlecht, dachte Lutz Neustein. Die Damen und Herren Beisitzer malten betreten Männeken aufs Papier. Sie kannten Jürgen Warthe und seine Eskapaden.

Die Befragung nahm ihren Lauf. Lutz Neustein sollte seine Rolle bei den Polizeieinsätzen am 7. und 8. Oktober darstellen. Das war leicht getan: Er hatte in der Nähe des *Palasts der Republik* Leute zu verhaften und zu einem LKW zu bringen, der hinter dem Palasthotel auf einem Parkplatz stand. Er hatte abzusichern, daß der LKW bewacht ist und niemand vom LKW runterkommt. Nein, er könne nicht bestätigen, daß die Einsätze mit »beispielloser Brutalität« erfolgt seien. Was das Fernsehen über Polizeieinsätze im Ausland bringt, aber auch was nach Fußballspielen üblich ist, stellt das vom 7. und 8. Oktober in den Schatten.

Ihm wurde ein Video gezeigt. Dunkel, das Licht auf der Videokamera leuchtet die Szene notdürftig aus. Die Bilder haben Blaustich, sind grobkörnig und wacklig.

»Wir sehen hier vier, nein fünf Männer in Zivil, die eine Frau auf eine Grünanlage zerren und mit Schlagstöcken auf sie einschlagen. Sie hören selbst dann nicht auf, als die Frau am Boden liegt und schreit. Das nennen Sie nicht ungewöhnlich?« Die das fragte, war eine bekannte Journalistin, die ausschließlich über Frauen schrieb und damit zu einem feministischen Idol wurde. Sie war – es konnte blöder für ihn nicht laufen – die Mutter der schreienden Frau. Natürlich war er, Lutz Neustein, und niemand sonst, Vorgesetzter der Idioten, die sich von den viertausend Demonstranten, die sie zusammenschlagen durften, ausgerechnet die Tochter einer bekannten feministischen Autorin ausgesucht hatten. Ihm ist schon ganz kalt geworden, als er damals, nach dem Verprügeln, ihren Personalausweis sah. Ging später auch groß durch die Presse. Wie brutal die Polizei auf wehrlose Frauen losging. Und jetzt hat Mutter ihre große Stunde.

»Das Polizeigesetz erlaubt ...«, begann Lutz Neustein.

»Wir kennen das Polizeigesetz«, unterbrach einer der Beisitzer. »Das ist nicht durch das Polizeigesetz gedeckt.«

»Also verschwenden Sie nicht unsere Zeit«, sagte Jürgen Warthe spitz. Das soll ne Anspielung auf seine Stasi-Verhöre sein, dachte Lutz Neustein. Jetzt redet Jürgen Warthe mit mir, wie die Stasi mit ihm geredet hat.

»Sie wollen uns doch nicht erzählen, daß das ein typischer Polizeieinsatz war«, sagte die Feministin.

»Nein.«

»Gab es einen Befehl von oben, mit besonderer Härte gegen die Demonstranten vorzugehen?«

»Wenn Sie so fragen …« Lutz Neustein überlegte, ob er diesem Ausschuß erklären konnte, was damals los war. Würden sie es verstehen? Würden sie es verstehen *wollen*? »Nicht direkt.«

»Wie denn dann?«

»Es war mehr so ne Stimmung, würd ich mal sagen.«

»Eine Stimmung?« fragte die Feministin ungläubig.

»Würde er sagen«, sagte Jürgen Warthe höhnisch.

Er hatte doch keine Ahnung, der Herr mit Fliege. Es war alles so aufgeheizt damals. Die Demonstranten waren keine Rowdies, keine gewöhnlichen Kriminellen. Die Demonstranten waren Konterrevolutionäre. Und da kennen wir kein Pardon, hieß es immer.

»Ja«, sagte Lutz Neustein. »Es wurde so eine Stimmung verbreitet. Es gab keine konkreten Befehle, aber jeder wußte Bescheid.«

»Bescheid worüber?« fragte ein schnauzbärtiger, dünner Mensch, der wie ein Lehrer wirkte, wenn da nicht seine – Lutz Neustein scheute sich zunächst, dieses Wort zu denken – *gütigen* Augen wären.

»Daß es hart auf hart kommt. Wir rechneten mit Toten.«

Im Saal herrschte Stille. Lutz Neustein hatte das Gefühl, etwas Falsches gesagt zu haben. Ein Geheimnis verraten zu haben.

»Der Film, den wir Ihnen gezeigt haben, wurde in Ihrem Abschnitt aufgenommen«, sagte die Journalistin.

»Ja.«

»Es waren also Ihre Leute.«

»Ja.«

»Erkennen Sie sie?«

»Nein.«

»Warum sagen Sie dann, daß es Ihre Leute waren?« fragte Jürgen Warthe schnell, der den Stil seiner Vernehmer überdeutlich kopierte, um seine Erfahrung mit Verhören herauszukehren.

»Es müssen meine Leute gewesen sein«, sagte Lutz Neustein. »Aber ich erkenne sie nicht. Die Aufnahmen sind … nicht zu gebrauchen.«

»Wenn wir uns den Film noch mal ansehen«, sagte die Journalistin und fuhr die Zeitlupe ab, »dann sehen wir hier eins … zwei … drei … und noch einen Mann mit Schlagstock. Aber der hier, der tritt nur zu. Warum benutzt der nicht den Schlagstock?«

Es war Lutz Neustein, der die Frau trat. Ein Sprung aufs Becken, ein Tritt in den Bauch. Es war, weiß Gott, keine Glanztat. Aber im Rudel wirst du zum Tier. Doch davon verstehen die hier nichts. Er war nicht zu erkennen. Er war auch für sich selbst nicht zu erkennen. Nur, weil er sich an das erinnerte, was er an dem Abend getan hatte, wußte er, daß er es ist. Ein Sprung aufs Becken, ein Tritt in den Bauch.

»Das Polizeigesetz regelt den Einsatz von Schlagstöcken, die zu den Hilfsmitteln gezählt werden. Die Benutzung von Hilfsmitteln bedeutet einen hohen Grad polizeilichen Einwirkens. Ein höherer Grad ist nur noch der Einsatz der Schußwaffe. Der Polizist, der auf den Schlagstock verzichtet, hat im Sinne des Polizeigesetzes körperliche Einwirkung *ohne* Hilfsmittel, also eine schwächere Art polizeilichen Einwirkens, gewählt.« Das fressen sie nie, dachte Lutz Neustein, während er sprach. Schon gar nicht die Mutter, deren Gesicht sich mit jedem seiner Worte verfinsterte.

»Der Polizist, der meiner Tochter in den Bauch tritt, hat sich also angemessen verhalten?«

»Nein, hat er nicht«, sagte Lutz Neustein erregt. »Er hat im Sinne des Polizeigesetzes weniger scharf gehandelt als die anderen, indem er auf den Schlagstock verzichtet hat. Aber was wollen Sie? Die Demonstration war nicht genehmigt. Die Demonstranten sind aufgefordert worden, auseinanderzugehen. Sie sind gewarnt worden, ihren Weg nicht fortzusetzen. Die Stimmung bei den Sicherheitsorganen war hochgereizt. Daß es eine Frau getroffen hat, ist natürlich bedauerlich.«

Danach war alles anders. Nicht nur Lutz Neustein, auch seine Kollegen fühlten sich schlecht. Sie hatten zu fünft eine Frau verprügelt, welch eine Heldentat. Sie waren in einen Rausch geraten; es entlud sich eine Anspannung, aber sie mündete in einer Ernüchterung. Danach wollten sie nicht mehr. Danach haben sie nur noch verhaftet. Geprügelt haben andere.

Jürgen Warthe ließ sich die Fernbedienung des Videorecorders geben. Er programmierte den Recorder so, daß von nun an ununterbrochen die häßliche Prügelszene zu sehen war. Eine halbe Minute wird auf eine Frau eingeschlagen, die am Boden liegt und vor Angst schreit. Lutz Neustein konnte sehen, wie er, offenbar nur um etwas beizusteuern, auf die Frau springt. Ein Fuß landet auf dem Becken, der andere, auf dem all sein Gewicht lag, landete auf der Erde. Nein, es war keine blinde Wut, nicht mal kalter Haß. Er sprang auf sie, um sie zu erniedrigen, nicht, weil er Blut sehen wollte. Es war symbolisch, wie er es anstellte, fand er beim Betrachten. Auch der Tritt in den Bauch – er hatte so etwas Dienstliches, Offizielles. Die Schläge mit den Knüppeln gingen nur so nieder – da war er auch mal dran. So sah das aus. Er konnte sich noch gut daran erinnern. Auch daran, daß er sich schon in dem Moment, als er zutrat, schämte. Eine Frau, die am Boden lag, zu treten.

»Ich will Ihnen etwas sagen«, sagte der Schnauzbärtige mit den gütigen Augen. »Ich finde den Teil der Aussage plausibel, in dem Sie behaupten, daß es keinen Befehl von oben gab, nur so eine allgemeine Stimmung.«

Im Gremium wurde genickt.

»Was ich Ihnen aber nicht glaube: Daß Sie nicht wissen wollen, wer die Leute auf dem Video sind. Sie können mir doch nicht erzählen, daß Sie von diesem Vorfall bis heute nichts wußten.«

»Genau«, setzte Jürgen Warthe den Gedanken fort, indem er ihn zuspitzte. »Entweder haben Sie diesen Überfall befohlen und waren vielleicht sogar an ihm beteiligt ...« Jürgen Warthe machte eine Pause und sah Lutz Neustein fest an. Lutz Neustein ärgerte sich, daß er nicht sofort protestierte. Nun blieb ihm nichts anderes übrig, als ebenso fest zurückzublicken. »... oder Sie haben nichts davon bemerkt, was für einen Einsatzleiter ein Armutszeugnis ist.«

Lutz Neustein zuckte mit den Schultern und schlug die Augen nieder. Der Film lief und lief, bestimmt schon das sechste Mal in Folge. Sprung. Warten, Rumstehn. Tritt. Wie ekelhaft.

»Und Sie erkennen wirklich niemanden?« fragte der Schnauzbärtige.

»Niemanden.«

»Auch nicht sich selbst?«

Lutz Neustein schüttelte den Kopf.

»Angenommen, wir finden denjenigen, der getreten hat und auf das Opfer gesprungen ist – was sollen wir mit ihm machen?«

Lutz Neustein haßte sich, und er haßte sein Leben. Er war dreißig, hatte studiert, und er hatte sich mit der Macht verheiratet. Irgendwas hatte er falsch gemacht in seinem Leben.

»Ich will Ihnen mal was sagen«, hob der Schnauzbärtige mit den gütigen, klugen Augen an, als Lutz Neustein hartnäckig schwieg. »Wir sind geteilter Meinung darüber, ob die, die daran beteiligt waren« – er wies auf die Prügelszene –, »als Polizisten untragbar sind. Vor uns steht niemand, der keinen Grund zur Reue hätte. Aber jeder, der hier steht, streitet nur ab. Wir sind keine Kriminalisten und wollen es auch nicht sein. Aber Sie zwingen uns dazu, Sie machen uns zu Kriminalisten. Wir kommen gar nicht dazu, moralische Fragen abzuwägen, weil wir immer nur nachweisen müssen, wann wer was getan hat. Und jetzt sagen Sie uns, wer derjenige ist, der die Frau am Boden getreten hat und auf sie gesprungen ist. Sonst sage ich es.«

»Ich kann Ihnen nicht sagen, wer ...«

»*Sie* waren es«, unterbrach der Gütige ungewohnt scharf. »Sie haben es getan.«

»Nein«, sagte Lutz Neustein, und er wußte aus jahrelanger Vernehmungspraxis, daß er nicht mehr sagen durfte. Er nannte es *das Abstreitungsparadoxon*: Das Abstreiten einer Tat wird um so unglaubwürdiger, je vernünftiger der Verdächtigte seine Entlastungsargumente anzubringen weiß. Ein Verdacht trifft einen unschuldigen Menschen als etwas Ungeheuerliches, und jeder rationale Umgang mit einem Verdacht unterstellt stillschweigend seine Berechtigung. *Nein, ich wars nicht, weil ich, und außerdem* – daran erkennt man den Lügner, den Täter. *Nein, ich wars nicht*, reicht. Unter dem Druck von Indizien kann man noch sagen: *Ich wars nicht, denn so etwas würde ich niemals tun.* Aber so weit hatten sie ihn noch nicht in die Enge getrieben.

Das Video war unscharf, das Opfer würde ihn nicht wiedererkennen, die Sachen von damals wird er wegwerfen, und die Genossen halten dicht. Soll der Ausschuß tagen und untersuchen, solange er will. Sie müssen beweisen können, was sie wissen. Und er, Lutz Neustein, wird ihnen dabei nicht helfen.

Drittes Buch

FREITAG NACH EINS

1

Der Tag, an dem die Zensur abgeschafft wurde, fiel auf einen Freitag. Waldemar hatte Frühschicht. Lenas großer Bruder sah ihn die Koffer amerikanischer Touristen neben einen Reisebus wuchten. Schwere, überdimensionierte Koffer, von denen keiner unter zwanzig Kilo wog. Waldemar kippte, kantete und hebelte das schwere Gepäck dorthin, wo er es haben wollte – zügig, ökonomisch, ohne Anstrengung. Es hatte den Schauwert von Straßenkunst.

»Heut ist der Tag für zweihundertzwölf Seiten, anderthalbzeilig«, sagte Lenas großer Bruder.

»Heut ist der Tag«, sagte Waldemar. »Mein Feierabend ist um drei, und zum Aufbau-Verlag sind es zehn Minuten.« Er schaute nachdenklich zum Himmel. »*Feierabend* – ein staubiges Wort. Es wird nichts gefeiert, und Abend ist es noch lange nicht. Echt schräg.«

Lenas großer Bruder wünschte Waldemar Erfolg und verabschiedete sich. Er hatte einen Fototermin im Ministerium für Gesundheitswesen.

Der neue Gesundheitsminister Prof. Dr. Rüdiger Jürgends wußte, was die Stunde geschlagen hat. Nachdem die alte Regierung und damit sein Vorgänger, ein langweiliger, praxisferner Parteisoldat, zurückgetreten war, mußte ja irgendwer regieren. Und die Regierung, der er angehörte, war nur im Amt, um sich bei nächster Gelegenheit abwählen zu lassen.

Es lag Prof. Dr. Rüdiger Jürgends fern, seinen Ministersessel über den Wahltermin hinaus zu verteidigen. Im Gegenteil: Er wollte keinesfalls Gesundheitsminister bleiben. Es genügte ihm, das Gesundheitswesen vor dem Kollaps zu retten. Und das bedeutete vor allem, das medizinische Personal bei Laune zu halten. Die Stimmung war mies, die Arbeitsbedingungen waren mies, die Bezahlung war mies, und der Schwund an Arbeitskräften war beängstigend. Im Westen war Pflegepersonal knapp, und es wurde viel besser bezahlt. Daß im Schwesternmilieu Geschichten kursierten, wonach Altenpflegerinnen in Baden-Baden von ihren Patienten testamentarisch mit Millionen bedacht wurden, machte die Lage auch nicht leichter.

Prof. Dr. Rüdiger Jürgends mußte ein Minister sein, der sich mit ernster Miene und verständigem Nicken geduldig alle Sorgen und Klagen anhört, Entschlossenheit und Tatkraft ausstrahlt und der allen alles verspricht. Seine Versprechungen mußten Hoffnungen wecken und darum ziemlich großartig sein, andererseits durften sie nicht so phantastisch klingen, daß Unglauben oder gar Skepsis aufkäme. Anfang Mai sollten die Wahlen stattfinden, und bis dahin würde er durchhalten.

Durchhalten war eine Vokabel, die er verdächtig oft benutzte; er schleppte dieses Wort mit sich herum, seitdem er sich das erste Mal über Politik Gedanken gemacht hatte. Als Rüdiger Jürgends dreizehn war, brach für ihn eine Welt zusammen, weil es mit dem Endsieg nichts wurde. Er glaubte an den Endsieg, weil alle an den Endsieg glaubten. Und er fühlte sich betrogen, wie sich alle betrogen fühlten. Diese Erfahrung hatte in ihm die – uneingestandene – Überzeugung eingepflanzt, daß es den Politikern um das Vertrauen der Menschen ist wie dem Teufel um deren Seelen: haben, egal wie. Wer nicht skeptisch ist – selbst schuld. Als Minister wollte er nur den Glauben wecken, daß das Schlimmste für das Gesundheitswesen überstanden sei. Er wollte mit dem ganzen Laden noch ein paar Monate durchhalten. Er würde versprechen, bis ihm die Zunge lahm wird, er würde verteilen, was da ist, und wenn er abgewählt wird – wovon er ausging –, müßte sich sein Nachfolger etwas einfallen lassen. Prof. Dr. Rüdiger Jürgends hatte keine Idee, was. Und deshalb wollte er um nichts in der Welt Gesundheitsminister bleiben.

Prof. Dr. Rüdiger Jürgends plante, eine wöchentliche »Audienz auf Augenhöhe« einzuführen, schreckte allerdings vor dem lässigen Slogan zurück und stellte die Veranstaltung dann lieber doch unter das hausbackene Motto »Tag des Dialogs«. Prof. Dr. Rüdiger Jürgends wußte, daß er nichts zum Besseren wenden kann. Er wollte lediglich, daß die Menschen, die wochenlang »Wir sind das Volk« gerufen hatten, nun bis zum Minister kommen und von dort beruhigt, beeindruckt oder bekehrt zurückfuhren und daß sich herumsprach: Da ist einer, der zuhört. Da ist einer, der sich kümmert, der wirklich arbeitet.

Zum Plan eines festen Audienztages kam es angesichts der vielen Zuschriften an das Ministerium. Auch Lena und ihre Arbeitsgruppe *Mittleres medizinisches Personal / Soziale Rahmenbedingungen* hatten dem Minister geschrieben. Als Antwort kam eine Einladung zum ersten »Tag des Dialogs«. Lena hielt ihre Unternehmung für so bedeutsam, daß sie darüber auch das Blatt informierte, in dessen Diensten Leo Lattke schrieb: Sie rief das Büro im Osten Berlins an, fühlte sich aber überrumpelt, als sie einer Maschine ihr Anliegen vortragen sollte. Lena gab auch ihrem großen Bruder Bescheid. Und so war Lenas großer Bruder am ersten Tag des Dialogs Punkt neun Uhr im Beratungsraum des Gesundheitsministers. Die Fotoerlaubnis lag vor, der Minister gedachte, transparent zu regieren.

»Wissen Sie, warum ich ausgerechnet den Freitag zum *Tag des Dialogs* gemacht habe?« fragte der Gesundheitsminister bereits die erste Abordnung, wie auch jede weitere, wenn er sie, volksnah wie er sein wollte, an seiner Tür in Empfang nahm. »Weil der Freitag immer im Verdacht steht, schon zum Wochenende zu gehören. Für mich als Minister ist der Freitag der wichtigste Tag – da widme ich mich den Sorgen und Problemen des Alltags, früher hieß es *von der Basis*, aber ich halte von diesem Begriff nicht viel. Am Wochenende kann ich in Ruhe nachdenken, und in der nächsten Woche kann ich die Probleme gleich anpacken.« So begann er, um dann, vor Tatendrang strotzend, sogleich zur Sache zu kommen. »Wo drückt denn der Schuh?«

Prof. Dr. Rüdiger Jürgends wollte durchaus virtuos auf der Klaviatur des *Ministers zum Anfassen* spielen: Der »Dialog mit dem Minister« fand in einem geräumigen Beratungsraum im Gesundheitsministerium statt, und eine große Tafel vor dem Eingang verriet den Zeitplan des Ministers: Im Viertelstundentakt waren die Termine gepackt, von 9 bis 22 Uhr. Die Tafel war Prof. Dr. Rüdiger Jürgends aus zweierlei Gründen wichtig: Die Wartenden sollten sich mal hübsch Gedanken über das Pensum des ministeriellen Freitags machen. Zum anderen würde die pure Masse der Termine das eigene Anliegen relativieren und allzu überspannte Erwartungen dämpfen helfen. Aufmerksame Besucher sollten sich zudem über nichtvorhandene Frühstücks-, Mittags-, Kaffee- oder sonstige Pausen wundern. Dafür wollte Prof. Dr. Rüdiger Jürgends bei jeder zweiten Delegation übers Diktaphon etwas zu essen bestellen: »Entschuldigung ... Frau Henschel, bringen Sie mir doch bitte mal ein halbes Brötchen mit Ei oder so aus der Kantine, ich hab heut noch nichts im Magen. Danke.« Saß die nächste Delegation vor ihm, sollte das Brötchen kommen. »Entschuldigung, aber ich hab heut noch nichts im Magen. Danke.« Kauend wollte er darauf hinweisen, daß dieser Arbeitsstil nicht zur Nachahmung tauge. »Der Geschundheitschmischter musch eigentlich ein Vorbild in geschunder Lebensweise sein.« Wenn ihm die Delegation wohlgesonnen schien, wollte er sogar ein Witzchen riskieren: »Bei scho einem Lebenswandel musch ich alles für ein leistungsfähigesch Geschundheitsweschen tun – ich werd esch brauchen!«

Unbedingt wollte Prof. Dr. Rüdiger Jürgends auf die Wasserflaschen des VEB Spreequell hinweisen, die er auf den Beratungstisch stellen ließ, wo sie, wie die halben Brötchen mit Ei, als Beweise für Bescheidenheit im Amt dienen sollten. Indem er kauend antwortete, wollte er Rastlosigkeit im Amt beweisen.

Doch schon gegen Mittag war der Gesundheitsminister Prof. Dr. Rüdiger Jürgends mit seinem Zeitplan uneinholbar im Rückstand. Eine überregionale AIDS-Initiative hatte ihn mehr Zeit gekostet als geplant. Seine Brötchen-mit-Ei-Strategie hatte er völlig vergessen, und als er Hunger verspürte, fand er es taktlos, seinen Gästen etwas vorzuessen. Sein »Tag des Dialogs« drohte in ein Debakel zu steuern. Als eine Familie Fürstenberg beim Minister saß, deren zwanzigjähriger Sohn nach verpfuschter Operation einen gelähmten Arm hatte, was nur im Westen korrigiert, aber wegen nicht vorhandener Krankenversicherung nicht bezahlt werden könne, gab es Tumulte vor der Tür. Schließlich ging die Tür auf, und sieben Frauen drängten in den Raum, in höchster Erregung, schimpfend, wild durcheinanderredend, sich gegenseitig überschreiend. Irgend etwas stimmte mit ihnen nicht, das sah Prof. Dr. Rüdiger Jürgends sofort – nur konnte er nicht ausmachen, *was* ihn so irritierte. Sie sahen aus wie Karnevalsfiguren. Manche trugen Perücken oder waren stark geschminkt. Die sieben wirkten sexuell ungeheuer provokant, ohne daß sich der Gesundheitsminister den Quell dieser Wirkung sofort erklären konnte.

»Wir wollen nicht schon wieder verschaukelt werden«, erregte sich eine. »Seit halb zehn …«

Prof. Dr. Rüdiger Jürgends versuchte, sich mit voller Stimme Autorität zu verschaffen. »Bitte, meine Damen«, rief er. Er fing einen erschrockenen Blick des Sohnes Fürstenberg auf. »Meine Damen, Sie kommen auch noch dran …«

In der abrupten, verblüfften Stille erkannte Prof. Dr. Rüdiger Jürgends, daß die sieben Eindringlinge Männer waren. Prof. Dr. Rüdiger Jürgends wußte einen Moment gar nichts, sein Kopf war leer wie eine große Lagerhalle, wo nur noch der Besen in der Ecke steht. Er fühlte sich in eine Situation versetzt, wie sie unwirklicher nicht sein könnte. Aus der Schlammgrube seiner Verwirrung tauchte eine Frage auf, wie eine Luftblase.

»Was wollen Sie?« fragte er. Er hätte genausogut: *Wer sind Sie?* oder: *Was ist hier los?* fragen können.

Die sieben, erfuhr er in den nächsten zwei Minuten, waren Männer, deren Reise vom Manne zur Frau zu einer Irrfahrt geworden war. Jahrelang hatten sie nur mit einem Wunsch gelebt: Der Umwandlung ihres natürlichen Geschlechts, das sie als widernatürlich empfanden. Ihr Leben war durchzogen von Verspottung und Isolation, von psychologischen Beratungen, psychiatrischen Behandlungen, von Testreihen, Selbstverstümmelungen, Selbstmordversuchen und einem steten Gefühl von Lebensunglück. Doch schließlich hatte ihr mächtigster Wunsch Amtskraft erlangt, und die Behandlung, die Monate dauern sollte, wurde genehmigt – und begonnen. Nur eine einzige Klinik nahm Geschlechtsumwandlungen vor, nur ein einziges Ärzteteam. Und das war seit dem Spätsommer im Westen. Die sieben, die vor Prof. Dr. Rüdiger Jürgends standen, die Männer waren und Frauen werden wollten, waren unvollendet. Sie waren nicht das eine und nicht das andere.

»Wir sind nicht Männlein, nicht Weiblein, wir sind einfach … verlassen worden!« rief Jemand. Klein wie eine Frau, das durch die schmalen Lippen und kleinen Augen männlich wirkende Gesicht jedoch war weiblich geschminkt. Brust, Hüfte und Stimme waren die eines Mannes – die weichen, anmutigen Bewegungen aber waren die einer Frau. »Und im Westen werden wir nicht behandelt, weil wir dort keine Krankenversicherung haben.«

Dazu nickte Familie Fürstenberg – dieses Problem war auch ihr Problem.

»Ich trau mich auch kaum raus«, sagte mit tiefer, roher Stimme eine Hünin mit mächtigen Oberarmen und kümmerlichen Brüsten. Ihre behutsame, höfliche, doch bekenntnishafte Art, sich zu äußern, offenbarte einen unleugbar weiblichen Charakter in einem unleugbar männlich anmutenden Körper. »Seitdem die Hormone weg sind, ist fast alles wie früher. Aber«, sie hob sacht ihre Brüste, »als Mann geh ich jetzt auch nicht mehr durch. Wirklich, Herr Minister, ich trau mich kaum noch raus. Wir sind doch Freiwild!«

Einen Augenblick lang war Stille. Mutter Fürstenberg schluchzte.

»Entschuldigung!« sagte sie und schneuzte sich. »Entschuldigung!« Sie verließ den Raum; Mann und Sohn folgten. Prof. Dr. Rüdiger Jürgends machte zum Abschied Zeichen, daß ihr Anliegen protokolliert sei.

»Alle haben die Freiheit, nur wir nicht«, sagte eine Stoppelbärtige, mit Männerstimme. Es war der traurigste Satz, den Prof. Dr. Rüdiger Jürgends seit Wochen gehört hatte.

Seitdem Lenas großer Bruder um neun Uhr begonnen hatte, seine Fotos zu machen, hatte sich der Minister unausgesetzt als Kummerkasten, Motivator und Wegweiser inszeniert. Prof. Dr. Rüdiger Jürgends war nichts lieber, als sich beim aufmerksamen Zuhören, verständigen Nicken und mutmachenden Händedrücken foto grafieren zu lassen. Doch jetzt wurde ihm klar, was es bedeutete, in dieser Zeit Minister zu sein. Er hatte es sich so schön vorgestellt, mit seinem halben Brötchen mit Ei, den »Spreequell«-Flaschen und dem »Tag des Dialogs«. Das war alles Kinderkram. Auf einmal sah er sich vor Probleme gestellt, die zu verrückt waren, als daß er sie sich je hätte vorstellen können. Traurig und ratlos schaute er die sieben an, und einen Seufzer lang wünschte er sich, nicht mehr Minister zu sein. Als er eine halbe Minute stumm dagesessen hatte, schien er aufzuwachen: Er wollte es mal mit Regieren versuchen. Wollte die sieben mit mehr als nur frommen Worten entlassen.

Mit einem Wohnsitz im Westen wären sie bei einer Krankenkasse, die für die Fortsetzung der Behandlung einsteht. Aber Prof. Dr. Rüdiger Jürgends würde sich als Gesundheitsminister ein Armutszeugnis ausstellen, wenn er seine Verantwortung wegschöbe. Er wird sie *nicht* fragen, warum sie ihren Wohnsitz nicht jetzt, wo die Mauer offen ist, in den Westen verlegen. Wenn sie hier sind, dann haben sie ihre Gründe, nicht in den Westen zu gehen.

Soll er versuchen, jenen Arzt, der in den Westen gegangen ist, ausfindig zu machen und ihn zu bewegen, die Behandlung dieser sieben zum Ende zu bringen? Soll er die sieben auf Staatskosten im Westen zu Ende behandeln lassen? Aber warum dann sie und nicht

Familie Fürstenberg? Soll er humanitäre Organisationen bitten, die Behandlungskosten zu übernehmen?

»Ich denke«, begann Prof. Dr. Rüdiger Jürgends, »jeder in diesem Raum weiß, daß Ihnen geholfen werden könnte, wenn Sie einen Wohnsitz im Westen hätten. Aber wenn ich Sie richtig verstanden habe, ist das für Sie keine Lösung. Für mich übrigens auch nicht.«

In dem Moment ging die Tür auf – und Lena schwebte auf Rollschuhen herein, gemeinsam mit vier Krankenschwestern. Es war, als ob eine Armada von Engeln in den Raum flattere. Sie umkreisten den Konferenztisch und drehten sich dabei so, daß sie dem Gesundheitsminister Prof. Dr. Rüdiger Jürgends immer ins Gesicht schauten. Lena sprach zu ihm. »Warum wir auf Rollschuhen kommen? Weil wir die Arbeit nur noch mit Rollschuhen schaffen. Über ein Drittel des mittleren medizinischen Personals ist nicht mehr da, aber die Patientenzahlen nehmen nicht ab. Und wir verdienen auch nicht mehr. Wissen Sie, wieviel eine Physiotherapeutin nach drei Jahren Fachschulstudium verdient? Vierhundertachtzig Mark! Überstunden ohne Ende, aber wir können sie nicht abbauen. Viele wollen oder können nicht mehr, und gehen nun erst recht in den Westen oder lassen sich mindestens krank schreiben. Eine Spirale ohne Ende!«

Die sieben Transsexuellen schauten finster. Dieser Auftritt war wie eine Ohrfeige. Was Lena und die Schwestern vollführten, war eine Feier der Weiblichkeit, um die sie vom Leben betrogen wurden. Um dieses Dasein wurden sie beneidet, Lena und ihre Kolleginnen. Krankenschwestern zu sein, in weißen Kitteln, wo unten schöne Beine rausgucken und oben junge Brüste den Stoff spannen!

»Ihr kriegt mehr«, sagte Prof. Dr. Rüdiger Jürgends tonlos. Erst die unvollendeten Transsexuellen, jetzt rollschuhfahrende Krankenschwestern …

Doch Lenas großer Bruder, der immer stolz auf Lena war und sie immer bewundert hatte, fand den Auftritt mißraten und die ganze Inszenierung lächerlich. Lena glaubte noch immer an Liedersingen und Rollschuhfahren. Sie hatte den Moment verpaßt, an dem die fröhliche Revolution zu Ende war. Sie *war* zu Ende. Sie war in dem Augenblick zu Ende, als es eine Regierung gab, die ihre Macht zur Disposition stellte. Jeder konnte sie haben, die Macht. Wenn du mitmischen willst, Lena, dachte ihr großer Bruder, dann stell dich auf, laß dich wählen, vorwärts marsch, ins Parlament! Mit Rollschuhen läßt sich nichts mehr beweisen – jetzt zählen nur noch Kreuzchen.

Prof. Dr. Rüdiger Jürgends entschuldigte sich mit einer beschwichtigenden Geste bei den unvollendeten Transsexuellen – und fragte, etwas stockend und damit seine Unerfahrenheit in Tarifangelegenheiten nicht verbergend, ob er die Löhne »um, sangwama, dreißig Prozent?« anheben solle. Lena nickte verblüfft. Prof. Dr. Rüdiger Jürgends diktierte der Protokollführerin: »Dreißig Prozent!« Soll die Finanzministerin einfach etwas mehr Geld drucken lassen, dachte er und geleitete die Rollschuhdelegation hinaus.

Es war dreizehn Uhr sechsundzwanzig. Der Gesundheitsminister hatte einen Plan bis zweiundzwanzig Uhr fünfzehn, und er war bereits jetzt um über neunzig Minuten im Verzug. Die Brötchennummer konnte er sich abschminken. Und das war erst der Anfang. Am nächsten Freitag war wieder »Tag des Dialogs«. Am übernächsten auch. Und danach wieder. Aber irgendwann, tröstete sich Prof. Dr. Rüdiger Jürgends, kommen Wahlen. Und dann muß ein anderer weitermachen.

Vor dem Beratungsraum schnallte Lena die Rollschuhe ab. Lena war mit dem festen Vorsatz gekommen, dem Gesundheitsminister acht bis zehn Prozent abzuringen, »und wenn bis zum Morgen durchverhandelt werden muß!« hatte sie sich geschworen. Nun bekam sie dreißig Prozent nachgeschmissen, aber es wollte sich kein Triumphgefühl einstellen. Auf dem Flur des Gesundheitsministeriums lag eine Stimmung wie in der Kabine einer Mannschaft, die als haushoher Favorit soeben von ihrer Disqualifikation am grünen Tisch erfahren hatte.

»Irgendwie bin ich nicht mehr im Rollschuhalter«, sagte Lena nach einer Weile. »Ich bringe jetzt meine Rollschuhe unter die Erde.«

Hinter dem Ministerium für Gesundheitswesen, einem zwölfstöckigen Hochhaus, war eine breite, achtspurige Straße, deren vier Mittelspuren zum Autotunnel gehörten, der unter dem Alexanderplatz hindurchführte und sich danach wieder mit der Straße vereinte. Lena ging mit ihrem großen Bruder an den Punkt, wo die Spuren ein Gefälle bekamen. Sie stellte ihre Rollschuhe auf die Fahrbahn und gab ihnen einen leichten Stoß. Sie rollten, jeder für sich, langsam in den Autotunnel. Der eine wurde vom Bordstein gestoppt, der andere purzelte über ein Abflußgitter, das über die gesamte Breite der Straße ging. Um die Rollschuhe zu knipsen, gingen sie ein Stück in den Autotunnel hinab.

»Alles, was ich über diese Zeit weiß, weiß ich von deinen Bildern«, sagte Lena später oft. Die Fotos mit den Rollschuhen gehörten zu den ganz wenigen Bildern ohne Menschen. Die entzweiten Rollschuhe rochen nach Unglück – nach dem Unglück, das Lena fühlte, als ihre Zeit, die Rollschuhzeit, vorbei war.

Was machst du heute abend? fragte ihr großer Bruder, als er mit seiner Leica um die Rollschuhe herumging.

Lena wollte in die Wilmersdorfer Bibliothek, im Westen Berlins. Dort sollte ein Abend mit Fritz Bode stattfinden. »Mehr als ein Zeitzeuge« war er, »gelebte Geschichte«, »die unterdrückten Wahrheiten einer Epoche« sollte er verkörpern und »ein Jahrhundert, das spricht«. Ein großer Schauspieler hatte die Memoiren Bodes öffentlich gelesen. Lena hatte viel über Fritz Bode gehört. Sie wollte sich seinen Auftritt in der Wilmersdorfer Bibliothek nicht entgehen lassen.

Als Lena und ihr großer Bruder aus dem Autotunnel heraufkamen, verknipste er das letzte Bild seines Films. Es war ein Bild mit der Rechtsanwältin Gisela Blank.

2

Gisela Blank hatte einen Brandfleck im Ärmel ihrer Bluse. Der Brandfleck war neu und nicht größer als ein Zehnpfennigstück, aber er hatte eine Geschichte, die fast zwanzig Jahre zurückreichte. Damals stand die Jurastudentin Gisela Blank kurz vor dem Abschluß. Sie würde eine ausgezeichnete Rechtsanwältin abgeben. Sie hatte die Gabe, trockene Gesetzestexte mit lebhaften Betonungen zu versehen, so daß Bedeutungsnuancen des juristischen Kauderwelsches plastisch wurden. Ja, es war ihr besonderes Talent, toten Worten Leben einzuhauchen, indem sie die Worte beim Wort nahm. Beigebracht hatte ihr das niemand – außer vielleicht das Theater. Auch wenn ihre schriftlichen Arbeiten mit Bestnoten beurteilt wurden, war Gisela Blank eine mündliche Begabung von seltenem Kaliber. Sie war schlagfertig, scharfsinnig und konnte klar formulieren. Eine glänzende Karriere stand ihr bevor.

Gisela Blank war zudem eine sehr anziehende Frau. Es war nicht nur ihre Stimme, in der – ganz unaufdringlich und daher um so wirkungsvoller – ein erotisches Timbre lag. Ihre Art, sich zu geben und zu bewegen, war von einer Körperintelligenz durchdrungen: Wie sie Dinge in die Hand nahm, wie sie sich die Haare nach hinten strich, wie sie scheinbar schwingend lief – all das waren subtile Signale, die darauf schließen ließen, daß Gisela Blank Genuß zu empfangen und Genuß zu bereiten verstand. Sie war auf Fotos schön. Im Leben war sie unwiderstehlich. Ihre Attraktivität war von solcher Dominanz, daß ein zweiter Wesenszug kaum wahrgenommen wurde: ihre außerordentlich hohe Intelligenz. Sie war mit einer amerikanischen Psychologin befreundet, die mit ihr, mehr aus Neugier, einen Test gemacht hatte. Gisela Blanks IQ lag bei 212. Ein solcher IQ war so rar, daß Gisela Blank fortan jener Freundin, die an der Carnegie Mellon University in Pittsburgh über künstliche Intelligenz forschte, als Probandin diente, wann immer es möglich war.

Als Gisela Blank kurz vor dem Abschluß ihres Jurastudiums

stand, plante das DDR-Fernsehen eine Sendung, die *Tele-Lotto* heißen sollte. Die trockenen Lottozahlen sollten mit Unterhaltung verquickt werden. Im Zentrum der Sendung sollte das sogenannte *Spielgerät* stehen, das die Form eines stumpfen Kegels hatte und von dessen Spitze die Kugel auf einer schneckenförmigen Bahn herunterrollte. Unten schlug sie eine von fünfunddreißig identischen Figuren um, die um das Spielgerät kreisten. Die Figuren hatten die Form von Bowlingkegeln und waren mit der jeweiligen Gewinnzahl numeriert. Jede Gewinnzahl repräsentierte eine Gattung *Kleiner kurzweiliger Unterbrechungen*, wobei die Gattungen alphabetisch geordnet waren: Es ging von *Anekdote* über *Ballett, Chanson, Schlager, Trickfilm* und *Volksmusik* bis zum *Zaubertrick*. Die Kinder liebten später besonders die Gewinnzahl 19: *Mini-Krimi*.

Drei Leute sollten im Studio sein: Ein wechselnder *Moderator*, der die kleinen kurzweiligen Unterbrechungen, die als vorbereitete Filmkonserven existierten, mit seiner ganz persönlichen Note anzukündigen hatte. Ein *Leiter der Ziehung* sollte die jeweilige Gewinnzahl bekanntgeben und ein *Notar* am Ende der Sendung die Rechtmäßigkeit der gezogenen Gewinnzahlen bestätigen. Die Fernsehmacher wollten den Zuschauern *auch was fürs Auge bieten*, und so beschlossen sie, gegen den dicken, im Studiolicht stets schwitzenden *Leiter der Ziehung* einen optischen Kontrapunkt zu setzen – durch den *Notar*. Mit dem Vorsatz, eine »hübsche junge Frau mit einer seriösen Ausstrahlung« zu finden, durchkämmten sie die juristischen Fakultäten – und fanden Gisela Blank. Sie übertraf alle Erwartungen. Sie mußte nur noch ihr Examen bestehen. Ein Kinderspiel.

Gisela Blank amüsierte der Gedanke, ein Fernsehgesicht zu werden, und bestätigte sie in ihrem Gefühl, etwas Besonderes zu sein. Doch sie wußte nicht, worauf sie sich einließ. Denn sie war nicht vorübergehend, sondern dauerhaft engagiert. Nicht für acht Wochen, nicht für zwei Jahre, sondern für immer. All ihr Talent, all ihr Wissen und ihre Intelligenz lagen brach. Sie hatte nur einen einzigen

Satz zu sagen, einmal pro Woche. Der Satz lautete: »Die Ziehung ist ordnungsgemäß verlaufen.« In über vierhundert Ausspielungen brachte sie diesen Satz an. Sie hatte die Freiheit, diesen Satz zu modifizieren. Nach einem halben Jahr sagte sie: »Auch die heutige Ziehung ist ordnungsgemäß verlaufen.« Oder: »Selbstverständlich ist auch diese Ziehung ordnungsgemäß verlaufen.« Gisela Blank begann ihren Job zu hassen. Aber sie wurde Kult. Wildfremde Menschen grüßten sie mit »Ist hier alles ordnungsgemäß?«. Das Kabarett »Die Distel« machte ein Programm unter dem Titel *Alles ordnungsgemäß verlaufen.* Gisela Blank, die das Zeug zu einer außergewöhnlichen Juristin hatte, war eine Witzfigur. Sie war noch weniger: Sie war ein nettes Gesicht, das einen dummen Satz zu sagen hatte. Und das bei einem Gehirn, für das sich amerikanische Wissenschaftler interessierten.

Sie war arbeitsrechtlich in einer verzwickten Situation: Sie konnte nur noch Anwältin werden, wenn ihre Partner beim Fernsehen und der Staatlichen Lotterie bereit sein würden, den Bund mit ihr zu lösen. Aber das war nicht der Fall. Es nutzte nichts, daß das Rechtsanwaltskollegium willens war, sie aufzunehmen: Die, die sie haben wollten, kriegten sie nicht. Und die, von denen sie gehen wollte, ließen sie nicht.

Dann bekam Gisela Blank ein unmoralisches Angebot.

Sie sollte sich bereit erklären, im Rahmen ihrer beruflichen Tätigkeit mit dem Ministerium für Staatssicherheit zusammenzuarbeiten. Natürlich wußte sie, daß dies nur eine *künftige* berufliche Tätigkeit meinte; was sie beim Fernsehen machte, war so uninteressant, daß es nicht mal die Stasi interessierte.

Die Stasi schickte verschiedene Gesprächspartner. Die ersten beiden bekamen mangels Niveau einen Korb. Es mußte schon ein älterer, graumelierter Herr sein, dem sie ihr Ohr für mehr als zehn Minuten lieh. Der erklärte ihr, französische Redewendungen einflechtend, daß sich die Stasi dafür interessiere, wie die Opposition ausgerüstet und organisiert sei. Gibt es Druckerpressen, und wenn ja, von wo kommen sie? Woran schreibt XY, und wann soll das Buch in welchem Verlag erscheinen? Auf welchem Weg gelangt das Manuskript in den Westen? Es gehe nicht darum, Belastungsmaterial zu sammeln. Man wolle lediglich im Bilde sein.

Das klang so vieldeutig, so unverbindlich. Sie redeten nur von Hypothesen. Gisela Blank war keine Anwältin, sie wollte es werden. Gisela Blank kannte die Gesetze; sie wußte, wo Mandantenverrat anfängt, und sie wußte, wo der Wortbruch der Stasi anfangen würde. Es war ihr zur Natur geworden, die Dinge auszulegen, und sie fand heraus: Es gab eine ganz schmale Basis für eine Zusammenarbeit. Sie wollen lediglich im Bilde sein.

Gisela Blank formulierte in diesem Gespräch den Wortlaut einer Verpflichtungserklärung. Der graumelierte Genosse notierte: Daß sie sich unter Wahrung der Gesetze und der rechtsanwaltlichen Standesvorschriften zu einer Zusammenarbeit mit dem Ministerium für Staatssicherheit einverstanden erkläre. Sie sollte sich einen Decknamen wählen. Sie entschied mit bitterem Grinsen, sich *Notar* zu nennen. Sie unterschrieb mit einem Füllhalter eine Verpflichtungserklärung, die nur aus einer einzigen Seite bestand. Das Gespräch fand in einem Zimmer des riesigen Gerichtsgebäudes in der Littenstraße statt.

Danach war alles anders: Die, die sie bisher nicht gehen lassen wollten, ließen sie nun doch gehen. Gisela Blank wurde Anwältin, und sie war eine hervorragende Anwältin. Sie verteidigte oft in spektakulären politischen Fällen, den sogenannten 1A-Fällen. Ihre Klienten waren junge Künstler, die sich mit dem Staat anlegten, Philosophen, die sich mit dem Staat anlegten, ökologische Aufklärer, Oppositionelle, Wehrdienstverweigerer, politische Programmatiker. Auch einen jungen Neonazi verteidigte sie einmal. Ihr stilles Credo war, nie einen Mandanten mit einem *gefühlten IQ* unter 100 zu verteidigen; es gab unter den Politischen genügend Primitive, mit denen sie nichts zu tun haben wollte.

Ihre Gespräche mit dem graumelierten Genossen, die etwa einmal im Monat in der Littenstraße stattfanden, gestalteten sich wie Szeneklatsch. Man sprach entspannt miteinander und *tauschte* Informationen – Gisela Blank verließ die Treffen immer mit dem Gefühl, nun etwas mehr zu wissen als andere. Sie selbst hielt sich an die vereinbarte Linie. Sie sprach nicht über ihre Mandanten, weder über deren seelische Verfassung noch über die Verhandlungs- oder Lebensstrategie, und schon gar nicht über die Delikte. Sie sprach über das Umfeld ihrer Mandanten, sofern es nicht Gegenstand der Anklage war. Sie hatte das Versprechen, daß ihre Informationen keine Bestrafungen zur Folge haben. Wenn sie verriet, wo ein Kopierer stand, dann wurde der Kopierer beschlagnahmt – aber es kam zu keinem Verfahren. Wenn sie verriet, durch welchen Kurier der Kopierer beschafft worden war, dann ging der Kurier beim nächsten Mal hoch. Gisela Blank wußte, daß er nicht bestraft werden würde. Aber sie war klug genug, zu wissen, daß ein ertappter Kurier, der von seiner Immunität nichts ahnt, erpreßbar ist. Gisela Blank war klug genug, um sich auszumalen, daß der so Erpreßte nicht ihre gewissensbequemen Prämissen setzen konnte: Wen der verriet, der war dran. Aber der Verrat der anderen, so fand Gisela Blank, fällt nicht in ihre Verantwortung.

Der Brandfleck in ihrer Bluse stammte von ihrem letzten, ihrem wirklich allerletzten Treffen mit dem graumelierten Genossen. Der war wie in sich zusammengefallen und erloschen. Die Schultern hingen, der Blick war stumpf, die Stimme leise, die Sprache schleppend. Er zitterte. Er schlurfte. Vor vier Wochen war er schon nicht mehr der seriöse Herr. Da flackerten seine Augen wild, die Stimme bebte, er war fahrig und unkonzentriert. Jetzt war es ganz vorbei. Es hatte was von einer Supernova: Aus einem roten Riesen wurde ein weißer Zwerg.

Gisela Blank hatte auf dem vorletzten Treffen ihre Akte und vor allem ihre Verpflichtungserklärung verlangt. Er hatte sie beschafft. Es war ein merkwürdiger Abschied. Sie dürfe die Akte vernichten, sagte er, aber nicht mitnehmen. Aus einem unerfindlichen Grund genügte es Gisela Blank nicht, ihre Akte Seite für Seite in kleine Schnipsel zu zerreißen und in seinen Papierkorb zu werfen. Sie wollte das Papier brennen sehen. So faltete sie ihre Verpflichtungserklärung zu einem Fidibus und zündete sie über dem Waschbecken in dem Zimmer in der Littenstraße an. Mit dem Rest ihrer Akte verfuhr sie ebenso, Seite für Seite. Sie hatte keine andere Wahl, fand sie. Niemand würde sich für die Feinheiten ihrer Rechtsauffassung interessieren. Während die Flammen das Papier zu Asche verwandelten, sah Gisela Blank immer wieder einzelne Worte und Satzfetzen, die sie an die Informationen erinnerten, die sie weitergegeben hatte. *Wie gut, daß Papier brennt.* Gisela Blank spürte eine starke Genugtuung, ein Gefühl, das sie kannte, wenn ihr Gerechtigkeit widerfuhr. Sie konnte alles erklären. Sie hatte nichts Verbotenes getan, nicht mal etwas Standeswidriges. Sie hatte Vertrauen mißbraucht, na und? Sie hatte ihre Klienten verteidigt wie eine Löwin ihre Jungen. Die Klienten würden für sie durchs Feuer gehen, ohne Ausnahme.

Wie sollte herauskommen, daß sie sich einmal im Monat in der Littenstraße mit der Stasi getroffen hatte? Nur, wenn diese wirklich blödsinnige Forderung *Jedem seine Akte* Gehör findet. Zwar wird in den Akten ihrer Klienten kein einziges Mal die Quelle *Notar* auftauchen. Aber in anderen Akten, vereinzelt, unsystematisch. Man wird fragen: Wer war *Notar*? Man wird nichts finden. *Wie gut, daß Papier brennt.* Ob ihr graumelierter Herr etwas sagt? Gisela Blank warf einen Blick zu ihm hinüber. Apathisch saß er am Schreibtisch. Der war fertig. Sie wußte, daß eine Supernova nicht als weißer Zwerg endet, sondern als *Schwarzes Loch*, dessen Eigenschaft es ist, nichts mehr herzugeben.

Dieser Seitenblick auf den Führungsoffizier kostete Gisela Blank die Bluse: Ein Stück glühende Asche war in den weiten Ärmel gefallen und hatte ihn versengt.

Als alles verbrannt war, ging sie aus dem Zimmer und aus dem Gerichtsgebäude. Sie wandte sich nach rechts und ging über die breite Straße, auf deren anderer Seite das Gesundheitsministerium stand. Als sie auf der Insel war, die in der Mitte die Straße teilte, schob sie den Ärmel ihres Mantels hoch und betrachtete sich erneut den Brandfleck. Sie dachte, sie sei unbeobachtet – doch sie hatte zwei Menschen übersehen, die aus dem Autotunnel kamen: eine junge Krankenschwester und ein Mann mit einem Fotoapparat. Gisela Blank hatte diese Straße schon oft überquert, aber noch nie waren Fußgänger aus dem Autotunnel gekommen. Komische Zeiten waren das.

Der Fotograf hatte Gisela Blank geknipst, als sie sich den Brandfleck anschaute. Der Brandfleck, der von der Verbrennung ihrer Akte zurückblieb. Sie fühlte sich auf eine unerklärliche Art ertappt. Der Fotograf schaute sie so merkwürdig an.

Ruhig bleiben, redete sich Gisela Blank zu. Das *kann* der nicht wissen. Das *kann* der nicht wissen. Es kann nur rauskommen, wenn ich im Schlaf rede.

3

Waldemar stand vor dem Eingang des Aufbau-Verlages, Französische Straße 32. Er preßte eine Mappe mit zweihundertzwölf Seiten, anderthalbzeilig, an die Brust und betrachtete das Verlagsgebäude, das ihm wie eine Festung vorkam.

In dem Gemäuer aus dicken Sandstein-Quadern markierten kleine Krater Einschußlöcher aus dem Zweiten Weltkrieg. Die Kugeln hatten am Sediment gekratzt, ohne die dicken Mauern zu gefährden. Auch die Fenster waren abweisend. Das Ganze wirkte wie ein Depot, wie Fort Knox, und nicht wie ein Verlag. Aber ich wage es, mit diesen zweihundertzwölf Seiten, anderthalbzeilig, in diese Festung einzudringen, dachte Waldemar und griff nach der Klinke, die so hoch lag, daß sich ein Erwachsener den Kopf an ihr stoßen konnte, und öffnete die schwere Tür, indem er sich gegen sie stemmte. Hier wird dir nichts geschenkt, dachte er.

Waldemar kam bis zum Pförtner.

»Ich wünsche den Verlagsdirektor zu sprechen.«

»Der ist nicht mehr im Hause.«

»Dann den höchsten der noch anwesenden Chefs.«

»In welcher Angelegenheit darf ich Sie melden?« fragte der Pförtner, in einem Tonfall, der längst nicht so adlig war wie die Wortwahl.

»Ich komme wegen der Beendigung der Zensur«, sagte Waldemar. »Mein Name ist Bude. Waldemar Bude.«

Es war in jenen Wochen leicht, zu den Chefs vorzudringen. Volksnah wollten sie sein, und offene Türen sowie offene Ohren waren schon immer Attribute von Volksnähe. Allerdings: *Freitag nach eins*, hieß es, *macht jeder seins.*

»Dr. Erler ist noch da«, sagte der Pförtner.

»Ist das der Stellvertreter?« fragte Waldemar.

»Nee«, sagte der Pförtner. »Dr. Erler ist ...« Er überlegte ... und überlegte. Je länger er nachdenken mußte, desto unbedeutender drohte sich der Verantwortungsbereich Dr. Erlers zu erweisen, und so machte Waldemar dem Nachdenken ein Ende. »Na, wenigstens ist er Doktor«, sagte er versöhnlich.

Dr. Erler kam tatsächlich binnen weniger Minuten herunter zur Pförtnerloge. Er war ein höflicher, freundlicher Mensch von Mitte Fünfzig. Er wirkte weder revolutionär noch schien er eine lohnende Zielscheibe revolutionären Eifers abzugeben. Eher war er jemand, der sich mühelos an fünf Tagen in der Woche in den *gemütlichen Feierabend* verabschiedet. Und das seit dreißig Jahren.

Waldemar hingegen war von einer verwirrenden Zielstrebigkeit, einer kuriosen Bestimmtheit, und in Dr. Erler hatte er das ideale Opfer. Waldemar bat ihn, ohne ihm eine Wahl zu lassen, vor die Tür, in die ungemütliche Kühle des ersten Dezembernachmittags, führte ihn zur nächsten Ecke und wies auf die Bauten am anderen Ufer der Spree: Das Staatsratsgebäude und das Haus des Zentralkomitees der Partei, das einst als Sitz der Reichsbank gebaut worden war. »Was für ein Aufatmen muß durch Ihren Verlag gehen«, sagte Waldemar pathetisch, »da Sie endlich aus dem Kraftfeld dieser Häuser entlassen sind. Heute ist es auch offiziell, und aus diesem Anlaß überreiche ich Ihnen meine zweihundertzwölf Seiten, anderthalbzeilig.«

Dr. Erler, der nur im Anzug, ohne Hut, Schal und Mantel auf die Straße gekommen war, nahm das Manuskript entgegen und schlug es auf. Er begann im Stehen, das fahle Nachmittagslicht nutzend, zu lesen. Die Kälte schien ihm nicht wichtig zu sein; seinen Atem verwehte der Wind, und er stand wie angewurzelt, als konzentriert lesendes Dampfmännchen unter kahlen Bäumen. Als er die erste Seite gelesen hatte, blätterte er nicht weiter, sondern sagte mit einem freundlichen Lächeln: »Vielen Dank, lieber Herr Bude! Aber gehen wir doch in den Verlag. Wir müssen das Manuskript im Eingangsbuch eintragen, das liegt im Sekretariat.«

Keine zwei Minuten später stand Waldemar im Sekretariat – und was er dort erblickte, war so überwältigend, daß er jegliche Inszenierung, jede Show, jedes Konzept schlicht vergaß. Was er sah, waren Berge von Manuskripten. Türme von Manuskripten. Ein Zimmer, so voll mit Manuskripten, daß man sich kaum darin bewegen konnte.

Selbst Dr. Erler, der seit dreißig Jahren im Verlagswesen arbeitete, hatte nie zuvor so viele Manuskripte auf einem Haufen gesehen wie an jenem Tag, als die Zensur abdankte. Als hätte sich auf ein Zeichen hin das ganze Land seiner Schubladen erinnert. Auf den Schreibtischen der beiden Sekretärinnen türmten sich die Manuskripte in Höhen, in denen sie die Balance nur noch durch gegenseitiges Abstützen halten konnten. Vom Fußboden wuchsen Türme aus gestapelten Manuskripten empor. Es existierten Schneisen zwischen den Türmen, durch die die Sekretärinnen von der Tür zu den Schreibtischen, zum Schrank, zum Fenster und zu einem Wandregal kamen. Auf den gerippten Heizkörpern und den Fensterbrettern waren ebenfalls Manuskripte geschichtet.

Unter den einzelnen Fächern im Wandregal standen die Namen

der ungefähr zwanzig Lektoren, und ihr Lesepensum mußte beträchtlich sein: In die Fächer waren so viele Manuskripte gequetscht, wie überhaupt nur hineingingen.

»Ja«, sagte Dr. Erler. »Das ist die Situation.«

Waldemar sah blaß aus. Dr. Erler stieg vorsichtig über die Manuskripte hinweg und öffnete die Fenster. Das Papier hatte über Jahre und Jahrzehnte den Mief der Schubladen angenommen, der nun, in diesem Raum, geballt zur Entfaltung kam.

Nur wenige Manuskripte waren auf weißes Papier getippt, und wenn, war das einst schneeweiße Papier oft vergilbt, gar *verbräunt*. Die meisten Einreichungen hingegen bestanden aus blaßrosa, gelblichen oder grünlichen Durchschlägen. Viele Manuskripte waren gar per Hand geschrieben, dann meist mit Tinte, auf daß es feierlich und getragen wirke. Auf daß es unabweisbar einzig werde. Die Mühe, ja, die Zumutung, die es darstellte, ein solches Manuskript zu lesen, machte es in den Augen ihrer Verfasser nur noch wertvoller.

»Zwei Jahre hab ich daran gesessen«, sagte Waldemar, paralysiert von der schieren Masse der Manuskripte. »Keine Chance.«

»Ach«, sagte Dr. Erler aufmunternd. »Kein Begleitbrief ist ein gutes Zeichen.«

Er schob Waldemar das Eingangsbuch hin und reichte ihm seinen Kugelschreiber, schreibfertig. Während Waldemar sich mit einem Seufzen eintrug, suchte Dr. Erler eines der Schnipsgummis, die gewöhnlich für UE, *unverlangt Eingesandtes*, bereitlagen. Er fand kein Gummi, bemerkte aber mehrere Stapel, auf denen Manuskripte im rechten Winkel versetzt geschichtet waren, Manuskripte, die sämtlich ohne Gummi waren. Offenbar war die Flut von Manuskripten so groß, daß sogar die Schnipsgummis ausgegangen waren. Dr. Erler legte Waldemars Manuskript auf einen dieser Stapel – ebenfalls versetzt.

»Das wars?« fragte Waldemar mutlos.

»Ich hoffe, nicht«, sagte Dr. Erler und lud Waldemar in seiner schweren Stunde zu einem Kaffee ein.

Dr. Erler bewies Einfühlungsvermögen. In seinem Büro, das zwei Stockwerke höher lag, plazierte er Waldemar auf eine durchgesessene Couch, von wo aus er kein einziges Manuskript mehr sehen mußte, dafür aber auf eine Wand voller Bücher blicken durfte, auf richtige, gedruckte und gebundene Bücher.

Dr. Erler sprach Waldemar auf seinen Akzent an. Waldemar erzählte, daß er in Polen geboren sei, aber mit seiner Mutter die Heimat verlassen habe, weil sie »einen Deutschen« geheiratet hatte, wie es hieß. Er dachte, er käme in den Westen. Er freute sich auf Kaugummi und Coca-Cola. »Aber dann sind wir schon hier ausgestiegen.« Dr. Erler interessierte, wie alt Waldemar damals gewesen ist.

»Zwölf.«

»Und jetzt?« fragte Dr. Erler.

»Vierundzwanzig.«

»Zweimal zwölf«, sagte Dr. Erler.

Waldemar lächelte. Dr. Erler hatte einen interessanten Punkt erwischt.

»Mit zwölf geht das Diskutieralter los«, sagte Dr. Erler. »Das unschuldige, das spielerische Verhältnis zur Sprache geht zu Ende. Man nimmt die Sprache ganz anders in die Hand. Das ist mir bei meiner Tochter aufgefallen. Die bekam plötzlich Lust, zu diskutieren. Ich glaube, diese Diskussionen zwischen vierzehn und neunzehn führt man, um zur eigenen Rhetorik zu finden.«

Waldemar verstand nicht, was Dr. Erler ihm damit sagen wollte.

»Sich mit zwölf in eine neue Sprache zu begeben«, sagte Dr. Erler, »das ist, als würde man einen Rohbau nicht fortsetzen und statt dessen gleich eine neue Baustelle aufmachen.«

»Sie bauen wohl gerade?« fragte Waldemar. »Alle, die bauen, kommen immer mit Metaphern vom Bau.«

Dr. Erler lachte – er lachte, weil es stimmte.

»Aber Sie haben recht«, sagte Waldemar. »Ich werde nie erfahren, welches Wesen da in mir schlummerte. Ich habe kein inniges Verhältnis zum Deutschen, auch wenn ich deutsch spreche und auf deutsch schreibe. Was meine Oma erzählt hat über Güte und Gerechtigkeit, über Krieg und früher – alles polnisch. Wenn ich deutsch spreche, steh ich neben mir. Deutsch ist wie ein Anzug, den ich anziehen muß, um in die Oper zu gehen. Deutsch ist ein Fahrrad.«

»Ein Fahrrad?« fragte Dr. Erler.

»Ein Gerät. Man muß lernen, darauf zu fahren. Die Füße sind einfach da, ganz natürlich.«

»Den Fahrrad-Vergleich hab ich noch nie gehört. Obwohl ich mich mal sehr für Schriftsteller interessiert habe, die ihre Sprachheimat wechselten.«

»So was gibts?« fragte Waldemar verblüfft.

»Sie werden doch Ionesco kennen.«

»Klingt rumänisch«, sagte Waldemar, der den Namen nie gehört hatte. Wenn er wichtig wäre, dann würd ich ihn kennen, wollte er sagen, aber die vielen Bücher in Dr. Erlers Zimmer schüchterten ihn ein, und so fragte er nur: »Ist der wichtig?«

»Das will ich meinen!« sagte Dr. Erler. »Er entdeckte, wie wenig die Worte zum Leben passen. Er fand heraus, daß die Sprache der Erzeugung von Mißverständnissen mehr dient als der Verständigung. Daß mit Floskeln, Konventionen – oder auch Parolen! – alles nur in einem großen Chaos endet.«

»Meinen Sie so etwas wie *Feierabend*?«

»Feierabend!« Dr. Erler lachte laut auf. »Stimmt, wer feiert da?«

»Und Abend ist es noch lange nicht.«

»Das kommt noch dazu«, sagte Dr. Erler. »Nun hat der aber seine Theaterstücke – Ionesco war Dramatiker – auf französisch geschrieben. Das ist doch verrückt: Da wagt es einer, die Effektivität von Sprache zum Gegenstand zu machen, ohne mit dieser Sprache von klein auf vertraut zu sein. Während meines Studiums war Ionesco unter uns Studenten sehr populär, bei den Professoren war er verpönt. Der wurde gewissermaßen heimlich unter der Bettdecke gelesen.«

»Wenn Sie sich so gut auskennen«, sagte Waldemar, »möchte ich mal ganz keck fragen, ob es außer mir auch andere Polen gibt, die nicht auf polnisch schreiben.«

»Joseph Conrad«, sagte Dr. Erler. »Der schrieb schon auf englisch, als er es längst noch nicht beherrschte. Seine Literatur wirkte wie ein schöner Mann, der sich nicht anzuziehen verstand. Übersetzt, des Englischen entledigt, war er schon längst ein Großer. Aber es hat gedauert, bis ihm endlich auch auf englisch stilistische Meisterschaft zugestanden wurde.«

»Wenigstens kann man auch dann vom Schreiben leben, wenn man nicht in seiner Muttersprache schreibt«, sagte Waldemar.

Dr. Erler lachte. »Was denken Sie! Bis zum Nobelpreisträger kann mans bringen! Nehmen Sie Beckett der machte nach zwei englischen Romanen auf französisch weiter, weil er ein Wort nur als ein Wort hören wollte. Weil er die Echos der Worte loswerden, ihren Assoziationen entkommen wollte. Beckett war Literaturprofessor. Das englische Sprachmaterial war ihm verbraucht, vernutzt in einer jahrhundertealten Literatur, die er viel zu gut kannte, um die Worte noch unschuldig zu verwenden. Mit den englischen Worten rief er pausenlos Kontexte und Zitate auf, die französischen konnte er staunend in die Hand nehmen, ohne von einem Geheul aus Kontexten überfallen zu werden. Beckett kam aus einer Bücherwelt ...«

»So was hab ich befürchtet«, unterbrach Waldemar ungeduldig. »Immer geht es um Bücher, die schon geschrieben sind.«

»Um was für Bücher soll es denn sonst gehen?« fragte Dr. Erler amüsiert.

»Um die Bücher, die noch nicht geschrieben sind«, sagte Waldemar ernst. »Die noch geschrieben werden müßten.«

Dr. Erler war verblüfft über die prompte Entgegnung. Waldemar meinte es ernst, das war zu spüren. Er sprang auf, lief im Zimmer umher und fuchtelte mit den Armen. »Als ob man, bevor man einen Tropfen in den Ozean der Literatur tun darf, auf allen Meeren gefahren sein muß. Aber ich will mich nicht hinten anstellen. Ich bin jetzt da!«

»Dann erzähl ich Ihnen von Panaït Istrati, der müßte Ihnen gefallen«, sagte Dr. Erler. »Der war nämlich auch ungeduldig. Ein Rumäne, kam aus bitterster Armut und ging ebenfalls nach Paris. Istrati hatte das Rumänisch der Waschweiber gelernt, das Griechisch der Spelunken, das Russisch der Matrosen. Französisch zwang er sich wie ein Besessener auf, als Autodidakt, mit einem Wörterbuch und dreißig Klassikern, Voltaire, Rousseau, Diderot. Er geriet ins vornehme Französisch wie ein Bauer, der vergessen hat, sich im Palast die Schuhe auszuziehen. Er wollte selbst schreiben, wollte sich durch den Gebrauch des Französischen in den Olymp des Geistes hineinkatapultieren. Doch die Welt, die er erlebt hatte und nun beschrieb, galt nicht als literabel.«

»Ich schreib über Sport«, sagte Waldemar trotzig. »Da schreibt auch keine Sau drüber.«

»Sehnse«, sagte Dr. Erler. »Ich hab ja gesagt, daß Istrati Ihnen gefallen wird. Istrati fand keinen Eingang in den Olymp, zunächst. Doch er wurde zum Erneuerer der französischen Sprache. Denn was ihm das Französische anbot, reichte nicht aus, seinen Erfahrungsraum auszuleuchten. Istrati hatte sich das Französische aufgedrückt, aber dann drückte er dem Französischen Istratisch auf. Haute sich die Sprache zurecht, wurde zum Sprachrevolutionär ...«

»Brachte seine Welt in die französische Sprache, hat sie eingeschleppt wie eine Seuche«, sagte Waldemar. »Hat die feine französische Sprache nach rumänischem Kuhstall stinken lassen.«

»Kennen Sie ihn doch?« fragte Dr. Erler.

»Nee, natürlich nicht«, sagte Waldemar. »Aber ich kanns mir lebhaft vorstellen.«

»Wir Deutschen haben von Istrati nicht viel, denn er schrieb ja auf französisch. Wir haben dafür Paul Celan.«

»Kenn ich auch nicht!« sagte Waldemar mit grimmigem Stolz.

»Wissen Sie – Sie sind schon komisch«, sagte Dr. Erler nachdenklich. »Jeder junge Autor, der sein Manuskript unterbringen will, redet ausführlich darüber, wen er alles gelesen hat. Kein junger Autor gibt zu, daß er irgendeinen Schriftsteller nicht kennt. Aber Sie ...«

»Hier kommt eben ganz was anderes«, sagte Waldemar. »Und wie war das nun mit diesem Paul Celan?«

»Der wuchs in der Bukowina auf, wo Rumänisch, Ukrainisch, Russisch, Deutsch, Jiddisch und was nicht noch gleichzeitig gesprochen wurde und sich trotzdem jeder mit jedem verständigen konnte. Paul Celan sprach immer deutsch, aber nur mit einem einzigen Menschen: mit seiner jüdischen Mutter. Das Deutsche war für ihn eine Art Geheimsprache. Es gab keine Konventionen, die vom Erfordernis der Allgemeinverständlichkeit erzwungen wurden. Für Paul Celan war das Deutsche eine Sprache, die ihm unendlich viel Raum für Erfindungen und Assoziationen ließ. Daß ihn die Mutter versteht, war nicht zuviel verlangt.«

»Und weiter?« fragte Waldemar, als Dr. Erler eine kleine Pause machte.

»Paul Celans Mutter wurde umgebracht, von Barbaren, die sich der Muttersprache bedienten. Trotzdem schrieb er seine Gedichte auf deutsch – und zwar in Frankreich. Kryptische, hermetische Gedichte, die das fortsetzen, was er unter Muttersprache verstand: Sich in einer sirrenden, nichtdeutschen Sprachumgebung dem Deutschen anzuvertrauen, mit allen Freiheiten des Gestaltens, Schöpfens, Fortzeichnens. Es reicht, wenn eine versteht. Und wenn sie nicht mehr lebt, dann versteht es eben keiner. So bahnte er sich konsequent einen Pfad in die höchste Isolation.«

»Hab ich nicht vor«, sagte Waldemar. »Ich schreib auch keine Gedichte.«

»Nabokov war vielleicht das genaue Gegenteil von Paul Celan«, sagte Dr. Erler. »Nabokov hat sein Russisch noch ins deutsche Exil mitgenommen, und als er Deutschland verließ, wanderte er auch aus seiner Sprache aus. Er entschied sich, Weltbürger zu werden und in der Weltsprache aufzugehen, ganz ohne Sentimentalitäten. Nabokov begab sich nicht ins Sprachexil – er wechselte die Heimat.«

»Aber tot«, sagte Waldemar. »Alle tot.«

»Es gibt noch diesen Milan Kundera, aber den konnte ich zu meiner Studentenzeit noch nicht kennen. Bei dem bin ich mir nicht sicher. Ein Tscheche, dessen Arbeiten zuerst auf französisch erscheinen, obwohl er sie auf tschechisch schreibt. Ein ganz merkwürdiger Stil, falls Sie das mal gelesen haben. Gut lesbar und trotzdem merkwürdig.«

Waldemar hatte auch von dem nichts gelesen. Ihm fiel auf, wie paradox es war, daß er für sich in Anspruch nahm, Bücher zu schreiben, die noch nicht geschrieben wurden, zugleich aber jene, die geschrieben waren, nicht kannte.

»Mir kommen die Menschen in den Romanen Milan Kunderas immer vor, als wären es nur *Entwürfe mit einem Namen*«, setzte Dr. Erler fort. »Trotz ihrer großartig herausseziertenPsychologie haben seine Menschen immer etwas Improvisiertes, als wäre ihre schriftstellerische Vollendung eine lästige Pflicht, ein unnötiger Akt. Kunderas Stil ist vermutlich ein Resultat davon, daß er um sein niemals synchrones Verhältnis zwischen Denken und Ausdruck, zwischen Ausdruck und Aufnahme weiß. Er war gezwungen, einen Stil zu entwickeln, der die Verluste des Übersetzens von vornherein kalkuliert. – Apropos: Könnten Sie ihr eigenes Manuskript ins Polnische übersetzen?«

»Gemeine Frage«, sagte Waldemar.

Dr. Erler lächelte. »Es gab mal eine Isak Dinesen, die aus dem Dänischen ins Englische kam. Isak Dinesen hatte Freude an Masken und Verkleidungen. Sie gönnte sich ein zweites Leben, inklusive neuer Sprache, um als Karen Blixen wenigstens einmal richtig zu leben. Sie gab aber nicht nur sich selbst, sondern auch ihren Büchern ein Doppelleben, indem sie ihre Bücher unter systematischen Abweichungen selbst ins Dänische übersetzt hat – als ob sie für ein schönes Lied eine zweite Stimme schreibt. Oder als ob zwei gleiche

Bilder versetzt übereinander gelegt werden, die, durch eine Spezialbrille betrachtet, zu einem Bild mit einer neuen Dimension werden.«

Waldemar sagte: »Meine Bücher müßte ein Deutscher übersetzen. Jemand, der sich mit Polnisch nicht sicher fühlt.«

»Schlaue Antwort!« sagte Dr. Erler. »Für jemanden, der nur sein Manuskript abgibt, haben Sie es weit gebracht – Sie haben schon Übersetzungsprobleme diskutiert.«

Waldemar hatte die Buchrücken in Dr. Erlers Regalen inspiziert und festgestellt, daß die Hälfte der Bücherwand mit Fontane gefüllt war, mit von und mit über.

»Der ist deutsch, urdeutsch«, sagte Dr. Erler. »Ich habe Ihnen ja erzählt, daß ich durch Ionesco zu den zweisprachigen Autoren gekommen bin. Ich dachte, er wäre Rumäne. Dabei wurde er in Paris geboren, und er wuchs dort auch auf. Er hat die Paradoxien der Verständigung in einer Sprache geschildert, die ihm immer vertraut war. Ich bin also durch einen Irrtum in diese zweisprachige Sache reingerannt. Ich kam mir dermaßen verraten vor, daß ich es nur noch mit einem soliden urdeutschen Autor zu tun haben wollte. Wenn Sie heute noch nach Hause kommen wollen, dann sollten Sie jetzt gehen, denn wenn ich erst mal mit Fontane angefangen habe ...«

»Bin schon weg«, sagte Waldemar und verabschiedete sich schnell.

Dr. Erler widmete sich wieder dem, was *seins* war, *Freitag nach eins*: Fontane. Der Alte sollte endlich raus aus den Universitäten und Seminaren. Der Alte gehörte den Lesern. Und deshalb mußte eine Fontane-Gesellschaft gegründet werden. Aber mit den richtigen Leuten. Dr. Erler legte eine Liste an: Auf jeden, der über den Alten geschrieben hatte, mußten mindestens fünf kommen, die nicht über ihn geschrieben hatten. Alle, die in den Verfilmungen Hauptrollen spielten, wollte er anschreiben. Wenn Schauspieler mitmachen, dann ist automatisch für Breitenwirkung gesorgt. Langsam füllte sich das Blatt auf dem Schreibtisch Dr. Erlers mit Namen.

4

Fritz Bode stand vor dem Spiegel, band sich die Krawatte und pfiff den Evergreen *Mit sechsundsechzig Jahren.* Er war erfüllt von Vorfreude auf den Abend. »Edda«, sagte er so laut, als sei seine Frau im Nebenzimmer, »stell dir vor, die haben meine Lesung ins Audimax von der Freien Universität verlegt. Die Bibliothek ist zu klein. Die hatten so viele Anmeldungen, da sind die sicherheitshalber in einen dreimal so großen Saal gegangen. Kinder, Kinder, Kinder, Kinder!« Schade, wirklich schade, daß Edda das alles nicht mehr erlebte.

Schon eine Dreiviertelstunde wartete Alfred Bunzuweit in der Mitte der Hotelhalle; soeben ging er das dritte Mal, Interesse für das Geschehen auf der Anfahrt vortäuschend, durch die Drehtür, um den Darm zu entlüften. Seine Fürze ließ er jedoch nicht vor der Tür; er fürchtete, daß sich im trockenen Winterwetter um seinen Hosenboden Wölkchen bilden würden, wie Atem. So furzte er innerhalb der Drehtür. Dort war es zu warm für Wölkchen, und wenn er nach draußen kam, war sein Segment im Nu entlüftet. Wozu doch so eine Drehtür gut sein konnte.

Alfred Bunzuweit wartete auf Valentin Eich, seinen besten Freund. Valentin Eich war binnen weniger Tage zur Unperson, zum Haßobjekt geworden, nachdem das Blatt, für das Leo Lattke schrieb, einen ausführlichen Artikel über ihn gebracht hatte. Aber Alfred Bunzuweit stand in der Mitte der Hotelhalle, um seinem Freund und aller Welt zu zeigen: Egal, was sie über dich schreiben, ich halte zu dir! Jeder sollte es sehen, jeder. Zuallererst dieser Leo Lattke. Der saß in der Kaminbar und redete mit lauter Stimme. Von Alfred Bunzuweits demonstrativem Warten schien er keine Notiz zu nehmen.

Leo Lattke bot mit lauter Stimme Wetten an. Er wollte unbedingt mit Herrn Wasmuth von der Dresdner Bank wetten, daß in spätestens fünf Jahren Deutschland vereint ist. »Es dauert keine fünf Jahre! Keine fünf Jahre! Was? Wie lange, glaubssu, dauerts?« Aus irgendeinem Winkel der Bar kam die Antwort: *niemals.* Leo Lattke winkte ab und bestellte einen Whisky. Keine Vordenker, keine Visionäre hier – nur Bedenkenträger. »Die Frage ist nicht ob, sondern wann«, sagte er laut. Auch er fand seine fünf Jahre tollkühn, aber bei gut einem Promille im Blut wurden sie realistisch. Ja, fünf Jahre waren tollkühn, aber realistisch.

Die Automatiktür öffnete sich, und Alfred Bunzuweit sah den Fotografen hereinkommen, der mit Leo Lattke arbeitete und jetzt von ihm, für alle hörbar, gefragt wurde: »Wann kommt die deutsche Einheit? Wie lange noch?« Alfred Bunzuweit sah, wie dieser Fotograf mit den Schultern zuckte, sich zu Leo Lattke an den Tisch setzte und einen Umschlag mit Fotos auf den Tisch legte.

Leo Lattke griff nach dem Umschlag, als würden die Fotos ihm gehören. Im Nu war er nüchtern, so nüchtern, als wäre ihm ein Eimer Wasser ins Gesicht geschüttet worden. Alfred Bunzuweit fragte sich, was auf den Fotos war. Leo Lattke sprach mit dem Fotografen – aber er war nicht zu verstehen. Alfred Bunzuweit kannte das von seinen Kindern: Wenn sie lärmten, war alles in Ordnung, doch wurde es still, war etwas vorgefallen.

Leo Lattke stand auf, kramte einen Fünfzigmarkschein aus der Tasche seiner Jeans, warf ihn auf den Tisch, sagte etwas, der Fotograf nickte verschüchtert – und Leo Lattke verschwand mit den Fotos. Der Fotograf blieb allein zurück. Die Kellnerin stellte ihm ein Bier hin.

Lenas großer Bruder war verwirrt. Er hatte Leo Lattke die Fotos von jenen Menschen gezeigt, die weder Mann noch Frau waren, und Leo Lattke hatte gesagt: *Ich kenn die von irgendwoher.* Und wenige Sekunden später sagte er: *Nein, ich kenn den Arzt. Der Arzt ist im August in den Westen. Und die sind übriggeblieben. Stimmts?*

Es stimmte, obwohl Lenas großer Bruder mit keinem Wort erwähnt hatte, was beim Gesundheitsminister geschehen war. Und als Leo Lattke leise, fast flüsternd fragte, wo die Fotos entstanden seien, da spürte Lenas großer Bruder, daß Leo Lattke eine Story witterte.

Niemand sieht die Bilder, sagte der leise und eindringlich. *Verstanden?*

Lenas großer Bruder betrachtete einen zweiten Satz jener Bilder, die er am Mittag geknipst hatte. Sie zeigten an diesen sieben, wie sehr die Ordnung aus den Fugen war. Die Zustände wurden *leibhaftig.* Lenas großer Bruder wollte gerechte, einfühlsame Bilder, er fürchtete sich vor eitlen und schrillen Worten. Leo Lattke war vielleicht der Beste – aber bei Menschen würde er versagen. Bei Menschen in einzigen Zuständen sowieso. Da war sich Lenas großer Bruder sicher. Menschen waren *seine* Begabung und *sein* Interesse. Leo Lattke war viel zu sehr von sich selbst beansprucht, um sich einem Menschen widmen zu können.

Lenas großer Bruder hätte die sieben gern vor Leo Lattke gewarnt. Vor einem selbstsüchtigen, lärmenden Menschen. Vor einem, dem es an Behutsamkeit und Feingefühl mangelte. Vor einem, der sich nur für das Bizarre dieser Geschichte interessierte.

»Glauben Sie auch an die fünf Jahre?« fragte Herr Wasmuth von der Dresdner Bank, der Lenas großen Bruder für eine Art Stellvertreter Leo Lattkes hielt.

Lenas großer Bruder hob den Kopf. Er hatte ein sonderbares Gefühl, aber darüber sprach er nicht mit Herrn Wasmuth. Die Frage war nicht, *ob* und auch nicht, *wann.* Lenas großer Bruder glaubte, daß die Einheit kommen wird. Er glaubte sogar, daß der *Westen* kommen wird. Er war kein Mensch, der gern Partei ergriff. Er empfand in den politischen Entwicklungen und in den Taten der Durchschnittsmenschen eine Art Schwerkraft, die alles geschehen läßt, was in die Einheit führt. Es war wie mit Lenas Rollschuhen, als sie unter die Erde gebracht wurden: Sie rollten und rollten – bis sie unten waren. Auch Wasser fließt und fließt – bis es endlich ins Meer gelangt. Und so war es mit dem, was jetzt in Bewegung gekommen war: Erst in Deutschland findet es Ruhe.

Die Frage war nicht, *ob* und auch nicht, *wann.* Die Frage war: *Was ist Deutschland?*

5

Als sich Dr. Erler zum Gehen fertigmachte, klingelte das Telefon. Es war der Pförtner. Ein Schriftsteller hatte sich eingefunden, unangemeldet, aber mit drängendem Anliegen. Dr. Erler versprach, herunterzukommen.

Ihn erwartete ein Bündel Aufgeregtheit. Der kleine unrasierte Dichter flackerte um Dr. Erler herum, mal links, mal rechts, mal den Ärmel fassend, mal ihn, mal den Pförtner anredend. Der kleine unrasierte Dichter hatte davon abgesehen, eine große Rede zu halten, obwohl in jenem Herbst keiner der großen Schriftsteller – zu denen er gehörte – der Versuchung widerstehen konnte. Aber nun hatte die Politik auch ihn absorbiert. Ohne Vorrede, ohne Anlauf erklärte er mit missionarischem Eifer, warum jetzt eine Räterepublik installiert werden müsse. Er war von dieser Idee nicht nur begeistert, er war von ihr erleuchtet. Seine Augen waren gerötet, weil ihnen zu wenig Schlaf gegönnt war, und die Räterepublik genoß Priorität sogar vor Rasur und Körperpflege – es war nicht zu übersehen und zu überriechen. Um die Räterepublik zu popularisieren, nachdem sie jahrzehntelang als Anarchie und Linkssektierertum verpönt war, wollte der kleine unrasierte Dichter eine Schrift von Trotzki, mit einem aktuellen Kommentar versehen, hunderttausendfach unters Volk bringen. Mit dieser Absicht drückte er Dr. Erler besagten aktuellen Kommentar von einem Dutzend Schreibmaschinenseiten, einzeilig, als loses Bündel in die Hand. Die Trotzki-Schrift existiere nur in einer Übersetzung von 1926, werde aber von der Frau des kleinen unrasierten Dichters, die als Russischlehrerin die nötige Kompetenz besitze, in dieser Minute neu übersetzt. Übermorgen sei sie fertig, das Buch könne, müsse nächste Woche erscheinen, die Konzeptionslosigkeit der Regierung spiele den Vereinnahmungsbestrebungen des Westens in die Hände, da könne man sich keinerlei Verzug mehr leisten, und dies hier sei einer der größten Verlage, er könne sich in einer Situation nationalen Notstandes, in die das Land hineinsteuere, seiner Verantwortung nicht entziehen und müsse daher dieses Buch bringen.

Der kleine unrasierte Dichter war am Rande des Wahnsinns. Er war drauf und dran, Dr. Erler einen Ministerposten und dem Pförtner die Leitung der Palastwache anzutragen. Er duzte die beiden; er kannte nur noch Mitstreiter, Genossen. Der Schlafentzug, die Neuübersetzung, die er als studierter Philosoph lektorierte, der aktuelle Kommentar, aber vor allem die Gewalt der Umwälzung, die er in den letzten Wochen erlebt und durchlebt hatte, hatten ihn in einen Zustand des Taumels versetzt. Es war die größte Zeit seines Lebens, hundert Stunden Raserei, und sie könnten in Wahnsinn, Selbstmord, Depression, Herzinfarkt oder Kunst münden.

Dr. Erler spürte, in welch gefährlichem Maße dem kleinen unrasierten Dichter die Realität entglitten war, und weil ihm am Wohl seiner Mitmenschen lag, entschied er, dem kleinen unrasierten Dichter die Realität in verträglichen Dosen zuzuführen. Er nahm das Bündel Maschinegeschriebenes entgegen, zwölf Seiten, einzeilig, bedankte sich und machte mit dem kleinen unrasierten Dichter dasselbe, was er mit Waldemar gemacht hatte: Er bat ihn, im Sekretariat eine Notiz über den Manuskripteingang zu hinterlassen. Dr. Erler wollte sowieso noch die dortigen Fenster schließen.

Als sie in der zweiten Etage aus dem Fahrstuhl stiegen, sahen sie Papier über den Flur flattern. Der ganze Fußboden war von losen Blättern übersät. Dr. Erler entwischte ein Wort, von dem er nie glaubte, es überhaupt zu kennen, geschweige denn, es je zu benutzen.

Die Tür des Sekretariats war nicht geschlossen worden – Manuskriptstapel hatten im Schwenkradius gestanden –, und der stundenlange Durchzug hatte für ein heilloses Chaos gesorgt: Tausende Blätter aus Dutzenden von Manuskripten bildeten ein schockierendes Durcheinander, wie ein Werk des Vandalismus. Die Gardine wehte dramatisch im Wind, und zum Glück wehte sie *in* den Raum – kein einziges Blatt war aus dem Fenster geweht.

Dr. Erler schaltete das Licht ein, hockte sich auf den Boden, ohne seinen Mantel auszuziehen, legte die Aktentasche neben sich und schaute sich die Katastrophe aus dieser Perspektive an. Dann schloß er das Fenster und machte sich ans Aufräumen, mit kommentarloser Selbstverständlichkeit, die auch den kleinen unrasierten Dichter dazu brachte, sich fürs erste von seiner Räterepublik abzuwenden. Zu zweit versuchten sie, das Chaos in Ordnung zu verwandeln.

Am leichtesten hatten sie es mit drei Manuskripten, die auf Endlospapier gedruckt waren und die als lange, mehrfach verdrehte Papierschlangen im Raum lagen und einfach nur Seite für Seite zusammengefaltet werden mußten.

Doch danach wurde es knifflig. Alle Manuskripte jüngeren Eingangs waren durcheinandergeweht, die Stapel existierten nicht mehr – im Gegensatz zu den Stapeln mit den früheren Manuskripten, die mit einem Gummi zusammengehalten wurden.

Dr. Erler wollte die Tausende von losen Seiten in seinem Arbeitszimmer haben. Nur dort gab es den Platz, den die anstehende Sortieraktion erforderte: Er konnte die Blätter auf dem Schreibtisch, dem Couchtisch, dem Sofa, auf Stühlen, Regalen und Fensterbrettern ausbreiten. Mit einem ersten großen Schwung loser Blätter schickte er den kleinen unrasierten Dichter vor. Dann sammelte er die zweite Hälfte des Durcheinanders zusammen und ging ebenfalls nach oben.

Der kleine unrasierte Dichter lag schnarchend auf dem Sofa und schlief einen tiefen, betäubenden Schlaf. Auf das Sofa würde Dr. Erler also keine Blätter legen können. Höchstens auf die Sofalehne.

Dr. Erler überlegte. Aus der einen, riesigen Unordnung würde er verschiedene überschaubare Unordnungen zu losen Haufen zusammenlegen, geordnet nach Papiersorten: Weiße Durchschläge, graue, grüne oder rosafarbene Durchschläge kämen auf jeweils einen Haufen, ebenso die Originale, die er später nach den Stadien ihrer Vergilbung sortieren könnte. Handschriftliches würde einen weiteren Haufen bilden; da ließen sich später leicht die einzelnen Manuskripte heraussortieren.

Nicht nur die Farbe, auch die Qualität der Durchschläge böte Anhaltspunkte: Ein augenfreundlicher erster Durchschlag unterschied sich mühelos von einem schwer entzifferbaren fünften Durchschlag. Wenn dann noch immer eine zweifelsfreie Zuordnung unmöglich war, würde er anhand von Stilmerkmalen, aber auch den Namen wiederkehrender Figuren die Manuskripte sortieren.

Er wußte, wie vorzugehen war. Aber dazu wollte er am nächsten Tag kommen. Jetzt wollte er nach Hause. Ein heimgekehrter Barde würde am Abend im Fernsehen kommen, und den wollte sich Dr. Erler nicht entgehen lassen. Er weckte behutsam den kleinen unrasierten Dichter, der laut schnarchend auf dem Sofa lag. Als der erwachte, griff er wortlos, fast verschämt nach seinen zwölf Seiten, einzeilig, und ging.

6

Fritz Bode hatte mit sechsundsechzig Jahren tatsächlich das erste Mal Spaß an seinem Leben. Es erfüllte ihn mit Stolz, wenn seine Lesungen in größere Säle verlegt werden mußten, und dieser Stolz strahlte auf seine gesamte Lebensbilanz aus: Hunderte von Zuhörern waren eine weit gültigere Verstärkung seiner Lebensgeschichte als bloß Dutzende. Erst durch sein massenweises Publikum wurde aus dem Rentner, dem Veteran, eine Person der Zeitgeschichte. Und so pfiff, summte oder sang er immer wieder »Mit sechsundsechzig Jahren, da fängt das Leben an, mit sechsundsechzig Jahren, da hat man Spaß daran«. Weil er den weiteren Text vergessen hatte, sang er den Anfang doppelt.

Daß er sein Alter ins Spiel brachte, war untypisch für ihn. Fritz Bode erzählte sein Leben lieber in Jahreszahlen, die er gewohnheitsmäßig auf die letzten zwei Stellen reduzierte. Dadurch wirkte er mit dem zwanzigsten Jahrhundert so vertraut wie ein Straßenbahnfahrer mit seiner Stammstrecke.

Fritz Bode wurde *dreiundzwanzig*, wie er 1923 nannte, als Sohn eines Stellwerkers und einer Näherin in Crimmitschau in Sachsen geboren, als zweites von drei Kindern. Seine Mutter, die eine überaus attraktive Frau war und sich vor der Ehe etwas durch Modellstehen dazuverdient hatte, hatte eine Affäre mit einem gutsituierten jüdischen Rechtsanwalt. Zu den zweistündigen nachmittäglichen Treffs nahm sie, um die Gerüchte der Kleinstadt zu zerstreuen, ihr Fritzchen mit. Nachdem sie also Fritzchen sagte, sie werde jetzt die Maße für die Gardinen nehmen, verschwand sie mit Herrn Hirsch im Schlafzimmer. Fritzchen blieb allein im Salon, *dem* Prunkstück Crimmitschauer Wohnkultur. Rauchledergarnitur, Kamin, eine Tafel mit zwölf Stühlen, drei Gewehre an der Wand und eine riesige Bibliothek, die es Fritzchen besonders angetan hatte. Während seine Mutter also die Gardinen vermaß, blätterte Fritzchen in den Büchern – meist Atlanten, Lexika oder *Brehms Tierleben* –, ohne zu merken, wie die Zeit verflog. Was er wohl bemerkte, war, daß sich seine Mutter ganz anders zu Herrn Hirsch verhielt als zu seinem Vater, dem gegenüber sie einsilbig, abweisend und von einer unberechenbaren Ungeduld war. Herrn Hirsch hingegen warf sie Blicke zu, sie kicherte, und wenn sie mit ihm sprach, modulierte sie ihre Stimme in vielen Farben – und da es im Hause Bode keine Bücher gab, setzte sich bei Klein Fritzchen der Glaube fest, nur mit Büchern mache man was her bei den Frauen.

Das war der Urknall einer Bildungsbesessenheit, einer regelrechten Lesewut. Ob Fritzchen begabt oder einfach nur außergewöhnlich bildungshungrig war, blieb selbst seinen Lehrern ein Rätsel – aber sie ließen den Jungen, der seine Nase ständig in den Büchern hatte, das Abitur machen. Ein Studium der Literatur und der Kunstgeschichte verhinderte dann allerdings der Krieg. Fritz Bode wurde eingezogen, kam ins besetzte Frankreich, wo er als Stabsmelder Dienst tat. Doch da der Stab in einer Bibliothek einquartiert war, fühlte sich Fritz Bode wie ein Pferd, das nur wieder an die Tränke geführt wurde. Nach zwei Jahren Stabsdienst begann im Juni vierundvierzig für ihn der richtige Krieg, doch war er mittlerweile Geistmensch genug, um zu desertieren. Zu seinem Unglück war er aber so sehr Geistmensch, daß die Desertion fehlschlug und er zum Tode verurteilt wurde. Das Urteil wurde umgewandelt zu Dienst in einer Strafkompanie, was für Fritz Bode hieß, daß er zu einem Himmelfahrtskommando an die Ostfront kam. Hier geriet er in Kriegsgefangenschaft. Buchstäblich mit erhobenen Händen und dem Blick in die Mündung eines sowjetischen Karabiners bat er um Aufnahme in die kommunistische Partei. Indem er auch in den folgenden Vernehmungen diesen Wunsch vortrug, machte er sich verdächtig, und eine Brandnarbe am linken Rippenbogen war schließlich der »Beweis«, daß Fritz Bode ein SS-Mann im nahe gelegenen KZ Stutthof gewesen sein müsse, der, um seine Haut zu retten, ein paar Quadratzentimeter seiner Haut geopfert hatte – nämlich die mit der verräterischen Blutgruppen-Tätowierung. Zwar war jene Tätowierung immer unter der Achsel, aber das war den Russen egal: Er war vielleicht kein SS-Mann, doch immerhin noch Deutscher, und das reichte. Fritz Bode kam nach Sibirien, doch er haderte nicht mit dem Schicksal, denn die harte Arbeit, die Hungerrationen, die verlausten Unterkünfte, die Mückenschwärme im Sommer und die klirrende Kälte im Winter waren ja nicht Strafe für ihn, den Menschen Fritz Bode, sondern für den SS-Mann, der er nicht war. Es tröstete ihn, daß es der SS bei den Russen schlecht erging.

Todkrank wurde Fritz Bode im Sommer fünfzig aus der Kriegsgefangenschaft entlassen – er sollte in Deutschland sterben. Doch Fritz Bode entwickelte einen unglaublichen Überlebenswillen, übrigens auch deshalb, weil ihm das Leben noch immer keine Frau beschert hatte – was für ihn, der um dieses Ideals willen zur Besessenheit seines Lebens, dem Lesen, gefunden hatte, schwer einzusehen war. Zumal die demographischen Gegebenheiten mit ihrem kriegsbedingten Frauenüberschuß einer Erledigung dieses unerledigten Komplexes entgegenarbeiteten. So überlebte Fritz Bode seine Tuberkulose, holte auf dem sexuellen Sektor Versäumtes nach und arbeitete zunächst für die SMAD, die Sowjetische Militäradministration, die auch über Druckgenehmigungen und Verlagsgründungen zu entscheiden hatte. Später baute er im Lande Sachsen das Bibliothekswesen auf, ehe er Mitte der fünfziger Jahre nach Berlin zum Rundfunk geholt wurde. Er sollte eine populär-philosophische Sendereihe aufbauen und machte sich mit Feuereifer ans Werk, ohne zu ahnen, welche Fallen er sich dabei grub. Zwar wußte er, der ja selbst vor kurzem noch für eine Zensurbehörde gearbeitet hatte, wie Zensoren denken und wie sie vor den eigenen Karren zu spannen sind, zwar verfügte er über eine ganze Reihe ausgezeichneter Kontakte zur Staatsintelligenz – doch als nach dem Ungarnaufstand sechsundfünfzig plötzlich geargwöhnt wurde, daß es auch in der SED ein »Ungarn-Komplott« gab, wurde Fritz Bode als Drahtzieher der »Ungarn-Clique« »entlarvt«, denn er plante nachweislich seit geraumer Zeit eine Sendung über und mit einem nunmehr verfemten ungarischen Philosophen. Diese Sendung, hieß es in den Anschuldigungen, sollte programmatische Keimzelle wie offenes Fanal des Umsturzes sein, doch dank der revolutionären Wachsamkeit des Staatssicherheitsdienstes wurden das Komplott und sein Drahtzieher Fritz Bode rechtzeitig enttarnt.

Die Angeklagten machten in dem Prozeß keine gute Figur. Sie waren keine Verschwörer, sondern lediglich beruflich miteinander bekannt. So mündete der Prozeß in zahllose peinliche Bezichtigungen. Während zwei der Angeklagten bereuten, daß sie nicht wachsam gegenüber dem Bode gewesen waren und sich von ihm für seine konterrevolutionäre, friedensfeindliche und faschistische Wühltätigkeit hatten mißbrauchen lassen, stritten Fritz Bode und ein weiterer Angeklagter die Vorwürfe rundweg ab, wobei sie sich dennoch gegenseitig belasteten, indem sie sich jede wankelmütige Äußerung, jede Abweichung von der Parteilinie vorhielten. Dieses Vorgehen ließ sich längst nicht mehr als stilvolles Denunzieren, sondern nur noch als billiges Petzen bezeichnen. Fritz Bode mußte zugeben, daß in seinem Verantwortungsbereich selbständig gedacht wurde und er allen neuen, frischen Ideen aufgeschlossen gegenüberstand – sogar dann, wenn diese Ideen in seinem Umfeld und nicht in den Parteigremien entstanden. Daß dahinter niemals die Absicht stand, eine Plattform zu formieren, grundsätzliche Zweifel zu formulieren oder gar die Partei zu stürzen, wurde ihm nicht geglaubt. Nicht mal von den Mitangeklagten.

Der Prozeß förderte aber auch auf staatsanwaltschaftlicher Seite Übles zutage. Außer den konstruierten, paranoiden Anschuldigungen mußte auch jene Umwandlung des Todesurteils und die folgende Abkommandierung an die Ostfront als Beweis für Fritz Bodes angeblich tiefsitzende antikommunistische Gesinnung herhalten, ohne die es nach Meinung des Staatsanwaltes keinen Sinn gemacht hätte, einen Westfront-Deserteur an die Ostfront zu schicken. Mit anderen Worten: Fritz Bode sollte sich dafür schämen, daß er überhaupt noch lebte.

Fritz Bode wurde zu elf Jahren Gefängnis verurteilt, die anderen Angeklagten erhielten mildere Haftstrafen. Als Fritz Bode nach viereinhalb Jahren begnadigt wurde, fehlte ihm ein Auge, das nach brutalen Tätlichkeiten eines Aufsehers und pfuscherhaften Behandlungen durch den Gefängnisarzt nicht mehr zu retten gewesen war.

Fritz Bode bekam nach seiner Haftentlassung ein Glasauge, wurde stillschweigend rehabilitiert und arbeitete als Leiter einer unbedeutenden Abteilung der Akademie der Wissenschaften, wo er ein ungewöhnlich hohes Gehalt gleichsam als Schweigegeld erhielt. Doch an eine echte Karriere war nicht zu denken, er würde im Apparat immer Knappe bleiben, nie Ritter werden. Achtundachtzig ging er in Rente, und im selben Jahr brachte ein großer Hamburger Verlag seine Autobiographie heraus. Die Veröffentlichung war ein Paukenschlag. Fritz Bode hatte auf alle grellen Farben verzichtet, er hatte nüchtern und mit beklemmender Sachlichkeit sein Leben erzählt, immer dem Faktischen verpflichtet, ohne Seitenblick auf irgendeinen Effekt. Simple Storys, die einzig davon handelten, daß nach dreiunddreißig Augenblicke des Glücks rar waren wie Vögel im Winter. Sein Buch las sich wie die Lebensgeschichte eines grundanständigen, lauteren Menschen, der die Gewalt, das Unrecht und auch das vertane Leben als zu zollenden Tribut an das Jahrhundert versteht. Daß der Kluge, Belesene trotz seiner Erfahrungen ein treu ergebener Kommunist blieb, daß für ihn mit seiner Rehabilitation die Angelegenheit bereinigt, ja ungeschehen war, ging aus dem Buch mit einer Selbstverständlichkeit hervor, die betroffen machte. Die Jungen verehrten ihn für die Gelassenheit, mit der er auf ein Leben zurückblickte, das von exemplarischer Tragik erfüllt war. Die Alten sahen in ihm einen Kronzeugen für die unglaublich grausamen Bedingungen in der sowjetischen Kriegsgefangenschaft. Mit Bodes Lebensgeschichte argumentierten sowohl Antikommunisten als auch Sympathisanten des Kommunismus, immer vehement und immer voller Respekt vor dem Leben Bodes.

Bald war es einfach in, Fritz Bode zu hören. Die, die in seine Lesungen strömten, bekannten ein Interesse an politischen Angelegenheiten, ein Bedürfnis nach Auseinandersetzung und nach Verfeinerung des politischen und historischen Urteilsvermögens.

Sein Buch hatte im Osten seinen Durchbruch erst zwei Wochen vor dem Fall der Mauer, auf einer öffentlichen Lesung im Deutschen Theater. Ein hochbetagter Schauspieler, eine Instanz, der prunkvollste Name eines großartigen Ensembles, saß allein in einem steiflehnigen thronartigen Armsessel auf der Bühne und las im kargen Licht mit ruhiger, großer, weitgefahrener Stimme. Der Autor war zugegen, in der ersten Reihe. Mehr Adel konnte einem Buch nicht zuteil werden.

Doch Lesungen mit Fritz Bode kamen im Osten erst allmählich in Gang, während die Veranstaltungen im Westen längst gebucht waren. So wurden nach dem Mauerfall die Fritz-Bode-Diskussionsabende im grenznahen Raum von ostdeutschen Besuchern okkupiert – auch an jenem Freitag, an dem die Veranstaltung ins Audimax der Freien Universität verlegt wurde. Der DDR-Rundfunk wollte den Boom um Fritz Bode nutzen und den gesamten Abend übertragen, um eine Stunde zeitversetzt.

Fritz Bode war längst nicht mehr Herr seiner Geschichte. Indem jener große Schauspieler den Worten Fritz Bodes seinen Körper lieh, wie er ihn sonst einem König Lear, einem Nathan, einem Faust oder einem Krapp lieh, geriet Fritz Bodes Leben in erdrückende Zugehörigkeiten. Es bahnte sich ein unglückliches Mißverständnis an, dem auch Lena erlag. Sie ging ins Audimax, weil sie jenen legendären Schauspieler als jemanden verehrte, der sich durchweg bedeutenden Figuren anverwandelte. Als Lena Fritz Bode lesen hörte, klang in ihrer Vorstellung jedes Wort so, als käme es aus dem Munde des legendären Schauspielers.

Fritz Bode kam den ganzen Abend nicht so recht in Schwung. Das gewaltige Interesse an seiner Person befremdete ihn insgeheim, er spürte, daß bald kaum noch von ihm und seinem Schicksal die Rede sein würde. Sowjetische Straflager, Schauprozesse und Hexenjagden waren keine Tabuthemen mehr, zu denen sich eine Öffentlichkeit mühsam vortasten mußte. Und was nun im Begriff war, sich neu zu mischen, war Fritz Bode fremd. »Wir brauchen Manager!« rief er zweimal aus, als er um Rezepte für eine Effektivierung der ostdeutschen Wirtschaft gebeten wurde – das einzige englische Wort, das er den ganzen Abend über benutzte. Wir brauchen Manager! Im Saal machte sich Unzufriedenheit breit – man hätte von einem altgedienten Kommunisten doch eher erwartet, daß er sich für Arbeiterselbstverwaltungen stark macht – aber nein: »Wir brauchen Manager! Die ganze Ineffizienz hängt doch zusammen mit dem mangelnden Leistungsprinzip und dem Fehlen privater Anreize.«

Als Fritz Bode diesen Satz sagte, merkte er, wie langweilig das war. Solche Thesen hatten nichts zu tun mit dem, was die Zuhörer zu Hunderten in seine Lesungen trieb. Um seiner Gemeinde etwas zu bieten, wiederholte er einen Gedanken, den er vor einem halben Jahr bei einer Veranstaltung auf dem Kirchentag in Wittenberg geäußert hatte: Er verstehe nicht, so Fritz Bode, wieso sich die Partei auf eine *wissenschaftliche Weltanschauung* beruft, dann aber ausgerechnet jene verfolgt, die jene Weltanschauung erforschten und sie weiterentwickelten. »Wenn ein Denker bestraft wird fürs Denken, dann hat das mit Wissenschaft nichts zu tun, es ist das Gegenteil von Wissenschaft!« rief Fritz Bode und hob die Stimme. Damals in Wittenberg mußten die letzten Worte einen losbrechenden Orkan des Beifalls übertönen; er war auf die Erlösungswucht seiner Worte nicht vorbereitet, er hatte einfach nur laut nachgedacht. Jetzt, im Audimax, präsentierte er denselben Gedanken mit einer applausverlockenden Rhetorik, aber der Saal reagierte nur mit vereinzeltem Beifall.

Da nahm Fritz Bode gedankenverloren sein Glasauge heraus. Seine Hand sank auf den Tisch, er schwieg, er hatte ausgeredet. Er hatte nichts mehr zu sagen. Er ließ sein Glasauge aus der Hand rollen, so daß es über die Tischplatte kullerte, von einer Hand in die andere. Über sechshundert unbeschädigte Augenpaare sahen zu. Der ganze Saal hielt die Luft an. Da rollte ein Auge. Das Tischmikrophon übertrug das Geräusch des kullernden Auges, ein weiches Mahlen. Dieses Auge, mit dem Fritz Bode jetzt nur noch Murmeln spielen konnte, war doch der Beweis, daß sein Leben kein Witz war. Er war nicht einfach mal bei den Beförderungen vergessen worden oder durfte für zwei Jahre nicht in den Westen, nein, er hatte den Preis bar bezahlt, er hatte immer bar bezahlt: Knast, Todesurteil, Himmelfahrtskommando, Sibirien – und ein Glasauge. Und nun, auf das Glasauge starrend, das zur Murmel degradiert war, begriff er: Ich bin doch nur noch ein Museumsstück, ein Zeitzeuge von damals. Weder Staatsfeind noch Staatsangst.

Er hätte es ahnen müssen, daß die Ketzereien von gestern heute kalter Kaffee sind. Er hatte fünfzehn Jahre gebraucht, um zum Ketzer zu werden, und nun, als er auf das Glasauge starrte, begriff er, welche Selbstverständlichkeit, welche Banalität, ja, welche Langeweile gerade in jenen Gedanken lag, für die am teuersten bezahlt wurde. Und was für ein gefräßiges, selbstsüchtiges Ding Geschichte ist: Sie verlangt die bittersten Erfahrungen, um Lektionen simpelster Art zu erteilen. Fritz Bode hatte plötzlich das Gefühl, sein Leben in der falschen Branche verbracht zu haben. Nach einem kurzen Aufleuchten war er verglüht.

Ihm war zum Heulen zumute. Er wußte nicht, wann er das letzte Mal geweint hatte, er wußte nicht mal, ob ihm mit dem Auge auch die Tränendrüse zerschlagen worden war. So lange waren seine letzten Tränen her. Er fühlte sich wie gelähmt, unfähig, aufzustehen und das Podium zu verlassen. Er schloß die Augen, hörte sein Glasauge zu Boden fallen, spürte links und rechts Tränen über seine Wangen fließen, zwei heiße Sturzbäche. So leicht ist Weinen, dachte er verwundert und war froh, daß er aus beiden Augen weinte. Du kannst das wie jeder normale Mensch, dachte Fritz Bode, und: Mit sechsundsechzig Jahren, da fängt das Leben an.

Die Versammlung besaß genug Pietät, sich stillschweigend zu beenden. Auf Signierwünsche wurde verzichtet. Die Rundfunkübertragung, die um eine Stunde versetzt gesendet wurde, endete mit Fritz Bodes Ausruf: *Wir brauchen Manager!*

Lena hatte vieles nicht verstanden. Fritz Bode erschien ihr als ein hartgeprügelter Mensch, einer, in dem das hauste, was in den Geschichtsbüchern, aber nicht im wirklichen Leben vorkommt. Doch als Fritz Bode zu reden aufhörte und sein Auge herausholte, wußte Lena genau, was in ihm vorging. Wie er seinen, erlebte sie ihren Stern im Sinken. Sie fühlte sich mit Fritz Bode verbunden, auch wenn ihr klar war, daß sein Stern auf viel weiteren Himmeln unterwegs war.

Warum war es vorbei? Warum konnte sie nicht mehr elektrisieren? Das fragte sie sich auf dem Heimweg. Es war dunkel, und nasses Laub moderte auf den Wegen – zu alt und schwer zum Hochgeworfenwerden.

7

Nachdem Alfred Bunzuweit über eine Stunde auf Valentin Eich gewartet hatte, war der Treuebeweis erbracht. Er fragte seine Sekretärin, ob Valentin angerufen habe. Das hatte er nicht, nur Alfred Bunzuweits Frau Sybille hatte ausrichten lassen, daß sie von der Arbeit abgeholt werden wollte. »Klang nach Ärger«, sagte Alfred Bunzuweits Sekretärin. Alfred Bunzuweit setzte sich ins Auto. Es war spät geworden.

Ärger, alle hatten sie Ärger in dieser Zeit. Auch für Sybille Bunzuweit lag Ärger in der Luft. Sie war die rechte Hand von Richard Mütze, dem Gewerkschaftsvorsitzenden, einem müden, welken Männlein, das nichts zu sagen hatte, doch als mächtig galt, weil es auf den Tribünen stand. Und nun war er ins Visier geraten.

Am Montag hatte ihn eine Journalistin von ELF99 überrumpelt, mit Freundlichkeit. Sie stand mit einem Kamerateam unangemeldet vor seiner Haustür, und er ließ sie herein, volksnah, wie er war. Daß der Kameramann im Haus herumstiefelte, die Badarmaturen, die Ton- und Videoausrüstungen, die Damenschuhkollektion und sogar den Inhalt des Kühlschranks filmte, lastete Richard Mütze Versäumnissen bei der Erziehung an. Eigentlich war es ihm egal. Endlich einmal welche, die ihm zuhörten. Endlich konnte er erzählen, was es bedeutet, unermüdlich für das Wohl des Volkes zu arbeiten.

Bereits einen Tag später, am Dienstag, wurde gesendet, was am Montag gefilmt worden war. Die Zuschauer waren entrüstet. Über neun Millionen Gewerkschaftsmitglieder fühlten sich betrogen. Der Staatsanwalt sah Handlungsbedarf.

Auch Richard Mütze fühlte sich betrogen. Die schöne Sendezeit wurde mit Nebensächlichkeiten verplempert. Was er der freundlichen Journalistin erzählt hatte, kam kaum vor, und nie so, wie es gemeint war – aber seinen flauschigen Bademantel, der an der Kabinentür seiner Sauna hing, den hatten sie in aller Ausführlichkeit gezeigt. Wen, bitte sehr, interessieren denn Bademäntel?

Sybille Bunzuweit trieb die Naivität ihres Chefs zur Verzweiflung. Sie war seine rechte Hand, aber was der brauchte, war ein Gehirn. Wie konnte er die Journalisten von ELF99 ins Haus lassen! Wie konnte er den Kameramann in seinem Haus herumspazieren lassen! Wie konnte er nur annehmen, daß sich die Leute *nicht* für Bademäntel interessieren!

Bis dahin war Alfred Bunzuweit im Bilde. Aber nun gab es neuen Ärger. Mit dem stieg seine Frau zu ihm ins Auto, als er vor der Gewerkschaftszentrale parkte. Sie störte ihn beim Radiohören. Er lauschte einem Menschen, der, stetig redend und mit viel Hall, einiges von der Erregung der letzten Wochen ahnen ließ. Alfred Bunzuweit wurde von einem merkwürdigen Gefühl ergriffen. Da redete ein Prophet, ein Weltverbesserer – aber nichts an dem schien lächerlich. Da hatten sie endlich mal einen Richtigen gefunden. Er hätte ewig zuhören können, aber dann stieg seine Frau ein, mit all ihrem Ärger.

Sie hatten den Staatsanwalt im Haus. Kurz nach eins war er da und hatte den Durchsuchungsbefehl präsentiert: Er ermittle wegen Amtsmißbrauchs und Korruption. Richard Mütze verstand die Welt nicht mehr: Jetzt wird man schon von den eigenen Staatsanwälten verfolgt!

Richard Mütze hatte, seine politische Bedeutungslosigkeit kompensierend, die meiste Zeit damit verbracht, sein persönliches Wohlergehen zu organisieren. Als er alles hatte, wollte er *etwas hinterlassen* – und so verlegte er sich auf die Umwidmung von Straßen. Richard Mütze wollte nach seinem Tode möglichst viele Straßen nach sich benannt wissen. Dieses Ziel mußte er behutsam verfolgen. Für eine Straße im Berliner Zentrum reichte es nicht, nur für eine in einem Neubaugebiet, draußen. Aber da bekamen ja alle ihre Straße, auch die, die sich nie darum gekümmert hatten. In seiner Heimatstadt, in Karl-Marx-Stadt, da würde er eine Straße im Zentrum kriegen, das hatte er einfädeln können. Als er sich zum hundertsten Male voller Zärtlichkeit die Entwürfe betrachtete, nach denen die spätere Richard-Mütze-Straße herausgeputzt werden sollte – sie hatte eine der schönsten, wenn nicht die schönste Straße der Stadt zu werden –, betrat der Staatsanwalt sein Büro. Nur gut, daß auf seinem Schreibtisch eine Akte lag, die seine Bemühungen zur Verschönerung einer Bezirksstadt dokumentierte. »Wenn es Amtsmißbrauch ist, für das Wohl der Bevölkerung zu arbeiten, dann will ich mich gern wegen Amtsmißbrauchs anklagen lassen!« rief Richard Mütze und streckte die Hände vor wie jemand, der Handschellen erwartet. »Bitte, ich habe nichts zu verbergen!«

Sybille Bunzuweit hätte ihm ins Gesicht springen können. Anstatt die Gültigkeit des Durchsuchungsbefehls anzufechten, einen Anwalt einzuschalten, Immunität oder Staatsgeheimnisse geltend zu machen, lud er den Staatsanwalt ein, sich in seinem Büro einzurichten und sich alles, was ihn interessierte, von Sybille Bunzuweit herausgeben zu lassen. Er selbst fuhr nach Hause, »getreu dem Motto unserer Werktätigen: Freitag nach eins macht jeder seins«. Er werde seine Arbeit wiederaufnehmen, wenn alles erledigt sei.

Sybille Bunzuweit merkte schnell, daß der Staatsanwalt keine Kosmetik trieb. Der wollte Richard Mütze an den Kragen. Er stellte präzise die tödlichen Fragen und ließ mit keiner Silbe durchblicken, ob er Sybille Bunzuweit als Komplizin oder bloß als Tippse betrachtete.

»Der hat nach den Solidaritätsgeldern gefragt, Alfred, das sind Hunderte von Millionen!« rief sie völlig aufgelöst, als sie im Auto saß. »Das ist doch nie ins Ausland gegangen, damit haben die hier ihre Feuerwerke und Jubelfestivals bezahlt. Weißt du, was da los ist, wenn rauskommt, daß das Geld nicht an die Kinder in Afrika ging, sondern für Kongreßbuffets und Papierfähnchen ausgegeben wurde?«

Alfred Bunzuweit schwieg dumpf. Ihre Aufregung konnte er nicht erwidern. Er wollte der Radiostimme lauschen. »Der wollte *alles* sehen, was über Valentin reingekommen ist, das sind sechsstellige D-Mark-Beträge!« fuhr seine Frau fort, bei gleichbleibender Erregung. »Und jetzt hat er das Büro versiegelt, und am Montag geht es weiter!« Seine Frau war außer sich. Um die Erregung zu dämpfen, sagte Alfred Bunzuweit etwas, irgendwas.

»Ich war mit Valentin verabredet, vorhin. Ich hab über eine Stunde gewartet, aber er ist nicht gekommen.«

»Natürlich ist er nicht gekommen«, sagte Sybille Bunzuweit aufgeregt. »Meinst du, der hat jetzt noch Zeit für Kartoffelpuffer? Der hat begriffen, was hier los ist. Aber du? Tu doch etwas, Herrgott, Alfred, tu etwas!« schrie sie. In die Stille nach ihrem verzweifelten *Tu etwas!* hörte Alfred Bunzuweit den mit Emphase und großer Festigkeit vorgetragenen Satz: *Wir brauchen Manager.* Wie eine Zauberformel.

Als sich Alfred Bunzuweit am nächsten Tag dem Willen seiner Frau beugte und ein paar seiner Aktenordner im Schuppen seines Wochenendhäuschens zwischen rostigen Gartengeräten in einer Kiste deponierte, tat er es ohne innere Überzeugung. Mit *Wir brauchen Manager* hatte das nichts zu tun.

8

Valentin Eich war ein Mann von einundsechzig Jahren, der einen Meter siebenundneunzig maß, zweieinhalb Zentner wog, einen Anzug für tausend und Schuhe für vierhundertsiebzig Mark trug. Das, fand Alfred Bunzuweit, war ein richtiger Manager.

Valentin Eich war nicht der Mann, den es nach vorn drängte. Finanzminister, Wirtschaftsminister, Sekretär für Wirtschaftsfragen – das sollten andere sein. Die anderen trugen die Verantwortung, er zog die Strippen. Er war der einzige, der durchblickte. Außer Elke, seiner Sekretärin. Und Lydia natürlich, seiner Frau.

Valentin Eich hatte, so stand in jenem Blatt, für das auch Leo Lattke schrieb, eine besondere Aufgabe. Sie ähnelte am ehesten dem, was zuletzt von einer armen Müllerstochter erwartet wurde: Stroh zu Gold spinnen. Er sollte Devisen ins Land holen. Und wie? – Ja, pflegte Valentin Eich zu sagen, wenns einfach wäre, müßt ich es ja nicht machen. Tatsächlich entwickelte er einen Erfindungsreichtum, über den noch Generationen später gestaunt werden wird.

Abgesehen von Großaufträgen, die gelegentlich – dem Lohngefälle sei Dank – für Billigprodukte zustande kamen, lahmte der Export. Dafür ließen sich die deutsch-deutschen Verwandtschaftsverhältnisse wirtschaftlich ausbeuten. Wer aus dem Westen kam und den Osten besuchte, mußte einen festgesetzten Mindestumtausch tätigen: 25 DM für 25 Ostmark. Pro Person, pro Tag. Kamen die Verwandten zu zweit, waren es schon 50 DM, und blieben sie übers Wochenende, gleich 100 DM. Die Ostmark mußten sie ausgeben – sie durften sie weder mitnehmen noch zurücktauschen. Auch Tanken konnten sie mit dem Ostgeld nicht. Denn westliche Besucher – erkennbar an Autotyp und Nummernschild – durften nur für Valuta tanken; die Tankwarte des Landes waren instruiert. Es gab an jeder Tankstelle eine Extra-Zapfsäule – nicht gelb-rot, wie die anderen, sondern grün-weiß. Aus der floß das Benzin für Westgeld, auch wenn es aus demselben unterirdischen Tank wie das für die gelb-roten Zapfsäulen kam. Das grün-weiße Benzin war immer ein paar Pfennige billiger als das im Westen – wenn freiwillig alle volltanken, kalkulierte Valentin Eich, bringt das mehr Gewinn, als mit Piratenpreisen die wenigen auszuplündern, die es nicht mehr schaffen. So groß war das Land ja nun auch nicht.

Des weiteren gab es die Ladenkette Intershop, ursprünglich eine Gelegenheit für die Westdeutschen, ihre D-Mark auszugeben. Daß ganze Familien mit ihren Westverwandten den Intershop besuchten, bewog Valentin Eich zum Umdenken: Jeder, der D-Mark hatte, sollte dürfen können. Das hatte Geldgeschenke von West nach Ost zur Folge, Geldgeschenke, die in den Kassen der Intershops und damit in denen Valentin Eichs landeten.

So gab es jene, die Westgeld hatten, und jene, die keins hatten – eine delikate Angelegenheit für eine Herrschaft, die sich über die

Idee der sozialen Gerechtigkeit legitimierte. Es hätte, rein theoretisch und die Ideologie beim Wort genommen, nun die Herausforderung bestanden, diejenigen, die keinen Zugang zu Westgeld hatten, ebenfalls damit zu versorgen. Aber daran dachten weder Valentin Eich noch Leute seines Apparats. Sie mußten den Laden am Laufen halten und konnten keine Wolkenkuckucksheime bauen. Sein Job war nun mal, Westgeld ranzuschaffen und nicht, den Vorzeigekommunisten zu geben. Revolutionsromantik – gut und schön, wir waren alle mal jung, aber sein Geschäft brauchte vor allem Sinn für die Realitäten.

Es gab Intertank, wo sich für Westgeld tanken, Intershop, wo sich für Westgeld shoppen, Interflug, wo sich für Westgeld fliegen und Interhotel, wo sich für Westgeld schlafen ließ.

All diese Krümel sammelte er fein säuberlich zusammen – aber sie machten nicht satt. Er begann, im Westen ein Netz von Firmen zu spinnen, wobei er weit phantasievoller vorging, als es die eintönige Namensgebung vermuten ließ. Sofitex, Musimex, Comex und viele, viele andere Firmen, von Strohmännern in Westeuropa gegründet, hatten nur ein Ziel – Devisen im Ausland zu erwirtschaften. Bereits das war durch Gesetze der Alliierten verboten, aber Valentin Eich strebte nach weiterem, höherem Raffinement: Er entdeckte die westdeutschen Subventionen als Feld seines kaufmännischen Sendungsbewußtseins: Wenn Sofitex von Musimex das halbfertige Produkt für 100 D-Mark erwirbt und das Endprodukt für 50 D-Mark an Comex verkauft, dann lohnt sich das, sofern Musimex der »Verlust« aus Subventionstöpfen erstattet wird. Natürlich ließ sich dieser Stil des Wirtschaftens noch verfeinern – und Valentin Eich arbeitete daran.

Derlei Dinge standen vor wenigen Tagen in dem Blatt, für das Leo Lattke schrieb – und Alfred Bunzuweit trotzte der Kampagne, indem er, vor aller Augen, auf den Schurken, der sein Freund war, ergeben wartete. Aber Valentin kam nicht.

Denn Valentin Eich stand in einer Telefonzelle, Wilmersdorfer,

Ecke Krumme Straße, und weinte. Tränen liefen über sein Gesicht und tropften auf seinen tausend Mark teuren Anzug, und was ihm aus der Nase troff, landete auf seinen vierhundertsiebzig Mark teuren Schuhen.

Valentin Eich war auf der Flucht. Zwar wußte er nicht genau, vor wem, aber Flucht schien ihm geboten. Es war vorbei mit dem Strippenziehen im Hintergrund. Nun wußten alle, daß er einer der wichtigsten Männer war, und er würde zum Sündenbock gemacht werden, für alles, was schiefgelaufen ist. Und die Stasi, die auch noch beweisen will, wozu sie gut ist, wird ihn jagen. Jagen und zur Strecke bringen. Wenn sie dem Volk den Kopf von Valentin Eich präsentieren, dann werden sie bewiesen haben, wie sehr Volkes Meinung in Sachen Stasi irrte. Er kannte sie. Er war ja selbst einer von ihnen.

Valentin Eich hatte hochrangige Kontakte in den Westen. Schließlich war er es, der auf Staatssekretärsebene über Straßenbenutzungsgebühr, Alimentenpauschalen für ausgereiste Väter und die Westberliner Müllentsorgung verhandelte. Am liebsten hätte er den bayerischen Ministerpräsidenten angerufen, aber der war seit einem Jahr tot. Mit dem hatte er sich sofort verstanden, mit diesem groben, schnaufenden Bayern. Und der mochte ihn auch. Dieser Blick, den der Bayer mit ihm wechselte, *Wir sind doch hier unter uns* – und dann verschwand eine ganze Weißwurst in dessen Mund, ohne daß er abgebissen hätte. Valentin Eich nickte kurz – und machte es genauso. *Wir sind schließlich unter uns.* Es war für beide Männer selten geworden, beruflich mit jemandem zu tun zu haben, der über eine ähnlich gewalttätige Ausstrahlung verfügte wie man selbst. Es waren Instinkte aus Kindertagen, die sich Bahn brachen: Wenn wir zwei zusammenhalten, haben wir die ganze Straße im Griff.

Sie waren sich in manchem ähnlich: Beide hatten böse kleine Augen, beide sprachen Dialekt – der Ministerpräsident sprach herzhaftes Bayrisch, während Valentin Eich berlinerte. Dann waren sie aber auch sehr unterschiedlich: Der Ministerpräsident stand mit vorgerecktem Kopf, hochgezogenen Schultern und nach außen gedrehten Handflächen herum, die dicken kurzen Finger nervös, ruckhaft zur Faust ballend, dann wieder öffnend. Er wirkte wie ein Rausschmeißer, der gleich über ein Opfer herfallen wird. Valentin Eich hingegen war Ringer, und als solcher hatte er sogar die allererste der vielen olympischen Goldmedaillen seines Landes gewonnen. Doch nachdem der Triumph in den Mythos des jungen, nach Identifikation dürstenden Landes einging, mußte er wieder aus ihm getilgt werden – der fanatisch verschwiegene Valentin Eich wollte alle Spuren seines Lebens verwischen. Der Mythos wurde umgeschrieben; bald glaubte jedes Kind, der erste Olympiasieger sei ein Boxer namens Wolfgang Behrendt gewesen. Der allerdings siegte zwei Tage nach Valentin Eich.

Auch wenn Valentin Eich seine Goldmedaille verleugnete – daß er Ringkämpfer war, ließ sich nicht verleugnen. Er hatte etwas Elastisches und zugleich Niederdrückendes; das ganze Körpergedächtnis war das eines Ringkämpfers. Wie er instinktiv Wege abschnitt, Menschen durch minimale Signale – eine halb eingedrehte Schulter, eine leicht verbreiterte Grundstellung, ein in die Hüfte gestellter Ellenbogen – im Raum verteilte und so durch einen nicht nachweisbaren Zwang für *seine* Ordnung sorgte, das hatte etwas Nötigendes. Auch wie er den Raum betrat und mit elastischen Knien, leicht vornübergebeugt, die Arme locker hängenlassend, bedächtig auf sein Gegenüber zuging, ihn aufmerksam, überlegen abschätzte, ohne den Blick zu lösen. Dann der Händedruck, der beiläufig wirken sollte, vor allem aber seine Kräfte ahnen lassen mußte.

Valentin Eich war Ringer, ein erfolgreicher Ringer, und er war ein erfolgreicher Verhandler, weil er Verhandlungen wie Ringkämpfe betrieb. Das genaue Beobachten gehörte dazu, das Zupacken im richtigen Moment und dann – dranbleiben, bis der Gegner abklopft. Er stellte sich während der Verhandlungen vor, wie er mit seinen Verhandlungsgegnern auf der Matte umgehen würde. Veränderten sie ihre Sitzhaltung, reagierte Valentin Eich. Er war jederzeit in der Lage, den siegbringenden Griff anzuwenden, und bereitete damit seinen Verhandlungsgegnern ein klammes, unerklärliches Gefühl von Unterlegenheit. So wurde er zu einem merkwürdig erdrückenden, unüberwindlichen Verhandler.

Am Telefon hingegen machte er nie eine gute Figur, und an jenem Freitagabend stand er in einer Telefonzelle. Den Bundesinnenminister wollte er sprechen, aber er kam nur bis ins Vorzimmer. Herr Dr. Feinle sei erst am Montag wieder zu sprechen. – Wenn es dringend ist, wo kann denn Herr Dr. Feinle zurückrufen? – Ja, wenn Sie keine Nummer haben, müssen Sie sich bis Montag gedulden. Als Valentin Eich die Dame am anderen Ende beschwor, daß Herr Dr. Feinle sie vierteilen werde, wenn er erfährt, daß Valentin Eich sie vergebens beschworen habe, einen Kontakt zu Dr. Feinle herzustellen, wiederholte die Vorzimmerdame, als wäre Valentin Eich ein kleines Kind: »Hören Sie, Herr Eich, wenn Sie mir nicht sagen können, wo Herr Dr. Feinle Sie zurückrufen kann, müssen Sie bis Montag warten!«

Valentin Eich, Ringer bei den Olympischen Spielen, Begründer und Kopf eines Wirtschaftsimperiums, wußte nicht mehr weiter. Er legte auf und weinte.

Hoffentlich sieht mich keiner, hoffentlich erkennt mich keiner, dachte er. Wie konnte ich nur im Fernsehen auftreten. Zwar nur, um zu sagen, daß die Kassen leer sind und die Staatsbank nicht in der Lage ist, die Bürger mit Valuta auszustatten – aber das reicht, um wiedererkannt zu werden. Noch dazu bei meiner Größe und – nennen wir die Dinge beim Namen – der krassen Visage. Nie wieder werde ich an einem Freitag nach Feierabend fliehen!

Er verließ die Telefonzelle. Hundert Meter weiter war ein Taxistand. Der Taxifahrer an der Spitze der Schlange las eine türkische Zeitung. Ein Ausländer, zum Glück, dachte Valentin Eich. Der erkennt mich bestimmt nicht.

Valentin Eich ließ sich zur Untersuchungshaftanstalt Moabit fahren. Es war halb zehn, als er dort eintraf. Die Beamten, die hinter einer Scheibe aus Panzerglas saßen, bekamen um diese Stunde selten Besuch. Bevor Valentin Eich sagen konnte, was er wollte, schloß sich die gepanzerte Tür hinter ihm. Gefangen in der Schleuse, fühlte er sich sicher.

»Ich möchte mich stellen«, sagte er und legte seinen Reisepaß auf einen Drehteller. Der Beamte nahm den Paß, warf einen Blick hinein und fragte, ob Haftbefehl gegen ihn vorliege, und wenn ja, seit wann. Valentin Eich wußte weder das eine noch das andere, »von Rechts wegen müßte aber«, sagte er.

»Und weswegen?« fragte der Beamte.

»Embargohandel«, sagte er, um mal mit dem Sichersten anzufangen. Daß der Subventionsbetrug nicht aufgedeckt war, hielt Valentin Eich für sehr wahrscheinlich. Selbst wenn – er dürfte als Drahtzieher unerkannt geblieben sein. Bei aller Bescheidenheit, seine Netze waren raffiniert geknüpft. Auch von den Unmengen hinterzogener Steuern dürften die noch keine Ahnung haben. Nur auf den Embargohandel sollten sie eigentlich von allein gekommen sein.

»Und sonst?« fragte der Beamte.

»Spionage«, sagte Valentin Eich. Vielleicht kriegt der Trottel mal mit, daß hier eine ganz heiße Nummer läuft. »Sie wissen, wer ich bin?«

»Sicher«, sagte der Beamte gelassen. Sein Kollege fertigte schon ein Protokoll an. Valentin Eich sah, wie der Beamte telefonierte, und bedauerte, daß er durch die dicke Scheibe von ihm getrennt war. Er konnte nur vermuten, daß der Vollzugsbeamte beim Chef vom Dienst Auskünfte einholte. Als das Gespräch beendet war, bekam Valentin Eich mit einer halben Drehung des Drehtellers seinen Paß zurück. »Es liegt kein Haftbefehl gegen Sie vor«, meinte der Justizvollzugsbeamte lapidar.

Das hatte Valentin Eich befürchtet. »Dann möchte ich mich selbst anzeigen«, sagte er, ohne den Paß anzurühren. Es folgte eine längere Diskussion, in der Valentin Eich zunächst den Vorschlag des Justizvollzugsbeamten, doch zur Polizei zu gehen, ablehnte, da dort jetzt niemand sei, der die Materie verstehe und ihn, Valentin Eich, sofort verhaften werde. Da er aber auf der Flucht sei und ihm die Stasi nach dem Leben trachte, sei ihm an einer Verhaftung sehr gelegen; deshalb stehe er ja hier. Valentin Eich merkte, daß er diesen Beamten auf seine Seite ziehen mußte. Es geht immer, wenn man will – also muß der andere dazu gebracht werden, zu wollen.

Doch der Beamte riet, am Montag zur Polizei zu gehen, wenn die kompetenten Leute, die Sinn und Hintergrund seiner Selbstanzeige verstünden, wieder Dienst tun. Damit hätte er kein Problem, erwiderte Valentin Eich, aber dann möchte er trotzdem bis Montag hier in der sicheren Untersuchungshaftanstalt übernachten. Die beiden Justizbeamten sahen sich erstaunt an. »Können Sie nicht beim BND anrufen?« fragte Valentin Eich. »Oder beim Innensenator? Irgend jemand muß doch *vor Montag* Interesse an mir haben!«

Der Beamte griff zum Telefon und vergewisserte sich noch: »BND also und Innensenator?« Diesmal dauerte das Telefonat etwas länger. Als es zu Ende war, sagte der Justizvollzugsbeamte nur: »Ruft gleich zurück!« Also wieder bloß der Chef vom Dienst.

Die Männer rauchten, lasen Zeitung, hörten Radio und redeten nicht mehr mit ihm. Das Stumpfe, Geregelte ihres Dienstes machte auch die kurioseste Situation ihres Arbeitslebens zu einem Anwendungsfall für Vorschriften. Die Vorschriften sind doch gut! wollte Valentin Eich ausrufen, aber sie wurden doch nicht für einen Fall wie diesen gemacht!

Der Beamte griff plötzlich zum Telefon – das Klingeln war durch das Panzerglas hindurch nicht zu hören. Das Gespräch war kurz. Dann teilte der Beamte Valentin Eich mit, was ihm soeben gesagt worden war. »Beim Innensenator sind die zuständigen Leute ab Montag zu sprechen. Und einen Kontakt zum BND herzustellen ist nicht unsere Pflicht, solange Sie nicht Häftling sind. Aber da ist vor Montag auch keiner da.«

Montag, Montag, immer wieder Montag.

Da mischte sich der zweite Beamte ins Gespräch, leiernd, berlinernd, die ganze Langeweile von fünfzehn Dienstjahren hinter Panzerglas ausbreitend: »So, und wennse denken, Sie komm jetze hier rin, wenn se ne Klamotte nehm und die nächste Schaufenstascheibe zadeppern, dann hamse sich jeirrt. Ha'm schon n paar von unsern versucht, als se draußen standen und wieder rin wollten. Denn kommt die Polißei, nimmt die Personaljen und denn jibts ne Jeldstrafe, dit is allet. Wennse nich wissen, wo se schlafen sollen, denn jehnse ins Obdachlosenasyl vonne Samariter.«

Valentin Eich nahm seinen Paß und ging. Die ferngesteuerte Tür wurde anstandslos geöffnet. Ihm, dem Devisenbeschaffer des Landes ein Bett im Obdachlosenasyl anheimzustellen – das hatte etwas. Er überlegte, ob er sich beim BND melden sollte. Da hätte er zunächst die Auskunft anrufen müssen, und dann wieder nur erfahren, daß vor Montag ... Sind das wirklich solche Trottel? Warum haben sie dann gewonnen? Daß die Stasi für einen Überläufer seines Kalibers zwischen Freitagabend und Montagvormittag nicht zu sprechen wäre – ausgeschlossen, völlig ausgeschlossen!

In ein Hotel wollte er auf gar keinen Fall. Zu leicht kann man in Hotels aufgespürt werden. Gab es nicht eine ungewöhnliche Lösung? Obdachlosenasyl war nicht schlecht, aber dafür war er zu gut gestellt, und das fiel auf. Und bei der Erwähnung der Samariter dachte er an Budapest-Csillebérc und war bedient.

Er konnte mit seiner Geschichte, so wie sie war, in der Psychiatrie um Aufnahme nachsuchen: Werde verfolgt, die Stasi trachtet mir nach dem Leben, Bundesinnenminister, BND und Innensenator sind erst am Montag für mich zu sprechen ... Aber was, durchzuckte es ihn, ist mit der Kirche? Präses Licht, ein ruhiger, zurückhaltender Mensch. Diese Gefangenenverkäufe, die nie so genannt wurden – *Freikäufe* war der gängige Begriff, und das war schon schlimm genug –, hatten mit Präses Licht zu tun. Jedesmal, wenn politische Gefangene in die Bundesrepublik entlassen wurden, überwies die Bundesregierung Geld an die Evangelische Kirche. Dieses Geld wiederum wurde weitergeleitet auf Konten, die Valentin Eich eingerichtet hatte. Präses Licht, ein Pragmatiker, geübt im reibungslosen, unauffälligen Erledigen – den wollte Valentin Eich fragen.

Die Telefonnummer fand sich im Notizheft. Aber Valentin Eich wollte nicht die nächstliegende Telefonzelle benutzen; diese Haftanstalt Moabit war nahe an der Grenze, und Telefonzellen in Grenznähe wurden, da die deutsch-deutschen Verbindungen hoffnungslos überlastet waren, auch am Freitagabend nach elf noch von Menschen aufgesucht, die nur zum Telefonieren herüberkamen.

Also stieg er in ein Taxi, fragte aber den Taxifahrer, ob der an der Telefonnummer erkennen könne, in welchem Stadtteil das wäre. Der Taxifahrer warf einen Blick auf den Zettel und sagte: »Dahlem.« Valentin Eich fuhr fast zwanzig Minuten und stieg in der Nähe einer freien Telefonzelle aus. Nach Dahlem würde sich niemand zum Telefonieren verirren.

Präses Licht war noch nicht zu Bett gegangen. Der Anruf von Valentin Eich überraschte ihn, natürlich – die beiden Männer hatten sich nie so nahegestanden, daß sie sich einfach so um Quartier bitten konnten. Aber für ein klares Nein war Präses Licht nicht der Mann. So machte er zunächst den Versuch, ein Hotel in der Nähe vorzuschlagen, aber als er spürte, mit welcher Panik Valentin Eich auf diese Idee reagierte, lenkte er unter Verwendung der üblichen Floskeln ein.

Es sei ihm eigentlich gar nicht recht
Ich weiß einfach nicht, was ich machen soll!
so mitten in der Nacht
Ich habe schon alles versucht!
er sei darauf nicht vorbereitet
Ich kann auch auf der Couch schlafen!
und zum Frühstück ist kaum was da, er halte Diät
Das ist doch kein Problem!
dann, in Gottes Namen, möge er kommen.

Präses Licht war selbst überrascht, daß er sich auf Gott berief. Er war frei von Sentimentalitäten, den Vorzeigechristen wollte er nie geben.

Kaum, daß er aufgelegt hatte, rief Valentin Eich erneut an – er hatte vergessen, sich die Adresse geben zu lassen. Für dieses Gespräch mußte Valentin Eich eine 5-DM-Münze in den Schieber einlegen, obwohl es drei Groschen auch getan hätten. Doch das Kleingeld war hin, und die Not war groß.

Zum dritten Male fühlte sich der ehemalige Olympiaringer Valentin Eich wie ein Fisch auf dem Trockenen, wieder geriet er an jemanden, der für seine subtile nonverbale Kommunikation, für deren erdrückende Kraft nicht empfänglich war: Erst die Büroleiterin des Innenministers Dr. Feinle, für die es am Telefon ein leichtes war, sich seiner zu erwehren, dann die beiden Wachmänner von Moabit, die hinter Panzerglas gegen versteckte Drohungen immun waren, und nun Präses Licht, dessen Idol ein Mann war, der sich wehrlos ans Kreuz nageln ließ. Wenn Präses Licht blind wäre, dachte Valentin Eich, käme es aufs selbe raus.

Präses Licht empfing ihn kühl, unbeteiligt. Er wies ihm ein Gästezimmer zu, mit einem dazugehörigen Badezimmer, beides im Dach gelegen. Das Bett war bezogen, Handtücher hingen, an weiterer Badausstattung mangelte es. »Brauchen Sie noch etwas?« fragte Präses Licht lustlos, und Valentin Eich antwortete: »Nee.« – »Wann stehen Sie morgen auf?« fragte der Präses als nächstes. »Ich weiß nicht. Wann stehen Sie auf?« – »Ich steh um halb neun auf.« – »Um neun beim Frühstück?« fragte Valentin Eich zaghaft. – »Aber Sie wissen, ich hab kaum was da«, sagte Präses Licht und ging.

In dem kleinen Gästezimmer fand Valentin Eich eine Bibel. Er erwog, darin zu lesen, einfach, um dem Präses Respekt entgegenzubringen und dessen Welt kennenzulernen. Aber dann war ihm der Präses doch zu wenig wunderlich und verschroben, als daß er darüber Aufschluß begehrte. Er hatte ihm nie imponiert. Der Präses war ein höherer Beamter, ohne Glanz, fischig, verschlossen, leer, und seine Bibel sollen andere lesen. Statt dessen schaute sich Valentin Eich die Spätnachrichten an. Sein Verschwinden war noch nicht bemerkt. Mit etwas Glück wird er erst am Montag vermißt.

Das Frühstück am nächsten Morgen begann Präses Licht mit einer Grapefruit. Er bot Valentin Eich ebenfalls eine an, doch teilte er seine Grapefruit nicht mit dem Gast, und er reichte ihm auch keine vom Obstteller – nein, er *rollte* sie hinüber: Präses Licht entnahm dem Körbchen eine Grapefruit, legte sie auf den Tisch und schob sie mit einer kurzen Bewegung der Handfläche an, so daß sie in Richtung Valentin Eich hinüberkullerte, und hätte der nicht zugegriffen, wäre sie vom Tisch gefallen. Valentin Eich verstand, daß Präses Licht nicht die Absicht hatte, wild drauflos zu fraternisieren.

Er erläuterte seine Situation, wobei er besondere Sorgfalt darauf verwendete, einerseits darzulegen, daß er verfolgt werde und um Leib und Leben fürchten müsse, andererseits aber zu betonen, daß die Stasi bei aller Entschlossenheit und aller Gefährlichkeit nicht allmächtig ist und er, Valentin Eich, es bei Beachtung einiger simpler Vorsichtsmaßregeln für ausgeschlossen hält, hier aufgespürt zu werden. Noch sei nicht mal sein Verschwinden bemerkt. Bis Montag bleiben zu dürfen, bat Valentin Eich. Er werde das Haus bei Tag nicht verlassen.

Zur selben Stunde verschafften sich Angehörige eines Bürgerkomitees Zugang zu einer unterirdischen Lagerhalle in Rostock-Kavelstorf, nahe dem Überseehafen. Das Gelände war abgesperrt und bewacht, am Tor hing ein Schild: Metex GmbH. Diese Firmierung klang verdächtig nach einem Betrieb des Imperiums von Valentin Eich, und so standen plötzlich zwei Dutzend Rostocker mit Bolzenschneidern, Brechstangen, Schneidbrennern sowie weiteren, nicht ernstzunehmenden und nur aus symbolischen Gründen mitgeführten Werkzeugen am Gittertor der Metex und begehrten Einlaß. Die Bewacher, Leute aus der Gegend, wußten selbst nicht, was sie bewachten, und zeigten sich schon aus Neugier kooperativ.

Die unterirdische Lagerhalle war nichts anderes als ein Waffenarsenal. Damit hatte niemand gerechnet. Das Bürgerkomitee hatte gehofft, ein Warenlager der Bonzen auszuheben und anhand von

Pornos und Büchsenbier deren niedere Bedürfnisse belegen zu können.

Der Fund war in zweierlei Hinsicht schockierend: Zum einen, weil sich zeigte, daß nicht nur Armee und Kampfgruppen, Polizei und Staatssicherheit Waffen hatten, sondern auch dubiose Firmen. Zum anderen, weil durch diesen Fund ein Dogma des Staates erschüttert wurde – ein Dogma, das selbst die nicht anzweifelten, die ihre Fäuste in den Taschen ballten: daß im Sozialismus niemand am Krieg verdient. Waffenexporte schienen dem Hohn zu sprechen. So wurde der Ruf nach Aufklärung laut, und der erste, der dafür sorgen könnte, war Valentin Eich. Der aber war nicht auffindbar, und bereits in den Abendnachrichten wurde im Zusammenhang mit dem Kavelstorfer Fund das spurlose Verschwinden des Devisenbeschaffers gemeldet.

Zu dieser Zeit saß Valentin Eich allein in seiner Dachkammer und aß ein Schnitzel, das er sich auf einem Spaziergang im Schutze der Dunkelheit bei »Manni's Futterluke« hatte einpacken lassen.

Der Präses hatte nicht gesagt, wo er den Tag verbringt, nur, daß es spät werde. Er fühlt sich auch nicht wohl, der Präses, dachte Valentin Eich. Sie kannten sich durch ein Geschäft, bei dem man sich leicht die Finger schmutzig macht, und jetzt mach ich ihn noch mehr zum Komplizen.

Am Sonntagmorgen kam Valentin Eich aus Rücksicht nicht zum Frühstück. Am Montag rief er erneut beim Innenminister an. Sein Verschwinden war in der Zwischenzeit fast zu einer Staatskrise geworden; er wurde fieberhaft gesucht. Die Nerven von Valentin Eich waren angegriffen – er war in einem fremden Haus zu Gast, er war lästig und er sah seine krasse Visage ständig im Fernsehen.

Er bat den Innenminister, ihn aus Berlin herauszuholen; er wollte »alles sagen«, beteuerte er. Der Innenminister spürte, daß Valentin Eich mit den Nerven am Ende war: Weder mit der Bahn noch dem Flugzeug wollte er Berlin verlassen und schon gar nicht mit dem Auto. Auf die Frage des Innenministers, wie er sich das vorstelle, antwortete Valentin Eich düster: »Ich weiß nicht.« Er war davon überzeugt, daß die Stasi seinen Zug anhalten, sein Auto stoppen, ja, sogar sein Flugzeug zur Landung zwingen werde, mit Abfangjägern.

Der Innenminister schlug vor, Valentin Eich unter Mitwirkung des Büros des ehemaligen Berliner Bürgermeisters, eines Parteifreundes des Innenministers, diskret in ein Flugzeug setzen zu lassen, in die letzte Reihe. Valentin Eich sollte vor allen anderen Passagieren an Bord gehen, über einen separaten Zugang, über den das Büro des Bürgermeisters verfügte. Selbstverständlich holt ihn der Fahrdienst des ehemaligen Bürgermeisters ab und bringt ihn zum Flughafen. Weniger Öffentlichkeit, das war Valentin Eich klar, war nicht zu machen. »Sitze ich *allein* in der letzten Reihe?« fragte er leise.

»Ganz allein«, versprach der Bundesinnenminister.

9

Als Dr. Erler am Samstagmittag in sein Arbeitszimmer kam, um die in Unordnung geratenen Manuskripte zu rekonstruieren, fiel ihm als erstes der Mief des alten Papiers auf, das schon im Sekretariat, jetzt aber auch bei ihm die Jahre und Jahrzehnte des Schubladendaseins auszuschwitzen schien. Dr. Erler hatte etwas gegen diese Luft. Es war der Mief der vergangenen Hoffnungen, und da wollte er nichts mehr sortieren. In seinem Zimmer lag ein einziges, riesiges Manuskript. Und dieses Manuskript war nichts wert.

Dr. Erler holte einen großen Karton aus dem Keller und warf die vielen losen Seiten hinein. Immer wieder sprangen ihm Wortgruppen, Halbsätze oder Satzanfänge ins Auge: »Der Sozialismus kann nicht ...«, »Er war zutiefst davon überzeugt ...«, »... mangelnde Überzeugung ...«, »... feste Überzeugung ...«, »... glaubte an den Sozialismus ...« Er bemerkte den inflationären Gebrauch solcher Wörter wie Parteisekretär, Kreisleitung, schonungslose Kritik, Genosse, besserer Sozialismus, menschlicher Sozialismus, anderer Sozialismus. Die Wörter kamen ihm so dünn und so alt vor wie das Papier, auf dem sie standen. Es dämmerte ihm, wieso der kleine unrasierte Dichter am Freitagabend mit seinen zwölf Seiten, einzeilig, gleich wieder gegangen war: Der hatte schon beim Aufsammeln der Blätter bemerkt, daß er dieselben Worte benutzte, auch wenn er ihnen einen raffinierten Effet verlieh.

Doch ein Manuskript war anders. Weißes Papier, unschuldige Worte. Die Sätze beschrieben am liebsten Vorgänge, die gar nicht nebensächlich genug sein konnten. Trotzdem las sich Dr. Erler immer wieder fest. Das hielt auf. Dr. Erler wußte, wer es geschrieben hatte – er kannte die erste Seite vom Freitagnachmittag. Die restlichen zweihundertelf Seiten, anderthalbzeilig, las er am Sonnabend – und sie wanderten nicht in den Karton aus dem Keller.

Waldemar hatte nicht zum Zwecke der Tabuverletzung das Thema Leistungssport gewählt. Das Thema, über das er etwas zu sagen hatte, *sein* Thema, war zufällig tabuisiert. Waldemar hat den Leistungssport benutzt, um seine literarische Begabung auszutoben. Waldemar schrieb über Erschöpfung, über Qualen, über Angst, über Züchtigung, über Euphorie, Kraft, Geschwindigkeit und Rausch. Dr. Erler spürte, daß Waldemar genau dasselbe Buch geschrieben hätte, wenn es keine Zensur gegeben hätte.

Ja, fand Dr. Erler, genau das war die Formel.

Bereits am Tag nach dem Ende der Zensur hatte Dr. Erler eine Ahnung von den kommenden Büchern: Bücher, die sich nicht zur Zensur in Beziehung setzen. Den kampferprobten Zensurpartisanen – einer lag am Freitagabend schnarchend auf Dr. Erlers Samtsofa – standen schwierige Zeiten bevor. Die Abschaffung der Zensur war das Schlimmste, was ihnen diese Zeit antun konnte: Ob das, was sie konnten, noch etwas wert war, mußte sich erst erweisen. Im Zweifel mußten sie sich neu erfinden. Ob ihr Talent dazu reichte, war nirgends garantiert.

Den Karton mit dem großen wertlosen Manuskript schaffte Dr. Erler in den Keller. Danach fühlte er sich erleichtert.

Viertes Buch

VOM KIPPEN

1

Als das Flugzeug landete, in dem Valentin Eich saß und seine krasse Visage ausgerechnet hinter der Zeitung versteckte, aus der sie ihn ansprang, geriet Leo Lattke sechshundert Kilometer weiter östlich, im Intershop des Palasthotels, in eine Auseinandersetzung zwischen einem Kunden und der kommissarischen Intershop-Chefin Judith Sportz. Der Kunde bestand darauf, seine Ware mit Ostmark zu bezahlen, Judith Sportz lehnte das kindische Ansinnen ab. Der Kunde war hartnäckig, stritt laut, buhlte um Aufmerksamkeit und hoffte, daß sich Leo Lattke, der hinter ihm stand und den er als einzigen Westdeutschen im Laden ausmachte, mit ihm solidarisiere. Der Kunde wollte Aufruhr. Leo Lattke wollte Zigaretten. Er sah keinen Grund, Partei zu ergreifen. Er legte einen Zehnmarkschein auf die Glasplatte des Verkaufstresens, bekam die Zigaretten und sechs Mark fünfzig Wechselgeld, während die Auseinandersetzung unvermindert weiterlief. Da mischte sich Leo Lattke doch ein, indem er auf das Restgeld zeigte und den Kunden freundlich fragte: »Wollen Sie sich vielleicht dafür etwas aussuchen?«

Es war Leo Lattkes subtiler Sadismus, der ihn auf die Idee brachte, den Streithammel mit einem Trinkgeld mundtot zu machen und ihn mit der Entscheidung zu überfordern, wie diese lächerlichen sechsfünfzig West an Ort und Stelle auszugeben waren – und tatsächlich fiel der Kunde auf den freundlichen Ton herein. Allerdings blieb ihm nicht erspart, daß Leo Lattke der Verwendung seiner sechs Westmark fünfzig beiwohnte. Unter den Augen des Verkaufspersonals, das während der Zuspitzung des Konfliktes zusammengelaufen war, variierte der maulige Kunde Zusammenstellungen mit Tonbandkassetten und gefüllten Lebkuchenherzen, mit TicTac und

Gummibärchen, mit Eiskonfekt und Mon Chéri, ließ eine große Rolle Smarties durch eine mittlere ersetzen. Sechs Mark fünfzig war nicht viel Geld, und verschenken wollte er auch nichts. Nach einiger Kombinatorik zeigte das Display der elektronischen Kasse sechs Mark siebzig. Der Kunde sah bittend zu Leo Lattke, aber der blieb hart. Er wollte nicht großzügig sein, sondern ein Experiment für sechs Mark fünfzig erleben. Der Kunde variierte erneut, zog Schaumerdbeeren und Luftschokolade hinzu, brachte Duplo, Raider und Bounty ins Spiel. Je länger er probierte, je größer die Auswahl wurde, desto stärker wurde seine Unlust. Schließlich traf er seine Entscheidung: Eine Tafel Luftschokolade, eine große Rolle Smarties, einmal Haribo-Schaumerdbeeren und eine TicTac kosteten genau sechs Mark fünfzig. Als er ohne Dank ging, knurrte er etwas von »Eich und seine Geschäfte«.

Judith Sportz haßte den Herbst 89; nichts, aber auch gar nichts blieb ihr erspart. Noch vor wenigen Wochen drängten sich in ihrem Laden nie weniger als hundert Kunden, bei zweihundertsechzig Quadratmeter Verkaufsfläche. Dreizehn Kassen, sechzehn Verkäuferinnen pro Schicht. Mit der Grenzöffnung war das vorbei. Wer Westgeld hatte, konnte jetzt im Westen einkaufen. Die einzigen Kunden, die noch in den Intershop kamen, waren Hotelgäste oder Touristen, die sich mit Zigaretten oder Alkohol eindeckten, auf denen nicht die hohen Steuern lasteten.

Oberflächlich betrachtet, sah Judith Sportz ruhigen Zeiten entgegen. Doch sie hatte schon vor Monaten ein Ziel ins Auge gefaßt: Protokollchefin des Palasthotels zu werden. Ihr kam die Idee, nachdem der Schlagersänger Roland Kaiser in ihrem Intershop eine Stange Zigaretten gekauft hatte. Sie erkannte ihn sofort; zumal seine Platten in der Vitrine standen, und ließ die fünf, die noch vorrätig waren, signieren, um sie selbst zu kaufen; im Intershop verdiente sie ein paar Westmark im Monat. Sie beneidete den Protokollchef des Palasthotels, der den Schlagerstar hatte begrüßen dürfen – und schämte sich zugleich dafür, mit welch innerem Unbeteiligtsein der das tat. Keine Spur von Herzlichkeit gegenüber dem Sänger von »Santa Maria« und »Dich zu lieben«. Bei Judith Sportz hingegen, beim Zigarettenkauf, fühlte sich der berühmte Gast wohl – er ließ sich sogar auf einen kleinen Flirt ein. So entdeckte Judith Sportz ihre Bestimmung zur Protokollchefin. Den Intershop leitete sie nur vertretungsweise, »kommissarisch«; die reguläre Intershop-Chefin war im Babyjahr, nachdem sie, mit zweiundvierzig, ein Kind bekommen hatte.

Judith Sportz begann Anfang September einen Französischkurs auf der Volkshochschule und ein Verhältnis mit ihrem Chef – eine Kombination, von der sie sich karrieretechnisch viel versprach. Der amtierende Protokollchef sollte bald in Rente gehen, und sie, als kommissarische Leiterin des Intershop, bedurfte besonderer Protektion für den ungewöhnlichen Karriereschritt. Der Protokollchef war ein Ex-Diplomat, der wegen Flugangst aus dem Corps ausgegliedert worden war. Sie hingegen war Einzelhandelskauffrau, mit einem abgeschlossenen Studium als Binnenhandelsökonomin – eine Ausbildung, die sie nur bei sehr, sehr großzügiger Auslegung für den Traumjob qualifizierte. Doch Judith Sportz wollte Alfred Bunzuweit davon überzeugen, daß der seinem silberhaarigen Grüßaugust, einem Ausbund an Seriosität, ein Aushängeschild nachfolgen lassen solle, das mehr Pfeffer habe als das amtierende Neutrum. Daß »Pfeffer« und »Judith Sportz« für Alfred Bunzuweit synonym wurden, war ihr Nahziel, und die Chancen dafür standen gut. Sie war zwölf Jahre jünger als Alfred Bunzuweit und – nicht nur für ihr Alter – eine ansehnliche Frau. Sie hatte schwarze Haare, dunkle Augen und einen südländischen Teint. Ihr Busen war unübersehbar, wenn auch nicht üppig. Nichts an ihr war üppig. Ihre Zähne waren weiß, ihre Beine schlank und fest. Und immer wieder wurde sie auf ihre Stupsnase angesprochen. Auch Hagen, ihr Mann, nannte sie gern »Stupsnase«, »Stupsnäschen« oder einfach nur »Stupsi«. Aus unerfindlichen Gründen war es immer wieder die Nase, die den sexuellen Phantasien der Männer Flügel zu verleihen schien.

Judith Sportz ließ sich seit drei Monaten einmal pro Woche mit Alfred Bunzuweit ein. Es war die einfachste Sache der Welt: Er hatte ein eigenes Studio, die 8062, und nachdem es ihr unter dem Vorwand, Umbauten im Intershop besprechen zu müssen, gelungen war, ihn allein in der 8062 zu treffen, ging es wie von selbst. Der Chef war auch nicht anders als andere Männer: Mit ihrer Stimme, die sie mit einem lüsternen Gurren modulierte, mit verwegenen Blicken, scheinbar zufälligen oder scheinbar unverfänglichen Berührungen brachte sie ihn dazu, sich und das Versprechen der ehelichen Treue zu vergessen. Sie bescherte ihm ein Erlebnis, das nach Wiederholung verlangte. Und so rief er sie einmal pro Woche im Intershop an und bat sie in die 8062.

Auch an jenem Montag kam der Anruf von Alfred Bunzuweit. Um Viertel drei bat er Judith Sportz in die 8062. Um drei war Rapport, wie jeden Montag; bis dahin hatten sie Zeit.

Doch als sich Judith Sportz auf den Weg machte und ihren Laden durchquerte, gab es Ärger mit einem Kunden; mehrere Verkäuferinnen bildeten schon ein Knäuel und warfen Judith Sportz hilfesuchende Blicke zu. Sie kam nicht umhin, sich des Problems anzunehmen, das in einem DDR-Bürger bestand, der Waren im Wert von einhundertachtzig D-Mark ausgewählt hatte und diese mit Ostgeld bezahlen wollte. Mit solchen Idioten mußte sich das Intershop-Personal in letzter Zeit häufig herumschlagen. Es sei bald Weihnachten, erregte sich der Kunde, und er wolle den Kindern etwas bieten. Er spulte sein Programm herunter, das er sich über Jahre hinweg ausgedacht haben mußte und nun endlich zur Aufführung brachte. Wenn den Westlern die Ostmark zum Kurs von einer Westmark gegeben werde, so argumentierte er, dann könne er die für West erworbenen Güter dem Staat auch zum Kurs von einer Ostmark wieder abkaufen. Und dann sagte der Kunde noch dreimal so laut, daß ihn jeder im Intershop hören konnte: »Wir sind das Volk!« Er skandierte es nicht, er argumentierte, er forderte, er präsentierte diesen Satz wie das Glied einer Beweiskette. Seine Darlegungen, die er überlaut vorbrachte, waren gespickt mit Begriffen wie *Ostgeld, Ostmark, Alu-Chips* und *hundertachtzig West*. Judith Sportz wußte, wen sie vor sich hatte: Den wildgewordenen Spießer, der sich in den vergangenen Jahrzehnten brav der offiziellen Begriffe *DDR-Mark* und *D-Mark, Valuta* und *Devisen* bedient hatte und jetzt nachholend den Helden markieren will. Nach zehnminütiger Diskussion, in der Judith Sportz geduldig erklärte, daß in diesem Laden nur frei konvertierbare Währungen akzeptiert würden, während die Ostmark hier ebensowenig wie in Westberlin Zahlungsmittel sei, versuchte der Kunde plötzlich unter großem Geschrei, den Korb voller Waren an sich zu reißen. Judith Sportz begriff: Hier versuchte jemand, eine Plünderung anzuzetteln. Nicht um simplen Ladendiebstahl ging es ihm, es ging ihm um Aufruhr. Einen Intershop zu plündern, das gehörte zu den Standardphantasien derer im Lande, und in Zeiten wie diesen lagen die Hemmschwellen niedrig, jeder naschte vom Gefühl des Aufsässigseins; staatstragend gab sich niemand mehr. Und nun hatten sie ihn im eigenen Laden, den Kampf zwischen Chaos und Ordnung.

Daß es nicht zur Plünderung kam, lag einfach daran, daß nach dem Fall der Mauer die Intershops faktisch nicht mehr von einheimischer Kundschaft frequentiert wurden. Es gab niemanden, auf den der Funken der Rebellion überspringen konnte. Der Kunde kam vier Wochen zu spät.

Wie lächerlich und peinlich das Ganze war, wurde erst recht klar, als dieser Hotelgast den kleinen Stänkerfritzen mit ein paar Süßigkeiten nach Hause schickte. Aber Judith Sportz hatte fast zwanzig Minuten verloren – Zeit, die sie beim Sex mit Alfred Bunzuweit wieder hereinholen mußte. Es war ausgeschlossen, daß beide zu spät zum Rapport erschienen; schließlich war ihr Verhältnis geheim.

Alfred Bunzuweit empfing sie im Bademantel, was ein deutliches Signal war. Vor einer Woche hatte sie sein Ansinnen abgewehrt, seinen Erektionsproblemen mit einem oralen Vorspiel abzuhelfen; ungewaschen möge sie nicht. Nun, da er demonstrativ im Bademantel vor ihr stand und ebenso demonstrativ nach dem vom VEB Berlin-Chemie eigens für die Interhotel-Kette entwickelten Duschbad duftete, mochte sie seinen Schwanz ebensowenig in den Mund nehmen. Sie mußte ihn mit konventionellen Methoden hart kriegen, bei sich einführen, zum Abschuß bringen, sich anziehen, mit dem Lift nach unten fahren und im Besprechungszimmer Platz nehmen – und dafür hatte sie zwanzig Minuten. Auf dem Nachttisch war ein Radiowecker mit einer roten Leuchtziffernanzeige eingelassen. Sie wollte von nun an die Uhr immer im Blick haben.

Judith Sportz stellte sich dicht vor Alfred Bunzuweit und hoffte, daß ihn ihr Duft aus Haarlack, Schweiß und dem süßlich-schweren Poison umfangen werde. Eine verruchte Mischung. Sie griff in den V-förmigen Ausschnitt seines Bademantels und strich ihm mit spitzen Fingern über die Brust. Sie merkte, daß er flacher atmete; etwas in ihm hackte, das Lustprogramm lief an. Wenn sie jetzt nach seinem Schwanz griff, würde sie ihn nicht erschrecken, würde sie nicht in ein formloses Etwas greifen, sondern in ein um seine Konturen kämpfendes, anschwellendes Körperteil.

Sie erweiterte den Ausschnitt seines Bademantels und rückte noch näher an ihn heran. Ihr Duft sollte ihn noch mehr benebeln, betören, aufreizen; jeder Pulsschlag eine neue Welle. Die Spitzen ihrer Brüste berührten ganz leicht seine Haut – sollte er sich einbilden, daß er durch Bluse und BH hindurch ihre Brustwarzen spürte und sich von ihnen streicheln und kitzeln ließ.

»Ich hab im Lift meinen Schlüpfer ausgezogen«, hauchte sie mit einem rauchigen, lüstern-heiseren Timbre in der Stimme und stieß stöhnend Luft aus. Dann griff sie ihm an den Schwanz. Na also. Den würde sie auch heute nicht in den Mund nehmen müssen. Den konnte sie, ohne weiteres Vorspiel, bei sich einführen. Vierzehn Uhr einundvierzig. Neunzehn Minuten blieben noch.

»Warum kommst du so spät?« fragte er. Daß er nicht flüstern konnte. Daß er es nicht knistern lassen konnte. Sicher wollte er die Erregung abschütteln, um doch noch zu seiner Fellatio zu kommen.

»Gab Ärger«, sagte sie in einem Tonfall, der ihn weiter anheizen sollte. »Aber das ist vorbei.«

»Was für Ärger?« fragte er streng.

»Erzähl ich dir gleich. Auf dem Rapport. Aber erst laß uns mal...«

»Was für Ärger?«

Jetzt konnte Judith Sportz nicht mehr die Verführerin spielen. Jetzt war sie die Abteilungsleiterin, die dem Direktor Rede und Antwort stehen mußte.

»Da war ein Kunde, der wollte mit DDR-Geld bezahlen. Hat ein Riesengeschrei veranstaltet und am Korb gezerrt. Da konnt ich nicht weg.«

»Ein Kunde?« fragte Alfred Bunzuweit. »Was für ein Kunde?«

»Einer von draußen.« *Draußen* war die abgemilderte Form. Der offizielle Begriff lautete *DDR-Bürger*, aber im Palasthotel war das ein Schimpfwort. Es bedeutete ein Minderbemittelter, einer ohne Westgeld. Die Palasthotel-Mitarbeiter waren *wir*, und *die draußen* waren *DDR-Bürger*, auch wenn Judith Sportz und Alfred Bunzuweit ebenso DDR-Bürger waren wie *die draußen*.

»Ein DDR-Bürger?« sagte Alfred Bunzuweit erbost, und Judith Sportz sah den Zeitplan wanken. Alfred Bunzuweit stapfte im Zimmer umher. »Da glauben die jetzt, die können im Intershop mit ihrem Geld einkaufen? Dafür dieses ganze Geschrei seit Wochen, Demokratie, Demokratie – ja, wenn *das* Demokratie sein soll, dann ›gute Nacht‹!«

»Alfred ...«, sagte sie beschwichtigend, aber vergebens.

»Und ich sag dir was: Du kannst dich ja gar nicht gegen diese Typen wehren. Ich garantiere dir, das Neue Forum oder wie sie alle heißen, die werden zu Weihnachten die Intershops unter ihre Kontrolle stellen.«

»Werden sie schon nicht«, sagte Judith Sportz begütigend, aber das nutzte nicht viel. Die Realität hatte Alfred Bunzuweit eingeholt und für den Augenblick impotent gemacht. Trotzdem – sechzehn

Minuten hatten sie noch. Und so startete sie einen zweiten Versuch, indem sie Alfred Bunzuweit erneut vor sich aufstellte. Sie öffnete den Knopf ihres Rockes, zog den Reißverschluß und löste die Schleife ihrer schwarz-braun ornamentierten Bluse. Allein durch ein paar leichte Bewegungen ihrer Hüfte ließ sie den Rock hinabgleiten. Ihr Pelzchen, fingerbreit rasiert, sprang Alfred Bunzuweit ins Auge. Es war die Wahrheit: Sie hatte den Schlüpfer schon ausgezogen.

Indem sie ihre Brüste herausdrückte, die Schultern nach hinten bog und am Rücken ihrer Bluse zog, entledigte sie sich eines weiteren Kleidungsstückes. Jetzt hatte sie nur noch den BH an. Und die Schuhe. Aber die wollte sie nicht lösen. Zum einen fand Alfred Bunzuweit Pumps beim Sex so herrlich verdorben, zum anderen gab es praktische Erwägungen: Das Ankleiden ging einfach schneller, wenn sie die Schuhe anbehielt.

Alfred Bunzuweit ließ sich den Bademantel abstreifen. Seine Erektion würde halten, schätzte Judith Sportz – wenn er nicht wieder anfängt, auf gestreßten Direktor zu machen, der sein Hotel durch schwierige Zeiten bringen muß.

Judith Sportz haßte es, daß sich in ihrem Leben schon seit einigen Jahren beim Sex alles um die Frage drehte, ob die Erektion halten werde. Nicht nur bei Alfred Bunzuweit, sondern auch bei Hagen, ihrem Mann. Hagen war Schauspieler und jünger als sie. Judith Sportz vermutete, daß er schwul war und deshalb Schwierigkeiten hatte.

Alfred Bunzuweit hatte sich mit dem Rücken aufs Bett gelegt. Sie kniete sich auf ihn. Wie ein angeschossenes Tier lag er unter ihr, schnaufend, mit ängstlichen Augen. Alfred Bunzuweit hatte Angst, als sie begann, mit ihrer Linken an seinem Schwanz zu spielen. Sie rieb ihn behutsam, nur mit dem Eigengewicht der aufliegenden Fingerkuppen, um jeden Eindruck des Zufassens, gar des Krallens zu vermeiden. Ihre langen spitzen Fingernägel konnten Kastrationsängste auslösen, das wußte Judith Sportz von Hagen.

Ein Blick auf die Uhr sagte ihr, daß sie es nicht auf die herkömmliche Weise schaffen würden. Er hatte es nie unter zehn Minuten geschafft, meistens brauchte er um die zwanzig Minuten. Eine Entscheidung mußte getroffen werden, und die kommissarische Intershop-Chefin Judith Sportz, die unbedingt Protokollchefin des Berliner Palasthotels werden wollte, traf sie: Sie hockte sich zwischen die Beine Alfred Bunzuweits, schloß die Augen, dachte an Roland Kaiser und steckte sich seinen Schwanz in den Mund.

Das hat er doch gewollt, darauf war er doch aus – nur deshalb hat er sich aufgeregt, über diesen Kunden! Nur, um wieder loszuwerden, was ich ihm Schönes aufgebaut hatte. Nur, damit ich mich unter Zeitdruck auf diese Nummer einlasse. Und während sie Alfred Bunzuweits Schwanz mit ihren Lippen umschlossen hielt und in kreiselnden Bewegungen auf- und niederfuhr, schickte sie ihre Gedanken auf Reisen. Sie dachte an diesen verfluchten Kunden, ohne den sie *das hier* nicht täte – aber dieser Kunde ist ja nur einer von vielen. Es geht alles drunter und drüber, und am Ende muß ich meinem Chef den Schwanz lutschen.

Judith Sportz haßte den Herbst 89; nichts, aber auch gar nichts blieb ihr erspart.

Und jetzt kommt der nicht mal. So scharf wie der darauf gewesen ist, müßte der doch in zwei Minuten zu beglücken sein. Aber der denkt schon wieder. Der denkt einfach zu viel. Der denkt nur an seine Sorgen. Mit dem will ich nicht tauschen.

Da hatte Judith Sportz einen Geistesblitz – und spuckte den Schwanz Alfred Bunzuweits aus, wie einen Kaugummi. Sie hatte erkannt, daß Alfred Bunzuweit erledigt war. Wer immer sie zur Protokollchefin machen würde – er ganz sicher nicht. Er würde ja selbst keine sechs Wochen mehr Hoteldirektor bleiben. So einem lutscht man den Schwanz nicht mehr.

»Wir müssen«, sagte Judith Sportz neun Minuten vor drei. Dann zog sie sich an und ging hinaus. Sie würde sieben Minuten vor drei im Besprechungszimmer sitzen. Sieben Minuten zu früh. Sieben

Minuten, in denen sie Alfred Bunzuweit zum Höhepunkt hätte führen können.

Alfred Bunzuweit stand auf und zog sich langsam an, Zeit hatte er ja. Er fühlte sich verletzt, gedemütigt. Er wollte sich noch nicht abschreiben. Ja, sein bester Freund war zur Unperson geworden und in den Westen getürmt. Ja, bei seiner Frau stellte der Staatsanwalt das Büro auf den Kopf. »Tu doch etwas, Alfred, Herrgott noch mal, tu etwas!« hatte Sybille ihn angeschrien. Das schreit sich leicht. Er wußte nicht, was er tun sollte. Er wußte nicht mal, was er durch sein Tun vermeiden oder herbeiführen sollte.

Aber jetzt, drei Minuten vor drei, als er den Sitz der Krawatte in seinem Spiegel überprüfte, da wußte er, was er wollte: Er wollte Judith Sportz wieder ins Bett kriegen. Er wollte sie dazu kriegen, genau dort weiterzumachen, wo sie vor sechs Minuten aufgehört hatte. Er wollte wieder ein Chef sein, bei dem es sich lohnt, den Schwanz zu lutschen. Ja, das wollte er.

Und so legte sich Alfred Bunzuweit am Abend auf die Lauer.

2

Alfred Bunzuweit hockte im hintersten Winkel der Kaminbar, von wo aus er die Rezeption und, durchs Fenster, das Portal im Blick hatte. Er selbst blieb im Prinzip unsichtbar; sein Plätzchen war im schummrigen Licht. Alle Viertelstunde stand er auf und bewegte sich unauffällig zu den Grünpflanzen, die einer toten Ecke der Hotelhalle etwas Charakter geben sollten. Dort tat er so, als bekümmere ihn das Wohlbefinden der Pflanzen – doch in Wirklichkeit wollte er nur seine Gedärme entlüften.

Das Warten gehörte zu seinem Beruf, und Alfred Bunzuweit hatte sich über diese »Beschäftigung«, deren Wesen die Abwesenheit von Beschäftigung war, oft Gedanken gemacht. Seine Definition von Macht: Das Recht, jemanden warten zu lassen.

Alfred Bunzuweit konnte das Warten in Kategorien einteilen: Die häufigste Form war das beiläufige Warten, bei dem er plauderte, telefonierte, auch aß – immer mit einem Seitenblick auf das Erwartete. Das beiläufige Warten gab es in zwei Formen: offen oder heimlich für den Erwarteten, je nachdem, welchen Status er ihm zumaß. Seiner Umgebung mußte Alfred Bunzuweit sein Warten nicht verheimlichen. Die höchste Form des Wartens war das demonstrative Warten. Wenn sich Alfred Bunzuweit in die Mitte der Hotelhalle stellte, dann war das ein Fanal: Da kommt jemand, dem das gesamte Hotel zu Diensten sein muß, jemand, neben dem alles andere zur Nebensache wird. Das demonstrative Warten war mehr als eine Dienstpflicht oder ein Freundschaftsbeweis – es war eine Unterwerfungsgeste. Auch gegenüber seinem Freund Valentin Eich. Es widersprach nicht im geringsten Alfred Bunzuweits Auffassung von Freundschaft. Schließlich ist auch der Hund der beste Freund des Menschen.

Es gab auch das heimliche Warten – wie jetzt. Das Warten durfte als Warten nicht kenntlich gemacht werden, der Erwartete durfte, wenn er kam, nicht spüren, daß Alfred Bunzuweit seine Zeit für ihn entleerte. Selbst die Kellnerin der Kaminbar sollte glauben, daß ihr Chef mit ein, zwei Bieren den Tag ausklingen ließe. Leider dauerte dieser Ausklang schon zweieinhalb Stunden; Alfred Bunzuweit fragte sich, wie lange er noch glaubhaft wirke mit dem, was er darzustellen beabsichtigte. Bereits zehnmal hatte er die Pflanzen inspiziert.

Am Nebentisch saßen zwei Herren der Dresdner Bank sowie zwei Herren von der WestLB. Sie waren die Vorhut, der Stoßtrupp der Geldwirtschaft und gehörten, neben Leo Lattke und seinem Fotografen, die mit am Tisch saßen, zu den Gästen, die auf unbestimmte Zeit wohnten. Alfred Bunzuweit wurde Ohrenzeuge des Gesprächs seiner sechs Dauergäste.

»Die Deutsche Bank und die Allianz haben ihren Einreitern das Grand Hotel spendiert«, sagte Herr Wasmuth von der Dresdner Bank traurig.

Leo Lattke antwortete, wie immer, viel lauter als nötig. »Unser Job ist was für Dschungelkrieger und nichts für Beamte. Im Grand Hotel sitzt auch *meine* Konkurrenz. Wenn die einen Bürgerrechtler zum Interview bestellt, muß der sich durch tiefe Teppiche durcharbeiten. Und wenn er zu den Kollegen vorgedrungen ist, dann ist er nicht mehr derselbe. Dann hat ihn der Luxus korrumpiert. – Prost!«

»Genau«, sagte ein übergewichtiger Jüngling von der WestLB. »Hier spielt die Musik!«

Alfred Bunzuweit hatte nichts mit ihnen zu tun. Die Dresdner Bank war an seinen Beherbergungsdirektor, die WestLB an seinen Verkaufsdirektor herangetreten. Beide hatten es sich nicht nehmen lassen, ihm ihre Banker wie Trophäen zu präsentieren und ihn dabei ausschauen zu lassen wie einen senilen Trottel. »Herr Wasmuth, Herr Neuss, ich möchte Ihnen unseren Herrn Bunzuweit vorstellen, den Hoteldirektor, fürs Repräsentative.« Alfred Bunzuweit hatte den beiden die Hand gegeben und verschwörerisch gesagt: »Wir brauchen Manager!«

Ja, sein Beherbergungsdirektor und sein Verkaufsdirektor hatten schon die Bankpioniere im Doppel an der Seite – während sein Freund Valentin Eich zur Unperson, zum Staatsfeind geworden war.

Ihm war nicht entgangen, daß Judith Sportz auf dem Rapport seinem Beherbergungsdirektor, Georg Weschke, schöne Augen gemacht hatte. Der saß nun schon das zweite Mal in der montäglichen Leitungssitzung mit einem Pullover über den Schultern – genauer: mit einem Pullover über dem Parteiabzeichen. Typisch Weschke. Er trägt das Parteiabzeichen, ohne es zu zeigen. Vielleicht trägt er es schon nicht mehr – aber auch das zeigt er nicht. Solch souveräner Opportunismus imponiert einer Judith Sportz. Zwischen ihm und ihr wird zwar nichts laufen, aber die Umtriebigkeit seines Beherbergungsdirektors mußte er fürchten. Alfred Bunzuweit wußte, wie sehr der nach dem Posten des Hoteldirektors gierte. Wie sehr es ihn wurmte, daß er, der Tankwart, auf dem Posten saß, auf den eigentlich er nach der Flucht des vorigen Direktors hätte aufrücken müssen. Der Verkaufsdirektor hingegen war eine harmlose Flasche. Die treue Langeweile in Person. Der würde sich noch in zehn Jahren daran weiden, die WestLB ins Haus geholt zu haben.

Alfred Bunzuweit wartete auf den siebten Dauergast, der schon länger als Leo Lattke wohnte. Während er wartete, betrachtete er immer wieder dessen Visitenkarte.

Werner Schniedel, Sonderbevollmächtigter, VW.

Name, Titel, Symbol der Firma. Keine Adresse, keine Telefon- oder Faxnummer. Doch die Marke, dieses schlichte Zeichen aus zwei Buchstaben, einer, etwas verkleinert, auf den anderen gestellt, war Auftritt genug. Vau Weh. Volkswagen. Alfred Bunzuweit schob die Worte hin und her, in der Hoffnung, auf ein Wortspiel zu stoßen. Volks Wagen. Wir sind das Volk – und wo ist der Volkswagen? Wir sind das Volk, wagen, nach dem Volkswagen zu fragen. Volkswille Volkswagen. – Nein, da wollte sich nichts ergeben.

Was für Vollmachten der wohl hat? Neunzehn ist er, seltsam wirkt er. Dieses weiße Haar. Ein halbes Hemd, picklig, und immer mit Sonnenbrille. Wenn der nicht der Sohn vom Ernst Schniedel wäre, dem Vorstandsvorsitzenden von VW, würde er den Kleinen kaum ernst nehmen. Dann würde er eine so späte Rückkehr ins Hotel mit Discobesuchen, aber nicht mit Empfängen, Verhandlungen, Arbeitsessen oder Aktenstudium in Verbindung bringen.

Zehn vor eins stieg Werner Schniedel aus einem Taxi, einem hellblauen Wolga, betrat die Hotelhalle durch die Automatiktür und ging auf den Rezeptionstresen zu.

»Die dreißig null fünf, bitte«, sagte er zur Rezeptionistin, ohne bemerkt zu haben, daß sich Alfred Bunzuweit von der anderen Seite genähert hatte, lautlos, rasch, auf weichen Sohlen. Als Alfred Bunzuweit den Mund öffnete und ihm den eigenen Namen gleichsam in den Rücken stieß, zuckte Werner Schniedel zusammen.

»Herr Schniedel wohnt seit dem 10. November bei uns, da sollten Sie seine Zimmernummer kennen«, sagte Alfred Bunzuweit zur Rezeptionistin und breitete seine Arme aus, um Werner Schniedel zu begrüßen. Sein ansonsten finsteres Gesicht wollte einen freundlichen, willkommenen Ausdruck annehmen – doch ihm gelang nur eine Grimasse, die Werner Schniedel an das glückliche Schwein eines Zeichentrickfilms erinnerte. Werner Schniedel war erschrokken: Ein großer Mann stand hinter ihm, zur Geisterstunde. Mehr als doppelt so schwer, fast dreimal so alt. Alfred Bunzuweit bot alles auf, was er für freundlich hielt – Worte, Gesten, Tonfall, Mimik. »Herr Schniedel, seien Sie mein Gast!« rief er und streckte die Hand aus, doch Werner Schniedel griff nach dem Schlüssel, den ihm die Rezeptionistin reichte.

Da Alfred Bunzuweit die Hand aber nicht zurückzog, blieb Werner Schniedel nichts anderes übrig, als sie schließlich doch zu ergreifen. Ein großer Sieg für Alfred Bunzuweit. Er schüttelte die Hand von Werner Schniedel, und weil er nicht herzlich sein konnte, ließ er die Hand so schnell nicht los. Hand-nicht-loslassen war Alfred Bunzuweits Herzlichkeitssubstitut.

Werner Schniedel schaute noch immer erschrocken. Alfred Bunzuweit ärgerte sich über sein mangelndes Feingefühl; der hier war eben nicht der Vater, war ein Sensibelchen, ein Ängstlicher, und darauf hätte er sich einstellen müssen. »Herr Schniedel, trinken wir einen?«

»Warum nicht«, sagte Werner Schniedel ohne Schwung.

Alfred Bunzuweit imponierte diese Zurückhaltung. Der weiß sich die Zeit einzuteilen. Der verplempert sie nicht wie diese Bankfritzen mit stundenlangem Gejammer über das falsche Hotel. Nicht mal ein Lächeln hatte Schniedel ihm geschenkt.

»Wie geht's denn Ihrem Herrn Vater?« fragte Alfred Bunzuweit, als sie in der Kaminbar Platz genommen hatten. Schniedel bestellte einen Whisky, was Alfred Bunzuweit als eine stilvolle, den Klassenunterschied zu ihm, dem Koch und Biertrinker, wahrende Bestellung zur Kenntnis nahm.

»Mein Vater«, sagte Schniedel etwas fahrig. »Viel zu tun. Strategisch. In der Automobilindustrie stehen große Umbrüche bevor. In zehn Jahren wird es in Europa nur noch sechs Automobilkonzerne geben.«

Alfred Bunzuweit entfuhr ein verblüfftes »Ach was«, über das er sich ärgerte. Das war gewiß nicht der Ton, der dem Thema *Konzentration von Großkonzernen* gerecht wurde. Vielleicht verführte ihn Schniedels Milchgesichtigkeit zu solchen Nachlässigkeiten.

»Doch, doch. Vielleicht sogar nur vier – verschiedene Studien, verschiedene Ergebnisse. Wie das so ist. Aber jetzt die gute Nachricht: VW wird auf jeden Fall dazugehören.«

Er prostete Bunzuweit mit dem Whisky zu, der gerade serviert worden war. Alfred Bunzuweit spürte, daß Schniedel unter Spannung stand, daß er ihm ständig zu sagen schien: Komm zur Sache.

»Und in welcher Angelegenheit, wenn ich fragen darf, sind Sie unterwegs?« fragte Alfred Bunzuweit in einem Ton, der auch eine Zurückweisung verkraftet hätte, ohne dadurch das ganze Gespräch, das noch in einem empfindlichen Stadium war, zum Verdorren zu verurteilen.

Werner Schniedel beugte sich vor, auf Vertraulichkeit bedacht, und senkte die Stimme. »Ich verschaffe mir ein Bild. Volkstümlich gesagt: Ich peile die Lage. Ich wühle mich durch Statistiken, die gefälscht sind. Ich lege die Verzerrungen übereinander und versuche, die wahren Zahlen herauszufiltern.«

»Sie sind Sonderbeauftragter.«

»Sonderbevollmächtigter, richtig.«

Alfred Bunzuweit hätte sich ohrfeigen können – er hatte eine halbe Stunde lang die Visitenkarte in der Hand und dennoch den Sonderbevollmächtigten als Sonderbeauftragten bezeichnet.

»Was für Vollmachten haben Sie denn?« fragte Alfred Bunzuweit.

Werner Schniedel nahm einen Schluck Whisky. Dann lächelte er. »Sie wollen wissen, welchen *Auftrag* ich habe.«

Mein Gott, dachte Alfred Bunzuweit, der hält mich für einen Spitzel!

»Ich sondiere, wie gesagt, die Lage. Und ich habe besondere Vollmachten, das ist richtig. Ich bin so eine Art Unterhändler des Vorstandsvorsitzenden. Ich tauche in keiner Gehaltsliste auf, es gibt mich offiziell gar nicht. Aber ich kann Verträge vorbereiten, bis zur Unterschriftsreife. Ich kann, ohne daß das geringste Aufsehen erregt wird, Tatsachen schaffen.«

Mit neunzehn! dachte Alfred Bunzuweit erschüttert.

»Sie sind so ne Art Guerillatruppe von VW«, fragte Alfred Bunzuweit. »Der lautlose Killer.«

»Das bleibt bitte unter uns«, sagte Werner Schniedel.

»Selbstverständlich«, beeilte sich Alfred Bunzuweit zu sagen. »Ich möchte mich noch entschuldigen, daß wir Ihnen den Status eines V.I.P. so lange vorenthalten haben. Aber in dieser turbulenten Zeit...« Er griff nach dem Hotelausweis von Werner Schniedel und klebte auf die rechte obere Ecke ein violettes Dreieck, das er von einem Blatt Wachspapier abzog, auf dem zweiundsiebzig dieser Winkel darauf warteten, einer *very important person* auf den Hotelausweis geklebt zu werden.

»Wenn ich irgend etwas für Sie tun kann ... Wie lange haben wir denn noch das Vergnügen mit Ihnen?«

»Wie soll ich das verstehen?« fragte Werner Schniedel kalt, und wieder hatte Alfred Bunzuweit das Gefühl, etwas falsch gemacht zu haben. Er blinzelte unschuldig und hoffte auf Vergebung.

Schniedel gewährte sie. »Ich habe keine Ahnung, wie lange ich bleibe. Ich sondiere für einen Weltkonzern eine Volkswirtschaft, und das geht nicht in zwei, drei Wochen. Meine Mission ist diskret. Sonst bin ich am nächsten Tag weg. Warum schickt Wolfsburg einen Sonderbevollmächtigten? Um keinen Staub aufzuwirbeln.«

»Verstehe.«

»Wieviel Umsatz machen Sie denn hier so im Jahr?« fragte Werner Schniedel in einem Tonfall, der *Themenwechsel!* rufen wollte. Er schaute sich um. »Zehn Millionen?«

»Achteinhalb«, sagte Alfred Bunzuweit, dem die genaue Schätzung imponierte.

»Achteinhalb Millionen«, sagte Werner Schniedel und gähnte, »machen wir in Wolfsburg in einer Schicht. Alle neunzig Sekunden rollt ein Golf aus der Halle.« Das klang so gelangweilt, daß danach nur noch die Verabschiedung folgen konnte. Alfred Bunzuweit entschuldigte sich für die Rücksichtslosigkeit, den Sonderbevollmächtigten um den verdienten Schlaf gebracht zu haben, bedankte sich für die Zeit, die Werner Schniedel ihm geopfert hatte, und hinderte ihn daran, den Whisky selbst zu bezahlen. Als sich Werner Schniedel erhob, stand auch Alfred Bunzuweit auf – und im selben Moment löste sich ein krachender Furz. Es war eine Parodie von einem Furz. Es war ein Furz, für den sich ein Furzkissendesigner in den wohlverdienten Ruhestand zurückziehen könnte. Es war ein Furz, der Alfred Bunzuweit bewußtmachte, wie sehr ihn der Sonderbevollmächtigte faszinierte, wenn ihn dessen Gegenwart das Zeitgefühl in einem solchen Ausmaß verlieren ließ.

»Mein lieber ... mein lieber Scholli«, sagte Leo Lattke, schaute ungeniert in die Richtung, aus der das Geräusch kam und lachte.

Werner Schniedel hingegen tat so, als hätte er nichts bemerkt. Er tat nicht einmal etwas gegen den Anschein, daß vielleicht er der Furzer war. Er schlenderte gemächlich aus der Zone, deren Kontamination in wenigen Augenblicken ruchbar werden würde, und blieb erst vor den Fahrstühlen stehen, als wären die schon immer der einzig legitime Ort der Verabschiedung.

Alfred Bunzuweit war knallrot, er fühlte sich gedemütigt, blamiert, komplett unfähig. Er war am Tiefpunkt seines Lebens angelangt. Dieser Furz war peinlicher als die Sache in der Stuttgarter Bahnhofsbuchhandlung, wo er auf seiner ersten dienstlichen Westreise beim Diebstahl eines *Playboy* erwischt und ihm mit einer Meldung an die Ständige Vertretung in Bonn gedroht worden war. Dieser Furz war peinlicher als seine Parteitagsrede vor dreieinhalb Jahren, als er vor Aufregung vergessen hatte, seinen Hosenladen zu schließen, als er, ebenfalls vor Aufregung, kurz vor seiner Rede auf der Toilette war. Dieser Furz war peinlicher als die Zielankunft jenes

Radrennens, das er sich als Sechzehnjähriger mit drei Freunden lieferte und bei dem er sich so verausgabte, daß er, ohne es zu merken, eine volle Ladung Flüssigschiß in den Sattel drückte, der ihm dann, ohne daß er es merkte, aus seiner Turnhose die Beine hinunterlief und von den strampelnden Knien, ohne daß er es merkte, in gleichmäßigen Sprenkeln über die gesamte Vorderseite verteilt wurde – was er erst im Ziel, das er als letzter erreichte, bemerkte. Aber das von eben war noch schlimmer.

Werner Schniedel reichte Alfred Bunzuweit freundlich die Hand, neigte sich ihm entgegen und sagte leise, als wolle er ihn in Dinge einweihen, die nicht für jedermanns Ohren bestimmt sind: »Ist mir früher auch immer passiert. Das Zeug ist im Magen vergoren, und wurde im Darm nicht verdaut. Aber seitdem ich zum Essen nicht mehr trinke, ist Ruhe.«

Der Fahrstuhl signalisierte mit einem anheimelnden *Kling*, daß er bereitstand. Werner Schniedel wollte einsteigen, wandte sich aber noch mal um, kam zurück und sagte im selben vertraulichen Ton: »Und Kohlensäure ist *ganz* schlecht.« Dann stieg er ein und ließ einen verwirrten Alfred Bunzuweit zurück. Hatte ihm soeben der Sonderbevollmächtigte der Volkswagen AG den Weg aus seinem Dilemma gewiesen und dabei sogar preisgegeben, daß er selbst dasselbe Problem hatte; ein Problem, das Alfred Bunzuweit als so intim und demütigend empfand, daß er sich damit niemals jemandem anvertraut hatte? Und wenn ihn der Sonderbevollmächtigte der Volkswagen AG in sein gleichgeartetes Leiden einweihte – stellte er ihn dadurch nicht auf eine Stufe mit sich, irgendwie?

Seine Gedanken flogen gleichzeitig nach allen Seiten, wie Spritzer einer Pfütze, in die jemand einen Stein geworfen hatte. Er sprang in den Fahrstuhl, griff nach der Hand von Werner Schniedel, und – anders als bei der Begrüßung – ließ sie nicht mehr los.

»Herr Schniedel, wenn ich irgend etwas für Sie tun kann, wenn ich Ihnen mit meinen Kontakten helfen kann oder wenn Sie irgendeinen Wunsch haben ...« Die Tür des Fahrstuhls schloß sich. Er flehte Werner Schniedel an, seine Dienste zu nutzen. »Die ganzen Kombinatsdirektoren, Generaldirektoren, die kenne ich doch alle, und ich würde mich gern bei denen für Sie verwenden, das wäre mir eine Ehre. Sie haben es selbstverständlich nicht nötig, aber vielleicht...« Der Lift öffnete sich, und Alfred Bunzuweit ging neben Werner Schniedel her, ohne ihm von der Seite zu weichen. »Sie kriegen die Junior-Suite, selbstverständlich ohne Aufpreis. Ich kenne Ihren Herrn Vater und schätze ihn sehr, und daß er Sie mit einer so wichtigen Aufgabe betraut – da möchte ich doch, daß er sich auf mich verlassen kann, da kann man sich doch ein wenig unter die Arme greifen.« Er griff Werner Schniedel unter den Arm, und als der die Zimmertür aufschloß, begann Alfred Bunzuweit, sein Sortiment an Bekanntschaften anzupreisen wie ein Tapetenverkäufer seine Muster. »Ich kenne den Chef von Narva, dem Glühlampenwerk, von WMW, Werkzeugmaschinen, mit dessen Sohn ist auch mein Sohn befreundet, von der Warnow-Werft, von der Deutschen Reichsbahn, von Sachsenring, von Robotron, vom Chemiekombinat Bitterfeld – interessiert Sie Chemie? –, vom Wohnungsbaukombinat, der kommt jeden zweiten Sonntag hier essen, vom Getränkekombinat, von KIM, Kombinat Industrielle Mast, Europas größter Eierproduzent, über hundert Millionen Eier jährlich. Mit Ihrem Kapital und meinen Referenzen ...« Alfred Bunzuweit schwieg erschöpft. Er hatte so viele Wörter verwendet, so viele Direktoren ins Spiel gebracht – aber einen Satz von so klar gesetzter Wucht wie *Ich sondiere für einen Weltkonzern eine Volkswirtschaft* brachte er nicht zustande. Wofür er sich ein ganzes Jahr müht, das macht der in einer Schicht. Zwischen ihm und diesem schmächtigen Jungen lagen Welten.

»Ich laß mir das durch den Kopf gehen«, sagte Werner Schniedel. »Ich möchte aber nicht, daß Sie meinem Vater rapportieren. Das mach ich und nur ich. Meinen Vater lassen Sie aus dem Spiel!«

»Aber das ist doch seffaständlich ...«

»Und danke für die Junior-Suite!«

Als Alfred Bunzuweit wieder ausholte, unterbrach ihn Werner Schniedel, indem er sich unablässig bedankte – »Danke. Danke. Danke.« –, bis Alfred Bunzuweit endlich das Zimmer verließ.

Die Tür schloß sich. Alfred Bunzuweit atmete durch und ließ sich vom Rausch mit einer letzten Welle überschwemmen.

Werner Schniedel bezog am nächsten Tag die Junior-Suite, dekorierte sich drei Tage lang mit dem violetten Dreieck, das ihn als V. I. P. auswies, indem er seinen Hotelausweis wie ein Einstecktuch ins Jakkett schob. Danach hatte sich beim Personal herumgesprochen, daß das weißhaarige Gespenst mit Sonnenbrille in den erlesenen Gästekreis, deren Wunsch Gesetz ist, aufgenommen worden war. Die dickste Limousine, die der Fuhrpark des Palasthotels zu bieten hatte, ein 735er BMW, wurde ihm reserviert, und da er, obwohl Sonderbevollmächtigter von Europas größtem Autokonzern, keinen Führerschein hatte, bekam er auch einen Chauffeur. Alfred Bunzuweit empfahl in einer großen Telefonrunde seinen wichtigsten Gast bei General- und Kombinatsdirektoren, wobei er immer wieder mit dem Satz *Er sondiert eine Volkswirtschaft für einen Weltkonzern* beeindruckte. Werner Schniedel, der neunzehnjährige Albino, der aussah wie fünfzehn, ließ sich von seinem Chauffeur herumfahren, sprach mit dicken Männern in hohen, aber kippligen Positionen und schien so in die Aufgabe, für die er gekommen war, hineinzuwachsen. Das einzige, was ihm noch fehlte, war eine Freundin.

3

Kathleen Bräunlich war ein unglücklicher Mensch von neunzehn Jahren. Sie befand sich unausgesetzt in einer alptraumartigen Beklemmung: Sie war keine Schönheit. Während sie die anderen in ihrer Lehrlingsklasse – sie lernte *Facharbeiter für Schreibtechnik* und befand sich ungeachtet der maskulinen Berufsbezeichnung in einer reinen Mädchenklasse – um deren seidige Haare beneidete, um frische, fröhliche Gesichter, um ihr ebenmäßiges Aussehen und ihre Figur, die sie entweder »sportlich« oder »fraulich« nannte, während sich Kathleen Bräunlich von Frauen umzingelt sah, die Briefe schrieben und Briefe bekamen, interessante Menschen kannten und ständig etwas erlebten, gefiel sie sich überhaupt nicht. Ihre glanzlosen blonden Haare büschelten wie Heu, und als sie es mit einer Dauerwelle probierte – um zu zeigen, daß auch sie auf ihr Äußeres bedacht ist –, sah es ihr aus, als trage sie ein Vogelnest auf dem Kopf spazieren. Wenn sie Nagellack auftrug, fühlte sie sich nicht im mindesten damenhafter, sondern einfach bloß bemalt. Und auch ihre Erfahrungen mit Make-up waren fürchterlich. Als sie eines Tages ihre Banknachbarin Julia, die sie dreimal die Woche sah, bewundernd anschaute, fragte diese schließlich: »Was ist?« – »Ich wußte gar nicht, daß du so schöne Augen hast«, sagte Kathleen Bräunlich hingerissen. Julia lächelte. »Das Geheimnis schöner Augen liegt allein in den Wimpern und im Lidstrich«, sagte sie leise. Aber nicht das Make-up fiel auf, sondern die Augen, die magisch glänzten. »Mit dem Make-up und den Augen ist es wie mit Rahmen und Bild. Damit ein Bild wirkt, braucht es einen Rahmen.« Das klang überzeugend.

Auch Kathleen wollte ihren Augen durch Wimperntusche und Lidstrich eine geheimnisvolle Ausstrahlung geben. Was sie allerdings im Spiegel sah, wirkte nicht dezent, egal, wie lange sie probierte. Doch sie redete sich ein, daß ihr »der Abstand« fehle und daß sie »einfach nur losgehen« müsse. Als sie ihren Chef begrüßte, sah sie ihn erwartungsvoll an. Der war für einen Augenblick irritiert – ihm fiel also etwas auf! Eine Sekunde später wußte er, was. »Klar, warum auch nicht«, brummte er. Diese Bemerkung brachte Kathleen zum Weinen. Die Tränen verschmierten das Make-up, und so lief sie auf die Toilette, um sich abzuschminken. Julia meinte hinterher, daß es auch Rahmen gibt, die ein Bild erschlagen.

Kathleen Bräunlich war empfindlich, überempfindlich gegenüber jeder Art von Zurechtweisung. Jahrelang war ihr die Stimme des Vaters wie der Widerstand am Fühler eines Insekts, der signalisiert, daß dieser Weg nicht zu gehen ist. Die Zurechtweisungen ihres Vaters waren ungeduldig, herablassend und fordernd zugleich, und sie kamen, so sehr sich Kathleen auch bemühte – bis schließlich sogar Äußerungen, die gar nicht so gemeint waren, bei Kathleen als Zurechtweisung ankamen. Darin lag ihr Unglück – daß sie glaubte, die Welt würde ihr als einzige große Zurechtweisung gegenübertreten. Daß sie ihr Dasein nur in Graduierungen von Ablehnung erlebte.

Diese Überzeugung hatte sich in ihren Körper eingeschrieben. Sie mußte sich nur mit Julia vergleichen. Julia hatte alles, und von allem hatte sie viel: Sie war größer, hatte einen lebhaften Mund, mit Lippen, die zu wuchern schienen, struwwelige, wilde Haare, lachende, leuchtende Augen. Sie redete schnell, und ihre Stimme wurde dabei laut, ohne daß sie es merkte. Ihre Wangen waren voll, die Brüste üppig, und ihre Arme schienen beim Reden ständig den Radius erweitern zu wollen. Alles an Julia schien aus ihr herauszuwachsen, sie schien das Prinzip des unablässigen Hervorbringens zu verkörpern. Kathleen Bräunlich hingegen schien sich unablässig einzuhegen, zu begrenzen. Da hatte ihr Vater ganze Arbeit geleistet: Er hatte sie so oft gestutzt und gedeckelt, daß sich Kathleens Körper nicht mehr zu zeigen wagte. Julia war der blühende Frühling, Kathleen sieben Tage Regenwetter. Ihre Haut war blaß, die Stimme leise, der Blick gesenkt, die Augen waren stumpf, und wenn sie lachte, hielt sie die Hand vor den Mund.

Daß Kathleen Bräunlich die Sekretärin des Parteisekretärs der Sachsenring-Werke wurde, hatte direkt mit dem Unglück ihres Lebens zu tun. Es begann an einem Dienstag im April 1988 mit einem Termin beim Frauenarzt. Um dem stummen Vorwurf – nicht Blicke waren die unterste Stufe der Zurechtweisung, sondern Gedanken, auch jene, die sich der Denkende »nicht anmerken ließ«; Kathleen merkte auch die »nicht anzumerkenden« Gedanken – mangelnder

Hygiene keine Chance zu geben, wollte sie Intimspray benutzen – allerdings nicht so knapp vor dem Termin, daß sich im Behandlungszimmer die Duftnote des heikelsten aller Deos etwa aufdränge. Denn nach Kathleen Bräunlichs Logik benutzt Intimspray nur, wer es nötig hat – und als eine solche wollte sie sich wiederum nicht zu erkennen geben. Der Intimspray sollte während der Untersuchung ihre »zurechtweisungswürdigen« Gerüche in Schach halten, ohne selbst noch zutage zu treten. Neunzig Minuten vor dem Termin verschwand Kathleen in der Toilette der Kantine. »Verschwand« ist das richtige Wort, denn aus Schamgründen verhielt sich Kathleen in der Toilette nicht nur leise, sondern lautlos. Die einzige Mitnutzerin der Toilette konnte gar nicht bemerken, daß sie nicht allein war und betätigte arglos den Lichtschalter, als sie die – im übrigen fensterlose Toilette verließ.

Kathleen Bräunlich saß im Dunkeln. Es war so dunkel, daß sie keinen Unterschied bemerkte, wenn sie die Augen schloß. Sie griff in ihre Handtasche, holte eine Spraydose hervor, nahm die Kappe ab und sprühte sich mit zwei langen Stößen ein. Am Geruch, der sich rasch verbreitete, vor allem aber an einem heftigen Brennen bemerkte sie, daß es Haarlack war; sie hatte in der Dunkelheit falsch gegriffen. Um den klebrigen Haarlack zu entfernen, suchte sie nach einem Tempotaschentuch – das rauhe Toilettenpapier erschien ihr ungeeignet. Sie ertastete ein einzelnes zerknülltes Taschentuch, das sich mit einer in der Handtasche vagabundierenden Solidaritätsmarke des Gewerkschaftsbundes vermählt hatte – die Zacken der Marke hatten sich am weichen Zellstoff verhakt. Das allerdings entging Kathleen. Sie wischte sich gründlich ab und ließ schließlich das Taschentuch in die Toilette fallen. Dann benutzte sie den Intimspray, zog sich das Höschen hoch und verließ die Toilette – nicht ohne Licht zu machen und nachzuschauen, ob sie irgend etwas vergessen hatte.

Als Kathleen zur Untersuchung in das Behandlungszimmer kam, war sie innerlich froh, daß sie den Rat beherzigt hatte, im Rock zum

Frauenarzt zu gehen – sie war bekleidet, aber doch *bereit.* Auf dem Behandlungsstuhl hingegen fand sie sich unangenehm hilflos und ausgeliefert. »Was haben wir denn da?« fragte Dr. Zwanzig, als er zwischen ihren Beinen zugange war – und präsentierte einen Papierschnipsel, den sie sofort als Solidaritätsmarke identifizierte, eine Fünfzigpfennigmarke übrigens. Manche Frau hätte schallend gelacht. Doch Kathleen Bräunlich wurde knallrot. Sie wollte sich vor Scham in Luft auflösen. Dr. Zwanzig spürte das Unbehagen seiner jungen Patientin, und um die Situation zu entspannen, fragte er scherzhaft-belehrend: »Mehr ist uns die Solidarität mit den unterdrückten Völkern nicht wert?« Dann warf er die Solidaritätsmarke in einen Treteimer.

Kathleen Bräunlich zog aus diesem Erlebnis zwei Konsequenzen: Erstens, sie ging nie wieder zu Dr. Zwanzig. Es war ihr peinlich, einem Menschen unter die Augen treten zu müssen, der ihr eine Solidaritätsmarke von den inneren Schamlippen praktiziert hatte. – Zweitens: Ab sofort erhöhte sie den monatlichen Solidaritätsbeitrag auf 2 Mark. Sie hatte Dr. Zwanzigs Bemerkung als Zurechtweisung empfangen, auf die sie reagieren konnte; die Ironie entging ihr völlig.

Nun geschah etwas, was sie nicht beabsichtigt hatte: Sie fiel auf. Mehr noch: Sie tat sich hervor. Denn in ihrer Lehrlingsklasse gab es von Anbeginn den Konsens, die Solidaritätsmarken mit dem geringsten Wert, eben jene Fünfzigpfennigmarken, zu ordern. Doch nun war die graphische Regelmäßigkeit auf den Listen mit den gezahlten Beiträgen, die durch immer gleiche Beträge gewahrt wurde, gestört. Ein Fremdkörper zerriß die Ordnung und holte einen Namen aus der Anonymität heraus: Kathleen Bräunlich.

Man machte sich über sie Gedanken. Warum bezahlt sie als einzige von dreißig Lehrlingen das Vierfache des Üblichen? Und da Kathleen niemandem von ihrem Erlebnis bei Dr. Zwanzig erzählte, wurde zur nächstliegenden Erklärung gegriffen: Kathleen Bräunlich ist eine ganz Überzeugte. Eine, die an den Nutzen von Solidaritätsbeiträgen glaubt, die sich innigst den Sieg unterdrückter Völker wünscht. Eine, die an das glaubt, was in der Zeitung steht. Als am Ende der Lehrausbildung die Berufsanfängerinnen in die Praxis wechseln, konkrete Arbeitsplätze mit ihnen besetzt werden sollten und auch eine Anforderung aus dem Büro des Parteisekretärs der Sachsenring-Werke vorlag, verstand es sich von selbst, daß diese Stelle Kathleen Bräunlich zufiel.

Die unauffällige, unterwürfige, etwas beschränkte, seltsamerweise politisch aber überzuverlässige Kathleen Bräunlich wäre die Richtige für dieses Büro, in dem, unbemerkt von einem volkstümelnden Chef, eisiger Terror herrschte. Sogar die Büropflanzen gingen regelmäßig ein. Doch Kathleen Bräunlich arbeitete insgesamt fast siebzehn Monate im Büro des Parteisekretärs der Sachsenring-Werke. Siebzehn Monate, in denen ihr nie etwas richtig erklärt wurde. Siebzehn Monate, in denen sie nicht ein einziges Mal gelobt, sondern nur getadelt wurde. Siebzehn Monate, in denen nie ein freundliches oder persönliches Wort an sie gerichtet wurde. Siebzehn Monate Aschenputteldasein.

Als sie am Ende ihres letzten und schlimmsten Arbeitstages auf dem Heimweg war, hielt zwanzig Meter vor ihr ein riesiges dunkelblaues Westauto. Weit und breit kein Mensch. Eine Tür ging auf und ein klassisches Orchester spielte etwas Großes, Feierliches. Das mußte der Prinz sein. Kathleen Bräunlich konnte nicht widerstehen.

Dieser letzte und schlimmste Arbeitstag war der zweite Dienstag im Dezember. In den Werkhallen wollte die Spätschicht nicht mit der Arbeit beginnen. Am Vortag hatten Frühschicht und Nachtschicht an der Montagsdemo teilnehmen können, und während ganz Zwickau auf den Beinen war, hatte sich die Spätschicht dem Akkord ergeben. Diese Neutralität tat der Spätschicht am nächsten Tag leid; es gab etwas nachzuholen. Und so zogen ungefähr sechshundert Arbeiter vor das Hauptgebäude, um unter dem Fenster des Parteisekretärs andauernd »Stasi raus!« zu rufen. Sie meinten eigentlich etwas anderes, aber ihnen stand keine passendere Formel zur Verfügung, und da die Demonstranten mittlerweile ihre Parolen wie polizeiliche Legitimationsmarken präsentierten, reichte »Stasi raus!« völlig aus, um sich verständlich zu machen.

Der Parteisekretär war an diesem Dienstag ohnehin nicht im Büro, so daß seine drei Mitarbeiterinnen – die Büroleiterin Kerstin Schulz, die Sekretärin Marion Hartwig und die Bürogehilfin Kathleen Bräunlich – allein damit beschäftigt waren, den Umzug des Büros vorzubereiten, einen Umzug allerdings, den sie nicht mehr mitmachen würden. Sie waren zwar Angestellte des Sachsenring-Werkes, aber das Parteibüro wurde vom Sachsenring vertrieben, »klare Trennung zwischen Betrieb und Parteien«, wie es der Generaldirektor, Dr.-Ing. Helfried Schreiter, in althergebrachtem Duktus, für alle verständlich, formuliert hatte.

Als die »Stasi raus!«-Rufe kein Ende nahmen und ein scheuer Blick aus dem Fenster ergab, daß tatsächlich sie gemeint waren, entschieden die drei Frauen, sich auf der Freitreppe des Hauptgebäudes zu zeigen – um den Beweis zu liefern, daß sie ganz normale Menschen und keine Stasi waren.

Als die drei Frauen, die sich untereinander nie riechen konnten, auf der Freitreppe erschienen, wurden die »Stasi raus!«-Rufe noch lauter und wütender. Das verwirrte am meisten Kathleen Bräunlich; sie war nicht mal in der Partei, hörte die »Stasi raus!«-Rufe jedoch als Vorwurf. Das wollte sie richtigstellen, und zwar gleichfalls mit einer Parole. Zeuge ihrer ungeheuren Tat – daß sie Hunderten Menschen, die einer Meinung waren, entgegentrat, indem sie etwas laut herausrief, war eine ungeheure Tat – wurde Werner Schniedel, der während seines Gesprächs mit dem Leitungskollektiv um Dr.-Ing. Helfried Schreiter wegen der lauter werdenden »Stasi raus!«-Rufe neugierig wurde.

Er sah, wie Kathleen Bräunlich vor einer fäusteschüttelnden, schreienden Menge stand, er sah, wie sie die erste Stufe der Freitreppe hinunter der Menge entgegenging und mit einer gebieterischen Armbewegung um Ruhe bat. Dann rief sie zaghaft: »Wir sind das Volk!« und blickte scheu zu Frau Schulz und Frau Hartwig, ob die sich an ihrem Ruf beteiligen wollten. Ja, sie war bereit, Frau Schulz und Frau Hartwig als Volk auszugeben und ihnen siebzehn Monate schändlicher Behandlung zu vergeben.

Doch Frau Schulz drehte sich betreten zur Seite, Frau Hartwig machte ein entsetztes Gesicht, und die Menge begann nach einem Augenblick der Verblüffung zu lachen. Das Gelächter griff mehr und mehr um sich, so daß sich Kathleen Bräunlich als Spottfigur fühlte, ausgelacht von sechshundert Arbeitern der Spätschicht. Die »Stasi raus!«-Rufe lebten nicht wieder auf, die Demonstration zerstreute sich; das Volk war auf seine Kosten gekommen.

Kathleen Bräunlich lief zurück in das Hauptgebäude und schloß sich in der Toilette ein. Ihr Versuch war gescheitert. Sie hatte die einmütige Zurückweisung ihres Ansinnens, das Volk zu sein, erlebt. Es war das erste und das letzte Mal, daß sie »Wir sind das Volk!« rief.

Für Werner Schniedel war jener zweite Dienstag im Dezember ein großer Tag. Er hatte Alfred Bunzuweits Angebot angenommen und einen Kontakt zum Generaldirektor der Sachsenring-Werke, Dr.-Ing. Helfried Schreiter, knüpfen lassen. Es war naheliegend, daß Volkswagen mit Trabant redet.

Am Dienstagmorgen um acht fuhr er mit Herrn Krause vom Palasthotel ab. Herr Krause war privat Trabantfahrer und konnte Werner Schniedel in allen Details über Modellfolgen, Ausstattungsvarianten, Motorisierung, Wartezeiten, Werkstattdichte, Ersatzteilbeschaffung, Problemzonen, Pannenverhalten und Sicherheitsmängel informieren. Die letzte Dreiviertelstunde erzählte Herr Krause Trabi-Witze. Werner Schniedel zog aus allem den Schluß, daß der Trabant kein gewöhnliches Auto ist.

Dr.-Ing. Helfried Schreiter erwartete seinen hohen Besuch am Tor. Er begriff, was um ihn herum vorging. Auch wenn der Gast erst gegen ein Uhr eintreffen sollte, stellte sich Dr.-Ing. Helfried Schreiter bereits eine Viertelstunde vor zehn an das Haupttor und wartete. Überall konnte man ihn angreifen, aus dem Amt jagen, entmachten – hier nicht. Solange er auf einen wichtigen Westbesucher wartet, ist er unantastbar. Solange er mit einem Sonderbevollmächtigten der Volkswagen AG verabredet ist, wird ihm niemand etwas tun. So viel verstand Dr.-Ing. Helfried Schreiter von den Zeiten, die er durchmachte.

Die Straße regiert. Diesen Satz hatte er letztens sogar geträumt, und eine Verwirrung hatte ihn geweckt, denn seine eingeschläferte Logik hatte ihn als Schuldigen dafür ausgemacht, daß die Straße regiert: Weil er die Autos baute, um derentwillen eine jede Straße, die nun regiert, gebaut wurde. Als er wach war, zerfiel der Traum, wurde zu einem lächerlichen Nonsens und zu einem unerklärlichen, doch tiefen und eindringlichen Schuldgefühl.

Allerdings, der Traum hatte eine Moral: Die Straße regiert, und er war nicht Straße. Er war ihr ausgeliefert, der Straße. Niemand deckte ihn mehr, die Straße konnte mit ihm anstellen, was sie wollte. Zum Glück traute sich keiner von denen zu, einen Betrieb mit siebentausend Arbeitern und Angestellten zu leiten. Und solange Häuptlinge von VW einreiten, wird niemand den Generaldirektor antasten. Das mache ihm mal einer nach, VW-Häuptlinge einreiten zu lassen!

Daß ausgerechnet die ihn retten sollten, war der blanke Hohn. Er hatte vom Westen die Nase voll. Die Familie war ein Trümmerhaufen, seitdem Carola weg war. Er hätte sich über kurz oder lang dazu verhalten müssen, zu seiner republikflüchtigen Tochter. Hätte sie mit einem Bannfluch belegen müssen oder wäre als Generaldirektor untragbar geworden. Er hatte, weil er sich nicht zwischen Pest und Cholera entscheiden konnte, ihre Flucht einfach verheimlicht – und ehe die Mühlen zu mahlen begannen, dankte das System ab. Und trotzdem brachte er es nicht fertig, Carola in Westberlin zu besuchen – obwohl er sie so liebte. Seine Frau fuhr ständig hin. Hatte sogar diesen jungen Mann, ohne den Carola noch hier wäre, zu Weihnachten eingeladen. »Daß se ooch mol guggn komm', von wo se de Carola endfierd ham«, wollte sie gesagt haben – und das fand Dr.-Ing. Helfried Schreiter überhaupt nicht komisch. Das Wort *entführt* hatte einen tragischen Klang, denn der junge Mann hatte Carola tatsächlich entführt. Und nicht nur das: Er wurde von Roswitha zu so einer Art Prinz erhöht, dessen Blick auf die Tochter einfacher Leute gefallen war. Alles in Roswithas Erzählungen drehte sich um Carola in Westberlin. Alles drehte sich um Weihnachten. Alles drehte sich darum, was für einen Eindruck wohl der junge Mann, der Carola in den Westen mitgenommen hat, von den Schreiters gewinnen würde. Kurz: Alles drehte sich darum, was ein *Student* von ihnen halten werde. Denn der junge Mann war kein Prinz, und die Schreiters waren keine einfachen Leute. Daß er ein Werk mit siebentausend Leuten zu leiten hat, daß er nicht weiß, wie der Sachsenring überleben soll, wenn die Fachkräfte abwandern und zugleich Gebrauchte für ein paar hundert Westmark eingeführt werden können – das interessiert seine Frau überhaupt nicht. Der Rückhalt, den er in der Familie immer gespürt hatte, war weg, und damit wurde alles so lähmend sinnlos. Daß er sich drei Stunden lang zum Warten ans Tor stellte, war Ausdruck seiner Resignation und zugleich hilflos, aber was sollte er machen? Seine Frau mischte sich bei den Montagsdemos unter die Demonstranten, hoffte zugleich aber, daß niemand sie erkennt. War das etwa nicht hilflos?

Dieser Dienstag hatte es in sich. Am Dienstag waren die Leute immer so aufgehetzt von diesen Montagsdemos. Seitdem er am Tor wartete, wurde er schon mehrmals von der Belegschaft scharf angeguckt, als ob die ihm sagen wollten, daß er ganz oben auf der Liste steht. Es nahm kein Ende. Die Leute hatten alles bekommen, was sie wollten – Rücktritte, Verzicht auf den Führungsanspruch der Partei, Reisefreiheit, Pressefreiheit, Meinungsfreiheit, Abschaffung der Staatssicherheit –, und sie demonstrierten weiter. Diese Demonstrationen, urteilte Dr.-Ing. Helfried Schreiter, fanden sich nicht unter dem Dach von Forderungen zusammen. Es war mittlerweile umgekehrt: Die Demonstrationen waren dazu verdammt, Forderungen zu gebären, und es war nur noch eine Frage der Zeit, wann sie seinen Rücktritt fordern würden. Alle über ihm waren schon zurückgetreten: Sein Minister, sein ZK-Sekretär, sein Bezirksparteichef. Dr.-Ing. Helfried Schreiter hatte erst gestern auf einer Belegschaftsversammlung dem Parteichef der Sachsenring-Werke untersagt, im Betrieb weiter politisch tätig zu sein. Er wollte diese Neuigkeit, die auch eine Neuigkeit für den Parteisekretär war, staatsmännisch souverän verkünden, ein Akt a conto Führungsstärke. Aber dann brannte ihm eine Sicherung durch. Er verlangte plötzlich von Oppel, seinem Parteisekretär, kategorisch die Herausgabe des Betriebsausweises und zerriß ihn vor aller Augen. Er dürfe das Werk nur noch mit Besucherschein betreten und auch das nur, um das Büro zu räumen. Die Belegschaft war überrumpelt; daß der Werksdirektor seinen eigenen Parteichef vor aller Augen abserviert, hatte niemand erwartet. Selbst Dr.-Ing. Helfried Schreiter nicht. Er wollte das Büro auflösen, das ja – aber dann war die Dramatik über ihn gekommen. Er wollte weiter gehen, als es die Belegschaft erwartete, er wollte sich an die Spitze der Bewegung setzen, aus Angst. Seine Aktion wird zwei Wochen lang Eindruck machen, dann wird man sie entweder vergessen oder so bewerten, wie sie es verdient: als mies und ekelhaft. Er hatte mit Oppel jahrelang auf demselben Flur gearbeitet. Er mochte ihn nicht besonders, diesen kurzbeinigen, stämmigen Mann, der jedermann ansprach und ungeniert sein Anliegen vortrug. Einmal hatte er Helfried Schreiters Sohn Marco gestellt, als der das Büro seines Vaters verließ, ein Trabi-Ersatzteil für einen Bekannten unterm Arm. Marco war sich genauso ertappt vorgekommen wie Dr.-Ing. Helfried Schreiter – das Wegschaffen von Ersatzteilen war etwas, bei dem sich Wegschauen ziemte, auch wenn das Ersatzteil regulär entnommen und bezahlt wurde. »Sag mal«, hatte Oppel angehoben, um eine Pause zu machen, und Marco hatte dagestanden, mit dem Ersatzteil unterm Arm. »Wie lange gehst du denn zur Armee?« –

»Drei Jahre«, hatte Marco geistesgegenwärtig gelogen – und Oppel klopfte ihm auf die Schulter und sagte: »Recht so, das Land braucht Soldaten!« Damit ließ er Marco stehen; wahrscheinlich hatte er schon den nächsten am Wickel. Zu dieser Schamlosigkeit wäre Dr.-Ing. Helfried Schreiter nie in der Lage gewesen; als gebürtiger Dresdner hatte er Affinität zu allen Varianten aristokratischen Benehmens.

Zu dieser Art, die meist als volksnah, von Dr.-Ing. Helfried Schreiter als peinlich empfunden wurde, gesellte sich eine weitere Eigenschaft: Hans-Werner Oppel war immun gegen Beleidigungen. Gewiß, er war ein Trampeltier – aber ein gutmütiges Trampeltier. Nicht selten wurden ihm, dem Sekretär der verhaßten Partei, offene Unverschämtheiten hingeworfen, aber die lösten in ihm nur Larmoyanz aus: Spott bildet seit jeher das Begleitkonzert für jene, die sich für die Allgemeinheit aufopfern, Anfeindungen sind das Los des Revolutionärs. Er verzichtete darauf, zu drohen oder einzuschüchtern, er wollte geduldig und allein mit dem Beispiel seiner Person den Antikommunismus ad absurdum führen. Sein mangelnder Argwohn machte es leicht, ihn einfach so vor den Augen der Belegschaft abzuschießen, aber genau das bereitete Dr.-Ing. Helfried Schreiter ein schlechtes Gewissen. Dieses Land macht uns alle zu Schurken, dachte er. Es bringt das Schlechte aus uns heraus. Vielleicht will es deshalb keiner mehr.

Endlich kam der Wagen, etwa zehn Minuten nach eins. Ein dunkelblauer BMW der Luxusklasse. Die Schranke klappte hoch, eine lächerliche, hastige Bewegung, verglichen mit der ruhigen Kraft des ankommenden Fahrzeugs.

Der Nachmittag begann mit einer Werksbesichtigung. Als Werner Schniedel, von Dr.-Ing. Helfried Schreiter geführt, einen leibhaftigen Trabant vom Band rollen sah, befaßte er sich mit dem frischsten aller Trabis wie ein Restaurantkritiker mit dem Menü eines Sternekochs. »Ein ganz ungeschminktes Auto, in den Proportionen gelungen. Sieht sehr gutmütig aus. *Trabi* klingt auch lieb. Das Design macht uns nichts vor. Die Türen sehen nach Türen aus, die Räder nach Rädern, die Frontpartie ist nichts als Frontpartie, die Lampen sind wie Kulleraugen, und hinten die Andeutung von Heckflossen. Großartig. Auto pur.«

Dr.-Ing. Helfried Schreiter entriegelte die Motorhaube und ließ Werner Schniedel einen Blick auf den Motor werfen. »Das soll fahren?« entfuhr es dem, und sofort bereute der, was ihm da entschlüpft war. Natürlich soll das fahren, es wird auch fahren – wie fast drei Millionen Trabis zuvor. »Dann fahrn wir mal ne Runde!« sagte er fröhlich und setzte sich auf den Beifahrersitz, während Dr.-Ing. Helfried Schreiter hinter dem Lenkrad Platz nahm. Fast gleichzeitig schlugen sie die Türen zu. Das Geräusch war so billig, daß Werner Schniedel wußte, er würde unglaubwürdig werden, wenn er dem Wagen weiter Komplimente machte. »Die Tür ist die Visitenkarte eines Autos, sagt Papa immer. Der Mensch wird von einem Auto verführt, und er weiß nicht, wieso. Papa sagt, es ist das Türenklappen. Wir haben einen Ingenieur, der sich nur darum kümmert. Unsere Türen sind so paßgenau, daß sie luftdicht schließen. Die letzte Tür schließt immer etwas schwerer, weil die Luft nicht weiß, wohin.« Dr.-Ing. Helfried Schreiter hörte dem schmächtigen Sonderbevollmächtigten höflich zu. Neu war ihm das nicht.

Dann startete er den Motor. Der Wagen sprang beim ersten Versuch an, Gott sei Dank, dachte Dr.-Ing. Helfried Schreiter, die Blamage war ausgeblieben. Daß in den Ohren des VW-Mannes das helle und hektische Geräusch des Zweitakters bloß nicht nach Rasenmäher statt nach Auto klingt!

Werner Schniedel registrierte, wie das ganze Auto von Vibrationen erfaßt wurde, die aber nicht das Gefühl von Geborgenheit aufkommen ließen, wie es Motorvibrationen oft tun; diese hatten was von Psychoterror. Vielleicht, dachte Werner Schniedel, sollte der Volkswagen des Sozialismus die Werktätigen im Joch schleichender Hirnerweichung halten.

»Das ist das Auto, das wir bauen dürfen, nicht das Auto, das wir bauen können«, sagte Dr.-Ing. Helfried Schreiter und legte den ersten Gang ein. Die Gangschaltung war ein rechts neben dem Lenkrad stehender rohrähnlicher Griff, der herausgezogen oder eingedrückt, nach oben oder unten gedreht werden konnte. Es war unmöglich, damit auch nur annähernd so entschlossen, so männlich zu schalten wie mit einer Knüppelschaltung. Dr.-Ing. Helfried Schreiter faßte den Schalthebel wie einen Füllfederhalter an – und konnte ihm dennoch nicht die Noblesse der filigranen Schaltung jener Straßenkreuzer verleihen, die wegen der durchgehenden Sitzbank den chromblitzenden Schalthebel neben das Lenkrad plazieren.

Der Wagen gewann schnell an Tempo. Wenigstens die Beschleunigungsphase war keine Blamage, wie Dr.-Ing. Helfried Schreiter befriedigt feststellte. Dafür nahm auch der Lärm im Fahrzeug zu. Werner Schniedel richtete sein Interesse auf die Innenausstattung. Sie war auf das Nötigste reduziert, präsentierte sich aber nicht in souveräner Schlichtheit, nicht selbstbewußt minimalistisch, sondern beleidigend spartanisch. Das Existenzminimun an Ausstattung, bis aufs Skelett abgemagert. Die vorderen Fenster ließen sich herunterkurbeln, der Türgriff war als Armlehne aber zu klein. Oberhalb der Aufhängung für den Sicherheitsgurt war eine Schlaufe aus Weichgummi. Anstelle eines Handschuhfachs gab es eine breitspurige offene Ablage unterhalb der Armaturen. Die wiederum waren spärlich und enthielten sich jeder Raffinesse, jeder individuellen Note. Es war eng und laut, die Sitze waren unbequem. Ein Volk, das mit diesem Auto bis ans Schwarze Meer gefahren ist, muß man in seinem Fernweh ernst nehmen, entschied Werner Schniedel.

Nach einer Dreiviertelstunde Werksbesichtigung fand sich Werner Schniedel im Besprechungszimmer des Generaldirektors wieder. Dr.-Ing. Helfried Schreiter hatte alle seine Direktoren, sieben an der Zahl, und den weißhaarigen Hauptbuchhalter hinzugeholt. Werner

Schniedel hatte er neben sich gesetzt, an die Stirnseite. Dr.-Ing. Helfried Schreiter hatte noch immer keine Ahnung, weshalb die Volkswagen AG einen Sonderbevollmächtigten schickte – aber er war von Hoffnung erfüllt. Der VW-Sonderbevollmächtigte kam, um etwas anzufangen, nicht, um etwas abzubrechen, das spürte Dr.-Ing. Helfried Schreiter sicher. Deshalb holte er sein gesamtes Leitungsteam hinzu, um allen zu zeigen: Wer mich torpediert, der gefährdet die neue Kooperation mit VW.

Die Besprechung begann kurios. Dr.-Ing. Helfried Schreiter stellte zunächst seine Direktoren vor, ohne in einen allzu offiziellen Ton zu fallen; den wollte er dem Sonderbevollmächtigten überlassen. Der glaubte für einen Moment, kommunistische Leitungssitzungen seien Plauderstündchen, ehe ihm dämmerte, daß er den Vorsitz übernehmen sollte. Das behagte ihm gar nicht. Diese Männer waren ihm fremd. Sie lächelten ihn freundlich, fast ergeben an; sie warteten darauf, gewiesen zu werden. Schniedel saß einer Lebenserfahrung gegenüber, die seine eigene um mehr als das Zwanzigfache übertraf. Das einzige, was ihm Autorität verschaffte, war, daß sie in ihm den Vertreter eines Konzerns sahen, der über mehr als das Zwanzigfache an Kapital verfügte.

Die Direktoren brannten darauf, ihn zu unterstützen. Der weißhaarige Hauptbuchhalter lächelte dem weißhaarigen Sonderbevollmächtigten zu; ihm war anzumerken, daß er in Werner Schniedel die *Jugend* sah, über die früher so viel in der Zeitung stand, eine *Jugend*, die *all unsere Unterstützung und unser Vertrauen verdient.* Dazu war der Hauptbuchhalter leichten Herzens bereit. Er hatte in der Wehrmacht gedient und einen Fall von Selbstverstümmelung angezeigt, was den Denunzierten vors Kriegsgericht führte, er war in sowjetische Kriegsgefangenschaft geraten und hatte dort ohne die üblichen Zusammenbrüche eine neue Überzeugung angenommen, ohne Fragen, Suche, Zweifel. Im Rahmen dieser Überzeugungen konnte er denken und argumentieren, ohne sich je von Leidenschaft überwältigen zu lassen. Das Buchhalterdasein gestattete ihm eine gewisse Distanz und Objektivität – er war für nichts verantwortlich, was geschah, er hatte es nur zu bilanzieren. Diese kalte Ergebenheit dem Objektiven gegenüber wurde sein Markenzeichen. Doch als er Hauptbuchhalter wurde, sollte er nicht mehr nur das Geschehen bilanzieren – seine Bilanzen sollten ein Geschehen fingieren. Er sollte mit Zahlen lügen. Er konnte mit Zahlen umgehen, aber er konnte nicht mit ihnen lügen. Binnen vier Jahren waren seine Haare weiß. Und nun lächelte er, mit schwimmenden, hellblauen Augen. Lächelte und war bereit.

Der *Direktor Fertigung* guckte grimmig und skeptisch – er hatte Probleme mit Schniedels Alter. Auch der *technische Direktor* schaute Schniedel skeptisch, aber nicht unfreundlich an. Eher enttäuscht, daß ein Junior kam, kein alter, mit allen Wassern gewaschener Inge nieur.

»Wir haben in der letzten Woche den Bau des Trabant-Nachfolgers beschlossen«, sagte Dr.-Ing. Helfried Schreiter in einem Ton, der die Wendung ins Offizielle markierte. »Mit Sitz in Wolfsburg, wo die Planungs-GmbH die Vorarbeiten leisten soll.«

»Davon weiß ich nichts«, entfuhr es Werner Schniedel, und im selben Moment spürte er, daß die Runde dies als Affront auffaßte. »Entschuldigung, aber davon weiß ich wirklich nichts. Ich bin seit mehreren Wochen im Lande und sondiere die Lage, aber ich bin nicht über alle Aktivitäten der Konzernmutter im Bilde.« Er räusperte sich verlegen.

»Aber das müssen Sie wissen!« sagte der technische Direktor. »Es stand in allen Zeitungen.«

»Wie gesagt, es tut mir leid, aber darüber wurde ich nicht informiert.«

Und nun wurde die ganze Enttäuschung des Sachsenrings vor Werner Schniedel ausgekippt. Seit Jahren gab es eine Kooperation zwischen VW und Sachsenring. In Karl-Marx-Stadt wurden für VW sogar die Motoren gebaut, die bekanntlich das Herzstück eines Autos sind. Sie wurden bisher nach Wolfsburg geliefert, sollten aber auch in den neuen Trabant eingebaut werden, der bald in Serie gehen würde. Doch die Verhandlungen darüber wurden von VW mit wenig Leidenschaft betrieben, eine Delegation der Namenlosen kam, um über das Kleingedruckte zu feilschen, und nicht, um »ein neues Kapitel Automobilgeschichte aufzuschlagen« oder »die Beziehungen zu vertiefen«. Lediglich zur Vertragsunterzeichnung kam ein Vorstand, aber der leerte nicht mal das Glas, das nach den Unterschriften erhoben wurde. Der wollte gleich wieder weg. Nichts wissen wollte der davon, wie in Zwickau Autos gebaut wurden.

Dabei wurden in Zwickau schon seit langem Autos gebaut, »länger als in Wolfsburg«, wie einer der Direktoren mokant einwarf. Und mit diesem Verweis auf die Geschichte brachen alle Dämme – Werner Schniedel erfuhr in der nächsten Viertelstunde die Automobilgeschichte aus Zwickauer Sicht. Wörter, Sätze prasselten auf ihn nieder, und wenn einem der Direktoren die Luft ausging, übernahm sofort der nächste, um endlich mal zu sagen, was sie schon immer sagen wollten. Völlig zu Unrecht sei der Trabi Gegenstand von Witzen. Die Karosserie ist nämlich aus Kunststoff, nicht aus Pappe, mit Pappe hat sie nichts zu tun. Ein revolutionärer Werkstoff aus PVC und Epoxydharz – »Was daran ist Pappe?!« –, der in den fünfziger Jahren entwickelt worden war, leichter als Stahl und damit ökonomischer für den Treibstoffverbrauch, und obendrein korrosionsbeständig. Aber da die Montanindustrie hoch subventioniert wurde, gab es im Westen nie eine Chance, daß sich die Autoindustrie von Stahlkarossen abwendete und nach Alternativen suchte. Und der Motor, ein Zweitaktmotor – niemand sonst auf der Welt baut Zweitaktmotoren in Autos ein. Wie könnte die Welt aussehen, wenn sich ein großer Automobilhersteller auf den Zwickauer Weg einließe? Da macht der mal eine Erfindung, dann der – wir hätten heute in der Automobilindustrie ganz andere Zweitaktmotoren. Und ganz andere Karosserien! Der Trabi ist doch nicht das letzte Wort, und da auch die verfluchte Staatliche Plankommission den Trabi nicht entwickeln, sondern gerade mal bauen lassen wollte, ist es doch kein

Wunder, daß der Trabi zum Gespött wurde. Dabei waren die Ansätze so vielversprechend! – Oder der Wankelmotor. Jeder ingenieurtechnisch halbwegs interessierte Mensch betet den Wankelmotor an: Nicht nur, weil der Wankelmotor über drei Brennkammern verfügt, eine harmonische, ausgleichende Zahl, eine *königliche* Zahl! Sondern weil im Wankelmotor die Brennkammern genau in der Umdrehungszahl des Motors rotieren – anders als beim Otto- oder Dieselmotor, wo sie starr im Motorblock sitzen und sich in ihnen der Kolben hebt und senkt. Auf welch schöner, eleganter Idee doch der Wankelmotor fußt: Der Brennstoff wird im Augenblick der Energiefreisetzung genau jener Bewegung unterworfen, die er erzeugt; er darf noch die Bewegung erleben, für die er vernichtet wird. Nur Honda und Trabant haben sich ernsthaft an die massenweise Umsetzung dieses ingenieurtechnischen Bonbons gewagt, bei dem es natürlich auch einen Teufel gab, der im Detail steckte. Doch erst als Honda die Entwicklung einstellte, war auch bei Trabant Schluß: Man wollte sich nicht schon wieder auf einer einsamen Insel plagen.

Am schmerzhaftesten war jedoch die Sache mit dem Fließheck. Schon Ende der sechziger Jahre existierte ein Prototyp für den Nachfolger des Trabant, in einem revolutionären Design: Einen Wagen mit etwas, für das es noch keinen Namen gab, was heute aber Fließheck genannt wird. Das Modell wurde im Politbüro vorgestellt, und die Genossen in Berlin waren sich einig: So etwas brauchen unsere Werktätigen nicht. 1972 baute Renault den ersten Wagen der Automobilgeschichte, der ein Fließheck hatte, den R 5, und seit 1975 gibt es den VW Polo, der, wie um den Zwickauer Schmerz noch zu vergrößern, dem nie gebauten Trabant glich wie ein Ei dem anderen. Daß der Trabant, der seit Mitte der sechziger Jahre gebaut wurde, auch noch heute gebaut wird, hat niemand von denen zu verantworten, die hier im Raum sitzen, erfuhr Werner Schniedel. Und überhaupt kann wohl kein Zweifel daran bestehen, wie innovativ, enthusiastisch und mit welch utopischem Wagemut in Zwickau Autos entwickelt wurden. Schon in den frühen dreißiger Jahren wurde hier der legendäre DKW F1 binnen sechs Wochen von der Idee bis zur Serienreife entwickelt – aber lassen wir diese ollen Kamellen. »Der Trabant ist das Auto, das wir bauen müssen, nicht das Auto, das wir bauen können!« rief nun auch der technische Direktor aus. Gerade wenn ein VWler den Trabant-Prototypen vom Ende der sechziger Jahre sieht, fand der Direktor Fertigung, müsse er doch dem Sachsenring die Bude einlaufen – statt dessen schicken sie die letzten Hintersassen, nehmen uns nicht ernst, leeren das Glas nicht mit uns, und ihr Sendbote weiß nicht mal, was wir erst letzte Woche vereinbart haben!

Das war die Automobilgeschichte aus Zwickauer Sicht.

Die acht Direktoren und der Hauptbuchhalter sahen Werner Schniedel feindselig an und schwiegen. Der räusperte sich und versuchte es mit unsicheren, beschwichtigenden Sätzen: »Ich bin, wie gesagt, nicht fest in die Konzernstruktur eingebunden. Ich habe auch keinen Auftrag bekommen, nach Zwickau zu gehen. Ich sondiere für einen Weltkonzern eine Volkswirtschaft. Allerdings, in Strategiefragen habe ich einen kurzen Weg zum Ohr des Vorstandsvorsitzenden.«

Das machte nicht viel Wirkung. Die Direktoren waren in Fahrt gekommen, und als Werner Schniedel aus dem Fenster schaute, sah er, daß auch die Spätschicht in Fahrt gekommen war: Sechshundert Kehlen riefen »Stasi raus!«. Er verfolgte den lächerlichen Auftritt Kathleen Bräunlichs, die Volk sein wollte – und merkte, daß auch er in Fahrt kommen mußte, wenn er hier nicht sang- und klanglos untergehen wollte.

Er begann ungeordnet. Er produzierte Text und hoffte, sich irgendwann in einen Rausch zu reden, der diese Runde in den Bann zieht. Er redete hastig, abgehackt und mit viel Luft. Sein Herz raste, er hyperventilierte. Er versuchte zu vergessen, daß er dem Zwanzigfachen an Lebenserfahrung gegenüberstand. Rede!, befahl er sich. Rede, und der Rest ergibt sich von selbst!

»Sie wollen einen Neubeginn. Gut. Das ist unternehmerisch gedacht. Schumpeter, die schöpferische Zerstörung. Gibt's hier eine Teststrecke? Nein? Kennen Sie Schumpeter? Friedrich Schumpeter?« Er war sich sicher, daß Schumpeters Vorname nicht Friedrich war, aber der Lehrer seines Wirtschaftsgymnasiums, der hin und wieder von Schumpeter redete, hieß Herr Friedrich. »Schumpeter war einer der Theoretiker der freien Marktwirtschaft, der dem Unternehmer eine wichtige Rolle zugestanden hat. Anders als Karl Marx« – hier war sich Werner Schniedel mit dem Vornamen sicher –, »der sich mehr für die Arbeiterklasse interessiert hat. Sie haben immer von sich behauptet, daß Sie die Arbeiterklasse seien oder sie vertreten oder führen. Bei VW, entschuldigen Sie, steht die Arbeiterklasse am Band. Vielleicht waren die VWler zu Ihnen so ...« – wegwerfende Handbewegung –, »weil Sie denen gegenüber nicht klargemacht haben, daß Sie in Ihren Herzen Unternehmer sind. Da müssen Sie ansetzen. Beweisen Sie sich als Unternehmer!«

Was Werner Schniedel so dahinimprovisierte, verblüffte ihn selbst.

»Noch mal, Friedrich Schumpeter und die schöpferische Zerstörung, *die* Leistung des Unternehmers, seine historische Daseinsberechtigung überhaupt. – Haben Sie eine Teststrecke? Nein? Gut, dann nehmen wir die Straße dort. Meine erste, meine allererste Erinnerung in meinem Leben hat damit zu tun, daß wir, also VW, den Käfer in Deutschland nicht mehr bauen wollten. Der Käfer, *die* Autolegende, er läuft und läuft und läuft – und nun sollte er nicht mehr laufen. Papa sagt sogar heute noch, bei jedem Auslandsbericht, wenn der Reporter auf der Straße steht: ›Es fährt immer ein Käfer durchs Bild.‹ Schaun Sie mal hin, ob Amsterdam, Rio, Beirut, Jakarta – es fährt immer ein Käfer durchs Bild. Die Firma hieß Volkswagen, und der Käfer *war* der Volkswagen, und nun sollte er nicht mehr gebaut werden. Da sind also die Herren vom Vorstand auf die Teststrecke gegangen, jeder hat sich in einen Käfer gesetzt, dann haben sie Gas gegeben und bei siebzig, achtzig Sachen eine Vollbremsung gemacht. Die linke Straßenhälfte war trocken, die rechte naß. Die Wagen sind alle ins Schleudern gekommen. Sie schlitterten über die Teststrecke, die Reifen quietschten und qualmten, die Motoren lärmten, und es ging zu wie beim Brezelbacken. Jeder hat das vier-, fünfmal gemacht, es war eine einzige Rutschpartie, aber es war aufregend, ungewöhnlich, abgefahren, durchgeknallt, irre – und vor allem war es unternehmerisch. Dann sind sie ausgestiegen, haben das Band gestoppt und den Golf gebaut. Sie sind nie wieder in einen Käfer eingestiegen – so was ließ sich einfach nicht toppen.«

Kunstpause.

»Sie wollen Unternehmer sein? Dann machen Sie das! Sie haben keine Teststrecke? Wir nehmen die Straße da unten. Wir brauchen neun Trabis.« Dann wandte er sich an Dr.-Ing. Helfried Schreiter. »Ich fahr mit Ihnen.«

Zwanzig Minuten später stand Werner Schniedel inmitten von neun Trabis, die ums Karree fuhren: Sie beschleunigten, bremsten, schleuderten herum, indem sie sich mehrmals um die eigene Achse drehten. Das flache Dach setzte auf der Straße eine Schattenkante, jenseits der das Eis getaut war, so daß die linken Reifen auf Eis, die rechten Reifen auf trockener Fahrbahn fuhren und die Wagen beim Bremsen sofort ins Schleudern kamen. Von der rückwärtigen Seite der langgestreckten Werkhalle aus Klinkermauerwerk fuhren die neun Wagen dann wieder an den Ausgangspunkt zurück.

Schniedel mußte sie antreiben, der Generaldirektor, sein siebenköpfiges Direktorium und der Hauptbuchhalter waren für seinen Geschmack viel zu vernünftig. In der ersten Runde fuhr niemand schneller als im ersten Gang, und bei der Vollbremsung, die oft keine war, brachten manche den Wagen mit fahrschulmäßigen Manövern wieder unter Kontrolle. Schniedel schrie und tobte und wedelte mit den Armen – das Männlein mit der Sonnenbrille und den schlohweißen Haaren schien über ein erstaunliches Maß an Energie, Wahnsinn und Fanatismus zu verfügen: »Los! Schneller! Dritten Gang! Ausfahren und dann Vollbremsung! Schumpeter! Schöpferische Zerstörung! Jaaaa! Jaaa! Stoffff! Gib Gas, Mann! Tempo! Schumpeter! Machs für Schumpeter!« Die schmächtige Gestalt mit ihrem hemmungslosen, einpeitschenden Geschrei und ihren übersteigerten, ruckhaften Bewegungen hatte Erfolg: Werner Schniedel brachte die kreisende Karawane schließlich in Schwung. Das Schleudern war nicht wirklich gefährlich, denn die Wagen rutschten einfach in gerader Richtung weiter, nur daß sie dabei um ihre eigene Achse kreiselten – und so stieg er bei Dr.-Ing. Helfried Schreiter ein, trieb ihn vom Beifahrersitz aus an und schrie wie auf der Achterbahn, als der Wagen schleuderte. Doch nach drei Runden mußte er erneut die Dosis erhöhen. Er stieg aus und hielt eine atemlose, abgehackte Rede, der Irrsinn flackerte in seinen Augen. Röcheln und undefinierbare animalische Laute streuten sich zwischen die gehetzten Worte. »Schumpeter. Besser als VW. Müßt ihr machen. Einfach später bremsen. Bis der erste Wagen gegendonnert. Die andern rauf. Dann ist vorbei. Schöpferische Zerstörung. Bis alles in Scherben fällt.«

Schniedel wollte den ersten Wagen so spät abbremsen lassen, daß er gegen die Mauer einer Werkhalle rutscht, selbstverständlich schleudernd. Die nachfolgenden Wagen sollten ebenfalls später abbremsen – was in einer Massenkarambolage schleudernder Trabis münden würde, in einem neunfachen Totalschaden. Werner Schniedel stieg in den ersten Trabi, zu Dr.-Ing. Helfried Schreiter. Werner Schniedel war der Sohn des Vorstandsvorsitzenden, der Sonderbevollmächtigte, der die Lage sondieren sollte. Doch das hier, fand Dr.-Ing. Helfried Schreiter, war grenzwertig. Er sagte leise: »Ich hab Familie.« Werner Schniedel schrie ihn an, sofort, ohne Vorwarnung; *Familie* schien ein Reizwort für ihn zu sein: »*Na und?* Mein Vater hatte auch Familie. Und denken Sie, ich hab den je gesehen? Der war nie vor neun zu Hause, hatte immer zu tun, Arbeit bis hier, an Wochenenden, feiertags, ranklotzen war die Devise, egal, was meine Mutter ... Von nichts kommt nichts!«

So war das nicht gemeint, dachte Dr.-Ing. Helfried Schreiter verschüchtert, legte den ersten Gang ein und fuhr an, die Schattenkante zwischen den Rädern. Er schaltete in den zweiten Gang und in den dritten. Er beschleunigte ruhig, denn diesmal würde er später bremsen. So legte er auch noch den vierten Gang ein. Er registrierte befriedigt, daß Werner Schniedel zumindest so vernünftig wurde, sich rasch den Sicherheitsgurt anzulegen. Kaum hatte Dr.-Ing. Helfried Schreiter das Klicken gehört, stemmte er seinen rechten Fuß in die Bremse. Der Wagen schleuderte und riß ihn und seinen Beifahrer, den Sonderbevollmächtigten der Volkswagen AG, herum. Werner Schniedel schrie – nicht nur aus Übermut, sondern auch aus Angst, glaubte Dr.-Ing. Helfried Schreiter. Alles drehte sich, alles war außer Kontrolle. Die Mauer, das sahen beide, kam näher, der Wagen würde tatsächlich gegen die Mauer krachen, und Dr.-Ing. Helfried Schreiter versuchte, seinen letzten Gedanken festzuhalten. Es ist gut, das Alte kaputtzumachen, gerade heute, dachte er. Es ist wirklich was Neues, was anderes, nicht der übliche Trott, und wenn ich es nicht überlebe, dann bin ich einen Tod gestorben, den mir die Kinder nicht zugetraut haben.

Es war das Heck, was zuerst aufschlug, aber der Drall war so stark, daß sogleich auch die Fahrerseite an die Mauer rutschte. Dr.-Ing. Helfried Schreiter erwartete, sein Leben rückwärts durchrasen zu sehen, aber es zeigte sich nicht. Er überzeugte sich, daß ihm nichts passiert war. Auch Werner Schniedel schien unversehrt zu sein. »Alles o. k.?« fragte der, merkwürdig ruhig. Er war von einem Moment auf den anderen, den Moment der Todesangst, vernünftig geworden.

Nur der nachfolgende Wagen, den Werner Schniedel nicht bemerkte, weil er Dr.-Ing. Helfried Schreiter anschaute, fügte dem Sonderbevollmächtigten etwas Schmerz zu. Nichts Ernstes.

Die Wartezeit für einen Trabant lag bei vierzehn Jahren, und jedes Krachen der ineinanderfahrenden Trabis ließ vor dem geistigen Auge Dr.-Ing. Helfried Schreiters Jahreszahlen aufblitzen, die in Vierzehnjahresschritten in die Vergangenheit führten. Als der Trabi bestellt wurde, den er selbst zu Schrott fuhr, wurde sein Sohn Marco, der jetzt bei der Bereitschaftspolizei seinen Wehrdienst leistete, gerade mal eingeschult. Welch ein Frevel, ein Auto kaputtzufahren, auf das so lange gewartet worden war! Vierzehn Jahre vor Marcos Einschulung wurde die Mauer gebaut, schoß es Dr.-Ing. Helfried Schreiter bei der zweiten Kollision durch den Kopf. Und jede weitere Kollision verschlimmerte sein schlechtes Gewissen: Vierzehn Jahre vor dem Mauerbau haben wir alle gehungert. Vierzehn Jahre davor war er noch gar nicht geboren, und Hitler kam an die Macht. Vierzehn Jahre davor – er konnte sich jetzt nur noch in Geschichtszahlen bewegen – war der Kapp-Putsch, weitere vierzehn Jahre davor siedelte August Horch seine Automobilproduktion in Zwickau an, vierzehn Jahre davor – für das Jahr 1891 fiel ihm nichts ein, auch nichts für 1877. 1863 begann der amerikanische Bürgerkrieg. Und damit war die Orgie der schöpferischen Zerstörung endlich an ihr Ende gelangt. Dr.-Ing. Helfried Schreiter fühlte sich schlecht. Er hatte binnen Sekunden etwas zerstören lassen, auf das seit der Beschießung von Ford Sumter gewartet wurde. Es war eine Sünde, fand er, eine Untat, Frevel.

Die neun Wagen waren meist seitlich ineinander gerutscht, so daß nur der letzte Fahrer, der Hauptbuchhalter, ohne Probleme aussteigen konnte. Die anderen versuchten, sich aus heruntergekurbelten oder zerschlagenen Fenstern zu zwängen. Man half sich gegenseitig.

Danach standen sie schweigend zusammen. Sie müßten sich, Werner Schniedels Prophezeiung zufolge, wie neugeboren fühlen. Doch von Euphorie keine Spur. Sie waren erleichtert, daß es vorbei war, und froh, überlebt zu haben. Niemand war verletzt. Die Wagen waren hinüber.

Werner Schniedel ließ seinen Blick über den schöpferisch zerstörten Troß schweifen. »Jetzt sind Sie Unternehmer«, verkündete er feierlich und reichte jedem die Hand.

Auch die Belegschaft war längst zusammengelaufen. Wenn acht

Direktoren und sogar ein Hauptbuchhalter, angefeuert von einem jugendlichen Albino, zu Verkehrsrowdies werden, dann war es eine Art von Wahnsinn, die Respekt einflößte.

Als Werner Schniedel eine Stunde später in seiner Limousine, chauffiert von Herrn Krause, den Sachsenring verließ – die Audio-Anlage spielte *Solveigs Lied* aus Griegs »Peer Gynt« –, überholte er jene junge Frau, die er auf der Treppe gesehen hatte, als sie »Wir sind das Volk!« rief und dafür ausgelacht worden war. Sie heulte auf offener Straße, ohne sich Mühe zu geben, es zu verbergen – ihr Gesicht war vom Heulen entstellt. Die Tränen flossen, es lief ihr die Nase, die Lippen waren ein groteskes Gelee.

Werner Schniedel entschied sich in wenigen Sekunden. Er bat seinen Fahrer, den Wagen anzuhalten und die Musik lauter zu stellen. Dann öffnete er die Tür, sperrangelweit. Der Wagen, der zwanzig Schritte vor Kathleen Bräunlich zum Stehen gekommen war, hielt am äußersten Rand der Fahrbahn, und so ragte die offene Tür auf den Gehsteig, als sollte sie ihr den Weg versperren.

Zwanzig Schritte Zeit für Kathleen Bräunlich. Rücksichtsloser Kerl. Neunzehn. Na steigste mal aus? Achtzehn. Oder soll etwa einer einsteigen? Siebzehn. Ich ja wohl nicht. Sechzehn. Hätt ich aber drauf. Fünfzehn. Musik. Klassische Musik. Vierzehn. *Amadeus* habe ich dreimal im Kino gesehen. Dreizehn. Wir würden uns bestimmt gut verstehen. Zwölf. Frag ihn doch, was er da hört. Elf. Wenn er nett ist, fährt er mich nach Hause. Zehn. Was ich alles wollte in meinem Leben und nie gemacht habe. Neun. Deshalb mußt du endlich mal was machen. Sprich den an. Vielleicht ... Neun. Ansprechen. Wie denn ansprechen? Acht. Die Musik ist laut. Da müßt ich ja brüllen. Sieben. Du suchst nur ne Ausrede! Und morgen ... Sechs. Was ist das hier: Niemand da, die Tür aufgerissen, ein Riesenschlitten ... Fünf ... da setzt du dich jetzt einfach rein. Du bist *neunzehn*! Vier. Gut. Okay. Auf deine Verantwortung. Drei. Klar. Mehr als dich rausschmeißen kann er nicht. Zwei. Kathleen, halt dich fest, die

Sitze sind aus weißem Leder! Eins. Schaut ruhig her! Ihr seid das Volk – aber ich bin was Besseres!

Kathleen Bräunlich stieg nicht mit jener anmutigen, beschwingten Bewegung ein, bei der man sich in den Sitz fallen läßt, nein, sie stieg kopfüber in den Wagen. Sie bestieg den BMW wie eine Kutsche – weil sie sich so sehr als Aschenputtel fühlte, daß Werner Schniedel nur Prinz und sein Auto nur Kutsche sein konnte.

Vielleicht wollte sie auch sieben Kinder mit ihm haben – Tatsache ist, daß sie noch in derselben Nacht mit Werner Schniedel schlief. Werner Schniedel bewohnte die Junior-Suite eines Fünf-Sterne-Hotels, er gehörte zum erlesensten Gästekreis, er hatte einen Chauffeur, der ihn in einer Luxuslimousine zu Treffen mit Direktoren fuhr, wo er ausnehmend zuvorkommend behandelt wurde. Und nun hatte er sogar etwas, das man sich nicht kaufen kann: eine Freundin.

Werner Schniedel war zufrieden mit sich. Für einen Hochstapler hatte er es weit gebracht.

4

Verena Lange hatte als Dreizehnjährige ein halbes Jahr Judo betrieben. Sie gab es bald auf; die Matten waren hart, und das Fallen bereitete auf Dauer Kopfschmerzen. Doch dieses halbe Jahr Judo war eine Lektion fürs Leben. Verena war fasziniert von dem Prinzip, den anderen mit dessen eigener Energie zu überwinden. Ihre reibungslose außereheliche Affäre verdankte sie Judo.

Verena Lange war davon überzeugt, daß keine Frau so sichere Affären haben kann wie die Frau eines Staatsanwaltes. Staatsanwälte haben ein entwickeltes Bedürfnis nach restloser Aufklärung; Verdächtigungen gegen die eigene Frau jedoch stehen im Ruch einer beginnenden Paranoia, einer Verwechslung des Privaten mit dem Beruflichen. Verena konfrontierte ihren Mann ausgerechnet an dem

Ort mit einem privaten Anliegen, an dem er sein allseitiges Mißtrauen organisierte. Sie rief ihn am frühen Nachmittag im Büro an und umgarnte ihn, am Abend mit ihr ins Kino zu gehen. Sie schlug immer einen französischen Film vor. Er wand sich – er ging nicht gern ins Kino, und mit französischen Filmen konnte er nichts anfangen. Sie bettelte so lange, bis er vorsichtig durchblicken ließ, es wäre ihm eigentlich lieber, nicht mitkommen zu müssen. Während sie noch ein bißchen schmollte, dachte sie bereits hochgestimmt an ihr Treffen mit Karli, dem nun nichts mehr im Wege stand. Es war ein aberwitziges Spiel, aber sie liebte es: Eine Affäre zu haben und dabei dem Mann, einem Berufsankläger, ein schlechtes Gewissen zu machen. Das war wie Judo – nur besser. Er machte für Katja das Abendbrot und brachte sie ins Bett, und wenn Verena abends oder sogar erst spätabends nach Hause kam, erwartete sie oft ein Blumenstrauß oder eine Schachtel Pralinen, als Wiedergutmachung dafür, daß sie allein ins Kino hatte gehen müssen. Einmal geschah es, daß genau in dem Augenblick Karlis Samen heiß aus ihr floß, als der Alkohol einer Weinbrandbohne ebenso heiß in ihren Magen rann. Sie mußte lachen. Dieser Moment gefiel ihr noch mehr als jener in der Nacht des Mauerfalls, als sie aus der Umarmung des Liebhabers direkt in die Arme des Gatten wechselte, ohne daß der Schatten eines Verdachts auf sie fiel. »Was ist?« fragte Matthias, der sich ihr Lachen nicht erklären konnte. »Heiß«, sagte Verena. Sie konnte nie mehr eine Weinbrandbohne essen, ohne an den Moment zu denken, als es heiß in sie hinein- und aus ihr herausfloß.

Sie liebte ihr Doppelleben, und sie liebte die regelmäßigen Treffen mit Karli, die immer auf den Donnerstagen lagen, weil sich die Obsession für französische Filme am glaubwürdigsten darstellen ließ, indem sie ihr donnerstags nachging, dem Tag der Filmstarts.

Karli war wie ein Sechser im Lotto. Diese blauen Augen, in die sie ewig schauen konnte. Oder die blonde Strähne, die ihm immer in die Stirn fiel. Und sein Schwanz – Verena kam sich immer vor, als würde sie vermessen, wenn Karli in sie stieß. Ein Kunststudent war er, einer wie aus dem neunzehnten Jahrhundert: mit Leidenschaft und naivem Ernst bei der Sache, aber viel zu lieb, um es zu etwas zu bringen. Verena hatte ihn vor seinem Haus kennengelernt; er hielt einen großen Karton in beiden Armen. Er sprach sie an, bat sie, den Schlüssel aus seiner Tasche zu nehmen und ihm die Haustür aufzuschließen. *Jackentasche oder Hosentasche?* hatte sie gefragt. *Jackentasche*, antwortete er, worauf sie erwidert hatte: *Schade*. Seinem erstaunten Blick hielt sie stand – er hatte richtig gehört. Sie griff in seine Jackentasche und schloß ihm die Haustür auf. *Und oben macht dir deine Freundin auf?* fragte Verena, von Flirtlust gepackt. *Ich hab keine Freundin*, sagte er, mit einer Spur Entrüstung. *Dann muß ich wohl mit hochkommen*, sagte Verena verwegen, und auch diesem Blick von Karli hielt sie stand. Unsicher, fast schon erschrocken war sein Blick. Diese blauen Augen! Kinderaugen waren das. Als sie oben in seiner Wohnung war und er die Kiste abgestellt hatte, sagte sie: *Jetzt hast du mich ganz außer Puste gebracht*. Es war alles so leicht mit Karli, um den Finger wickeln konnte sie ihn, alles unter Kontrolle hatte sie bei ihm. Er hatte Zeit, wann sie es wollte, er wird kein Drama machen, wenn sie ihn eines Tages ablegte, und im Bett hatte sie jedesmal zwei solide Orgasmen. Und wenn ihr danach war, ließ sie sich von ihm eins dieser Wahnsinnsdinger bauen, die von ganz weit herkommen und bei denen sie schrie. Aber dann guckten seine blauen Augen immer so erschrocken, als hätte er ihr etwas angetan. Verena verstand nicht, wieso ihre zwanzigjährigen Geschlechtsgenossinen einen Karli einfach so herumlaufen ließen.

Wenn sie auf seiner Schaumgummimatratze entspannt nebeneinanderlagen, erzählte Karli von seinen neuesten Ideen. Verena spürte, daß er die Anbetung einer Frau wünschte, die nichts mehr begehrte, als seine Muse zu sein. Für Allüren der penetranten Sorte fehlte ihm ein guter Schuß Manie, und seine Wichtigtuerei war so ungeschickt, daß sie ihn schon wieder sympathisch machte. Seine Wohnungseinrichtung schien ein einziges Signalsystem zu sein – sie sollte die Besucher zwingen, genau das Bild von Karli mitzunehmen, das er zu erzeugen wünschte: Die Plakate legendärer, nicht-hauptstädtischer Theaterinszenierungen kündeten von seiner Teilhabe an einer ganz bestimmten Art von Öffentlichkeit, sein Nachtlager sollte seinen Nonkonformismus betonen, sein Bücherregal aus ungehobelten Brettern auf Ziegelsteinen illustrierte Improvisationstalent und Geldmangel, während eine ansehnliche Plattensammlung und eine Hifi-Anlage aus gebürstetem Stahl die Liebe zur Musik kenntlich zu machen hatten. Karli machte sich viel Gedanken darüber, was andere über ihn denken sollten.

An einem ihrer Donnerstage erzählte er ihr, daß er sich in einem Westberliner Fotostudio für 50 D-Mark hatte fotografieren lassen.

»Du hast nur fürs Fotografiertwerden fünfzig West gekriegt?« fragte Verena, beugte sich über ihn und betrachtete ihn, während sie mit ihren schweren Brüsten leicht seinen Oberkörper streichelte. »Der Bengel ist so hübsch, der sollte das Zehnfache verlangen.«

Karli lächelte. So was gefiel ihm. Das sagte nie eine Zwanzigjährige zu ihm.

»Akt?« fragte Verena und hob seine Eier leicht an. Sein Schwanz, merkte sie, wurde schon wieder hart. »Oder Porno?«

»Nein, nur das Gesicht.«

»Du kriegst fünfzig West nur für dein Gesicht?«

»Das ist für Werbung. Eine Agentur für Gesichter. Du läßt sie mit deinem Gesicht Werbung für alles mögliche machen.«

»Und wofür wollten sie dich?«

»Keine Ahnung. Sie wissen es selbst nicht. Im Wartezimmer hingen ein paar Anzeigen mit Gesichtern von denen. *Sparkasse – schon zwanzig Millionen zufriedene Kunden.* Mit drei Gesichtern, die du sofort wieder vergißt. Dann war was fürs Rote Kreuz oder so, *Füreinander einstehen.* Alles völlig belanglos. Wenn Gesichter gebraucht werden, sollen die Werbeleute was zum Aussuchen haben.«

»Ist doch Wahnsinn, wofür man alles Geld bekommt«, sagte Verena.

»Sie haben zu mir gesagt, ich soll an nichts denken«, sagte Karli, dem Fotoshooting in Gedanken nachhängend. »Aber wie soll das gehen, *an nichts denken.*«

»Und woran hast du gedacht?«

»Natürlich an dich«, sagte Karli. Das fand Verena so aufreizend, daß sich Karli gleich noch mal über sie hermachen mußte.

Sie fand seine Geschichten immer so interessant. Für ihn war das Leben noch neu und aufregend – aber er war überhaupt nicht imstande, sich für Verenas Leben zu interessieren.

Irgendwann einmal fragte Karli, als er nackt neben ihr lag, träge und entspannt: »Gehst du eigentlich arbeiten?«

»Ja.«

»Echt?«

»Klar.«

»Ich dachte, du wärst Hausfrau.«

»M-m.«

»Hast du nicht n kleines Kind?«

»So klein ist sie auch nicht mehr. Mit sieben sind die schon ziemlich selbständig.«

»Sieben?« fragte er erstaunt.

Er schwieg. Verena wußte warum: Gerade eben war er selbst noch sieben, und nun hat er was mit der Mutter einer Siebenjährigen. Da mußte Karli erst mal seine Gefühle ordnen. Er vergaß darüber, sie zu fragen, wo sie arbeitete.

Nach dem Sex lagen sie immer eine schöne Weile aneinandergeschmiegt. Karli griff irgendwann zur Fernbedienung und landete meist bei ELF99.

»Ich hab mal gedacht, die hätten mich mit versteckter Kamera aufgenommen.«

»Die von ELF99?« fragte Karli. »Versteckte Kamera gibts doch nur im Westen.«

»Normalerweise ja. Die sind die einzigen im Ostfernsehen, denen ich so was zutraue.«

»Was haben die denn mit dir gemacht?«

»Im Museum. Ich hatte ne Führung mit schwedischen Parlamentariern. Das Außenministerium hatte angerufen, daß ich die herumführen soll. Und da war plötzlich eine Blinde, aber die war von hier. Die hat sich der Führung angeschlossen. Und dann hat die andauernd herumdiskutiert. Hat mich verbessert, tat so, als wüßte sie mehr als ich – und die Schweden wußten überhaupt nicht, was Sache ist. Es war absolut surreal.«

»Was denn für ne Führung?« fragte Karli.

»Na ich arbeite doch im Museum.«

»Wußt ich gar nicht.«

»Hast ja auch nie gefragt. Ich bin Kustos.«

»Und wo?«

»Nationalgalerie. Neunzehntes Jahrhundert.«

Schweigen. Daß sie sich mit Malerei auskannte, mußte er erst mal verdauen. »Nun erzähle ich den schwedischen Parlamentariern etwas über Max Liebermann, Caspar David Friedrich und Adolph Menzel, und diese Blinde quatschte mir ständig rein! Ahnung hatte sie schon irgendwie. Aber sie war so destruktiv, wie soll ich sagen, so *auftrumpfend.* Als ob jede Weglassung von mir ein schwerer Fehler ist. Als ob sie es eigentlich besser könnte! Andererseits traust du dich ja auch nicht, so eine zurechtzuweisen, weil du denkst, die hats schon schwer genug. Aber eine Blinde als Expertin in der Gemäldegalerie – kannst du mir das erklären? Ich dachte, das kann nur was für die versteckte Kamera gewesen sein.«

Als die Sendung vorbei war, stand Verena auf, duschte, zog sich an und ging. So machte sie es immer.

Doch eine Woche später, als Karli in sie eindrang, war etwas anders. Er war nicht bei der Sache, hatte nicht mehr dieses gierige Verhältnis zu ihrem Körper. Ihre Beglückungskompetenz schien gelitten zu haben.

»Was ist?« fragte sie.

Nach einigem Rumdrucksen antwortete er vorwurfsvoll, fast anklagend: »Ich kann nicht mit einer Frau schlafen, die in der Nationalgalerie ständig von diesen berühmten Malern umgeben ist. Ich komme mir wie ein Stellvertreter für Max Liebermann oder Caspar David Friedrich vor.«

Verena war amüsiert. Karli hielt sie für eine Art Maler-Groupie, das mit einem x-beliebigen Kunststudenten rummacht, weil die echten Stars unerreichbar sind. Sie lachte ihn an, umschlang ihn und zog ihn dicht zu sich heran und in sich hinein. Na bitte, ging doch.

Danach lagen sie wieder beieinander, sie hatte sich an ihn gerollt, bis er den Fernseher einschaltete.

Die Sendung kam zweimal in der Woche. Die eine sah sie immer bei Karli, die andere zu Hause. Verena glaubte von Woche zu Woche weniger daran, daß es ELF99 nötig hat, Situationen für die versteckte Kamera zu fingieren. ELF99 war anfangs eine Magazinsendung, doch bald überwogen aktuelle politische Inhalte. Als die Pressezensur fiel, zahlte sich die Unerfahrenheit der ELF99-Redaktion auf kuriose Weise aus: Sie waren noch nicht konditioniert, sie konnten mit dem Geschenk der Freiheit sofort etwas anfangen. Ihre Beiträge waren lebensnäher, direkter, frischer als die anderer Fernsehsendungen. Wenn Verena ELF99 zu Hause sah, machte sie auch ihren Mann, den Staatsanwalt Matthias Lange, zum Zuschauer. Den Beitrag über Richard Mütze sahen sie gemeinsam. Dieser Richard Mütze war eine höchst peinliche Figur: Sein Haus war mit teuren Geschmacklosigkeiten überladen, seine Reden strotzten vor Selbstgerechtigkeit und Starrsinn.

Als am Tag nach jenem Beitrag ein empörter Gewerkschaftsfunktionär ins Büro des Staatsanwaltes Matthias Lange vordrang und Anzeige gegen Richard Mütze erstattete, klärte Matthias Lange die Zuständigkeiten. Es galt das Tatortprinzip. Wenn das Büro Richard Mützes, das in Berlin-Mitte lag, als Tatort gelten sollte, nicht sein Wohnhaus in der Waldsiedlung von Wandlitz, dann war das ein Fall für Matthias Lange. Sein vorgesetzter Staatsanwalt wagte es nicht, sich ihm entgegenzustellen. Matthias Lange begann die Ermittlungen. Er durchsuchte das Büro von Richard Mütze und zog dessen Personalausweis und Reisepaß ein.

Auch an dem Tag, an dem Verena von ihrem Mann anläßlich eines planvoll mißglückten Überredungsversuches für einen französischen Film erfahren hatte, daß ihn soeben ein Team von ELF99 interviewt hatte, griff Karli nach dem Sex zur Fernbedienung, und Verena lag in Karlis Armen, als ihr Mann auf dem Bildschirm erschien. Sie erstarrte. Es war wie ein Einfrieren, auch wurde ihr gleich kalt. Sogar Karli merkte, daß etwas nicht stimmte. Sie hörte ihren Mann im Fernsehen reden. *Noch nicht geklärt ist die Herkunft der acht Sockelfiguren aus Marmor und die Bezahlung der Import-Fußbodenheizung, Marke Seppelfricke …*

»Wer ist das denn …«, sagte Karli nachdenklich, und dann fiel es ihm ein. »Das ist der von der Bornholmer Brücke! Das ist …«

Am unteren Bildrand erschien eine Einblendung:

Matthias Lange
Staatsanwalt

»Dein Mann ist Staatsanwalt?« fragte Karli entsetzt. »Wieso ist der Staatsanwalt?« Die Frage war anders gemeint, aber Karli konnte sie vor Schreck nicht anders formulieren.

Karli versuchte, seine Gefühle zu ordnen. O Gott, dachte Verena, er wird pathetisch. Sie stand auf. Karli, sag jetzt bitte nichts Dummes, sonst ist es vorbei, dachte Verena. Wir Frauen sind da ganz empfindlich: Es gibt Dummheiten, die einen Mann rettungslos und für alle Zeiten häßlich machen.

Karli sagte nichts. Er verfolgte die Ausführungen von Verenas Mann. Das ärgerte sie. Sie öffnete ein Futteral, das auf Karlis Schreibtisch lag – und fand zwölf Glasaugen. Eines davon nahm sie in die Hand und ließ es Karlis Zimmer erkunden.

»Was ist das?« fragte Verena.

»Ein Glasauge«, sagte Karli, ohne den Blick vom Bildschirm zu lösen.

»Ach Karli … Sind die neu? Ich hab die noch nie hier gesehen.«

»Sie *sind* neu.«

»Und kann das gucken?« Sie brach die Untersuchung des Zimmers ab und richtete das Glasauge auf sich, ließ es wie eine Sonde über ihren Körper schweben – über Arme, Brüste, den Bauchnabel. Schließlich stand sie dem Auge gegenüber. Auge in Auge. Karli schaute jetzt zu ihr, nicht auf den Bildschirm.

»Willst du mal sehen, wo es dem Karli am besten gefällt?« sagte sie zu dem Auge und bewegte es langsam abwärts. »Wenn mich der Karli hier küßt, dann werde ich ganz wild«, flüsterte sie langsam, mit ersterbender Stimme, während sie mit dem Auge ebenso langsam tiefer glitt, bis sie zwischen den Beinen, wo sie sich schon wieder feucht werden spürte, anlangte. »Guck mal«, sagte sie zu dem Auge, »guck jetzt genau hin« – und ließ es zwischen ihren Beinen verschwinden.

Karli hatte ungläubig zugeschaut – er hatte Verena eine solch perverse Tat nicht zugetraut. Der Mund stand ihm offen, ihm fehlten die Worte. Als er sie wiederfand, sagte er: »Laß das Auge in Ruhe, das brauche ich noch. Ich mach jetzt bei einer Künstlergruppe mit, die ein Haus besetzt, und da gibt es schon eine Idee …«

Verena warf das Auge genervt auf die Bettdecke. »Karli, du bist mir heute einfach zu offiziell«, sagte sie und zog sich an. Das Duschen ließ sie ausfallen. Was war bloß los? War es peinlich, wenn eine Dreiunddreißigjährige einem Zweiundzwanzigjährigen ihren Körper vorführt? War sie alt?

Die Frage erschreckte sie. Sie hatte sich das noch nie gefragt, und es hatte etwas zu bedeuten, wenn sie sich diese Frage stellte. Sie fühlte sich jung, doch für einen Zweiundzwanzigjährigen ist eine Dreiunddreißigjährige alt. Gewiß, Karli hatte von ihrer Erfahrung profitiert, aber eine erfahrene Frau war für ihn nicht das Nonplusultra. Sie könnte froh sein, daß es so einfach zu Ende war. Er hatte sie nicht beleidigt, er hatte sich bloß keine Mühe mit ihr gegeben. Vielleicht wußte er selbst nicht, daß er ihrer überdrüssig geworden war.

5

Werner Schniedel stand vor dem Spiegel. »Eine Katastrophe wird besichtigt«, sagte er halblaut. Jedesmal, wenn er diesen Satz sagte – und das tat er immer, wenn er sich im Spiegel betrachtete –, erinnerte er sich daran, wann er ihn das erste Mal gehört hatte: Als Sechzehnjähriger, auf einer Klassenfahrt nach London, wo er sich im Waschraum des Notting Hill Youth Hostel auf Bleistiftlänge dem Spiegel näherte, um sich darüber klar zu werden, wie er mit seinen Pickeln verfahren sollte. Sein Mitschüler Holger Müller, der jeden Morgen mit den Worten »Scheiß-Chromopila«, wobei Chromopila für »Chronische Morgenpißlatte« stand, die Bettdecke zurückwarf, die Waschtasche griff und mit unübersehbarer Erektion in der Schlafhose zum Waschraum schlurfte, um sich, was keine Angabe, sondern schlichte Notwendigkeit war, zu rasieren – ausgerechnet dieser Holger Müller hatte ihm beim Hinausgehen jene Bemerkung hingeworfen: Eine Katastrophe wird besichtigt.

Er hatte die Brille noch nicht aufgesetzt, er blickte sich aus roten Augen an. Bis in die zehnte Klasse hinauf hatten sich seine Mitschüler einen Spaß daraus gemacht, ihm die Brille abzunehmen; wenn er sie verteidigte, wurde sie ihm mit Gewalt abgenommen. Dann schloß er die Augen. Nur ein einziges Mal war es ihnen gelungen, seine Augen wirklich zu sehen. Mehrere hielten ihn fest, und ein Feuerzeug wurde ihm ans Ohr gehalten. »Augen auf, oder wir sengen die Haare an!« »Nein!« schrie er und riß die Augen auf. Die Meute wich erschrocken zurück, und Werner Schniedel fühlte sich mehr als Ungeheuer denn als Mensch. Der Schock saß bei seinen Mitschülern so tief, daß sie nie wieder versuchten, ihm die Brille herunterzureißen.

Schniedel betrachtete sein Gesicht. Weiße Haare. Weiße Augenbrauen. Die weißen Wimpern würde die Sonnenbrille verbergen, aber seine ebenfalls weißen Bartstoppeln evozierten ein ganz eigenes Problem: Die Bartzonen waren mit Pickeln übersät. Seine Barthaare wuchsen im Prinzip nach innen. Zwar wuchsen sie zunächst aus ihm heraus – aber dann richteten sich jeden Tag zahllose sprießende Barthaare gegen ihn, drangen in die Haut ein und wuchsen so lange in die Tiefe, bis die betroffene Hautstelle mit einer Entzündung in Form eines Pickels auf sich aufmerksam machte. Schniedel nahm dann eine Nadel – jedes Hotel, in dem er gastierte, legte im Badezimmer Nähzeug aus – und stach mit der Nadel unter die Haut, um jedes eingewachsene Barthaar einzeln herauszusezieren. Jeden Morgen hatte er ein bis zwei Dutzend Pickel zu versorgen. Er empfand es als eine Art Partisanenkrieg, den sein Körper gegen ihn führte. Wäre sein Barthaar dunkel, dann könnte er mit der Nadel tätig werden, bevor ein Pickel die Irregularie anzeigt wie ein rotes Warnlämpchen. Aber die weißen Haare waren auf Werner Schniedels Haut so wenig sichtbar wie ein weißer Faden im Neuschnee, und, wie um ihn zu verhöhnen, konnte er sie erst auf dem kontrastierenden Rot der Entzündung lokalisieren.

Er war sich nicht sicher, was die größte Demütigung war, mit der die Natur ihn geschlagen hatte: Die roten Augen, die so anders, so kretinhaft und schockierend wirkten, der ihn selbst aufspießende unsichtbare Bartwuchs oder – und seufzend schaute Werner Schniedel an sich hinunter – die schlohweiße Schambehaarung. Er fand, daß er untenrum aussah wie der Weihnachtsmann. Wie ein merkwürdiges Märchenwesen, dem man alles zutraut – nur kein Sexualleben. Auch sein Name, Schniedel, war nur eine infantile Verballhornung des Geschlechtsteils.

Er zog eine Unterhose an und versteckte seine Augen hinter der Sonnenbrille. Er versuchte ein Lächeln. Nein, das ging gar nicht, fand er, das sollte er lieber lassen. Ein strahlendes Lächeln war etwas, das er nie zustande bringen würde. Dazu waren seine Lippen viel zu verkrampft; aus gutem Grund, wie er mit masochistischer Lust konstatierte: Weder hatte er große und schöne Zähne, noch waren sie besonders weiß – und selbst wenn er das kräftigste und gesündeste Gebiß hätte, so würde es doch keinen Kontrast zu seinem bleichen Gesicht hergeben.

Trotzdem verdankte er seinem Defekt auch etwas: Werner Schniedel wurde ein Wesen eigener Art. In körperlicher Hinsicht war er deutlich hinter seinen neunzehn Jahren zurück. Er war klein und schmächtig, und sein rundes Gesicht hatte aufgrund der Pigmentlosigkeit nicht nur eine tatsächliche, nicht mehr zu steigernde Blässe – der ganze Ausdruck seines Gesichts war blaß. Seinen Lippen gelang keine herausfordernde oder verächtliche Pose, wie er es in Hunderten Filmen gesehen hatte, und in die Mundwinkel hatte ihm der Frust auch noch keine Kante gemeißelt, ein Zug, der ihm oft bei Frauen um die Dreißig aufgefallen war. Er hatte weder das schlaffe, durchhängende Gesicht der Workaholics noch das clownshafte, ziehharmonikaartige Muskelspiel der Gute-Laune-Athleten, noch den Grimm der Skeptiker. Nirgends ein Grübchen, nirgends ein Fältchen. Nur Pickel. Es war wie Pubertät, und wenn er sich dabei ertappte, welche Körperhaltungen ihm – auch in Gesellschaft – unterliefen, dann war es noch schlimmer. Er hatte zuweilen die Motorik eines Zwölfjährigen; war er unkonzentriert, stellte er sogar die Füße nach innen. Außerdem war sein Kopf immer etwas nach vorn gereckt, wodurch er unsouverän wirkte, als gehöre er nicht zu seiner Umgebung. Für einen Verirrten müßten sie ihn halten, für den Redakteur einer Schülerzeitung. Dabei gab es nichts Wichtigeres, als daß niemand daran zweifelt, daß er zu Hause ist in der Welt der Entscheider.

Und dafür kam ihm seine eigentümliche Ausstrahlung in paradoxer Weise entgegen: Er wurde nicht mit normalen Maßen gemessen. Kein Neunzehnjähriger könnte den Sonderbevollmächtigten der Volkswagen AG geben. Man mochte ihn für ein Wunderkind oder für ein Monstrum halten. Beides war möglich. Er war ein unwirkliches Wesen und wollte es auch sein. Er entschied sich gegen das Haarefärben, gegen getönte Haut, gegen farbige Kontaktlinsen. Er mußte in keinem Glanze erstrahlen, auf daß sich andere in ihm sonnten. Er legte es nicht darauf an, von der Welt geliebt zu werden, und mußte sie seinerseits nicht lieben. Es reichte, daß er als etwas

Besonderes wahrgenommen wurde, eine Klasse für sich. Wenn sein Auftritt leichtes Frösteln auslöste, Unbehagen verbreitete und sogar eine klamme, unbenennbare Angst hervorrief – ihm war es recht. Das, was er darstellen wollte, kam an – und darum würde niemand daran zweifeln, daß er der war, für den er sich ausgab.

Ja, er hieß wirklich Werner Schniedel, schon immer. Es war der andere, Ernst Schniedel, der sich in sein Leben drängte – Werner Schniedel hatte nichts dafür getan. Er besuchte ein Wirtschaftsgymnasium in Niedersachsen, und eines Tages fragte ihn ein Lehrer, ob er mit Ernst Schniedel, dem VW-Vorstand für Fertigung, verwandt sei. Schniedel, Werner, verneinte. Zwei Jahre später wurde Ernst Schniedel Vorstandsvorsitzender, der Name Schniedel war plötzlich in aller Munde, an einem Wirtschaftsgymnasium sowieso. Auch wenn Schniedel, Werner nie behauptete, mehr zu sein als ein Namensvetter des Wirtschaftskapitäns – die anderen fanden schon Gründe, weshalb er es abstritt: Um nicht Entführungsopfer zu werden, um nicht ständig am übermächtigen Vater gemessen zu werden, um als normaler Jugendlicher gelten zu können. Auch sein Vorname, Werner, mußte als Beleg dafür herhalten, daß sein Vater der Wirtschaftskapitän war – Werner sprach für Ökonomie, Sachlichkeit und unendliche Trendresistenz, für Werte also, die ein deutscher Vorstandsvorsitzender hochzuhalten hat. Den Vornamen Werner ordnet man gemeinhin dem Jahrgang 1943 zu. Im Jahre 1970 war er längst aus der Mode.

Als herauskam, daß Werner Schniedel nicht der Sohn des Vorstandsvorsitzenden war, wurde ihm das übelgenommen. Er hatte es nie behauptet, sondern, wenn auch ohne großen Eifer, stets bestritten. Trotzdem bekam er Schwierigkeiten. Er war in einem Komitee für die Zusammenarbeit zwischen dem Wirtschaftsgymnasium und der London School of Economics – und sein Direktor sagte ihm unverblümt, daß der Name Schniedel nur so lange ein Aushängeschild für die Schule ist, wie der Name Schniedel das einlöst, was man beim Hören dieses Namen assoziiert. Besser, er verließe das Komitee, als daß die Schule unglaubwürdig aussieht. Als Werner Schniedel darauf die Arbeit im Komitee aufgab, sah das so aus, als ziehe er die Konsequenzen daraus, daß ein Lügengebäude, sein Lügengebäude, zusammengestürzt war. Die Stimmung im Gymnasium wendete sich binnen einer Woche so sehr gegen ihn, daß er nicht mehr zur Schule gehen konnte.

Werner Schniedel war gekränkt, und es war das erste Mal, daß er erlebte, welche Energien ihm aus einer Kränkung erwachsen. Etwas in ihm sagte: Wenn ich für etwas büßen soll, was ich nicht getan habe, dann will ich es wenigstens tun! Und er tat es. Er fuhr in die VW-Zentrale, sagte an der Wache seinen Namen, legte den Ausweis vor und wurde sofort, ohne weitere Formalitäten, eingelassen. Er erkundigte sich in einem der Büros, wo eigentlich Dienstreisen abgerechnet werden und wo denn die schönen Visitenkarten herkommen. Einem Schniedel verweigerte niemand die Auskunft. Und so rief er auch gleich in der Druckerei an und bestellte einhundert Visitenkarten, die mit der Prägung und dem echten Blau. Er wolle sie sofort abholen, und für einen Schniedel war das natürlich möglich.

Hochbefriedigt, fast geheilt, verließ Werner Schniedel die Konzernzentrale. Die Wachleute grüßten freundlich, und er grüßte freundlich zurück. Für die nächste Kränkung war er bestens gerüstet.

Jetzt, wo er ein Mittel gegen Kränkungen hatte, konnte er es sich erlauben, empfindlicher zu sein. Wenn in der Straßenbahn hinter ihm getuschelt wurde, wenn ihm von Gleichaltrigen und denen, die sich dafür hielten, Bemerkungen nachgespuckt wurden, wenn seine Annäherungsversuche danebengingen, dann konnte er sich mit der Schniedel-Nummer wieder aufbauen. Und die funktionierte am besten in Hotels.

Er rief in einem Hotel an, gab sich als Reisesachbearbeiter des VW-Vorstands aus und bestellte kurzfristig ein Zimmer für Herrn Schniedel junior. Das Hotel war grundsätzlich ein Luxushotel, und

Herr Schniedel junior sei, so kündigte er an, ein kapriziöser Mensch, der mit aller Zuvorkommenheit behandelt werden möchte. Die Rechnung einschließlich aller Nebenkosten gehe bitte an das VW-Vorstandsbüro. Als Telefonnummer, die bei einer Reservierung hinterlassen werden muß, gab Werner Schniedel einen Faxanschluß an, der dem Betriebsrat der VW-Zentrale gehörte. Er wählte mit Bedacht eine Telefonnummer, die nach VW aussah, die aber, falls sie nach vergeblichen Telefonatsversuchen tatsächlich noch zum Faxen genutzt würde, keine Reaktion bringen würde. Niemand würde sich im Betriebsrat um ein fehlgeleitetes Fax kümmern, abgeschickt von einem Luxushotel, adressiert an den Vorstand.

Es funktionierte. Werner Schniedel wohnte eine Nacht in einem Hotel, ließ es sich gutgehen, und am nächsten Vormittag reiste er ab, während seine Rechnung an das VW-Vorstandsbüro ging. Für Werner Schniedel gab es nie ein Problem, und wenn er abreiste, nein, schon wenn er eincheckte, er, der als wichtiger, aber kapriziöser Gast galt, dann sonnte er sich in einem Gefühl von Macht: Die Kristalleuchter, die Empfangsprinzessinnen, das Ambiente, die Bettücher, die Handtücher, die Bediensteten, die Silberbestecke – all das kann er einfach haben. Er hat es in der Hand, das Leben der oberen Zehntausend zu leben. Niemand soll es wagen, ihn zu verlachen.

Die Rechnungen wurden immer länger, die Methoden raffinierter. Als er einmal bei der Reservierung gefragt wurde, ob VW »einen Vertrag hat«, gelang es ihm, durch geschicktes Nachfragen herauszufinden, daß Firmen, die einem Hotel ein bestimmtes jährliches Kontingent an Übernachtungen bringen, Sonderkonditionen erhalten, auf die sie bei der Buchung hinweisen müssen. So konnte Schniedel, wenn er als Herr Wagner ein Hotel anrief, seine Glaubwürdigkeit erhöhen, indem er sagte: »Wir müßten eigentlich einen Vertrag haben, aber ich bin mir nicht sicher.« Einmal handelte Schniedel am Telefon sogar selbst einen Vertrag aus – sollte ein VW-

Manager je nach Heidelberg in den »Eisernen Ritter« kommen, so würden ihm dort immerhin 20 Prozent auf den Zimmerpreis nachgelassen.

Werner Schniedel lernte die Bundesrepublik kennen. Er wohnte im Hamburger »Atlantic«, im »Frankfurter Hof«, im Stuttgarter »Hotel Zeppelin«, im Münchner »Vier Jahreszeiten« und in der »Villa Victoria« in Düsseldorf. Bremen mochte er sehr; er besuchte die Stadt zweimal, obwohl sie kein einziges Luxushotel hatte.

Er mußte mit der Bahn fahren, denn zu seinem Erstaunen zog der Name Schniedel nicht bei Autohändlern; nicht mal bei den VW-Vertragshändlern. Alle wollten den Führerschein sehen und gaben sich nicht mit der Auskunft zufrieden, er hätte ihn gerade nicht dabei. Seine Idee, ohne Führerschein auf »Probefahrten« über ein Wochenende die deutsche Hotellerie zu erkunden, erwies sich als undurchführbar. Nachdem er bei drei VW-Häusern gescheitert war, trotz seines prominenten Namens, trotz seiner Visitenkarte, die aus derselben Druckerei stammte wie die der Händler, beließ er es bei den Hotelaufenthalten. Und im nächsten Hotel blieb er dann gleich, um die Schmach mit den Autohändlern gutzumachen, für ein Wochenende, mit einem Fünf-Gänge-Menü im französischen Restaurant und einer Flasche Veuve Clicquot vom Zimmerservice.

Nicht eine einzige Hotelrechnung wurde bezahlt. Werner Schniedels Hoffnung, daß ohne weiteres Nachprüfen die Rechnungen dort bezahlt werden, wo er sie hinschicken ließ, war vergebens. Unter anderem deshalb, weil selbst der Vorstandsvorsitzende von VW für seine Nebenkosten selbst aufzukommen hat. So fiel schon die erste Rechnung auf. Die mangelnde Sorgfalt lag beim Hotel – die hätten angesichts der ungewöhnlichen Konditionen ja zurückrufen können, und dann wäre, bei entsprechender Hartnäckigkeit, der Schwindel aufgeflogen. VW fühlte sich für alle Rechnungen, die Werner Schniedel verursachte, rundweg nicht zuständig. Immerhin wurde die Visitenkarte aus der VW-Druckerei dem Werkschutz übergeben. Der recherchierte und fand heraus, daß sich ein Hochstapler in Besitz von Visitenkarten gebracht hatte. Betriebsintern erging Order, die Rechnungen von Werner Schniedel nicht zu bezahlen; ansonsten sei alles im Fall Werner Schniedel dem Werkschutz zuzuleiten. Der Werkschutz ermittelte nicht und erstattete auch keine Anzeige. Schließlich war die Volkswagen AG nicht die Geschädigte.

Es fragt sich, ob es klug von Werner Schniedel war, die Rechnungen an die richtige Adresse schicken zu lassen. Ja, das war es. Denn wenn einem Hotelangestellten auffällt, daß die Rechnungsadresse des Herrn Wagner abweicht von der üblichen VW-Rechnungsadresse, dann hätte Werner Schniedel in der Klemme gesessen.

Er geriet trotzdem in die Klemme. Es ist im Hotelgewerbe üblich, daß die vielversprechendsten Berufsanfänger in möglichst vielen Hotels Erfahrungen sammeln. So findet eine immense Wanderung zwischen den High-Class-Hotels statt, und die Wandernden sind ehrgeizig. Sie merken sich auch Dinge, die sie sich nicht merken müssen. Sie handeln kompetenzübergreifend, ohne auf Anweisungen zu warten. Sie sind die Chefs von morgen, und sie wissen das. Sie sind Wölfe im Schafspelz.

Als Werner Schniedel am Abend des 9. November im Zimmer 114 des Kölner *Domhotels* vor dem Fernseher saß und in den »Tagesthemen« sah, was sich in Berlin nun schon recht verbindlich anbahnte, klopfte es an seine Tür. »Ja?« rief er. Er glaubte, Getuschel zu hören, dann hörte er: »Zimmerservice.« Er hatte nichts bestellt. Er lauschte an der Tür und hörte wieder Getuschel. Dann klopfte es wieder. »Zimmerservice.«

Werner Schniedel schnappte Schuhe, Jackett, Aktenkoffer, schloß sich im Badezimmer ein und schlüpfte in die Schuhe. »Ich kann im Moment nicht«, rief er aus dem Badezimmer. »Können Sie es nicht vor die Tür stellen?« – »Sie müssen aber unterschreiben.« – »Ich brauch noch n Moment.« Schuhe hatte er, Aktenkoffer schnell geschlossen, Jackett überziehen. Den Mantel mußte er im Schrank lassen – er hörte, wie die Zimmertür geöffnet wurde. Jemand versuchte, ins Badezimmer zu gelangen.

Er rettete sich aus dem Fenster, balancierte auf einem noch ausreichend breiten Sims und sprang schließlich vier Meter tief in eine Hecke. Vor dem Hotel stand ein Polizeiwagen. Einem Passanten, der ihn landen sah, nickte Schniedel zu. Dann rannte er. Bevor er um die Ecke bog, drehte er sich um. Niemand schaute ihm nach. Zimmerservice! Was für Amateure waren das denn?

Er hatte schon vor dem Fernseher die Idee gehabt, nach Berlin zu fahren; ein ekstatisches Ereignis wie den Fall der Mauer wollte er gern direkt erleben. Es gab sogar einen Nachtzug, aus Paris kommend, ein Interzonenzug über Köln nach Berlin.

Er fuhr erste Klasse, und er schlief bis Berlin. Kurz nachdem der Zug am Bahnhof Zoologischer Garten zum Stehen gekommen war, erwachte er durch Fußgetrappel und aufgeregte Kinderstimmen. Dann wurde die Abteiltür aufgerissen, die Sitze, die sämtlich bis zur Mitte vorgezogen waren und aus dem Abteil eine Liegewiese machten, wurden hastig, wie bei einer Razzia, in ihre Ausgangsposition zurückgeschoben.

Werner Schniedel fuhr in der ersten Klasse, aber er fuhr schwarz. Er hatte sich unter die Sitze gelegt, und nun, da er entdeckt wurde, erschrak er. Die Kinder, die ihn entdeckten, erschraken ihrerseits – sie hatten keinen Menschen und schon gar nicht so einen unter den Sitzen gesucht, sondern leere Flaschen. Der ganze Zug wurde von Kindern geentert, die nach Pfandflaschen suchten.

Die Kinder waren dabei nicht die einzigen. Auch einige Rentner waren im Zug unterwegs, doch waren die deutlich benachteiligt, da sie, gerade weil sie das Flaschensammeln als unwürdig empfanden, in ihrem Auftreten erst recht auf ihre Würde bedacht waren – als wäre vollendeter Stil ein Wall gegen die Scham, mit der niedrige Tätigkeiten vor fremden Augen ausgeführt werden.

Auch Werner Schniedel legte Wert auf Formen. Mit einigen Schlägen gegen das Hosenbein reinigte er seinen dunklen Anzug von dem feinen Sand, den andere Reisende an den Schuhen ins Abteil getragen hatten. Er holte aus der Zugtoilette ein Papierhandtuch, mit dem er seine Schuhe rieb, bis sie wieder glänzten.

Werner Schniedel wirkte nicht wie einer, der keinen Pfennig in der Tasche hat. Der Anzug sah nicht billig aus; daß er ihn im Werkverkauf zum halben Preis bekommen hatte, wußte ja niemand. Die Schuhe waren wirklich ins Geld gegangen – daß ein Mann von den Schuhen her ausstrahlt, hatte Schniedel oft beobachtet. Er nahm die Redewendung wörtlich, die Schuhe würden *Stand verschaffen*. Gerade weil die Schuhe beim Taxieren des Gegenübers kaum beachtet würden, sagen sie so viel aus – nämlich, was derjenige sich wirklich wert ist. Werner Schniedel war ein geübter Schuhgucker, und er wußte, daß er vor den Blicken geübter Schuhgucker bestehen würde.

Werner Schniedel ahnte, was auf ihn zukam. Der Zug war noch vor dem Fall der Mauer in Paris abgefahren, aber die Flaschensammler, die ihn jetzt, bei seiner Ankunft am Bahnhof Zoo scharenweise enterten, waren durchweg Ostler. Er kam ohne Geld, und die Konkurrenz war schon jetzt zahlreich. Viele von denen hatten noch nie eine Westmark gesehen – und jetzt sollten sie gleich hundert geschenkt bekommen. Es war ein Hohn, daß er kein Begrüßungsgeld bekam. Die waren aus Berlin und bekamen in Berlin Begrüßungsgeld. Er kam aus Köln – und womit wurde er begrüßt?

Wenigstens das Frühstück bekam er umsonst. Am Europacenter wurden von einem LKW herunter Bananen, Joghurtbecher und Schokoriegel verteilt, auch Kaffee. Schniedel stellte sich zwischen die Andrängenden und benahm sich im Prinzip so wie die Rentner beim Flaschensammeln: Er drängelte und eiferte nicht, und irgendwann hatte ihn der Sog bis vor den LKW gezogen, wo er sein Frühstück bekam.

Später ging er ins KaDeWe, um sich mit einem Eau de Toilette einzudieseln. Leider waren die Tester von den Verkaufstischen genommen; der Andrang der DDR-Kunden, die alles testen und nichts kaufen wollten, war zu groß. Werner Schniedel wandte sich an eine Verkäuferin, ein hochmütiges, perfekt aussehendes Geschöpf – wie übrigens alle Verkäuferinnen in der Kosmetikabteilung des KaDeWe nebenberuflich Supermodel oder Miss Germany zu sein schienen. Ja, dachte er, in der Highschool werden die Schönsten Cheerleader, in Rio Sambakönigin und in Berlin Kosmetikverkäuferin im KaDeWe.

Um seine Probe zu bekommen, mußte er eines dieser Prinzeßchen ansprechen. Er murmelte etwas von »meiner Frau«, die »derzeit« »in den Staaten« ist und der er eine Überraschung bieten will, wenn ihr »Flieger« morgen landet. »Wie ist denn das?« fragte er und zeigte auf den armeegrünen Klassiker von Paco Rabanne. Die Verkäuferin war von seinen Kaufabsichten noch nicht restlos überzeugt, deshalb kommentierte Schniedel mitleidig die scharenweise durchs KaDeWe spazierenden Kunden aus dem Osten: »Das ist natürlich hart – die gucken nur, aber kaufen nichts.«

»Manche kaufen doch«, belehrte die Verkäuferin. »Kriegen ja Begrüßungsgeld.«

Sie hatte den Paco-Rabanne-Tester hervorgeholt und wollte Werner Schniedel einen Sprühstoß auf die Pulsader geben, doch Schniedel bot seinen Hals: »Bitte hier! Mal sehn, was die Kollegen sagen.«

Die Verkäuferin sprühte zwischen die Schlüsselbeine. »Noch einen«, bat Schniedel, und sie tat es.

Als er ging, war er schon umstellt von DDR-Kunden, die nun ebenfalls der Verkäuferin ihre Hälse entgegenreckten. Aber das war nicht mehr Werner Schniedels Problem.

Er ging die Tauentzienstraße hinunter, durch ein Gewühl von Menschen, leuchtenden, gelösten Menschen. Ihm war, als kämen alle aus dem Osten. Sie trugen meist marmorierte Jeans. Die Älteren wirkten oft abgearbeitet, müde, keiner über Fünfzig schien noch zu strotzen vor Kraft und Gesundheit. Aber immer wieder hörte er Laute des Staunens und der Bewunderung, ein aufgeregtes »Du, guck mal, da!«. Ob es die Schaufenster waren, ein schnittiges Auto oder ein witziger Blickfang zu Werbezwecken – wenn er diesen Leuten zuhörte, dann wurde ihm bewußt, als wie sensationell seine gewöhnliche Welt von denen empfunden wurde.

Werner Schniedel hatte es eilig. Er fror ohne Mantel. Er wollte ins nächste Kaufhaus, dessen fünf rote Buchstaben er schon am Bahnhof Zoo gesehen hatte. Doch er kam nur sehr langsam vorwärts. Der Osten schien in Familien unterwegs zu sein, und aus Angst, sich zu verlieren, scharten sich diese Familien eng zusammen, faßten sich oft auch an den Händen und ließen niemanden zwischen sich hindurch. Sogar ein Sexshop wurde von ganzen Familienverbänden konsultiert. Komische Menschen, diese DDR-Leute, dachte Werner Schniedel. Nehmen die Mutti mit in den Sexshop.

Das Kaufhaus war voller Menschen. Werner Schniedel mußte dringend auf die Toilette, und zu seiner Erleichterung stellte er fest, daß keine Toilettenfrau vor den Toiletten wachte. Nur ein Tisch mit einer purpurnen Wachstuchtischdecke stand vor der Toilette. Jetzt wußte Werner Schniedel, wie er zu Geld kommen würde.

Er fuhr mit dem Lift in die oberste Etage, in das Selbstbedienungsrestaurant, um in einem unbeobachteten Moment eine Untertasse an sich zu nehmen. Mit der fuhr er wieder nach unten, stellte das Tellerchen auf den Tisch mit der Wachstuchdecke und ließ keinen Zweifel daran, daß er der Hüter des Tellerchens ist.

Der erste, der kam, war ein Sechzigjähriger. Er trug einen hellgrauen Blazer und weit geschnittene Jeans, die nicht gut saßen. Er hatte sich bei seiner Frau eingehakt und löste sich von ihr, um auf die Toilette zu gehen.

Ein Wort genügte: »Vorher.«

Der Kunde sagte verlegen zu seiner Frau »Machst du det mal?« und ging auf die Toilette.

Seine Frau zierte sich. Sie sagte: »Mein Mann muß immer uff die Toilette, vom Doktor aus.«

Schniedel verstand nicht, wie jemand »vom Doktor aus« auf die Toilette müsse, ließ sich aber auf keine Diskussion ein. Er bekräftigte seinen Anspruch, indem er das Tellerchen ein paar Zentimeter in ihre Richtung schob.

»An so nem Tag, wo Deutschland gerade wieder eins geworden ist, da kann man doch mal n Auge zudrücken«, sagte sie. Schniedel schüttelte unmerklich den Kopf, um zu zeigen, daß bei ihm auch die nationale Karte nicht stach.

Sie gab auf und kramte das Portemonnaie raus.

»Dreißig«, sagte Schniedel.

»Wir sind von drüben«, sagte sie.

»Wir müssen auch leben«, erwiderte Schniedel.

Da kapitulierte sie. Langsam zählte sie drei Groschen auf den Teller; es tat ihr um jeden einzelnen leid.

So wie er da stand – Anzug, teure Schuhe –, sah er nicht aus wie ein Toilettenmann mit Existenzängsten. Aber als er seine Replik Revue passieren ließ, fand er sie geistesgegenwärtig. Wir müssen auch leben. Er mußte tatsächlich leben – was wußten denn die davon, daß er buchstäblich keinen Pfennig in der Tasche hatte? Und außerdem können die ruhig lernen, daß hier, bei uns, nichts umsonst ist. Gut, Busse und Bahnen sind für die umsonst, Bananen und Kaffee heute auch, Begrüßungsgeld kriegen sie, und wir müssen noch den Zwangsumtausch machen, 25 DM pro Tag. Ja, was ihm am besten gefiel, war das *wir*: Wir müssen auch leben. Das sagt ein Westberliner Toilettenmann im feinen Anzug zu einer knausernden DDRlerin, die gerade heim ins Reich, nach Deutschland, gefunden haben will.

Fast jeder, der auf die Toilette wollte, war aus dem Osten. Schniedel machte grundsätzlich Vorkasse. Es genügte die Andeutung einer Bewegung, die den Weg verstellen könnte, und die Nennung des Preises. Die Diskussion *Wir sind von drüben / Wir müssen auch leben* führte er mit Männern wie Frauen, wobei Frauen erwartungsgemäß eine größere Scheu an den Tag legten. Die Benutzung öffentlicher Toiletten war nach seiner Beobachtung gerade für Frauen etwas extrem Schambesetztes; jede Frau will unerkannt auf dem Örtchen verschwinden. Auf einer Toilette fühlen sich Frauen immer ertappt. Es war nur ein einziges Mal nötig, zu drastischen Methoden zu greifen: Eine junge Frau hatte nur einen spöttischen, hochmütigen Blick für ihn übrig, als er, neben dem Tellerchen stehend, »Dreißig!« sagte. Ohne zu zahlen ging sie auf die Toilette und schloß sich ein. Schniedel beobachtete, hinter welcher Tür sie verschwand, folgte ihr lautlos und stellte sich vor die Tür. In dem Moment, als er ihren Strahl hörte, sagte er leise, aber laut genug für sie: »Umsonst pissen ist nicht.« Vor Schreck setzte der Strahl aus, Schniedel konnte es hören. Dann ging er weg, hörbar für sie. Soll sie in Ruhe weiterpinkeln.

Auch sie zahlte.

Nach einer Weile wollte er den Leuten für ihr Geld auch etwas bieten, und so griff er zum Wischmob und wischte die Herrentoilette durch. Als Zeichen dafür, daß auch gezahlt werden könne, wenn keiner über das Tellerchen wacht, ließ er drei Groschen liegen. Als er zurückkam, war der Teller leer.

Punkt ein Uhr mittags kam die richtige Toilettenfrau, die ihr Revier mit Gezeter zurückeroberte. Als »Früchtchen« wurde Schniedel bezeichnet, und das sei »der Gipfel«. Worüber regte sie sich auf? Er hatte ihr nichts weggenommen! Und wenn ein junger Mann im Anzug den Toilettenwart gibt, dann ist das eher eine Aufwertung der Zunft als das Gegenteil davon.

Werner Schniedel hatte in den zweieinhalb Stunden fast vierzig Mark verdient. Es machte ihn zufrieden, viel zufriedener, als er hätte sein dürfen. Denn um sich in einem Hotel als Sonderbevollmächtigter einzuquartieren, brauchte er zunächst das Gefühl einer Kränkung, einer Entwertung, einer Ohnmacht – das er mit einem Befreiungsschlag, nämlich dem Ingangsetzen einer Existenz, die Unantastbarkeit garantiert, zunichte machen wollte. Er spielte nicht; er nahm Revanche. Und er würde es auch hier in Berlin nicht tun können, um ein Bett zu haben, sondern nur für das Gefühl, etwas wert zu sein.

Werner Schniedel ging zur U-Bahn. Draußen war ihm einfach zu kalt, ohne Mantel. Auf dem U-Bahnhof Zoologischer Garten schien der Ausnahmezustand zu herrschen. Die U-Bahn war umsonst; es war wie ein Hohn, daß er mit diesem Geschenk nichts anfangen konnte. Egal, aus welcher Richtung die Bahnen kamen – sie waren voller Menschen. Voller glücklicher, strahlender Menschen.

Werner Schniedel beobachtete, wie jemand einen Zigarettenautomaten traktierte und am Schieber rüttelte, der die Zigaretten ausgibt – ohne Ergebnis. Als die Bahn einfuhr, stieg er verärgert ein.

Nun hatte Werner Schniedel eine Aufgabe. Er untersuchte den Automaten und stellte fest, daß der Mann von eben nicht der erste gewesen sein konnte, der hier sein Geld verloren hatte – die letzte Münze war gerade noch im Spalt zu sehen. Werner Schniedel riskierte sein einziges Zwei-Mark-Stück, und indem er gegen die Seitenwand des Automaten trommelte und gleichzeitig gegen die oberste Münze drückte, löste er die Blockierung. Er hatte auf einen Schlag zwanzig Mark mehr. Unter den erbeuteten Münzen waren zwei Zweimarkstücke Ost. Die hatten wohl den Schacht verstopft.

Werner Schniedel steckte die zwei Ostmünzen in den Schlitz. Das Geld fiel nicht durch. Fein. Er setzte sich auf die nächste Bank und wartete. Der Automat blieb zuverlässig unzuverlässig; er schluckte Geld, ohne Zigaretten herauszugeben. Alle Kunden standen binnen weniger Minuten vor der Frage, ob sie die U-Bahn nehmen oder den Automaten ergründen wollen – und alle entschieden sich für die U-Bahn. Nach dem fünften Enttäuschten schritt Werner Schniedel erneut zur Tat, wieder erfolgreich. Und so ging es über Stunden: Fünf Kunden abwarten, dann den Automaten leeren. Werner Schniedel kam zu Geld. Irgendwann würde der Automatenwart kommen, den Automaten sperren oder reparieren, und die schöne Zeit wäre vorbei.

Statt dessen kam eine junge Frau.

Sie war groß, größer als Werner Schniedel, und schlank. Sie trug Jeans und eine Strickjacke aus dicker Wolle, die ihr fast bis zu den Knien reichte, sich aber eng um ihren Körper schloß. Ihr Haar war dunkel, schulterlang und leicht gewellt, und jeder ihrer Schritte ließ es sacht wippen. Ihr Gesicht war fein und weich zugleich, strahlte aber etwas Königliches aus. Werner Schniedel dachte unwillkürlich an Nofretete. Ja, er konnte sich die junge Frau sofort als Königin vorstellen. Daß sie aus dem Osten war, erkannte Werner Schniedel, als sie sich der Bedienungsanleitung des Zigarettenautomaten widmete. Eine kleine senkrechte Falte bildete sich auf der Stirn, während sie die Instruktionen las, mit hellen, ausdrucksstarken Augen.

Werner Schniedel verliebte sich innerhalb weniger Augenblicke in sie. Sie war die fünfte; ist sie weg, kann er wieder sein Zweimarkstück einwerfen, die Blockierung lösen und das Geld durchfallen lassen. Er freute sich schon jetzt darauf, an den Münzen zu riechen; er war sicher, ihre beiden Münzen am Geruch zu erkennen.

Die junge Frau zog und rüttelte am Schieber, drückte auf den Geldrückgabeknopf und trommelte mit der Faust gegen den Automaten. Hilflose Versuche. Werner Schniedel ging zu ihr hinüber. »Ich sehe, du hast ein Problem?«

»Ja«, sagte sie ratlos, »ich hab Geld reingeworfen, und es tut sich nichts. Vier D-Mark!«

»Na, da wolln wir mal sehen!« sagte Werner Schniedel und gab den Automatenbeschwörer – er trommelte, klopfte, rüttelte, aber immer mit »Gefühl und Phantasie«, wie er betonte. Er tat alles, was er tun konnte, um sich vor ihr interessant zu machen.

Schließlich sagte er: »Ich fürchte, du mußt noch ein Zweimarkstück reinwerfen – oder das Geld ist futsch.« Sie sah ihn unglücklich an, und er liebte es, dieses Gesicht, das so unmittelbar zeigte, was sie fühlte. Erst das konzentrierte Lesen, dann ihr Bitten um Hilfe, ihr belustigtes Zuschauen – und nun die Reaktion auf die traurige Nachricht, daß ihr Geld weg ist. Er kannte sie kaum, aber er wußte, daß er ihr ewig immer neue Gefühle bereiten könnte – nur um ihr zuzuschauen. Und so entschied er, daß sie sich auch freuen sollte.

»Na, weil du es bist«, sagte er, steckte ein Zweimarkstück von sich in den Automaten, drückte oben und ließ die Seitenwand vibrieren

– und die Blockierung löste sich. Anders als sonst drückte er nicht auf die Geldrückgabe, sondern überließ es ihr mit großer Geste, ihre Zigaretten aus dem Schieber zu ziehen. Und tatsächlich – sie strahlte!

Nun wurde er umständlich, zeigte auf den Automaten und sagte: »Da sind jetzt auch zwei Mark von mir drin ... Ich will nicht gleich die halbe Packung oder ein Drittel – bei dir würde mich schon ne halbe Zigarette glücklich machen.« Er merkte, wie schmierig er klang, aber Charme hatte ihm nie gelegen.

»Ne halbe?« sagte die junge Frau. Werner Schniedel sah in ihrem Gesicht, daß er, der Albino, der sogar auf einem U-Bahnhof im November Sonnenbrille trug, ihr, der Nofretete aus dem Osten, nicht geheuer war.

»Na ja«, sagte Werner Schniedel, »wenn wir uns die letzte Zigarette teilen, dann haben wir uns bis dahin vielleicht schon ein wenig kennengelernt.«

Da mußte sie lachen. Sie konnte nicht anders, als diesen mißratensten ihrer Galane auszulachen. Sie wollte ihn nicht beschämen, nicht gehässig sein – sie fand es nur absurd, wer alles auf die Idee kommt, sich bei ihr was auszurechnen. Sie lachte und ließ ihn stehen.

Das war der Punkt, an dem es für Werner Schniedel wieder losging – alles ab jetzt bis zu dem Moment, da die Tür seines Zimmers im Palasthotel hinter ihm zufiel, war für ihn eine einzige Bewegung. Der Tag, der so ziellos, aber doch recht erfolgreich vertändelt wurde, hatte nun eine Spannung, ein Ziel.

Werner Schniedel verließ den U-Bahnhof, ohne das letzte Geld aus dem Automaten zu holen, immerhin achtzehn Mark, ging zum Bahnhof Zoo, tauschte dort zwanzig D-Mark gegen einhundertfünfzig Ostmark, griff sich in irgendeiner Kneipe irgendeinen Mantel vom Haken, warm, klein, dunkelblau, ging zur S-Bahn und fuhr zum Bahnhof Friedrichstraße. Er stellte sich in die Schlange für BRD-Bürger, bezahlte seinen Zwangsumtausch und wurde nicht weiter kontrolliert; aus den Grenzern schien jeder Ehrgeiz entwichen. Er nahm Revanche im Land der jungen Frau, die ihm die Kränkung zugefügt hatte.

Er fand ein Telefon, rief die Auskunft an und ließ sich die Nummer des Palasthotels geben. Dann rief er im Palasthotel an, gab aufgekratzt den Herrn Wagner, der seit Stunden versuche, durchzukommen, aber die innerdeutschen Telefonleitungen seien heute, wen wundert es ... Er wolle Herrn Schniedel junior ankündigen, Sonderbevollmächtigter des Volkswagen-Vorstands, aber vielleicht ist er ja auch schon da; er müßte jeden Moment eintreffen, und ist denn noch ein Zimmer frei? – Ja, es war ein Zimmer frei, und Herr Wagner bat darum, die Rechnung inklusive Nebenkosten an ihn, und eine Telefonnummer hat er auch, aber ob bei den Verhältnissen im deutsch-deutschen Telefonnetz es Sinn mache, trotzdem gern. Und dann ratterte Werner Schniedel zweimal die Faxnummer des VW-Betriebsrates herunter.

Als Werner Schniedel ins Palasthotel kam, schnellen Schrittes die Halle durchquerte und auf den Rezeptionstresen zusteuerte, hatte er noch immer dasselbe Tempo, mit dem er den U-Bahnhof verließ. Er warf seinen Aktenkoffer, eine ziemlich gute Fälschung eines Bottega-Veneta-Koffers, weinrot, auf den Tresen, klappte ihn auf und wühlte darin herum, wobei er abgeflogene Flugtickets, die nicht die seinen waren, einen Mont-Blanc-Füllhalter, bedrucktes Papier und eine vier Tage alte F. A. Z. zum Vorschein kommen ließ, ehe er endlich die Visitenkarten – das, wonach er die ganze Zeit zu suchen vorgab – fand und auf den Tresen legte, neben seinen Reisepaß. Die Rezeptionistin war dieselbe, mit der er erst vor wenigen Minuten telefoniert hatte. Schniedel redete ununterbrochen, über den Verkehr heute, das Durcheinander, keine Taxen im Osten, kein Durchkommen im Westen, und ob denn der Herr Wagner überhaupt angerufen hat, die arme Sau, an so nem Tag kurzfristig eine Reservierung zu machen, das braucht Nerven. Die Rezeptionistin versuchte seinem Tempo standzuhalten. Als sie den Hotelausweis ausstellte, fragte sie ihn, wie lange er bleibe. – Das wisse er noch nicht, antwortete Schniedel fahrig, er bleibe erst mal; Frühstück ist von wann bis wann? Nach weniger als zwei Minuten hatte er seinen Schlüssel, und als er in den Lift einstieg, sah ihm die Rezeptionistin hinterher und sagte zu ihrer Kollegin: »Der quatscht genauso aufgedreht wie sein Referent.«

Nachdem sich der Lift geschlossen hatte, wurde die Rechnung angelegt und die erste Position aufgesetzt. Herr Schniedel bewohnte ein Studiozimmer, die Nacht für 190 DM.

In den folgenden Wochen führte Werner Schniedel ein Schattendasein. Er erwartete nicht, daß im Palasthotel der Name Schniedel ein Begriff ist. Er konnte nicht nach Hause, die Polizei war hinter ihm her. Er wagte nicht, seine Masche noch mal in einem Hotel im Westen zu versuchen.

So blieb er über mehrere Wochen, auf unbestimmte Zeit, im Palasthotel. Die Angestellten vermuteten, daß dieser kuriose Gast von der VW-Zentrale in den Osten entsandt wurde, weil er dort den wenigsten Schaden anrichten konnte. Er wurde korrekt behandelt, aber nicht ernst genommen. Schniedel saß herum und hatte kein Konzept. Bis ihn Alfred Bunzuweit an seine Brust zog.

Werner Schniedel brauchte eine Weile, um zu begreifen, welche Rolle ihm da angeboten wird: Er war nicht nur der Sohn des Vorstandsvorsitzenden und Sonderbevollmächtigter von Europas größtem Autobauer. Er war zu einer Zeit, da die Obrigkeit vor die Hunde ging, die letzte Hoffnung, daß es auch weiterhin Obrigkeiten geben wird.

Werner Schniedel hatte schon einmal die Rolle, die ihm angeboten wurde, nicht angenommen – und es war ihm nicht bekommen. Ein zweites Mal machte er diesen Fehler nicht.

Es war spielend leicht. Zum Frühstück setzte er sich in Hörweite der Bankenpioniere und erfuhr so einiges über die Wirtschaft im Osten. Die Kontakte zu den Gewaltigen der Wirtschaft stellte Alfred Bunzuweit her, begleitet von warmen Empfehlungen. Einem Treffen stand dann nichts mehr im Wege. Werner Schniedel traf auf Angst, Neugier, Verzweiflung, Unterwürfigkeit, Lernbegierigkeit, Larmoyanz, selten auf Gleichgültigkeit, nie auf Hochmut, Verachtung oder Feindseligkeit. Mit zwei Dingen machte er großen Eindruck: Zum einen mit der locker hingeworfenen Bemerkung, daß die Bilanzen sowieso nicht viel aussagen, da »bei euch«, wie er sich ausdrückte, über den Restwert Null hinaus abgeschrieben werde. Das hatte Werner Schniedel beim Frühstück dem Nebentisch abgelauscht, und da er auf dem Wirtschaftsgymnasium ein paar Stunden Buchführung hatte, konnte er die Bedeutung des Abgelauschten auch erfassen. Nicht selten geschah es, daß sich auf Schniedels Bemerkung die Direktoren an ihre Hauptbuchhalter wandten, ob das auch stimme. Wenn die es bestätigten, wuchs Schniedel in den Augen der Direktoren zum Übermenschen – nicht genug, daß er mit nur neunzehn Jahren als Sonderbevollmächtigter für einen Weltkonzern eine Volkswirtschaft sondierte, nein, er kannte sich sogar mit den Feinheiten der sozialistischen Buchführung aus.

Noch mehr Eindruck aber hinterließ Schniedel, wenn er vom *Mutterkonzern* oder der *Konzernmutter* sprach. Er tat es dezent, er inflationierte den Gebrauch dieser Worte nicht. Schniedel spürte, daß zu Zeiten, in denen Sprechchöre sich formierten und Gläser erhoben wurden auf ein *einig Vaterland*, es nicht von Schaden sein kann, auch eine Mutter anzubieten, eine Mutter mit einer großen Brust, aus der viel Kapital fließt. Wenn Schniedel das erste Mal die Wörter *Mutterkonzern* oder *Konzernmutter* einflocht, dann wurden die Herren ganz anders. Weich wurden sie, zahm und geschmeidig, und feuchte Augen bekamen sie. An einem großen Mutterkonzern zu hängen, im einigen Vaterland – das wars, wonach sich die Herren sehnten.

Werner Schniedel kam aus dem Badezimmer. Kathleen lag noch im Bett und schlief. Diese Kathleen Bräunlich hatte er nun am Hals. Und nachts im Bett. Es war für Werner Schniedel nie ein Problem, sich in eine Frau zu verlieben. Er liebte die Frauen allein schon dafür, daß er sich in sie verlieben konnte. Er konnte sich binnen Sekunden entscheiden, nach zwei Minuten konnte er in Gedanken Liebesbriefe verfassen und bereits nach zehn Minuten lief es für ihn auf ein gemeinsames Leben hinaus. Doch nachdem Kathleen Bräunlich an ihrem letzten und schlimmsten Arbeitstag in seinen BMW gestiegen war wie in eine Kutsche, merkte er sehr bald, daß es bei ihr schwer werden könnte mit dem Verlieben. Er fand auf den ersten und auch auf den zweiten Blick nichts Anbetungswürdiges – kein magischer Glanz in den Augen, keine behutsame Geste, keine herausfordernde Positur, keinerlei perfekte Formen, weil nicht nur ihre Brüste ... Nein, beim besten Willen nicht. Um sich in eine Frau zu verlieben, reichte es ihm schon, wohlgeformte Fingerknöchelchen zu entdecken. Und denselben verliebten Blick, den er auf die Fingerknöchel richtete, weiterte er auf den Rest des Objektes seiner Betörung, als wäre das von einem Bakterium der Anbetungswürdigkeit befallen. Doch bei Kathleen Bräunlich fand Werner Schniedel nichts, wo sich der Erreger einnisten könnte. Im Gegenteil: Wenn sie den Mund auftat und in ihrem sächsischen Akzent gekränkt daherredete, tat sie allen romantischen Phantasien Schniedels Gewalt an. Die braucht keinen Frauen-Selbstverteidigungskurs, dachte Schniedel, die kann mit bloßem Reden jeden Triebtäter vergrämen.

Kathleen Bräunlich war gekränkt, als sie in Schniedels Auto stieg. Für die Revolution hatte sie nur Hohn übrig – eine Revolution, die so blind war und ihr nicht gestattete, sich zum Volk zu zählen, sondern sie der Stasi zurechnete, eine solche Revolution »kann man sich sparen«, sagte Kathleen Bräunlich. Sie habe im Büro des Parteisekretärs gearbeitet, gewiß, aber sie sei nicht in der Partei gewesen, und irgendwelche Privilegien hätte sie auch nicht gehabt – nur das Privileg, jetzt arbeitslos zu werden, denn das Parteibüro werde geschlossen, und in der Verwaltung werde ohnehin gespart, und mit der Referenz würde sie niemand haben wollen.

»Ich brauch eine Sekretärin«, hörte sich Werner Schniedel sagen. Er sagte es intuitiv, vielleicht auch, um diesen Schwall an Selbstmitleid zu unterbrechen – aber er wußte in dem Moment, als er seiner Worte gewahr wurde, daß es eine gute Entscheidung ist. Sie würde ihm seine Rolle noch mehr glauben, als er sie je spielen könnte. Und sie wird seine Erfindung immer wieder in Kraft setzen, auch vor ihm. Denn auch sie hat etwas davon, daß er der ist, für den sie ihn hält.

Er entschied sich, sie zu siezen, und verlangte eine sechswöchige, unbezahlte Probezeit. Kathleen Bräunlich dachte, das wäre im Westen so üblich, und willigte ein.

Vielleicht, weil Schniedel selbst erlebt hatte, was es heißt, mit Spott und Kränkung zu leben, wurde er binnen Minuten für sie der Chef, den sie sich, ohne es zu wissen, immer gewünscht hatte. Dieser Chef würde ihrem unwürdigen Dasein ein Ende bereiten. Alle, die eben noch über sie spotteten, werden stumm werden, wenn sie heimkehrt nach Zwickau, heimkehrt als eine, die einem westdeutschen Manager den Rücken freigehalten, seine Termine abgestimmt, seine Post vorsortiert, seine Diktate aufgenommen hatte, wochenlang, von früh bis spät. Das Aschenputtel wird heimkehren als Goldmarie: Ein Regen von Westgeld wird über ihr niedergegangen sein, wenn sie heimkehrt.

Werner Schniedel hatte noch keine Erfahrung mit einer Frau gemacht, die es ihm gestattete, vor sich selbst als Mann dazustehen, und er fühlte, daß es nie wieder eine so günstige Gelegenheit geben würde. Bereits auf der Fahrt nach Berlin erklärte er ihr, mit Absicht etwas umständlich, daß es »die Konzernmutter« bestimmt nicht gern sieht, wenn er eine Sekretärin beschäftigt, die bis gerade eben für einen kommunistischen Parteisekretär gearbeitet habe. Die Konzernmutter werde ihm sagen, wenn er eine Schreibkraft braucht, soll er sich eine aus einer Westberliner Agentur für Zeitarbeit holen. Kathleen Bräunlich war entsetzt. Ja, es war nicht zu leugnen: Sie hatte bis heute einem Kommunisten gedient.

Aber, sagte Werner Schniedel, er finde, jeder muß eine zweite Chance kriegen, und Kathleen Bräunlich nickte heftig. Deshalb wolle er ihr die Chance auch geben. Nur die Konzernmutter dürfe es vorerst nicht erfahren. Und das bedeutet, daß er ihr im Hotel kein eigenes Zimmer mieten könne, denn wenn die Konzernmutter die Rechnung sieht, dann weiß sie Bescheid. Kathleen Bräunlich bot sofort an, bei einer Berliner Freundin zu wohnen – aber das, erfuhr sie, war bei der ständigen Verfügbarkeit, die von ihr verlangt wurde, keine Lösung. Die einzige Lösung war Werner Schniedels breites Bett in der Junior-Suite. Kathleen Bräunlich war erleichtert, daß es eine Lösung gab.

Daß sich Werner Schniedel, nachdem er das Licht gelöscht hatte, an sie heranmachte, wunderte sie nicht. Sie hatte es sogar erwartet. Schließlich war sie durch ihre Arbeit im Büro des Parteisekretärs ideologisch so weit gefestigt, daß sie um das ganze Ausmaß kapitalistischer Ausbeutung wußte. Daß ein Kapitalist Zugriff auf den Körper der Werktätigen hat, war ihr wohlbekannt – das sollte nur eine der vielen Abscheulichkeiten des Kapitalismus sein. Doch Kathleen Bräunlich wollte den Kapitalismus nicht abscheulich finden, im Gegenteil: Sie wollte zu ihm überlaufen. So befriedigte sie Werner Schniedel – freiwillig und so gut sie eben konnte. Sie hatte schon Erfahrungen mit Männern, flüchtige Erfahrungen. Bei einem postpubertären Gesellschaftsspiel, Eulenschießen genannt, war sie schon manches Mal in den Kreis der Mitspielerinnen erwählt worden.

Nun lag sie in seinem Bett und wollte weiterschlafen. »Kathleen«, sagte er und klatschte in die Hände. »*Time is money!*«

6

An einem Freitag fuhr Leo Lattke mit Lenas großem Bruder nach Hamburg, zur Weihnachtsfeier seines Magazins. Der Abend begann mit einem Stehempfang in der Redaktion, dann fuhren Busse zum Ort des Geschehens, der bis zuletzt geheimgehalten wurde: Eine restaurierte Lagerhalle des Hamburger Hafens, mit roten Backsteinwänden, die von einer vernieteten Stahlkonstruktion überwölbt waren. Der Zweckbau des industriellen Zeitalters war mit einer Auswahl edler und teurer Gegenwartsstücke ausgestattet: weiß gedeckte Tische, staubfreie, glänzende Weingläser, Kerzenständer. Der Raum war in angenehmes Licht getaucht. Die Kellnerinnen und Kellner servierten in gestärkten Schürzen ein Menü, das der Chef de Cuisine des Nobelhotels *Louis C. Jakob* eigens für diesen Abend kreiert hatte.

Das Blatt hatte, wie der Herausgeber in seiner Tischrede hervorhob, ein Rekordjahr gefahren. Wenn es nach dem Kaufmann in ihm ginge, könne sich das mit der DDR noch Jahre hinziehen. »Geben wir ruhig zu: Wir sind die Krisengewinnler«, sagte er, um schließlich ohne rechten Zusammenhang anzuschließen: »Trotzdem stellen wir den Abend unter das Motto *Auferstanden aus Ruinen.*«

Der Herausgeber war ein selten schlechter Redner. Leo Lattke kannte sonst niemanden, dessen unbestrittene, ja leuchtturmhafte öffentliche Bedeutung in solch krassem Mißverhältnis zur rednerischen Unbegabung stand. Warum sollte sich jemand, der sich, wann immer er will, schriftlich an ein Millionenpublikum wenden kann, um die Wirkungen kümmern, die nur ein paar hundert Leute angehn? Leo Lattke war von schlechten Reden fasziniert, so wie manche Menschen von Exkrementen fasziniert sind. Es fesselte ihn ungemein, wenn er erlebte, wie kluge und sogar charismatische Menschen als Redner, zumal vor Massen, versagten. Wenn sie auf ihren Pointen sitzenblieben, über Betonungen stolperten, das Tempo überdrehten oder mit dem Rhythmus fremdelten. Wenn sie sich im Dickicht langer Sätze verirrten und nur mit der Machete wieder herausfanden. Wenn ihnen das richtige Zitat immer wieder entwischte wie ein nasses Stück Seife. Wenn die Redestrecke mit so holprigen Kausalitäten gepflastert war, daß die Zuhörer nicht mehr wußten, wohin die Reise eigentlich geht. Leo Lattke machte sich oft über das Reden Gedanken. Er war selbst kein guter Redner. Trotzdem wollte auch er nachher sprechen.

Lenas großer Bruder nahm das erste Mal an einer Festivität dieser Dimension teil. Als die Busse vor den Lagerhallen hielten, glaubte er zunächst, das Blatt feiere die Auferstehung in Ruinen, um den Etat zu schonen. Die Katakomben kommen billiger als der Große Ballsaal. Leo Lattke jedoch sagte *Luxus*. Lenas großer Bruder verstand erst allmählich, was das meinte. Der Abend sollte teuer sein, ohne protzig auszusehen. Der Luxus sollte nur den Kennern auffallen, erklärte Leo Lattke – denn das bereite doppelten Genuß.

Der Abend hatte Luxus. Der größte Luxus bestand in den Gästen. Erst dachte Lenas großer Bruder, es wäre die Garderobe. Später vermutete er, es seien die Düfte. Aber es war etwas anderes, das diesen Saal zu einer Klasse für sich machte: Es war das Benehmen, das Benehmen der Männer. Wie sie so über den Tisch motzten, locker waren, sich Sprüche und Repliken zuschnippten, ein wohltemperiertes Auflachen in die Unterhaltung tupften – das hatte Rhythmus, hatte Swing. Es war ein raffiniertes Spiel, das die Männer spielten. Die Akteure waren zugleich das Publikum, und alles, was gesagt, gezeigt, getan und geboten wurde, fand nur deshalb statt, weil es vor aller Augen stattfand. Als würden Schauspielschüler eine Improvisation zum Thema »Geselligkeit von Erfolgsmenschen der Medienbranche« proben, die jederzeit vom Professor abgebrochen und bewertet werden könnte. Doch die Schauspielschüler waren hochbezahlte Journalisten – und so war der Abend eine Massenszene, gespielt von einem Starensemble. Luxus.

Leo Lattke wohnte seit fünf Wochen im Palasthotel und hatte noch keine Zeile veröffentlicht. Seine Kollegen verschlimmerten ihm das Gefühl der Krise, indem sie ihn mit hohen, höchsten Erwartungen konfrontierten, die als Bewunderung getarnt daherkamen: »Leo, sach mal – was brütest du da nur für ein Ding aus!« – »Leo, du machst es aber spannend diesmal. Isses wahr, du sitzt schon seit über nem Monat in Ostberlin?« – »Leo, mit dir würd ich gerne tauschen. In so ner Zeit an so nem Ort – da ist die Unsterblichkeit doch programmiert.«

Leo Lattke nahm es gelassen. »Klar!« sagte er, oder »Seh ich auch so«.

Sein Auftritt kam vor dem Dessert. Er nahm das kabellose Mikrophon. Die freie Hand unterstützte seine Rede, während er auf der Bühne umherwanderte. Seine Redeangst überspielte er, indem er, wie immer, viel zu laut sprach. »Liebe Kolleginnen und Kollegen«, sagte er, und seine Worte knallten aus den Lautsprechern. »Ich bin Leo Lattke, seit Mitte November in Ostberlin. Das Telefonnetz da ist von 1926, das ist kein Witz, nein, nicht lachen, die Witze kommen später – Telefonnetz von 1926, und entsprechend ist die Telefonkultur. Wenn Sie ner Sekretärin sagen *Faxen Sie mal bitte*... dann guckt die erschrocken, weil sie glaubt, sie soll Faxen machen. Oder das hier, ihr kennt es alle« – er hielt einen schwarzen Kasten aus Plastik hoch, der an ein Kassettendeck erinnerte –, »doch ob mein Kollege aus dem Osten weiß, was das ist? Kommst du mal?« Lenas großer Bruder erhob sich. »Ein hervorragender Fotograf!« rief Leo Lattke. »Applaus, bitte!« Der Beifall kam und dauerte an, bis Lenas großer Bruder längst auf der Bühne stand. Leo Lattke zeigte ihm das kleine schwarze Elektrogerät. »Was ist das?«

Lenas großer Bruder kannte Kassettendecks oder Diktiergeräte. Diesen Apparat kannte er nicht. Er mußte passen, vor vierhundert Augenpaaren.

»Das ist ein Anrufbeantworter«, sagte Leo Lattke. »Ich weiß, ich bin fies, ich ruf dich nach vorn und mach dich zum Eimer. Trotzdem danke, vielen Dank!«

Lenas großer Bruder ging zurück an seinen Platz. Er konnte nicht sehen, was Leo Lattke hinter seinem Rücken tat; er hörte nur, wie Lachen den Saal kräuselte.

»Anrufbeantworter!« rief Leo Lattke in den Saal, so laut, daß er kein Mikrophon gebraucht hätte. »Weil im Osten kaum einer Telefon hat, können die sich kaum anrufen. Deshalb klingelt es bei den wenigen, die eins haben, so gut wie nie. Wenn es so gut wie nie klingelt, verpassen die nie einen Anruf, wenn sie mal nicht da sind. Ergo:

Der Anrufbeantworter ist bestimmt nicht bei denen erfunden worden. Es ist, ich sach mal, wie mit Geflügelscheren bei Vegetariern.«

Leo Lattke holte eine Tonbandkassette aus seiner Brusttasche und hielt sie hoch. Er sprach langsam, er ließ die Worte auf der Zunge zergehen.

»Die hier, liebe Kolleginnen und Kollegen, ist aus dem Anrufbeantworter unseres Ostberliner Büros.« Die ersten lachten. »Ich sach mal: Volk lernt sprechen. Wenn irgendwo ein Sack Zement umfällt oder der Sohnemann vom Parteisekretär zweimal die Woche Fahrstunden bekam, während Otto Normalfahrschüler nur einmal ans Steuer durfte – wir sollens bringen. Aber dazu müssen sie es uns erst mal sagen. Da beginnt das Problem.« Er wedelte mit der Kassette herum. »Die kommt mal ins Museum! Originalstimmen unserer Landsleute aus dem Osten, als sie in unserem Ostberliner Büro anrufbeantwortermäßig entjungfert wurden, wenn Sie verstehen, was ich meine. Volk lernt sprechen – ein Dokument der Zeitgeschichte!«

Leo Lattke legte das Band in einen Kassettenrecorder ein, drückte auf Start und hielt das Mikrophon dicht an den Lautsprecher. *Das Büro kann Ihren Anruf im Moment leider nicht entgegennehmen. Bitte hinterlassen Sie Ihren Namen, Ihre Telefonnummer und den Grund Ihres Anrufs.*

Es piepte, dann hörte der Saal eine mürrische Männerstimme.

»Wat? Wat? Könn die keen orntlichet Deutsch?« Es knackte – und das wars.

Die nächste Anruferin sagte »Ach du liebes bißchen!« und legte auf, ein weiterer Anrufer sagte nach einem kurzen Schweigen »Wat issn dit jetze? Nee, det is mir nüscht!« und legte ebenfalls auf. Die nächste Anruferin brach nur in schallendes Gelächter aus. Bei ihrem zweiten Versuch war deutlich zu hören, daß sie ihre Nachricht ablas. »Mein Name ist Kunze, ich bin Geschichtslehrer und möchte Sie hiermit höflichst bitten, mir das 1976 erschienene Heft über die Biermann-Ausbürgerung an folgende Adresse zu schicken.«

Der folgende Anruf bestand nur aus einem Knacken. »Nanu?« sagte Leo Lattke. »Aber vielleicht jetzt.« Dasselbe. »Oder jetzt.« Wieder wurde ohne ein Wort aufgelegt. Das geschah noch weitere drei Mal, wobei Leo Lattke nicht mehr zu sprechen brauchte, sondern mit kommentierenden Gesten auskam. Je sparsamer er sie einsetzte, desto lauter lachte der Saal. Nach dem siebten Knacken hielt er das Band an. »Das ist Telefonterror gegen Anrufbeantworter!«

»Jetzt fühl ich mich aber nackig«, sagte eine weitere Anruferin. Beim nächsten Anruf geriet der Saal in wahre Lachkrämpfe. Die Anruferin leistete sich für jeden Satz eine spannende Denkpause, und doch verstolperte sie jeden Gedanken. Jeder ihrer mühselig vollendeten Sätze wurde mit Gelächter quittiert. Leo Lattke mußte das Abspielen unterbrechen und warten, daß sich der Saal beruhigt. Die Stimmung war ins Tumulthafte geschwappt, die Gäste hatten Tränen in den Augen und hielten sich vor Lachen an ihren Nachbarn fest. Der Anruf dauerte über drei Minuten. Zum Schluß mußte die Anruferin zugeben, daß sie inzwischen vergessen hatte, weswegen sie anrief. Es war absurdes Theater.

Die nächste Stimme erkannte Lenas großer Bruder sofort: Es war Lenas Stimme. Leise, aber aufgeregt sprach sie mit jemandem, der wohl neben ihr stand. »... noch nie erlebt, kannst du das machen? Das ist ganz was Komisches.« Dieser Jemand sagte mit fester Stimme »Hallo?«

Auch diese Stimme kannte Lenas großer Bruder – es war der wilde Willi. Es war ein merkwürdiges, unbehagliches Gefühl, zwei Bekannte so vorgeführt zu hören. Lenas Bruder kam sich vor wie ein Verräter.

Lena war kaum zu hören: »Du mußt sagen, daß wir kommen. Am Freitag, dem ersten Dezember beim Gesundheitsminister. Das ist n Band oder so was.«

»Ach so«, sagte der wilde Willi und besprach das Band so, wie Lena es ihm vorsagte. »Wir kommen! Am Freitag, dem ersten Dezember beim Gesundheitsminister. Vielleicht könnse ja davon berichten.«

Lena wisperte: »Wir kommen auf Rollschuhen!«

»Die Damen kommen auf Rollschuhen«, wiederholte der wilde Willi. Dann sagte er zu Lena: »Meinst du, da kommt einer?«

Lena sagte, es war kaum zu verstehen: »Leg erst mal auf.«

»Ich leg erst mal auf«, sagte der wilde Willi ins Telefon, und dann: »Ach so. Ich kling immer n bißchen komisch, wenn ich spreche. Ich bin aber nicht besoffen, ich hab nur so ne große Zunge.« Dann legte er auf. Der Saal lachte und war nicht zu beruhigen.

Lenas großer Bruder war wie vor den Kopf geschlagen: Er hatte erlebt, wie Lena vor einer Wand aus Polizisten stand und sich nicht einschüchtern ließ, doch mit einem kleinen Kasten, der dreihundert Kilometer weit weg war und nichts tat, als ihre Stimme aufzunehmen, wurde sie nicht fertig. Von dem ließ sie sich zur Lachnummer machen. Der ganze Saal lachte, und Lenas großer Bruder konnte es niemandem übelnehmen – es war tatsächlich komisch und auch lächerlich, wenn der wilde Willi getreu wiederholte, was ihm Lena einflüsterte – und wie daraus eine Nachricht wurde, mit der niemand etwas anfangen konnte. Und als der wilde Willi seine große Zunge ins Spiel brachte, mußte sogar Lenas Bruder lächeln.

Leo Lattke ließ das Band weiterlaufen. Eine Frauenstimme, erst zaghaft, dann fester. »Also mein Mann ... Mein Mann hat ... Er war im Knast, in Hohenschönhausen, und die Stasi hat ihn heimlich bestrahlt. Mein Mann weiß es, kann es aber nicht beweisen. Er hat jetzt Krebs. Könnten Sie etwas darüber bringen?«

Der ganze Saal tat ein Geräusch lautlosen, brunnentiefen Entsetzens, wie es nur von einem Saal, einer Halle, einem Stadion erzeugt werden kann.

»Ja, auch solche Spinner gibt es«, sagte Leo Lattke kalt. »Aber wir haben noch ein Highlight. Sie können nicht nur stottern und stammeln. Sie können auch lallen!«

Es folgte eine Serie von Anrufen, die, wie Leo Lattke erklärte, alle an einem Samstagabend eingingen, immer im Abstand von ungefähr einer halben Stunde.

Die Anrufe hatten einen unruhigen Hintergrund, es wurde dazwischengerufen, unterbrochen; manchmal wurde der Hörer weitergegeben oder dem Anrufer gar entrissen. Die Anrufe kamen von der Weinverkostung einer Winzergenossenschaft aus der Saale-Unstrut-Region. Die Winzer waren von der Güte ihrer Weine so angetan, daß sie spontan fanden, diese Weine seien einen Bericht wert. Auch für die Winzer war der Anrufbeantworter unbekannte Technik. Jedoch: Sie wurden mit fortschreitender Verkostung, von Anruf zu Anruf, immer entschlossener. Ihre anfängliche Scheu fiel ab und wuchs über eine sympathische Selbstvergessenheit bis ins rabaukenhafte Geprotze – zugleich aber wurden die Winzer mit jedem Mal schwerer verständlich –, bis sie ihre Begeisterung nur noch lallend mitteilen konnten und sie von Gesängen im Hintergrund begleitet wurden, Gesängen, die von Mal zu Mal deutlicher entgleisten. »Ob die Zungen noch größer werden?« rief Leo Lattke, die Stimmung anheizend, und der Saal fragte sich, wie überhaupt die Winzer noch die richtigen Löcher auf der Wählscheibe treffen konnten.

Der letzte Anruf war, wie Leo Lattke sagte, vom Sonntagvormittag. Ein schwer verkaterter Genossenschaftsvorsitzender entschuldigt sich mit schleppender, belegter Stimme, Worte verwechselnd, und sagt abschließend: »Na, vergessen Sies.«

Leo Lattke schaltete den Recorder aus. Der Saal dankte ihm mit Ovationen. Doch Leo Lattke deutete an, daß er noch nicht ganz am Ende war.

»Liebe Kolleginnen und Kollegen, wenn wir uns noch mal beruhigen könnten … Danke! Wir haben so viel über den Riesling aus der Saale-Unstrut-Region gehört, daß wir direkt neugierig geworden sind. Leo Lattke hat keinen Aufwand gescheut, um euch den gepriesenen Tropfen der Winzer-VdgB zu kredenzen.«

Aufs Stichwort waren zwei Dutzend Kellnerinnen und Kellner in den Saal geschwärmt, mit kreisrunden Tabletts voller Weißweingläser. Als Leo Lattke seine kurze Ansprache beendet hatte, standen vor allen Gästen gefüllte Gläser.

Leo Lattke erhob sein Glas.

»Trinken wir auf den Ruf der Straße: *Wir sind ein Volk!*«

Er prostete dem Saal zu. Trank mit allen. Setzte ab. Verzog das Gesicht.

»Wir auch«, sagte er.

Später am Abend bat Leo Lattke den Herausgeber darum, ihm ein paar Seiten in der Silvesterausgabe freizuhalten. Er schreibe gerade über sieben Transsexuelle, die auf halbem Wege von ihrem Arzt verlassen wurden und fortan durch sexuelles Niemandsland vagabundieren. Der Herausgeber war begeistert. Diese Story hatte genau die kuriose Note, dank derer Silvesterausgaben als etwas Besonderes gelten. Auch die Chefredaktion geriet in Hochstimmung, als Leo Lattke den geplanten Artikel kurz beschrieb – sie erwartete etwas mit dem Tenor »Wenn Perverse sich verrechnen«.

Wer sich verrechnete, war die Chefredaktion. Auch Lenas großer Bruder war von Leo Lattke überrascht. Er hatte diesem lärmigen, rücksichtslosen Menschen nicht zugetraut, einer Geschichte, die sich geradezu anbietet, herauskrakeelt zu werden, so viel Gefühl und Würde zu geben. Nach dem Interview, das Leo mit einem der sieben sonderbaren Wesen führte, hatte er alles in der Hand, um als heterosexueller, gutaussehender, erfolgreicher und fickfreudiger Mann diese Menschen mit demselben Spott zu präsentieren wie die Erstbenutzer eines Anrufbeantworters. Doch etwas hielt ihn davon ab. Dieses Etwas waren die Fotos von Lenas großem Bruder. Sie enthielten sich jeder Attitüde, jeden schrillen Effektes. Sie pendelten dieses *Nicht-Mann-und-nicht-Frau-Sein* ganz behutsam aus. Leo Lattke haßte sich dafür, daß er immer wieder die Fotos betrachtete, daß er von ihnen gefangengenommen wurde. *Er* wollte die Akzente setzen. *Er* war schließlich der Star.

Lenas großer Bruder hatte mal erwähnt, daß er oft mit angehaltener Luft knipst. Und so beschloß Leo Lattke, eine Reportage *wie mit angehaltenem Atem* zu schreiben, ganz entgegen seiner Art. Er liebte es, hyperventilierend zu schreiben, überdreht, exzentrisch, mit den Mitteln protzend – diesmal vertraute er ganz allein der Geschichte. Er vertraute, was am erstaunlichsten war, einer einzigen Geschichte. So schrieb er nicht über sieben Transsexuelle, sondern nur über Heidi.

Heidi war verzweifelt. Sie wurde den männlichen Körper einfach nicht los. Und in dieser Verzweiflung kippte sie ihre ganze Geschichte vor Leo Lattke aus. Er sagte später, er hatte *die ganze Scheiße nur noch aufzuwischen.*

Heidi wurde als Rainer geboren. Ein Junge zu sein bedeutete ihr nichts, sie spielte mit den Mädchen; Heidi beschrieb das Gefühl, daß »ich den Jungen mitnahm, um mit den anderen Mädchen zu spielen«. Die Aussicht, später ein Mann zu werden, war für Heidi unvorstellbar. Sie konnte sich sogar an die Situation erinnern, als sie beschloß, auf gar keinen Fall ein Mann zu werden: Als Fünf- oder Sechsjährige stöberte sie im Badezimmer herum und bewunderte die Lippenstifte, die Puderdose, die Lockenwickler, Haargummis, das Kölnisch Wasser, die Cremes ... Ja, das waren die Dinge, die eine Frau braucht – schöne Dinge, weich, glänzend, duftend. Und dann widmete sich Heidi dem Rasierapparat des Vaters. Was sie sah, als sie ihn, mehr aus Versehen, öffnete, war das Ekelhafteste, das sie in ihrem Leben gesehen hatte: Ein schwarzgraues Mehl, das im Inneren des Rasierapparates hockte, klumpig und stockend. So etwas zu produzieren kam für Heidi überhaupt nicht in Frage; sie wußte fortan, auf welcher Seite sie steht.

Leider beugte sich ihr Körper nicht ihrem Entschluß, egal, wie oft sie heimlich die Schuhe und Kleider der Mutter anprobierte oder die Gesten und Bewegungen der Abba-Sängerinnen Agneta und Anni-Frid oder von Baccara imitierte: Sie kam in den Stimmbruch, auf der Brust und im Gesicht sprossen Haare, erst als Flaum, dann dick und schwarzglänzend. Ihr Körper tat Dinge, die sie haßte und die sie ekelten. Mit so einem Körper wußte sie nichts anzufangen. Von Heidi konnte sie nur noch träumen. Rainer war sie geworden.

Für dieses Empfinden gab es keine Sprache; er fühlte nur unendliche Isolation. Dann hörte Rainer von Amanda Lear, einer Sängerin mit einer tiefen Stimme, aber allen weiblichen Oberflächenreizen – blond, sexy, herausfordernd –, von der es hieß, sie sei früher ein Mann gewesen. Diese Information war wie ein Lichtstrahl. Er muß nicht endgültig ein Mann sein. Rainer sammelte mit der Obsession eines Fans alles über Amanda Lear: Platten, Zeitungsartikel, Konzertmitschnitte und vor allem Fotos, Fotos, Fotos. Er schrieb ihr, mehrmals, aber sie antwortete nicht. Doch das war nicht so wichtig. Es gab sie, eine Frau, die mal ein Mann gewesen ist. Hätte er nie von ihr gehört, dann hätte er irgendwann mit siebzehn, achtzehn Selbstmord begangen.

Aber so entdeckte Rainer die Faschingszeit für sich. Er ging immer als Frau: Ob als Prinzessin, als Vamp, als Waldfee, als Amanda Lear, als Tänzerin, als fesche Lola oder leichtes Mädchen – im Licht der Diskothek ging er ohne Probleme als Frau durch. Er ließ sich anbaggern, an manchen Stellen auch anfassen. Er brachte zahllosen Jungs den Zungenkuß bei, und die ganz Stürmischen befriedigte er auch mal mit der Hand. Er wußte von sich, daß er eine bessere Frau ist als die echten.

»In der S-Bahn«, erzählte sie, »war es ja nicht so schön dunkel wie in der Disco. Ich hab mich nur mit den Typen rumgeknutscht, pausenlos, aus reiner Notwehr, damit die nichts merken. Oder hab denen einen runtergeholt, hab ihnen mit der Zunge dazu im Ohr rumgespielt – es war so geil, weil ich mich als Frau gefühlt hab. Da hab ich für mich herausgefunden, was es heißt, eine Frau zu sein. Aber wenn es rausgekommen wäre, dann gute Nacht. Die hätten mich zu Brei geschlagen. Ich hatte mal ein Bonzenkind am Haken, also jetzt ein echtes Bonzenkind. Ich sitz mit dem in der S-Bahn, ich bin voll am Fingern, und plötzlich sagt der mir, wie er heißt. Ich sag, daß mir der Name bekannt vorkommt, sagt der, ja, das ist mein Vater. Na, schöne Scheiße, denk ich. Ich geb ihm, wonach sein Trieb verlangt – und merke: Der sucht echt ne Freundin, also was Festes. Der will nicht nur mal so faschingsmäßig abschieben, dem geht das alles zu schnell. Ich steig nächste Station aus, und natürlich hoffe ich, daß er denkt, ich will mit ihm wegen seinem Bonzenvater nichts zu tun haben – aber wie ich an der Tür stehe und mich noch mal zu ihm umdrehe, da denk ich, er hats erkannt. Er hat mir so nen Blick zugeworfen, so ne Mischung aus Ahnung und Entsetzen. Der Minister hat auch so geguckt, als er begriffen hat, was da vor ihm stand.«

Was Rainer in der Faschingszeit trieb, war ein Spiel mit dem Feuer. Er mischte sich grundsätzlich nur unter Fremde. Und je heller die Orte waren, an die er sich mit seinem verführten Verführer wagte, und je nüchterner der war, desto größer war die Gefahr, aufzufliegen. Bei Entdeckung drohte Spott, Bloßstellung, Haß und gewalttätige Rache. Andererseits konnte Rainer der Versuchung nicht widerstehen, sich so oft und so intensiv wie möglich als Frau zu erleben. Was aber ist eine Frau und wie läßt sich Frausein dosieren? Leo Lattke fragte das. Je dicker die Brüste, je röter die Lippen, je länger die Beine, je reizender die Wäsche, je gestreßter die Möse, desto mehr ist eine Frau eine Frau? Heidi überlegte nicht lange: Eine Frau ist ein Wesen, das Männer um den Verstand bringt. Fasching war *die* Gelegenheit für Rainer, Männer – »Typen« – um den Verstand zu bringen.

Trotz Amanda Lear beging Rainer einen Selbstmordversuch – drei Tage, nachdem er den Einberufungsbefehl bekam. Er hatte bei der Musterung den Arzt händeringend beschworen, daß er nicht könne, er hatte die Musterungskommission nicht ausreden lassen, nachdem die ihn für tauglich erklärte – er hatte sofort auf seine Untauglichkeit hingewiesen. Umsonst. Die Vorstellung, anderthalb Jahre als Mann unter Männern zuzubringen, mit all den männlichen Ritualen, den Grobheiten, und in einer Umgebung, die nichts Weibliches, Feminines duldet – diese Vorstellung war der blanke Horror. So malte er sich die Lippen rot an und fraß einen Arzneimittelschrank voller Pillen, ein typischer Schrei-nach-Hilfe-Selbstmord, der eigentlich mißlingen soll. Seine Mutter fand ihn, wie er sich, bekleidet mit einem blauen Sommerkleid, delirierend auf dem Sofa hin und her warf; der Lippenstift war längst in den weißgrauen Cordsamtbezug geschmiert. Die Dosis war nicht tödlich, die Vergiftung aber so schwer, daß die Leber dauernd geschädigt war; er mußte fortan auf Alkohol verzichten.

Rainer kam in psychiatrische Behandlung; die Einberufung wurde zurückgestellt, und schließlich wurde er sogar ausgemustert. Die erste Begegnung mit seiner Psychologin ließ ihn binnen Minuten zusammenbrechen: Sie verstand ihn. Sie verstand ihn mehr, als er je zu träumen gewagt hatte. Und zu seiner Überraschung – und das führte schließlich zum Zusammenbruch – verstand sie von seiner Lage mehr als er selbst. Sie hatte Worte für das, was ihn quälte, klare, sichere, treffende Worte. Amanda Lear, sie wußte Bescheid. Natürlich, die Erkundung vor dem Schminkspiegel. Das Gefühl von Freiheit und Erfüllung, das ihm Frauenkleider verschafften – kannte sie alles. Nach den Faschingsabenteuern fragte sie selbst: Ob er denn nicht die Faschingszeit genutzt habe. Und die zur Floskel gewordene Formulierung, die das Problem Transsexueller beschreibt, die stammte auch von ihr: Daß er das Gefühl habe, im falschen Körper zu leben.

Dank Amanda Lear war ein Problem verhandelbar, das bis dahin ohne Bewußtsein von sich selbst und auch ohne Instanz vor sich hin schwelte. Doch mit ihr gab es einen Fall, auf den sich zumindest so viele beriefen, daß sie eine Gruppe bildeten. Sie wußten nichts voneinander; es gab keine Szene. Die meisten Betroffenen gaben sich tatsächlich erst mit einem Selbstmordversuch zu erkennen, und dank Amanda Lear wußten sie, was sie damit meinten.

Daß die Geschlechtsumwandlung als medizinisches Verfahren auch in der DDR Einzug hielt, war dem diplomatischen Geschick jener Ärzte und Psychologen zu verdanken, die sie wollten. Ihnen war klar, daß ein Verfahren, das die Identität eines Menschen komplett umkrempelt, die Mächtigen nicht kaltlassen kann. Die werden kaum hinnehmen wollen, daß ihrer schwer schuftenden Arbeiterklasse Frauen ins Bett gelegt werden, die keine sind. Doch zu solchen Diskussionen ließen es die Befürworter gar nicht kommen. Sie argumentierten mit der absurd hohen Zahl von Selbstmordversuchen unter den Transsexuellen, und da die Selbstmordrate als wichtige Kennziffer der Volksbeglückungserforschung galt, wurde die Geschlechtsumwandlung als Selbstmordabsenkungsbehandlung verkauft.

Rainer hatte alles, was ihn für diese Behandlung qualifizierte – nur das Alter nicht. Aber mit dem Wissen, daß er nicht für immer verurteilt ist, den männlichen Körper mit sich herumzuschleppen, machte ihm das Warten wenig aus. Er ging regelmäßig zu einer vorbereitenden psychologischen Betreuung, und sein Gemütsleben schwankte zwischen Tagträumereien, in denen er Heidi war, und Depressionen, weil er noch immer nicht Heidi sein durfte. Die typisch weiblichen Bewegungsreize hatte er längst angenommen, und er versagte sie sich auch nicht, obwohl er dafür nicht selten als *Schwuchtel* beschimpft wurde.

Die Behandlung begann mit der Verabreichung von Hormonpräparaten in Tablettenform; es waren Östrogene. Er reagierte mit Übelkeit, Hitzewallungen und Freßattacken, aber darauf war er vorbereitet. Zudem waren es alles typisch weibliche Symptome, Schwangerschaftssymptome. Auch wenn es ihm schlecht ging – er war auf dem richtigen Weg. Dann wurde ihm »der Beutel«, wie er sein Skrotum nannte, abgeschnitten. Das war der schönste Tag in seinem Leben. Die Produktion der männlichen Hormone brach zusammen, sein Körper wurde von Weiblichkeit ergriffen, überflutet. Die Brüste wuchsen. Die Haut wurde weich und geschmeidig. Der Schwanz, nur noch Ausscheidungsorgan, verkleinerte sich. Rainer verschwand wie eine Gestalt im Nebel. Und Heidi erschien.

Heidi warf Rainers Rasierzeug in den Mülleimer und machte einen Termin beim Damenfriseur. Heidi benutzte die Damentoilette. Heidi schrieb Briefe an Verwandte und Bekannte, in denen sie sich vorstellte als »Heidi, die früher mal Rainer war«. Sie bekam erstaunlich viele positive Reaktionen, sogar von Männern, die sie für grob, autoritär und vernagelt gehalten hatte. Heidi war glücklich, zuversichtlich, optimistisch.

Und plötzlich war ihr Arzt weg.

Die Geschlechtstransformation bestand aus einer Hormonbehandlung, chirurgischen Maßnahmen und einer begleitenden psychologischen Behandlung. Die Fakten wurden durch die Hormone und das Skalpell geschaffen, und beides lag in der Hand ein und desselben Arztes – und der war weg.

Sie nahm weiter die Hormontabletten, doch als die aufgebraucht waren, gab es niemanden, der ihr neue verschreiben konnte. Die Psychologin durfte nicht medikamentieren, und auch die Fortsetzung der chirurgischen Maßnahmen war völlig ungewiß. Die Behandlung werde verschoben, hieß es, ausgesetzt und zum frühestmöglichen Zeitpunkt wieder aufgenommen. Nur die psychologischen Maßnahmen, die liefen weiter – aber auch da trat eine Situation ein, die ohne Beispiel war.

»Es ist wie Krieg, den der Körper gegen die Seele führt, und die Bomben sind Hormone«, versuchte es Heidi zu erklären, als sie mit Leo Lattke sprach. Als der Nachschub für die femininen Bataillone ausblieb, begann ihr Körper die Konterrevolution: Die Brüste verkleinerten sich, und ihre Ausdünstungen waren ihr männlich. Sie hatte zweimal sogar eine Erektion. Und was das schlimmste war: Sie konnte sich die Heidi nicht mehr glauben. Sie traute sich nicht mehr unter die Leute, nachdem sie, obwohl noch längst keine perfekte Frau, doch schon so sicher auftrat. Sie wußte nicht, wie sie unterschreiben soll, *Heidi-Rainer Schlüter* erschien ihr am ehrlichsten. Sie wußte buchstäblich nicht, ob sie auf die Herren- oder die Damentoilette soll. Sie ging schließlich auch nicht mehr zur Psychologin; sie konnte die Durchhalteparolen nicht mehr hören.

Dann fiel die Mauer.

Es war eine Alternative, die Behandlung im Westen zu Ende zu bringen; sie müßte nur ihren Wohnsitz in den Westen verlagern.

Doch das wollte sie nicht. Sie hatte sich in ihrem Umfeld als Heidi gezeigt, und sie spürte dort Rückhalt. Sogar Rainers Kollegen – Rainer war Kellner – wollten mit Heidi weiterarbeiten; da gab es keine Ressentiments, mit denen sie nicht fertig werden würde. Im Westen wäre sie ein schriller Vogel, und sie würde in einer Szene landen, die sich für nichts interessiert als für sexuelles Raffinement. In dieser Mischung aus Entschlossenheit und Verzweiflung drang sie mit sechs Leidensgenossinnen und -genossen – Leiden stimmt in beiden Fällen! – zum Gesundheitsminister Prof. Dr. Rüdiger Jürgends vor und verlangte Hilfe. Als sie sich mit Leo Lattke traf, war die Verzweiflung bereits größer als die Entschlossenheit.

Darüber schrieb Leo Lattke in der Silvesterausgabe, und seine Reportage löste weithin Reaktionen aus. Über zwanzig Ärzte meldeten sich bei dem Blatt, in dessen Diensten Leo Lattke stand, und boten an, die Behandlung für Heidi oder die anderen sechs kostenlos zu Ende zu bringen. Ein niederländischer, ein schweizerischer und sogar ein kanadischer Arzt wollten eigens kommen und die ausgesetzte Behandlung fortführen.

Leo Lattke ließ all diese Briefe an Heidi weiterschicken. »Mach damit, was du willst. Halt mich auf dem laufenden«, ließ er ausrichten.

Heidi machte mit den Briefen, was sie wollte. Vermutlich. Sie hielt Leo Lattke nicht auf dem laufenden.

7

Werner Schniedel hatte sich in den Kopf gesetzt, das Brandenburger Tor bei seiner Wiedereröffnung Seite an Seite mit den beiden Berliner Bürgermeistern zu durchschreiten. Er ließ sich von Alfred Bunzuweit eine Protokollkarte beschaffen, die ihm Zutritt zum abgeriegelten Bereich garantierte. Am Vormittag des 23. Dezember, eines völlig verregneten Tages, fuhr er in den Westen Berlins und kaufte im VW-Haus Eduard Winter einen großen Regenschirm aus weißem Nylon, der, aufgespannt, das Firmensignet in seiner ganzen Pracht entfaltete: Der Fuß des V stand in der Mitte des Schirms, wo er sich mit der Spitze des W traf.

Kathleen Bräunlich nahm er nicht mit zur Öffnung des Brandenburger Tores. Zwar befriedigte er sich weiter des Nachts an ihr und benutzte sie für einen sexuellen Intensivkurs, indem er mit Stellungen experimentierte, die er aus Pornoheften abgeguckt hatte – doch tagsüber ging er lieber seiner Wege. Er schickte sie in den Zeitschriftenlesesaal der Amerika-Gedenkbibliothek, wo sie die Tagespresse nach Artikeln durchforsten sollte, in denen es um VW, Ernst Schniedel und um die Firmen ging, zu deren Direktoren Alfred Bunzuweit einen Kontakt herstellen konnte. Mehr hatte sie nicht zu tun. Sie durfte, wenn sie wollte, in all den bunten Zeitschriften des Lesesaals lesen: Mode, Wohnen, Tiere. Aber sie verließ den Lesesaal, wenn sie die Artikel zusammengestellt hatte. Sie war unglücklich über die einseitigen Anforderungen. Viel lieber würde sie bei seinen Treffen mit den Generaldirektoren das Protokoll führen. Sie beteuerte, sie sei »keine Zanktippse« – und für solche Entblödungen haßte er sie zunehmend. Kathleen hatte sich Xantippe als *Zanktippse*, also als *streitsüchtige niedere Büroangestellte* übersetzt. Das konnte Werner Schniedel noch entwirren, und auch Kathleen Bräunlichs durchaus ernstgemeinte Wortschöpfung *Saufkapaden* ließ sich als *Disziplinlosigkeit im Zusammenhang mit übermäßigem Alkoholgenuß* entschlüsseln. Daß sie mit *Konnsumm* einen Laden der Kette *Konsum* meinte, begriff er erst, als er vor solch einem Laden stand. Aber was war ein *Abehfauer*? Was ein *Mehrzweckwürfel*? Diese Frau war dumm wie die Nacht, aber das eigentlich schlimme war: Er konnte ihr nicht folgen.

Bei der Öffnung des Brandenburger Tores regnete es ununterbrochen. Zehntausende Regenschirme waren aufgespannt, und Schwaden staatsmännischer Reden, in denen Erbauliches über die Ideale der Demokratie gesagt wurde, gingen darüber hinweg. Der Applaus war spärlich, umständehalber; die wenigsten Zuschauer hatten beide Hände frei.

Werner Schniedel fand einen Leibwächter ohne Ausbildung, einen sogenannten Mitgehwilli, und ließ sich von ihm den Schirm halten. Der Mitgehwilli war ein ehemaliger Stasimann, dessen Ehemaligkeit so frisch war, daß er sich noch nicht so richtig daran gewöhnt hatte, ein Ehemaliger zu sein. Die letzten Wochen waren eine Achterbahnfahrt durch berufliche Perspektiven: Im Sommer kam er als Einserabsolvent von einer Juristischen Hochschule, mit der Aussicht, als Staatsanwalt Republikflüchtige anzuklagen. Ehe es dazu kam, wurde die Mauer aufgemacht. Ein Kadergespräch war fällig. Da hieß es, daß er, ein junger, kräftiger Mann, doch Personenschützer werden könne. Das sei zwar weniger als Staatsanwalt, aber wenigstens etwas. Um Personenschützer zu werden, müsse er einen sechsmonatigen Kurs mitmachen – doch bevor er für den zugelassen werde, müsse er sich als Mitgehwilli bewähren.

Diesem Mitgehwilli also reichte Werner Schniedel, nachdem ihn seine Visitenkarte legitimiert hatte, den großen weißen Schirm mit dem Signet der deutschesten aller Firmen. Der Mitgehwilli, eigentlich der Wirtschaftsministerin zugeteilt, wurde aus einem Gedanken gerissen, der sich beim Hören der Festreden losgemacht hatte. »Macht«, hatte der Redner ausgerufen, »ist in einer Demokratie zeitlich begrenzt.« Wenn Macht unweigerlich in Ohnmacht endet, dachte der Mitgehwilli, dann ist sie doch ein nackter Kaiser. Ein goldenes Kalb, der Anbetung unwert. Wozu die Macht dann überhaupt erlangen? Doch daß Wirtschaftsbosse ihre Macht wieder abgeben müssen, hatte er noch nie gehört – und so griff er zu, als ihm Werner Schniedel den Schirm übergab. Seine Ministerin hatte noch einen Mitgehwilli; die Staatssicherheit hatte Unmengen an Personal umzuschichten. Jeder Minister hatte Mitgehwillis, ob er wollte oder nicht, rund um die Uhr, an sieben Tagen in der Woche. Gab ja genug.

Werner Schniedel erkannte, daß er den Mitgehwilli der Wirtschaftsministerin benutzte. Sie stand neben ihm, ihren Schirm, einen schwarzen Knirps, hielt sie selbst. Werner Schniedel nickte ihr zu. Sie nickte zurück. Etwas umständlich gaben sie sich die Hand, verständigten sich aber mit Gesten, daß sie nach den Reden miteinander ins Gespräch kommen wollen.

Werner Schniedel wünschte sich einen Fotografen, sofort. Doch die interessierten sich für den Kanzler, den Ministerpräsidenten oder den Regierenden Bürgermeister. Dabei gab er das schönste Motiv ab: Seite an Seite mit der Ministerin am Brandenburger Tor, beschirmt von einem Lakaien, der in Ausübung seines Amtes selbst einregnet. Er, unter dem großen Schirm mit dem Logo von Weltgeltung, während sich die Wirtschaftsministerin der durch ihn zu sondierenden Volkswirtschaft mit einem Knirps plagt, der dem Wind nicht standhält – ja, das ist eine Symbolik, die jeder versteht! So war es immer gemeint, wenn er sagte *Ich sondiere für einen Weltkonzern eine Volkswirtschaft.*

Die Ministerin, die mit dem Gedanken schwanger ging, einmal ihre Autobiographie zu verfassen, lauschte nicht der Rede, sondern entwarf in Gedanken eine Passage, die sich mit dieser Situation auseinandersetzt. Wie sie neben dem westdeutschen Jungmanager das Prinzip lebte »In einer Volksdemokratie kann Frau Minister ihren Schirm selbst halten!«. So was lesen die Leute gern. Sich den Schirm halten zu lassen, das waren herrschaftliche Allüren, das waren Privilegien, für deren Abschaffung das Volk auf die Straße gegangen ist. Volksnah ist, den Schirm selbst zu halten.

Die Rede war zu Ende. Schniedel klatschte, und während er applaudierte, beugte er sich zu ihr hinüber und sagte: »Ist doch besser, beide Hände frei zu haben.«

Sie hatte auf Werner Schniedels Visitenkarte den Namen nicht lesen können, als der sie ihrem Mitgehwilli zeigte – nur das Firmensignet hatte sie leuchten sehen. Aber als sie sich Werner Schniedel näher betrachtete, flammten Zweifel auf, ob der für VW der richtige

Mann am richtigen Ort sei. Während des Folgenden wuchsen diese Zweifel stetig – aber sie bekämpfte sie zugleich, wie ein Feuer, das ausgetreten werden soll, sich aber unablässig ausweitet.

»Schön, daß auch VW hier ist«, sagte sie.

»Ich als VW«, sagte Werner Schniedel. »Das muß man nicht überbewerten. Ich bin hier nur, sozusagen, um hier die Lage zu sondieren. Strategisch.«

»Wo waren Sie denn schon? Sachsenring, nehm ich mal an, Eisenach ...«

»Ja, jaaaa ... natürlich ... Strategisch ist da einiges zu machen. Die Kooperation mit denen, mit unserer neu gegründeten ...«

»Beteiligungsgesellschaft?« half die Ministerin.

»Die Details sind weniger mein Metier. Eher das Ganze. Ich sondiere für einen Weltkonzern eine Volkswirtschaft.«

Die Ministerin schaute, als warte sie auf die Pointe. Schließlich holte sie eine Visitenkarte hervor und reichte sie Werner Schniedel. »Wenn Sie mal Unterstützung brauchen, oder gebündelte Informationen – scheuen Sie sich nicht ...«

»Danke!« Werner Schniedel nahm die Visitenkarte und zog eine der seinen hervor.

»Sitzen Sie Mitte Januar auch mit am Tisch?« fragte ihn die Ministerin.

»Mitte Januar? Was ist da?«

»Ein Treffen mit Führungskräften aus Industrie und Wirtschaft. Wenn Sie zur Delegation von Herrn Schniedel gehören, dann sehen wir uns.«

Der Name Schniedel ließ Werner Schniedels Hand, die noch seine Visitenkarte hielt, zurückzucken. Seine Gedanken rasten. Ernst Schniedel, den ausgedachten Vater, den gibt es ja wirklich, als richtigen Menschen! Wenn die Wirtschaftsministerin Ernst Schniedel trifft, darf sie ihn bloß nicht nach dem Sohn fragen oder gar auf den Sonderbevollmächtigten ansprechen. Am besten wäre, die Wirtschaftsministerin würde sofort wieder vergessen, daß sie am Brandenburger Tor VW getroffen hat. Am besten, er verschwindet augenblicklich.

»Wollten Sie mir noch Ihre Karte geben?« fragte die Ministerin, die Werner Schniedels Unruhe bemerkte.

»Nein, äh, tut mir leid, ich hab nur noch diese eine, und da ich gleich noch, äh, dem Kanzler guten Tag sage ... Aber so ist das: Ständig auf Achse, und trifft man die Wirtschaftsministerin, hat man keine Visitenkarte mehr, es ist verrückt ...« Er reichte ihr zum Abschied die Hand. »Hat mich gefreut.« Er griff nach seinem Regenschirm, den sich der Mitgehwilli mit einem devoten und völlig überflüssigen »Bitte sehr, Herr Schniedel« entreißen ließ. Werner Schniedel war entsetzt, die Ministerin verwirrt. Der Mitgehwilli hatte sich, nachdem er Werner Schniedels Visitenkarte zu Gesicht bekam, im Zuge seiner neuerwachten Hörigkeit gegenüber Wirtschaftskapitänen gleich den Namen gemerkt. »Da haben Sie jetzt was verwechselt«, sagte Werner Schniedel und machte, daß er wegkam.

Ein komischer Vogel, dachte die Wirtschaftsministerin. Wenn die so einen schicken, dann nehmen die uns nicht ernst.

8

Werner Schniedel verbrachte Weihnachten bei seiner Großmutter. Sie war die Mutter seines Vaters; Werner Schniedels Eltern wurden geschieden, als er elf war. Er hatte keine Geschwister und blieb bei seiner Mutter, die bald darauf »den Scheidungsgrund heiratete«, wie sie es nannte – einen vier Jahre jüngeren, unendlich langweiligen Menschen, dessen Beruf Werner Schniedel erst mit siebzehn erfuhr, als er den »Stief« – ihn Stief*vater* zu nennen, brachte er nicht über sich – bat, ihm in Statistik Hilfestellung zu geben. Der »Stief« sah sich außerstande: Er war nicht Statistiker, wie Werner Schniedel bis dahin glaubte, sondern Statiker. Werner Schniedels Mutter war

Architektin im Bauamt von Porta Westfalica und prüfte Bauanträge. Sein Vater war Bauleiter. Der hatte es sich in den Kopf gesetzt, fünfzehn Jahre richtig ranzuklotzen, das Ersparte gut anzulegen und sich dann mit der Familie im Traumland Brasilien bis zum Ende aller Tage niederzulassen.

Und Werner Schniedels Vater klotzte ran: Bis zu zehn Baustellen gleichzeitig; Wochenende, Feiertage und Urlaub kannte er nicht. Auch kein Familienleben – und so wurde Frau Schniedel mit der Zeit anfällig für Bedürfnisse, die sogar ein langweiliger Mann, dessen Reden immer in die Breite gingen, der auch Socken zu Sandalen trug, erfüllen konnte. Werner Schniedels Vater hatte ein ganz anderes Tempo – bei ihm ging alles auf Zuruf, und selbst beim Scheidungsprozeß, der mit zehn Minuten Verspätung begann, ansonsten aber reibungslos als gütliche Einigung über die Bühne ging, verabschiedete sich der Vater zehn Minuten vor Schluß mit der Bemerkung, er müsse leider, um zwölf komme Beton.

Das, fand Werner Schniedel, hatte Format.

Und nach fünfzehn Jahren Ranklotzen ging Werner Schniedels Vater tatsächlich nach Brasilien. Vor lauter Ranklotzen hatte er den Sohn vor der Scheidung kaum gekannt, und das änderte sich auch danach nicht.

So brachte Werner Schniedel sein Leben auf den Punkt: Als er elf war, hatte seine Mutter das Zuhause verlassen und war mit ihm zu Fremden gezogen.

Werner Schniedel wollte nicht den Namen des langweiligen Stief annehmen, und so kam einzig für ihn der Name »Schniedel« an die Klingel der fünfköpfigen Familie. Dieses Türschild war dauernder Anlaß von Zwist, sein langweiliger Stief sah die Gefahr, es könne der Verdacht entstehen, er lebe in wilder Ehe. Sowohl *Gefahr* als auch *wild* waren in seinem Kosmos zwei Unwörter von Eminenz.

Zu den Fremden, zu denen seine Mutter gezogen war, gehörten zwei Mädchen, Töchter des Stief. Ein Zwillingspärchen, sieben Jahre jünger als Werner Schniedel. Sie hingen sehr am Vater und fremdelten mit dem sonderbaren Stiefbruder, der sie mit zunehmender Gehässigkeit »meine SS« nannte, als Abkürzung für »Stiefschwestern«. Selbst die Namen der beiden brachte er kaum über die Lippen – sie hießen Karen und Maren. Wo immer die beiden auftauchten, riefen sie Verzückung hervor – sie seien »so reizend«, »so süß«, und »so hübsch«. Ein Albino hingegen ist weder reizend noch süß, noch hübsch.

Nur die Großmutter war ihm eine Seelenweide, auf der er immerfort in Frieden grasen konnte. Sie liebte ihren Enkel so voraussetzungslos und großherzig, wie es nur Großmütter können. Sie wollte ihn nicht bessern, nicht erziehen. Nie hatte sie ihm etwas verboten, und wenn er die Grenzen überschritt, die er bei ihr testen durfte, dann hatte sie eine Art, mit ihm zu reden, daß er verstand. Nichts zu müssen, alles zu dürfen und trotzdem in einer Obhut zu sein – das hatte Werner Schniedel bei seiner Großmutter. Gewiß spielten bei ihr auch Wiedergutmachungsgedanken eine Rolle – es war nun mal ihr Sohn, der ihrem Enkel ein so schlechter Vater war, zumal dieser Junge elterliche Zuwendung besonders nötig hatte.

Sie war der einzige Mensch, in dessen Gegenwart er die Sonnenbrille nicht trug. An ihr erfuhr er, daß Menschen am Abend anders riechen als am Morgen. Nur bei ihr schloß er nicht ab, wenn er ins Badezimmer ging.

Nach dem Zugriffsversuch im Kölner *Domhotel* suchte ihn die Polizei nur dort, wo er gemeldet war – bei den Fremden, zu denen seine Mutter gezogen war. Als der Stief Kenntnis bekam vom Zweitleben seines »angeheirateten Sohnes«, wie er Werner Schniedel brav und korrekt bezeichnete, schraubte er das Türschild ab. Vier Tage lang, bis der Graveur ein neues mit nur *einem* Namen angefertigt hatte, fehlte das Klingelschild.

Die Liste der Betrugsdelikte, deretwegen nach Werner Schniedel gefahndet wurde, war so lang, daß seine Mutter glaubte, er betrüge sich auch weiterhin durch die Hotels – und wird dies tun, bis er gefaßt wird. So kam sie gar nicht auf den Gedanken, ihre Ex-Schwiegermutter, Werner Schniedels Großmutter, anzurufen und sich mit ihr auszutauschen. Und auch der Fahndungseifer der Polizei endete an der Tür, deren Klingelschild als Folge ihres Besuches abmontiert wurde.

Am Vormittag des 24. Dezember ließ sich Werner Schniedel von Herrn Krause nach Wolfsburg fahren und in der Nähe der Fußgängerzone absetzen. Herrn Krauses Versuche, ein Weihnachtsgeld zu schinden, waren fehlgeschlagen. Seine Klagen, wie schnell das Begrüßungsgeld durch die Wünsche der Kinder aufgezehrt war, blieben ebenso erfolglos wie das Weihnachtsgeschenk für Werner Schniedel, das ihm der Chauffeur zum Abschied überreichte: Ein selbstgemaltes Bild der sechsjährigen Tochter, die so viel über den Mann in Papas Auto gehört hatte. In Wirklichkeit war es ein Auftragswerk; Herr Krause stand neben seiner Tochter und sagte ihr, wo Papas Auto, wo der Weihnachtsmann als Verkehrspolizist, wo der Weihnachtsbaum und wo der lustige Herr Schniedel hinmüsse, der auf diesem Bild einen lachenden Dackel an der Leine zu führen hatte.

Nein, selbst der lachende Dackel löste nicht den Griff zum Portemonnaie aus. Werner Schniedel verschwand in der Fußgängerzone, »noch n paar Geschenke kaufen«.

Werner Schniedel hatte kaum noch Geld, aber für eine Fahrkarte nach Bad Schwartau, wo seine Großmutter wohnte, reichte es gerade. Dreißig Pfennig blieben übrig – ein später Grund, sich für seine Erbarmungslosigkeit als Toilettenmann zu beglückwünschen.

Seine Großmutter freute sich sehr. Schon als er an der Tür klingelte, rief sie seinen Namen. Kaum hatte sie die Tür geöffnet, fiel sie ihm schon um den Hals, und schwimmend in Seligkeit bat sie ihn herein, stellte ihm Latschen hin, wunderte sich über das wenige Gepäck, reichte einen Bügel. Er möge sich anschauen lassen. Daß er trotz der Schule, nicht wahr, das Wirtschaftsgymnasium, noch Zeit für seine Oma findet, und dann noch zu Weihnachten, und ob denn alles gut läuft im Gymnasium, er wird doch bestimmt einmal ein guter Kaufmann, ein Bankdirektor, doch, doch, das wird er. Wenn sich herumspricht, wie nett der junge Mann zu alten Damen ist, dann kommen die alle zu ihm, denn alte Damen haben Geld, haben von ihren Männern geerbt – und wenn sie alle zu ihm kommen, die alten Damen, dann ist er in wenigen Jahren Bankdirektor.

Werner Schniedel erlaubte sich die freundliche Bemerkung, daß sie doch kein Geld habe, zumindest nicht so viel, um damit eine Kundin zu sein, um die sich die Banken rissen.

»Wer weiß«, sagte seine Großmutter. »Was da drüben gerade los ist, da komm ich vielleicht sogar noch an dat Haus ran auf meine alten Tage.«

Das ließ sich Werner Schniedel genauer erklären. – Ihr verstorbener Mann, der 1965 kurz vor dem Erreichen des Rentenalters an Kehlkopfkrebs starb, hatte in den späten vierziger Jahren ein großes Mietshaus in der Berliner Friedrichstraße geerbt. Aus dem Besitz ließ sich jedoch kein Gewinn mehr ziehen, das Haus wurde unter kommunale Verwaltung gestellt, und Werner Schniedels Großvater blieb nur noch auf dem Papier der Besitzer. Sogar die Adresse wisse sie noch. Schniedel bat seine Großmutter, sie ihm aufzuschreiben.

Er spürte, wie sie abbaute. Sie konnte sich einfach nichts merken, fragte immer wieder Dinge, die er schon längst beantwortet hatte, erzählte ihm Geschichten, die sie schon dreimal erzählt hatte – und wollte es nicht glauben, wenn er sie darauf aufmerksam machte. Es tat ihm so leid. Er liebte seine Großmutter. Sie hatte ihm die Welt erklärt. Sie wußte, woran man die Guten erkennt, was Gott mit dem Tod bezweckt und ob das Weltall wirklich unendlich ist. Er konnte ihren Verfall nicht hinnehmen; er fand ihn ihrer nicht würdig. Er fragte, ob sie schon mal beim Arzt gewesen wäre. Das war sie, und der hätte gesagt, in dem Alter vergißt man schon mal was – und dann hatte er ihr ein Mittel verschrieben, immer zum Frühstück und vor dem Schlafengehen. Sie glaubt ja, sagte sie lächelnd, daß das Mittel nichts nützt, sondern nur verschrieben wurde, damit sie sich überhaupt etwas merkt – nämlich zweimal täglich dieses Mittel zu nehmen. Und in den folgenden Tagen erlebte Werner Schniedel, wie sich bei seiner Großmutter tatsächlich eine Menge, wenn nicht sogar alles um diese Tabletten drehte: Wenn sie glaubte, etwas vergessen zu haben, dann sagte sie, daß das eigentlich nicht sein könne, denn sie hatte doch am Morgen ihre Tablette genommen. Wenn der Abend nahte, rekapitulierte sie im Zehnminutentakt, daß sie vor dem Schlafengehen ihre Tablette nehmen muß … Seine Großmutter war nicht die ganze Zeit so selbstreferentiell; für drei Stunden am Tag war sie frisch und rege, da waren Türen und Fenster auf. Und dann waren sie wieder zu. Es schien eine Frage der Kondition zu sein – mehr als drei Stunden schaffte sie nicht. Danach legte sich ihr Gehirn in die Hängematte und verbrachte den Rest des Tages in einem angenehmen, anstrengungslosen Zustand, bei dem es nichts Neues einließ, die alten Geschichten zum hundertsten Mal abspulte und sich der Macht der Gewohnheit überließ.

Zum Heiligabend schenkte sie ihm mit verschämter Geste, in einem Umschlag, »nur Geld«: Die Geschäfte waren vor den Feiertagen so voll, und die Beine wollten auch nicht so recht. Doch sie wußte, daß ihm Geld am liebsten war.

Um halb elf sah er einen Western – und mit keinem Wort nahm sie etwa daran Anstoß, daß er *an einem solchen Abend dieses Geballer sehen will.* Sie schaute eine Weile zu, dann schlief sie ein. Als er den Fernseher ausschaltete, wachte sie wieder auf, erinnerte sich ihrer Tablette und wünschte ihm gute Nacht.

Nie wieder würden sie zusammen Weihnachten haben, das spürte er, nie wieder. Er wußte nichts anzufangen mit dem Leben. Er konnte keine Wohnung einrichten, keinen Hausstand gründen. Er konnte sich kein Leben für sich vorstellen, weder so eins noch ein anderes. Er fühlte sich unnütz auf der Welt und nicht für das Leben geschaffen.

9

Daniel Detjen hatte eine Neue, Wiebke. Mit der mußte er spazierengehen, denn Wiebke liebte es, zu spazieren.

Daniel Detjen war ein Mensch, der sich neuen Erfahrungen stets aufgeschlossen zeigte. Er hatte in einer Band gespielt, in einem Chor gesungen, Esperanto gelernt, hatte für die *Aktion Sühnezeichen* jüdische Friedhöfe gepflegt, war drei Wochen durch Osteuropa getrampt, er hatte Babys gesittet, Brot gebacken, Möbel gebaut, mit einem berühmten Dichter diskutiert und mit Fliegenpilzen experimentiert. Spazieren war er noch nie.

Wenn schon spazieren, dann richtig, und aus der Literatur der Kaiserzeit kannte Daniel Detjen den Begriff *Sonntagsstaat.* Also legte er Sonntagsstaat an, wozu er sich in der Wäschetruhe seines Urgroßvaters bediente und Vatermörder nebst Melone zutage förderte. Das reichte schon. Mit einem Vatermörder um den Hals, einer Melone auf dem Kopf, den rechten Arm, steif abgewinkelt, der Begleiterin zum Einhaken geboten – so wollte Daniel Detjen am zweiten Feiertag einherschreiten und den Spaziergänger geben. Wiebke war begeistert. Noch nie war sie so spazierengegangen. Daniel war ein Original, ein Mensch, der zu leben wußte.

Sie spazierten vom Potsdamer Platz zum Brandenburger Tor, es war das erste Mal, daß sie das Brandenburger Tor aufsuchten. Ein hohes metallisches Plinkern lag in der kalten Winterluft, verursacht von Hämmern, die auf Meißel schlugen. Die Mauerspechte hatten ihr Wirken dort begonnen, wo die Mauer einst in den kräftigsten Farben besprüht war. Die bunte Oberfläche hatten sie erbeutet, wie Frevler, wie Banausen. Das Grau des Betons ließen sie zurück. Es würde sich weiter ausbreiten und die Mauer bald so scheußlich aussehen lassen, wie es sich ihre Erbauer immer gewünscht hatten.

Doch als sich das spazierende Paar dem Brandenburger Tor näherte, hörten sie Musik. Drei Straßenmusiker spielten zu Füßen des Brandenburger Tores. Zwei der Männer spielten Gitarre, ein dritter zupfte den Kontrabaß. Alle drei trugen wollene Fingerhandschuhe, die an den Spitzen abgeschnitten waren. Und als sich die drei in einem bühnenreifen Satzgesang vereinten, begriff Daniel Detjen plötzlich, daß die drei keine Straßenmusiker waren. Die drei waren Weltstars, Bestandteil der Musikgeschichte, waren Rock-Heroen. Einen ganzen Sommer lang hatte er nur deren Platten gehört. Und nun waren sie hier, standen unterm Brandenburger Tor und spielten. Ohne sich im Radio und auf Plakaten ankündigen zu lassen, ohne Lautsprecher, ohne Eintrittsgeld. Sie spielten, vermutete Daniel Detjen, weil sie sich bei Berlin bedanken wollten, auf ihre Art. Daniel Detjen unterhielt Briefwechsel nach Nicaragua, Indien, Palästina, in die USA und nach Dänemark. Und deutlich wie nie spürte er, welches Geschenk die letzten Wochen waren – nicht nur für ihn, sondern für die ganze Welt.

»Nicht schlecht«, sagte Wiebke leise zu Daniel in den Applaus nach dem Ende des Liedes. »Aber in dem Alter will ich nicht mehr Straßenmusiker sein.«

»Bist du verrückt?« sagte Daniel Detjen. »Das sind Crosby, Stills and Nash!«

»Die von Crosby, Stills, Nash and Young?« fragte Wiebke. »Wo Neil Young mal mitgespielt hat?«

Daniel nickte.

»Und wieso ist der nicht dabei? Wieso spielen die ohne ihn?«

Daniel Detjen erwiderte nichts. Diese Wiebke hatte nicht alle Tassen im Schrank. Glaubt, Neil Young wäre alles und die wären nichts, bloß weil der die Hits hatte. Er schaute sich das Publikum an, das sich um die drei Musiker gebildet hatte. Wollte wissende Blicke und wissendes Grinsen wechseln, um die *Kenner* von den *Wiebkes* zu unterscheiden. Es waren wenige Kenner unter den Zuhörern und viele Wiebkes.

Daniels Gedanken, angeregt durch die Musik, begaben sich auf Wanderschaft. Er glaubte zu verstehen, daß es ein Traum war, der die drei Weltstars, die drei Heroen hierher führte, zum Fuße des

Brandenburger Tors: Es war der Traum vom Frieden. Daniel Detjen war in eine Welt hineingewachsen, die Angst hatte vor dem nächsten Krieg, der zugleich der letzte geworden wäre. Er lernte in der Schule Verhaltensmaßregeln für atomare Detonationen und sah Bunker, die darauf vorbereitet waren, bewohnt zu werden. Mit dieser Angst war es vorbei. Und wenn der Frieden irgendwo beginnt, so, wie Kriege irgendwo beginnen, dann war es der Traum der drei Musiker, daß der Frieden hier beginnt, in Berlin, unterm Brandenburger Tor. Sie träumten, von Anfang an dabeizusein. Irgend so was, mit Romantik und Pathos. Daniel dachte an eine Erzählung von Leonhard Frank, die wohl noch im Weltkrieg römisch Eins geschrieben wurde. In dieser Erzählung wird eine ganze Stadt nur dadurch lahmgelegt, weil alle Menschen umherlaufen und *Friede*! rufen. Die Arbeiter verlassen die Fabriken, die Soldaten die Kasernen, die Schaffner die Pferdebahnen, die Bergleute die Gruben, die Freudenmädchen die Bordelle, die Bohemiens die Kaffeehäuser – alle sind von diesem einen Wort *Friede*! beseelt, das sie jedem zurufen, der ihnen begegnet.

»Wolln wir weitergehn?« fragte Wiebke nach einer Weile. »Mir ist kalt.«

Daniel antwortete mit einem Blick, der zeigte, daß das für ihn überhaupt nicht in Frage kommt.

Doch auch anderen war kalt, und die meisten Spaziergänger wußten nicht mal, wem sie da überhaupt zuhörten.

Der Traum, den Daniel Detjen *Crosby, Stills and Nash* unterstellte, wurde nicht wahr. Leute kamen, und Leute gingen, die Traube der Zuhörer wuchs nie zu einer Menge an, die groß genug war, daß sie, wenn sie sich zerstreut, eine Stadt, einen Kontinent, eine Welt mit dem Wort *Friede*! infizieren kann. Da braucht man sich nicht zu wundern, wenn die Utopien nie wahr werden, dachte Daniel Detjen.

Wiebke ging schließlich, ohne ihn. Daniel hörte lange zu. Gewiß, auch er fror, aber hier dabeizusein war etwas ganz Besonderes. Etwas Einmaliges. Unterm Brandenburger Tor zu stehen und *Crosby, Stills and Nash* zu hören, so dicht vor ihnen zu stehen, daß er nur den Arm ausstrecken mußte, um sie zu berühren – das machte das Unglaubliche der letzten Wochen so konkret.

Daniel Detjen blieb, bis die Musiker einpackten. Steven Stills zeigte amüsiert auf Daniels Melone. Daniel lüftete respektvoll den Hut, so wie er es aus Filmen kannte, sagte »Thank you, Steven, thank you all!«, und als er ging, da war ihm zumute, als ob die Menschheit ihre große, einmalige Chance verpaßt hatte.

10

Leo Lattke verbrachte das Weihnachtsfest bei seinen Eltern in Detmold, gemeinsam mit seinem älteren Bruder Stefan, der sich nach einer Trennung wie amputiert fühlte. »So ist endlich mal die Familie zusammen«, sagte Mutter Lattke, um der Tragödie etwas Positives abzugewinnen. Dabei war sie fast unglücklich, daß ihre Kinder keine Familien gründeten: Der Jüngere flog durch die Länder und durch die Jahre, führte das Leben eines Entwurzelten, eines Abwechslungssüchtigen, eines Reizabgreifers. Lebte schon wieder seit Wochen in einem Hotel. Es war ein wildes, prominentes, exklusives Leben, in dem kein Familiensinn aufkommen konnte. Stefan hingegen, der ruhige, verantwortungsbewußte, hatte mit seiner Frau Anina über Jahre hinweg eine Wochenendbeziehung geführt, damit sie in den Hauptstädten studieren konnte. Selbst als das Baby kam, war sie selten in Münster, wo er als Arzt am Universitätsklinikum arbeitete. Er begnügte sich damit, als Zeichen seiner grenzenlosen Anbetung nach der Heirat ihren Familiennamen Sternhagen zu übernehmen. Die Alliteration im Namen, um die er seinen Bruder Leo immer beneidet hatte, besaß nun auch er. Anina saß in Italien und schrieb ein Buch über ein Liebespaar – über Federico Fellini und Giulietta Massina. Es war eine eigene Welt, in die sie hineinwuchs:

Filmkritikerin wollte sie werden, hatte Umgang mit Journalisten, Regisseuren, Schauspielern, Filmproduzenten, Festivalleitern, ging auf Filmpartys. Münster war ihr zu bieder, und überhaupt: Was soll eine Filmkritikerin in Münster? Ehe Stefan dazu kam, sich zu überlegen, ob er ihr nach München folgen und in der Stadt mit der höchsten Praxendichte eine weitere Praxis eröffnen, oder in Münster den vorgezeichneten Weg zum Professor zu Ende gehen sollte, »schmiß sie hin«, wie er es sagte. Sie hatte schnell einen anderen, einen aus der Branche, mit dem sie Weihnachten verbrachte, während er sich auf einen Prozeß vor dem Verwaltungsgericht vorbereitete, um wenigstens ihren Namen behalten zu dürfen.

Obwohl zwischen den Brüdern eine merkwürdige Rivalität bestand – es war ein Wettbewerb zweier unterschiedlicher Lebensentwürfe –, hielt Stefan seinen Kummer nicht zurück. Als seine Mutter den Plätzchenteig ausrollte, rollte Stefan Aninas Gemeinheiten aus. Als der Vater die Weihnachtskerzen entzündete, entzündete sich Stefan an ihrem letzten Telefongespräch. Während die Eltern ihre Geschenke auspackten, packte Stefan die Details des Sorgerechtsstreits aus. Leo Lattke verspürte keinen Triumph. Nein, das hatte Stefan, der Schwiegermüttertraum, nicht verdient, daß die Mutter seines Kindes nun ausgerechnet mit einem Mann zusammen war, der wie Leo war, riskant und schillernd.

Dabei fühlte Leo jeden Tag mehr seine Ohnmacht als Reporter. Der Artikel über die Transsexuellen war nur Blendung. Er saß ja nicht in Ostberlin, um für die Silvesterausgabe zu schreiben. Seine Lust, das Geschehen in seine Worte zu tauchen und neu erstehen zu lassen – sie war weg, und er wußte nicht, wieso. In dieser Zeit in Ostberlin zu sitzen und nichts zu fühlen – das war der Offenbarungseid für einen Reporter. Sich für eine halbe Stunde auf eine Brücke zu stellen, in die S-Bahn zu setzen, durch ein Kaufhaus zu schlendern, vor einer Schule zu warten gab so viel her – aber es interessierte ihn nicht. Eine zweiundzwanzigjährige Volontärin, die vielleicht noch hungrig ist auf so was, kann man auf so was hetzen. Ihn nicht. Er fand es belanglos, das Geschehen auf den Straßen, fand es banal, seiner Worte nicht wert. Er fand es, bei Lichte betrachtet, überhaupt sinnlos, Zeitung zu machen. Sein Bruder heilte Menschen – das war doch was Reelles. Und er? Schreibt über Dinge, nach denen nie jemand gefragt hat. Oder über die schon hundert andere schreiben. Da kann er es doch gleich lassen.

Vater Lattke, ein pensionierter General der Luftwaffe, hatte die Gewohnheit, die Söhne in rapportähnlichen Gesprächen über den Stand der Dinge zu befragen. Seine Steifheit hatte ihre Ursache in einer gewissen emotionalen Ödnis, die sich aber gut mit seinem Sinn für Traditionelles vertrug. So fragte er nie: »Wie geht es dir?«, sondern stets: »Was gibt's Neues aus dem Krankenhaus?« oder »Woran arbeitest du gerade?« Solche Fragen kamen mit ritueller Gewohnheit, wenn sich der Ex-General nach dem Essen ein Zigarillo ansteckte. Er hörte Stefan und Leo zu, steuerte mit Fragen den Verlauf der Unterhaltung und ließ in ein, zwei beiläufigen Sätzen eine stets präzise Meinung erkennen, versuchte aber nie, den Söhnen seine Meinung aufzuzwingen. Er hatte sich zufrieden in der Überzeugung eingerichtet, langfristig immer recht behalten zu haben.

So war es nichts Ungewöhnliches, daß Stefan nach dem Mittagessen des ersten Weihnachtsfeiertages von einer Neuanschaffung des Uni-Klinikums erzählte – einem neuen Computertomographen, dem modernsten seiner Art. Er liefere Bilder von erstaunlicher Plastizität, er revolutioniere die Hirnchirurgie und die Diagnostik. Auf Nachfragen des Vaters konstruierte Stefan Krankheitsbilder, die dank des neuen Tomographen heilbar sind: Körperbehinderungen, Sinnesverluste oder Sprachstörungen, die ihre Ursache in angeborenen hirnorganischen Gefäßanomalien haben. Es werde möglich zu erkennen, wo die entsprechenden Hirnregionen »abgeklemmt« sind und ob sie sich wieder aktivieren lassen. Zwar seien solche Krankheitsbilder selten; eine Operation käme nur für ganz wenige Patienten in Frage – aber es wären spektakuläre Heilungen. »Eine biblische Prophezeiung«, sagte der Vater. »Blinde werden sehend und Lahme gehend.« Das kann man so sagen, meinte Stefan, allerdings sind die meisten Blinden und Lahmen aus anderen Gründen blind oder lahm.

»Aber wenn du *einen* Blinden findest«, sagte der Vater, laut nachdenkend. »Und den operierst.« Er zog an seinem Zigarillo und wandte sich an Leo. »Dann mußt du darüber schreiben.«

Er lehnte sich zurück und schaute seine Söhne zufrieden an. Er wußte, daß er wieder einmal den richtigen Hinweis gegeben hatte.

11

Am Morgen des ersten Feiertages erwachte Thilo, als er eine Autotür klappen hörte. Er schlug die Decke zurück, stand auf und schaute aus dem Fenster. Schnee war in der Nacht gefallen, das Weiß türmte sich auf den Pfosten des Schreiterschen Eingangstores, balancierte, Muster bildend, im Netz des Maschendrahtzaunes, hüllte Bäume und Wege ein. Abgesehen von wenigen Spuren war die Schneedecke unverletzt.

Thilo sah Dr.-Ing. Helfried Schreiter am Steuer des Citroën sitzen. Der Motor lief nicht, und das Gartentor, aus dem der Wagen rückwärts hinausfahren müßte, war geschlossen. Kein vernünftiges Wort hatte Thilo mit Carolas Vater wechseln können. Das schien die Gelegenheit zu sein. Vielleicht ging es darum, das Auto vom Schnee zu befreien, gar, es anzuschieben. Thilo zog sich schnell an und ging hinaus.

Als Dr.-Ing. Helfried Schreiter eine Bewegung außerhalb des Wagens bemerkte, drehte er den Kopf, schaute dann aber wieder geradeaus.

Thilo öffnete die Beifahrertür. »Morgen!« sagte er. »Sie sind also hier immer der erste.«

Dr.-Ing. Helfried Schreiter ließ nur ein Grunzen hören. Es klang, immerhin, nicht unfreundlich. Auf dem Beifahrersitz lagen zwei neue Schonbezüge, ein Weihnachtsgeschenk von Frau Schreiter.

»Ist doch n schönes Geschenk«, sagte Thilo, als er sich die Bezüge auf den Schoß legte. »Wollen Sie gleich ihrer Bestimmung zuführen. Geht mir auch immer so, wenn ich was Schönes geschenkt bekomme.«

Dr.-Ing. Helfried Schreiter sah ihn an, mit einem Blick, der Thilo zum Schweigen brachte.

»Wie gefällts Ihnen denn hier?« fragte Dr.-Ing. Helfried Schreiter, und er mußte sich, kaum hatte er begonnen zu sprechen, räuspern. »Aber mal ehrlich.«

»Na ja«, sagte Thilo unsicher. »Sie wirken auf mich alle so ...«

»Ja?« sagte Dr.-Ing. Helfried Schreiter.

»... so beschädigt.«

»Beschädigt. So so. Beschädigt.« Dr.-Ing. Helfried Schreiter untersuchte das Wort. »Beschädigt wirken wir.«

Thilo schwieg. Er hatte nichts zurückzunehmen.

»Ich hatte Sie jünger in Erinnerung«, sagte Thilo. »Am Balaton hab ich Sie allerdings nur von weitem gesehn ...«

»Weißt du, womit das anfing«, sagte Dr.-Ing. Helfried Schreiter nach einer langen Pause, und Thilo war von dem plötzlichen Wechsel ins *Du* und dem weichen Tonfall so überrascht, daß er glaubte, Dr.-Ing. Helfried Schreiter spreche mit sich selbst. »Das fing an, als Carola weg war. Ich konnt mir ja denken, daß sie mit dir weg war, aber ich ... Mensch, meine Tochter. Wenn die in den Westen abhaut, wird sie bei uns nicht mehr reingelassen, auf Jahre, ohne Abschied, ohne alles. Ich hab sie überall gesucht, und mitten in der Nacht steh ich in diesem blöden Balaton und brülle mir die Seele aus dem Leibe. Bis die Wasserschutzpolizei kam. Die haben sich über gar nichts mehr gewundert. Ich hab gedacht, daß wir Carola die nächsten zehn Jahre nicht mehr sehen. Mir war alles egal, und da hab ich mich mit meinen nassen Hosen ...«, er lachte durch die Nase, »... in mein schönes Auto gesetzt.«

Thilo warf einen kurzen Blick auf den Fahrersitz und sah tatsächlich die häßlichen Ränder des schmutzigen Wassers.

»Die Frau war entsetzt, als sie das Auto gesehen hat. Saubermachen soll ichs, hat sie gesagt, reinigen lassen, was weiß ich. Aber diese Nacht, diese Stunden, in denen ich Carola gesucht habe, das läßt sich nicht so einfach beseitigen. Und dann begannen die Ereignisse. Der Marco bei der Bereitschaftspolizei. Im Betrieb ging es drunter und drüber, Neues Forum, Montagsdemos, Streik – hör mir uff. Und keenen hats interessiert, daß mir die Tochter weggekommen ist. Schreiter, Generaldirektor, inner Partei – also Betonkopf. Eener vom System. Eener, der beseitigt werden muß. Aber daß es an nem Vater nicht spurlos vorübergeht, wenn dir die Tochter wegkommt, auf den Gedanken kommt keiner.«

Er griff mit seiner Rechten nach den neuen Schonbezügen und ließ die Verpackung rascheln. »Ich kann die nicht saubermachen, verstehst du? Ich würd sie am liebsten so lassen.«

Thilo nickt. Dr.-Ing. Helfried Schreiter ließ die Schonbezüge wieder los.

»In der Nacht, damals, am Balaton, da ist was zerbrochen. Seitdem fühl ich mich wie ein Automat. Am liebsten würde ich mich krank schreiben lassen. Ich will nicht mehr. Ich *kann* auch nicht mehr. Mich im Garten nützlich zu machen würde mir reichen. Die Jahreszeiten erleben. Wenn man den Schnee so sieht ...«

Sie hörten die Haustür klappen, das Geräusch wurde durch den Schnee gedämpft. Marco kam in Hausschuhen in den verschneiten Garten. Er sah schlecht aus.

Marco ging durch den Schnee, wobei er wegen der Hausschuhe in die Spuren seines Vaters trat. Nur die letzten zwei Schritte, bevor er die hintere Wagentür öffnete, mußte er in den Neuschnee setzen.

»Morgen«, sagte er, als er sich ins Auto setzte. »Fahrt ihr wohin?«

»Nee«, sagte Dr.-Ing. Helfried Schreiter. »Wir sitzen hier bloß.«

Es wurde geschwiegen. Marco schaute auf die Spitzen seiner Schuhe, wo der Schnee ganz langsam zu tauen begann.

»Ich finde, der Vormittag des ersten Feiertages hat eine ganz eigene Stimmung«, sagte Thilo in das Schweigen. »Die Stille. Kein anderer Vormittag hat diese Stille.«

Sie horchten in die Stille.

»Es ist so still, daß du denkst, du hörst von fern das kleine Jesuskind schreien«, sagte Thilo und mußte grinsen. »Unsern Herrn und Heiland.«

»Vielleicht ist es wegen dem Schnee«, sagte Dr.-Ing. Helfried Schreiter. »Deckt alles zu. Auch die Geräusche.« Und an seinen Sohn gewandt: »Aber nicht nur die. Ne, mei Gutster?«

Marco ließ ein undefinierbares Knurren vernehmen. Er wußte, was sein Vater meinte: Er hatte sich am Heiligen Abend so schwer betrunken, daß er vor die Tür gehen mußte und das Weihnachtsessen in ein Beet kotzte.

»Weißt du, was der Thilo gesagt hat?« sagte Dr.-Ing. Helfried Schreiter nach einer Weile. »Daß wir alle so ...«

»Beschädigt«, sagte Thilo, weil Marcos Vater das Wort nicht mehr einfiel.

»Genau, *beschädigt* seien.«

»Sind wir ja auch«, sagte Marco mit rauher Stimme. »Ich für meinen Teil bins.«

So saßen die drei im Auto und fühlten eine wohltuende Weltabgeschiedenheit.

Marco hatte das *beschädigt sein* auf seinen Kater gemünzt, aber als er den Worten nachhing, da wußte er, daß er auf eine andere, langwierige Art beschädigt war. Und hier, im Auto, unter dem Schnee, wo es sich wie in einem Tipi oder einem Iglu saß, würde er vielleicht darüber sprechen können. Er sammelte seine Worte und die beiden anderen Männer schwiegen.

»Ich würde am liebsten desertieren«, sagte Marco düster. »Ich will nicht mehr zurück. Ihr denkt, daß es jetzt nicht mehr so schlimm ist, die Polizei wird nicht mehr aufs Volk gehetzt, da hat man nichts auszustehn. Aber die draußen haben keine Ahnung.«

Marco merkte, daß er so nicht weit kommen würde, lockerte sich und wechselte von Moll zu Dur. »Thilo, drüben, bei der Bundeswehr, gibts da auch die E-Bewegung?«

»Ich kenn nur die Friedensbewegung«, sagte Thilo.

Marco lachte kurz. »E-Bewegung ist das genaue Gegenteil. Das heißt eigentlich *EK-Bewegung*. Offiziell gibts die gar nicht. *EK* heißt *Entlassungskandidat*. Jedes halbe Jahr wird gezogen, Anfang Mai und Anfang November, und demzufolge wird auch jedes halbe Jahr entlassen. Die EKs heißen so, weil sie die nächsten sind, die rauskommen. Nun ist bei der Armee ja alles hierarchisch, aber die stärkste Hierarchie kommt nicht durch die Dienstgrade zustande, sondern dadurch, wann du entlassen wirst. Das ist alles nicht offiziell, aber es ist total *da*. Wer bei den ganz Neuen ist, der ist Frischling, und der letzte Arsch. Mit dem machen die EKs, was sie wollen. Da wirst du geknechtet, mußt springen, putzen, immer zu Diensten sein. Die Offiziere dulden das, die *wollen*, daß die Frischen die volle Ladung Armeealltag vor den Latz kriegen, daß sie Druck kriegen, daß sie gehorchen lernen und nicht rumdiskutiern. Als ich das erlebt habe, da dachte ich: In der Schule erzähln sie dir was von Maxim Gorki, *Ein Mensch, wie stolz das klingt*, und in der Armee gehts zu wie in der Sklaverei und im Faschismus gleichzeitig. Es ist wirklich unbeschreiblich, was du da erlebst. Weil du mittendrin bist. Weil es mit dir passiert. Unglaublich.«

Marco schloß die Augen und schüttelte den Kopf, als könnte er immer noch nicht glauben, was er erlebt hatte. Er machte eine kleine Pause, bevor er fortsetzte.

»Im zweiten Diensthalbjahr wurde es dann etwas besser für mich. Aber dafür wurde es politisch brenzlig. Erst die Fluchtwelle, und dann ging das in Leipzig mit den Montagsdemos los. Wir wurden echt scharfgemacht, hatten ständig Polituntericht, und uns wurde regelrecht eingetrichtert, daß wir jeden Befehl und Feind vernichten und Konterrevolution und Verschärfung und weitere Zuspitzung, und und und. Und plötzlich hatten die Offiziere auch was gegen die

E-Bewegung, weil die Frischen davon Frust bekommen und die EKs ein bequemes Leben haben. Aber für die Niederschlagung der Konterrevolution brauchten sie keine frustrierten und bequemen Soldaten, sondern ne straff geführte Truppe.«

Marco kratzte sich mit breiter Hand den Kopf, seine Finger waren gespreizt wie die Fänge eines Laubbesens.

»Sie haben mir damit aus der Seele gesprochen, die Offiziere, die ich immer verachtet hatte, weil sie nie gegen die E-Bewegung eingeschritten sind. Und jetzt ... wie soll ich sagen ... Ich hatte vor denen auch innerlich einen gewissen Respekt. Es ist blöd, aber ich hab mich sogar mit denen *identifiziert*, und das ging dann leider zu weit. Ich war, wie die mich wollten. War ein gehorsamer Polizist, der mit Initiative, nicht wahr, seine Pflicht erfüllt. Wenn es hart auf hart gekommen wäre, da hätte ich mitgemacht. Wäre dabeigewesen. Aber auf der falschen Seite.« Marco spürte, daß ihm der Mund trocken geworden war. »Als diese Sache mit den Zügen war«, erinnerte er sich, »sollten wir den Bahnhof abriegeln. Und da steht vor mir eine, so alt wie ich, und die macht mich total zur Schnecke. Die war so wütend auf den Staat, das System, und sie hatte so recht in ihrer Wut. Zehn Minuten bestimmt hat die mich runtergeputzt. Ob ich denn keine Ehre hätte, ob ich mir toll vorkomme, ob ich nicht mitkriege, daß alle die Schnauze voll haben von diesem Kindergarten, ob ich mich nicht schäme, wenn ich in den Spiegel gucke, ob mich meine Mutter nie geliebt hat, wie ich denn nachts ruhig schlafen will, wenn ich mich für so was hergebe. Ob meine Freundin weiß, was ich für einer bin – wenn ich überhaupt eine habe. – Ich hab versucht, sie zu ignorieren, so wie man einen armen Irren ignoriert, aber ihre moralische Überlegenheit, die war einfach ... unabweisbar. Zwei, drei Wochen später ist die im Radio. Das war die mit dem Lied *Darum können wir keine Freunde sein.*«

»*Warum*«, unterbrach Dr.-Ing. Helfried Schreiter. »Das Lied heißt *Warum* können wir keine Freunde sein.«

»Ich hab immer darum verstanden«, sagte Marco.

»Die Sängerin von diesem Lied hat dich zehn Minuten lang vollgelabert?« fragte Thilo. »Ich kannte mal einen, der war total stolz, daß ihm Johnny Rotten aufs Auge gerotzt hat.«

»Ich bin da *nicht* stolz drauf«, sagte Marco. »Wie diese Frau – Lena hieß sie, das weiß ich durch ihr Lied – auf mich einredete, fing ich an, die zu hassen, die schuld daran sind, daß ich da stehe. Die Offiziere, den Staat – alles. Trotzdem bin ich hinterher belobigt worden, für hervorragende Pflichterfüllung und besonnenes Verhalten haben die mich vorzeitig befördert. Einen Monat später wäre ich sowieso befördert worden, weil nach einem Jahr alle befördert werden. Und was passierte nach einem Monat? Die Mauer wurde aufgemacht, und das ganze System kam total ins Wanken. Und um zu zeigen, daß ich mit denen nichts zu tun haben will ...« Er stockte und sprach dann ganz langsam weiter, »habe ich dann auch mit der EK-Bewegung angefangen, und zwar als EK, der ich ja nun war. Die Offiziere waren der Feind, und weil der Feind die EK-Bewegung verboten hat, habe ich wieder mit ihr angefangen, und zwar noch schlimmer, als ich es am eigenen Leibe erfahren habe. Ja.«

»Was hast du gemacht, also konkret jetzt?« wollte Thilo wissen. »Ich kann mir darunter so wenig vorstellen.«

Marco antwortete nicht sofort.

»Darüber will ich nicht sprechen«, sagte er schließlich.

Nach einer weiteren Pause setzte er fort: »Die da neu von draußen kamen, die waren ... großartig. Ich hab die ja eigentlich bewundert. Die brachten den Aufruhr von der Straße mit, die waren so stolz und so ... so *würdig*. Das waren nicht mehr die kleinen, eifrigen oder verschreckten Mitbürger, die Spießer von morgen. Und alles, was mir dazu einfällt: Ich verletze ihre Würde und trete ihren Stolz in den Dreck, wo ich nur kann. Bloß, um mich von den Offizieren abzugrenzen.«

»Hast du dich denn bei denen ... entschuldigt?« fragte Thilo.

»Noch nicht«, sagte Marco. »Aber ich muß es wohl noch machen.«

»Ja«, sagte Thilo. »Wenn du denen das so erzählst wie uns, dann…«

»Ich meine, wenn wir jetzt die totale Freiheit haben, wenn uns keiner mehr vorschreiben kann, was wir zu tun und zu lassen haben – warum bin ich dann nicht so, wie ich sein will? Warum bin ich so schlecht? Ich würde viel lieber freundlich sein. So wie du«, sagte er, an Thilo gewandt. »Das hab ich gestern abend gemeint, als ich immer gesagt habe ›Die Freiheit ist nur was für starke Menschen. Und Freundlichkeit ist Stärke.‹ Ich meinte nämlich, daß ich nicht freundlich war, als ich alles hätte sein können. Ich glaube, ich bin ein schwacher Mensch.«

»Na ja«, sagte Thilo etwas verlegen. »Ich glaube, es gibt einen großen Unterschied zwischen euch und mir. Darüber habe ich mich oft mit Carola unterhalten. Ich habe nie unter Politik wirklich gelitten. Ich habe immer in Verhältnissen gelebt, wo ich den Kopf mühelos heben konnte.«

»Und wir sind *beschädigt*«, sagte Dr.-Ing. Helfried Schreiter, und weil er sich verdächtig verweichlicht vorkam, fragte er Thilo mit gezwungener Munterkeit: »Und Carola gehts gut?«

»Ja«, sagte Thilo. »Wir wollen im Sommer nach Amerika, ein bißchen da rumfahren.«

»Amerika!« sagte Dr.-Ing. Helfried Schreiter. »Stimmt, jetzt kann sie ja.«

»Wenn ich gewußt hätte, wie sehr …« Thilo zögerte, sagte dann aber doch: »… *dich* das mitnimmt, dann … Ich weiß nicht. – Es ist gut, daß es so gekommen ist«, sagte Thilo. »Daß Eltern zu ihren Kindern und Kinder zu ihren Eltern …«

»Das ist es«, bekräftigte Dr.-Ing. Helfried Schreiter. »Ist gut so.«

Als sie mittags zu fünft um die Gans saßen, wollte Dr.-Ing. Helfried Schreiter seine Frau bei der Konversationsanbahnung entlasten. Sie hatte schon am Vortag viel mehr, viel schneller und viel lauter als gewöhnlich geredet, und fast jedem Satz hatte sie ein Lachen hinterhergeschickt; sie kämpfte an der Weihnachtsfront mit ganzer Kraft um eine gelöste Atmosphäre.

»Der junge Mann hat vorhin etwas Interessantes gesagt«, begann Dr.-Ing. Helfried Schreiter. »Daß wir ganz anders von politischen Bedingungen eingezwängt waren als, wie soll ich sagen, als seine Leute. Marco zum Beispiel ist neunzehn, und wir mußten uns Sorgen machen, daß er auf das Volk gehetzt wird.«

»Na, du hast dir doch keene Sorgen gemacht!« sagte Frau Schreiter.

»Er ist neunzehn, darum gehts«, beharrte Dr.-Ing. Helfried Schreiter. »Denn vor zwei Wochen hatten wir einen Neunzehnjährigen von drüben bei uns im Werk. Der war Sonderbevollmächtigter des Vorstandsvorsitzenden der Volkswagen AG. Da denk ich: Drüben haben die ganz andere Möglichkeiten.«

»Aber nicht mit neunzehn!« sagte Thilo.

»Doch!« sagte Dr.-Ing. Helfried Schreiter. »Sonderbevollmächtigter. Hier!« Er nahm die Visitenkarte mit dem blauen VW-Signet aus der Brieftasche und zeigte sie. »Der war neunzehn.«

»Ausgeschlossen«, sagte Thilo.

»Na klar!« sagte Dr.-Ing. Helfried Schreiter. »Gut, er ist der Sohn vom Vorstandsvorsitzenden, aber hier stehts doch: Sonderbevollmächtigter!«

»Nee«, sagte Thilo. »Das geht trotzdem nicht. Nicht mal beim Sohn von so einem.«

Thilo und Helfried Schreiter schauten sich an, mit aufgestelltem Besteck. Zu ihrer gegenseitigen Verwunderung überließ es jeder dem anderen, den eigenen Standpunkt höflich abzuschwächen, zu relativieren oder gar aufzugeben. Carola, Marco und Frau Schreiter konnten nur einem Glauben schenken.

»Thilo kennt sich eigentlich ganz gut aus«, sagte Carola diplomatisch und setzte das Essen fort.

12

Als Leo Lattke zurück nach Berlin fuhr, wußte er endlich, worüber er schreiben wird. Endlich hatte er ihn, den Aufhänger für die besondere Reportage: Einem Blinden wird das Licht geschenkt. Der Einfall seines Vaters war ein Geistes*blitz* im wahrsten Sinne des Wortes: elektrisierend, hell und von einem gewaltigen Einschlag. Was er schreiben wollte, mußte nur noch Wirklichkeit werden.

Wenn er beschreiben kann, wie jemandem zum ersten Mal im Leben die Binde von den Augen genommen wird, dann wird er die Gefühle beschreiben, die die Nation mit sich erlebte – das märchenhafte Ende eines unnatürlichen Zustandes, auf dessen Überwindung niemand noch ernsthaft zu hoffen wagte, die massiven, überwältigenden neuen Eindrücke, aus denen überschwemmungsartige Glückszustände hervorbrechen, die kindliche Unschuld, die Offenheit, die Zuversicht –, und all das wollte Leo Lattke auf eine unerwartete Art neu erzählen, in einem Gleichnis, das jeder verstand. Stellvertretend für die Deutschen wollte Leo Lattke einen einzelnen Glücklichen zeigen – jemanden, der *Der glücklichste Mensch der Welt* sein müßte. Das sollte, als Referenz an den Ausruf des Berliner Bürgermeisters am Morgen nach dem Mauerfall, der Titel der Reportage werden.

Der Blinde sollte aus dem Osten sein, und er sollte schon immer, von Geburt an, blind sein. In dieser Story ist alles drin, was es zu sagen gibt: Ost-West, Mangelwirtschaft, geraubtes Leben, Neubeginn – und alles an einem Einzelschicksal durchdekliniert. Vom Symbolischen mal abgesehen: Blindheit als Metapher für ein Leben hinter der Mauer. Der Mauer aus Dunkelheit. Die Mauer wird niedergerissen, und bei diesem Mauerfall ist er, Leo Lattke, endlich dabei! Oh, er ist ein wahrer Teufel unter den Reportern!

Leos Bruder wollte nach Neujahr sofort mit der Suche nach dem seltenen Blinden beginnen. Wollte raus, in eine neue Umgebung, sich neuen Eindrücken aussetzen, die schweren Gedanken verscheuchen. Abgesehen davon, daß er sich in der Fachwelt eine Bestätigung, eine Genugtuung erhoffte, die ihn aus seinem Liebeskummer erlöst. Auch aus medizinischen Gründen sollte es schnell gehen: In der dunklen Jahreszeit reduziert sich der Lichtschock nach der Operation.

Als Leo Lattke am Abend seiner Rückkehr in der Kaminbar saß und seine Idee präsentierte, sprach er – was selten war – *leise*, auf Diskretion bedacht. Das war für Lenas großen Bruder ein Indiz, daß es Leo Lattke ernst meinte.

Er konnte es kaum erwarten. Er spürte, daß die Zutaten genau richtig waren für eine große, preiswürdige Story – nur, wie er sie erzählte, fand er sie gefährlich glatt. Es müßte ganz anders laufen als geplant. Die besten Storys gelangen ihm, wenn er sich lange, quälend lange mit ihnen beschäftigte. Und umgekehrt: Wenn eine Story ihn lange beschäftigte, wurde er immer besser.

Und darauf war Leo Lattke gespannt. Er war zurück im Spiel. Er fühlte sich endlich wieder als ein Reporter, der was zu sagen hatte.

13

Als Werner Schniedel am 30. Dezember ins Palasthotel zurückkehrte, stand er vor zwei Herausforderungen: Der wahre Schniedel, der Vorstandsvorsitzende der Volkswagen AG, sollte in weniger als drei Wochen nach Berlin kommen. Er würde im Palasthotel wohnen.

Außerdem wollte Werner Schniedel Kathleen Bräunlich loswerden. Das tat ihm ein wenig leid, denn mittlerweile hatten sie zu einem bemerkenswerten sexuellen Stil gefunden. Kathleen zeigte Geschick und fand Gefallen daran, es ihm zu besorgen. Er war ihr Objekt, überließ ihr seine Lust – und Kathleen synchronisierte gekonnt beider Orgasmen. Sie sah ihn ohne Brille – und erschrak nicht. Manchmal strich er ihr über den Rücken oder gab ihr einen flüchtigen Kuß – nicht aus Kalkül. Eher gedankenlos, aus einer Vertrautheit heraus. Der Umgang mit ihr kostete ihn keine Überwindung mehr. Obwohl er ganz sicher nicht verliebt war, würde sie ihm doch eher fehlen, wenn er sie *verstößt.* Ja, darauf lief es hinaus.

Wie sollte er es sagen? Ein Satz reicht, normalerweise. Kathleen, wir müssen miteinander reden. Leider war sie so dumm, sie würde es nicht verstehen.

Nachdem Kathleen, das erste Mal auch rückwärts auf ihm sitzend, die Orgasmen ganz passabel synchronisiert hatte und sich entspannt und zugleich aufgemöbelt neben ihn ins Kissen fallen ließ, sagte er: »Kathleen, wir müssen miteinander reden.«

»Weeßch doch längst«, sagte sie nach einer Weile. »Du bist gar kee Echter.«

»Wie kommst du darauf«, sagte er ruhig.

»Also zuerscht habch was über dein angäblichen Vader gelesen. Hu is Hu in Schörmeni. Da stand iebr dein Vader drinne, daßr zwee Dächdr hat, aber keen Sohn.«

»Das *Who is who* – das ist das erste, wo Terroristen und Entführer nachschaun ...«

»Nee, laß mich ma weidr kombiniern. Emal, da haste mir offgeschriem, was for Informatzschon ich dir aus dr Bibliothek mitbringn soll. Der Zettel, wos droffstand, das war de Rickseite von nem Andrach fier ne Schielermonatskarte mitm Bus, off dein Naam! Ich dacht erscht, das muß ä Ärrdum sein, aber als de mich dann wechn Essen ze Mäck Dohnald's geschickt un mir gesacht hast, ich soll mr de Sammelbungde gähm lassn, und daßch die hinnerher wärklich bei dir abliefern mußte, da wußtch, du bist mr kee Echter. Emal solltch unbedingd das Schickenmäcknacket-Menie nähm, bloß weils dafier dreifach Bungde gab. Da wußtchs dann hunnertprozentsch. Aber mach dr keene Sorchn, mei Gudsdr. Ich erzähls ne weidr.«

Ja, diese McDonald's-Sammelpunkte. Werner Schniedel wußte, daß die ihm das Genick brechen würden.

»Findste, daß mir ne scheene Zeit midänannr gehabd ham?« fragte sie nach einer Weile.

»Ja«, sagte er.

»Wärklich?« fragte sie und hob den Kopf aus dem Kissen.

Er nickte.

»Ich finds ooch«, sagte Kathleen und schmiegte sich an ihn. »Das Biero hier mit dem ganzn Pardeikram – das is for mich schon gar ne mehr wahr. Bloß schade ähmd, daß de kee Echter bist.«

»Was willst du jetzt machen?« fragte er.

»Ich weeß ne. – Findste mich eichntlich hibsch?« fragte sie verwegen.

Werner Schniedel war zu faul zum Lügen. »Du bist auf jeden Fall ne Kanone im Bett.«

»Ne Kanone im Bett«, wiederholte Kathleen ironisch. »Dafier bist du mr grade dr richdsche Äxperde!«

Am nächsten Tag diktierte er ihr eine Beurteilung in die Schreibmaschine, in der er ihre Loyalität, ihre Selbständigkeit, ihr Improvisationstalent, ihre Kompetenz und ihre unaufdringliche Gründlichkeit lobte, neben ihrem Vermögen, schwimmen zu können, nachdem sie ins eiskalte Wasser geworfen wurde. Die Beurteilung schloß mit den besten Wünschen für die weitere berufliche Entwicklung und der Empfehlung, Kathleen einzustellen. Einen Briefkopf von VW hatte er nicht. Statt dessen klammerte er seine Visitenkarte in die obere Ecke der Beurteilung.

Sie ging aus der Tür, mit wenigen Sachen. Die erste Herausforderung war gemeistert. Für die zweite mußte er sich etwas einfallen lassen.

14

Die Zuschauer von ELF99 waren eingeladen, den Beginn des Jahres 1990 am Brandenburger Tor zu feiern. Und viele, viele kamen. Die Enge war über die Maßen. Selbst die Brustkörbe kämpften mit jedem Atemzug aufs neue um den Raum, den sie brauchten, um Luft zu holen.

Alles, was ich über diese Zeit weiß, weiß ich von deinen Bildern, sagte Lena oft. Von der Silvesterfeier am Brandenburger Tor knipste ihr großer Bruder drei Filme. Er knipste den Horror. Er knipste ein Volk, das außer Rand und Band geraten war, in einer Feier, die zu einer Orgie der Selbstüberschätzung wurde. Er knipste Männer, die sich ihre Knaller wie Zigaretten zwischen die Lippen steckten, er knipste Jugendliche, die ihre Raketen nicht nur in der Hand zündeten, sondern obendrein das fauchende Feuerwerk festhielten, anstatt es in den Himmel fliegen zu lassen. Lenas Bruder knipste die Feiernden, die wie entartete Früchte in den Bäumen hingen, bis die Äste brachen und sie, andere mitreißend, unter den Linden aufeinanderfielen. Er knipste das Volk, das sich noch immer und unablässig die Mauerkrone eroberte, deren Fassungsvermögen unerschöpflich schien. Er knipste die Lebensmüden, die das Brandenburger Tor über einen Blitzableiter erklommen und den allerletzten weißen Fleck des Niemandslandes in Jedermannsland verwandelten. Er knipste die Reiter der Quadriga. Er knipste die Verrückten, die das haushohe Gerüst einer Videoleinwand hundertfach in Besitz nahmen und – stehend oder sitzend, doch mit bedenkenswerter Schwere – die luftige Konstruktion belasteten. Er knipste, wie das Gerüst wankte, knickte und schließlich zusammenbrach.

Er knipste ein Volk, das irre geworden war.

Die größte, die schlimmste Irrsinnstat knipste er nicht.

Und doch war es eine Feier, dachte Lenas großer Bruder. Sie war dazu verurteilt zu entgleisen. Es herrschte die Freiheit, und sie wurde gefeiert als Gesetzlosigkeit. Weil es eine Grenze nicht mehr gab, galt keine Grenze mehr. Binnen weniger Wochen war ein starres, monolithisches System hinweggefegt worden. Das Gefühl *Nichts kann uns stoppen* war schöner als alles, und so ließen sie sich nicht stoppen. Ein unberührbares Bauwerk mußte sich entweihen lassen. Was jahrzehntelang im Todesstreifen so schmerzhaft unerreichbar stand, isoliert wie ein Quarantänepatient, wurde erstürmt, geweckt und brachial in Besitz genommen.

Die größte, die schlimmste Irrsinnstat geschah kurz nach Mitternacht. Es war einer von denen, die auf das Brandenburger Tor geklettert waren und die Pferde der Quadriga ritten. Sie tranken auf das neue Jahr, mit Sekt aus der Flasche. Sechsundzwanzig Meter unter ihnen feierten Hunderttausende. Die auf dem Brandenburger Tor schleuderten die leere Flasche mit Schwung davon. Die Flasche flog hoch in die Luft, stürzte dann in die Tiefe – und sie würde mit fürchterlicher, mit tödlicher Wucht treffen.

Zu Füßen des Brandenburger Tores war es vor Enge unmöglich, auf die Armbanduhr zu schauen; das neue Jahr kam wie ein Gerücht. Und als Verena Lange jemanden »Prosit Neujahr« rufen hörte, da rief auch sie ihrem Mann »Prosit Neujahr!« zu. Der Staatsanwalt Matthias Lange schaute sie zweifelnd an; Verena gab vor, etwas zu wissen, was sie nicht wissen konnte. »Prosit 1990!« rief sie, um ihre Behauptung zu bekräftigen, schloß die Augen, spitzte die Lippen und zeigte damit an, daß sie einen Neujahrskuß erwarte. Doch ihr Mann gelangte nicht bis an ihren Mund – wovon ein großer Silvestergast profitierte, der die Umstehenden um einen Kopf überragte. »Ich übernehm das mal«, sagte der und küßte Verena. Verena, überrascht, öffnete die Augen. »Prosit Neujahr!« sagte der Mann, der extra für diese Silvesterfeier nach Berlin gekommen war. »Wenn das Jahr so weitergeht, wirds ein gutes Jahr!« Verena lachte – sie freute sich über den Kuß wie über ein glückliches Los bei der Tombola. Staatsanwalt Matthias Lange drehte sich verärgert weg. Daß seine Verena sich das immer gefallen ließ! Daß sie ihre Freude immer so einfach verschenkte, verschwendete! Wie damals, in der

Nacht des Mauerfalls, als er sie aufgegabelt hatte, Arm in Arm mit einem Wildfremden unterwegs. Sie flirtete schon wieder; Matthias Lange konnte es hören. »Du hast wohl schon angestoßen?« fragte Verena, und der Fremde antwortete: »Nee, ich bin nicht betrunken. Ich klinge nur so, weil ich so ne große Zunge habe.« – »Ah so«, sagte Verena amüsiert. »Ja, hier!« sagte der Fremde, und Verena sagte nach einem Moment »Wow!«. Matthias Lange war es peinlich, dies alles als Ohrenzeuge zu erleben. Am liebsten hätte er Verena weggezerrt.

Niemand sah die Flasche kommen, die vom Himmel fiel, und weil Staatsanwalt Matthias Lange in eine andere Richtung schaute, sah er nicht mal, wie die Flasche traf. Sie hatte Drall und fiel nahezu senkrecht aufs Schädeldach des wilden Willi. Verena schrie erschrocken auf. Dem wilden Willi wurde schwarz vor Augen. Er wurde für wenige Sekunden bewußtlos, sank aber nicht zu Boden, die feiernde Masse keilte ihn ein.

»Ist dir was passiert?« fragte Verena entsetzt.

»Geht schon«, sagte der wilde Willi.

»Matthias, hast du das gesehen?« fragte Verena.

»Ich hab nichts gesehen«, sagte Matthias Lange.

»Da muß jemand eine Sektflasche vom Brandenburger Tor geschmissen haben«, sagte Verena, und sie wurde von Angst und Mitleid überflutet.

»Geht schon«, sagte der wilde Willi erneut, doch das Offensichtliche widersprach seinen Worten. Seine Augen waren vor Schmerz geschlossen. Langsam, unter Mühen setzte er hinzu: »Das klingt immer n bißchen komisch, wenn ich spreche, aber ich bin nicht verletzt. Ich hab nur ne große Zunge.«

»Ist wirklich alles in Ordnung?« fragte Verena ungläubig, der das Verhalten merkwürdig vorkam.

»Ja ja«, sagte der wilde Willi. Er öffnete kurz die Augen, mußte sie aber vor Schmerz wieder schließen. Er wollte hier raus, er wollte sich setzen. Sein Kopf tat ihm wahnsinnig weh.

»Brauchst du Hilfe?« fragte Verena.

»Geht schon«, sagte der wilde Willi – und machte sich auf den Weg, raus aus dem Gewühl. Er bekam die Augen kaum auf, so sehr schmerzte es. Er, der nie aggressiv war, hatte plötzlich Lust, mit einem Flammenwerfer auf die Krone des Brandenburger Tores loszugehen. *Irrland, wir müssen Irrland werden.* So war das nicht gemeint. Er bahnte sich seinen Weg durch das dicke Menschengewühl; seine Kopfschmerzen ließen ihn mit einer gewissen Bedenkenlosigkeit handeln. Er war ein Mensch, der sich durch seine körperliche Überlegenheit, durch seine Kraft und seine Größe immer zu physischer Zurückhaltung verpflichtet fühlte, zu Behutsamkeit und außergewöhnlicher Rücksicht. Doch jetzt schob er die Menschen, die ihm im Weg waren, rabiat und ohne Entschuldigung beiseite.

Er sah eine Bordsteinkante, und die Menschen standen nicht mehr gar so eng. Er hatte gerade Platz, um sich auf den Bordstein zu setzen. Ausruhen. Warten, daß der Schmerz nachläßt. Er hatte weiche Knie, so sehr tat es weh. Ihm war übel, speiübel vor Schmerzen. Er wollte seinen Körper entleeren, weinen, kotzen, scheißen und pissen, so schlimm war es. *Was nicht in mir ist, kann auch nicht weh tun,* dachte er, und: *Sogar der Tod würde helfen.*

So dämmerte dem wilden Willi noch, daß er sterben wird. Jetzt und hier.

Das Denken taumelte, flackerte schließlich und erlosch.

Jetzt Geschoß am Kopf im Todesstreifen verrecken

Ich der letzte

1990

Tod in Irrland.

Irrland werden.

Wieso Irrland.

Dann sackte er zur Seite, fiel in Scherben, Knallzeug, Müll.

Die Passanten hielten ihn für eine Schnapsleiche. Manche versuchten, ihm aufzuhelfen, doch meist machten sie einen Bogen um ihn oder stiegen über ihn hinweg.

Lenas großer Bruder erkannte ihn erst als den wilden Willi, nachdem er ihn geknipst hatte. Er begriff den Ernst der Lage, doch die Sanitäter und die Krankenwagen waren alle bei dem eingestürzten Gerüst der Videoleinwand, wo Dutzende Verletzte versorgt werden mußten. Als es Lenas großem Bruder endlich gelang, Sanitäter vom Ort des Massenunfalls wegzulotsen, fanden sie den wilden Willi nicht mehr.

Am nächsten Morgen um halb acht kehrte Lenas großer Bruder zurück zum Brandenburger Tor. Im Morgenlicht knipste er die Trümmer der Silvesterfeier: Das Gerüst lag verwüstet da, wie die Konstruktion aus einem Stabilbaukasten, die von einem Unachtsamen versehentlich zertreten worden war. Der Pariser Platz war von Scherben und Papierschlangen übersät. Die zahllosen Menschen hatten die Scherben zu Splittern zertreten, es knirschte unter den Sohlen.

So begann das neue Jahr: Ein Trümmerfeld vor einem Schrotthaufen. Viel Dreck und ein paar Blutspuren.

Als Lenas großer Bruder dort stand, wo der wilde Willi lag, hatte er eine Ahnung: Der wilde Willi war nicht aufgestanden und gegangen. Nein, er wurde abtransportiert. Passanten hatten einen Krankenwagen umgeleitet, waren den Bemühungen von Lenas großem Bruder zuvorgekommen.

Die Sanitäter hatten einen Schwerverletzten eingeladen, aber einen Toten in die Notaufnahme gebracht. Der Rettungswagenfahrer war im Rettungswagen gestorben.

Fünftes Buch

IRRLAND

1. Nur noch Milliarden
2. Der wahre Schniedel (I)
3. Der wahre Schniedel (II)
4. Der wahre Schniedel (III)
5. Ärger und Freude bei Georg Weschke
6. Zwei Gespräche
7. Die Blinde, die von den Farben redet
8. Über das Sondieren einer Volkspartei
9. Der Klang der Büchsen
10. Als der schwarze Balken wuchs
11. Die Lage bei Aufbau (II)
12. Neuer Rekord
13. Waldemar läßt die Tassen zittern

1

Alfred Bunzuweit kam zurecht. Wenn man sie erst mal begriffen hatte, die Wende, dann war es das einfachste von der Welt. Ja, sie fing sogar an, Spaß zu machen. Nicht wegen der *Runden Tische* oder der *Direkten Demokratie* oder der *Bürgerbewegung* – das war doch nur was für Arbeitsscheue. Nein, sie fingen jetzt an, von Wirtschaft zu reden, und damit kannte er sich aus.

Er führte in Gedanken eine *Liste bevorzugter Vokabeln. Effizienz*, fand er, ist ein schönes Wort. Wenn er die Augen schloß und dieses Wort dachte, dann sah er ein scharfes Schwert, das einen Bogen Zeitungspapier zerschneidet, glatt wie eine Schere. *Sonderbevollmächtigter* war auch ein schönes Wort. Wenn er die Augen schloß und dieses Wort dachte, dann sah er Werner Schniedel, den Aktenkoffer in der Hand, im regen Gespräch mit drei Direktoren von Alfred Bunzuweits Statur.

Es war eine gute Idee, sich an Werner Schniedel zu halten. Auch wenn der so eine seltsame Erscheinung ist – hinter ihm steht Kapital. *Sonderbevollmächtigter*, das ist ein Titel wie *Reichsprotektor* oder *Geheimrat.* Gut, sich den an Land gezogen zu haben. Wenn Alfred Bunzuweit Revue passieren ließ, mit wem sich Werner Schniedel allein durch seine Vermittlung getroffen hatte, dann mußte er ihm Respekt zollen: Erst neunzehn, aber der spinnt seine Fäden, daß es eine Art ist. Gut, dachte Alfred Bunzuweit, daß ich von Anfang an dabei bin. Zwar nur als Randfigur, aber er wird sich meiner erinnern, wird mich nicht fallenlassen.

Alfred Bunzuweit hatte, sofort nachdem seine Partei auf einem Sonderparteitag öffentlich auf ihre verfassungsrechtlich zugeschriebene »führende Rolle« verzichtet hatte, die Konsequenzen gezogen:

Er war aus ihr ausgetreten. Hatte bei einer Leitungssitzung am Montagnachmittag um drei das Abzeichen vom Revers gepolkt und auf den Konferenztisch geworfen. »Könnt ihr haben. Eine Partei, die ihre Macht freiwillig aus der Hand gibt, ist nicht mehr meine Partei. Über dreißig Jahre war ich ein aufrechter Kommunist und werde jetzt so betrogen!«

Den Auftritt hatte er zuvor geübt, besonders das lockere Auf-den-Tisch-Werfen des Parteiabzeichens – das kleine klimpernde Ding sollte nämlich ziemlich genau in der Mitte landen und nicht etwa auf dem Fußboden. Klappte perfekt. Die Rede klang ihm etwas peinlich, als er sie zum dritten Mal sagte. Aber vor einem unvorbereiteten Publikum kam sie zu überraschend, um peinlich zu sein. Ein echter Coup. Mit Judith Sportz als Zeugin.

Der Beherbergungsdirektor mußte jetzt den gelben Pullover ablegen, den er sich schon seit Wochen bei Leitungssitzungen um die Schultern geschlungen hatte – jetzt mußte er zeigen, ob etwas darunter war. Ha! Er *hatte* es noch! Alfred Bunzuweit hob zu einem inneren Triumphgeheul an: Judith, siehst du, daß ich der erste war! Judith, ich bin der Mann der Stunde, der Vorreiter, ich bin die Avantgarde, die Nummer Eins!

Georg Weschke zog sein Parteiabzeichen aus dem Revers, ein leichter Griff, er hatte es als Anstecknadel, und sagte leicht dahin: »Ich habs in den letzten Wochen eminent ungern gezeigt.« Das Wort *eminent* verwendete er neuerdings auffallend häufig, mit wichtigtuerischer Betonung: Er sagte immer *emminent.* Hatte er sich wahrscheinlich von einem seiner Dresdner-Bank-Gäste abgelauscht. Alfred Bunzuweit hingegen sagte *Gabbidahl* – er erweckte den Anschein von familiärer, geradezu gelangweilter Vertrautheit mit dem *Kapital*, wenn er die Explosivlaute mit ihren harten Kanten nicht aus sich herauspreßte, sondern lasch und gutmütig über die Lippen schwappen ließ. Der Verkaufsdirektor streute gerne die *freie Marktwirtschaft* in seine Reden ein – und das hatte nun gar keinen Stil, kein Raffinement, das war nur langweiliges Strebertum.

Auch der Verkaufsdirektor löste sein Parteiabzeichen vom Jakkett, das er über den Stuhl gehängt hatte. »Leistung entscheidet und nicht Parteizugehörigkeit«, sagte er. »Das ist freie Marktwirtschaft.« Dann fügte er einen Kommentar an, der ein eineiiger Zwilling der Bemerkung Georg Weschkes war: »Ich habs auch nicht mehr gerne getragen«, sprach er und ließ es in der Hosentasche verschwinden.

Das war die erste Sitzung, die so recht nach Alfred Bunzuweits Geschmack verlief. Noch zwei davon, rechnete er, und er kann mit Judith dort weitermachen, wo sie zuletzt aufgehört hatten.

Das Dasein ohne Parteiabzeichen war einfacher, als Alfred Bunzuweit dachte. Er war zwanzig Jahre älter und fünfzig Kilo schwerer als die meisten seiner Angestellten – das verschaffte Autorität.

Er übte Floskeln, die modern, unternehmerisch klangen. *Wir sind ein modernes Dienstleistungsunternehmen, das seinen Kunden Beherbergung im oberen Preissegment bietet.* Das klang doch modern. Nüchtern, sachlich, selbstbewußt. Hatte er selbst gedichtet. Früher hieß es: *Das Palasthotel als wichtiger Bestandteil der Kette Interhotel leistet mit seiner jährlichen Valutaerwirtschaftung von acht Komma fünf Mio DM einen wichtigen Beitrag zur Erfüllung des Volkswirtschaftsplanes.* Hatte er auch selbst gedichtet. Er war ja ein richtiges Multitalent.

Das Dichten machte ihm Spaß. *Wende* ist auch ein schönes Wort. Jetzt wird linksrum getanzt. Und es machte ihm Spaß, es machte ihm einen *Mordsspaß.* Wenn es nach ihm ginge, könnten sie immer Wende machen. Wenden, bis der Arzt kommt. Aber die ersten, die, die damals am lautesten schrien mit *Demokratie* und *Wir sind das Volk* und so, die machen jetzt schon lange Gesichter. Er nicht. Er ist voll dabei. Er hat gerade erst angefangen! *Wende*, was für ein Wort! Was für eine Erfahrung! Wie er auf der letzten Belegschaftsversammlung mit der Hand unruhig auf dem Tisch trommelte und rief: »Betriebsräte müssen her, ich will endlich ordentliche Betriebsräte haben!« – das war ein tolles Manöver, vor vierhundert Angestellten. Als könne er es gar nicht erwarten, endlich mit richtigen

Forderungen konfrontiert zu werden. Die Gewerkschaft nannte er bei ihrem offiziellen Namen *FDGB*, und wenn er bei geschlossenen Augen diese Abkürzung sagte, dann sah er das rote Mitgliedsbuch und die bunten Solidaritätsmarken. Er mußte der Gewerkschaft Gift ins Ohr träufeln; die machte neuerdings Anstalten, sich wie eine richtige Gewerkschaft zu verhalten. Deshalb der Ruf nach Betriebsräten: Ehe die zu richtiger Arbeit in der Lage sind, hat er im kalten Durchmarsch ausgemistet, alle rausgeschmissen, die ihm nicht passen, alles abgeschafft, was vielleicht sozial, aber unternehmerisch unverantwortlich ist. Gute Idee, das mit den Betriebsräten. Hatte er von Helfried Schreiter, dem Sachsenring-Direktor.

Und nun stand wieder so eine Leitungssitzung an, auf der er bei Judith Sportz punkten wollte. Es ging um Schniedel. Sein Tip, vor dem Essen nicht zu trinken und alles mit Kohlensäure zu meiden, war Gold wert. Alfred Bunzuweit produzierte keine Gase mehr, seitdem er Schniedels Maxime zur Richtschnur seines Handelns gemacht hatte. *Maxime* und *Richtschnur meines Handelns*, dachte Alfred Bunzuweit. Bloß nicht laut sagen, sonst ist alles im Eimer.

Da saßen sie. Auch Judith Sportz war aus der Partei ausgetreten, allerdings erst eine Woche nach ihm. Der Direktor Gastronomie und der technische Direktor hatten weder den Ehrgeiz noch das Format, ihn vom Thron zu stoßen. Sie spielten ohnehin nur Blockflöte. Der Gastronomiechef bei der CDU – der hatte doch vor zwei Jahren glatt versucht, den weihnachtlichen Kirchgang als *gesellschaftliche Aktivität* darzustellen, weil er einen Ausrutscher auf dem Weg in die Kirche als *Wegeunfall* im Sinne des Arbeitsrechts geltend machen wollte –, und der technische Direktor war bei den Liberaldemokraten. Feiglinge, alle beide – als ihnen drohte, in die SED eintreten zu müssen, sind sie schnell bei den Blockflöten untergekrochen. Nur der Protokollchef war noch Mitglied der SED, die sich jetzt SED-PDS nannte. Der war zu alt, um noch auszutreten, und das Abzeichen hatte er auch nicht am Revers. Hatte er noch nie. Grandseigneur Chef du protocole – früher, als es konform war, in der Partei zu sein, trug er das Abzeichen nicht, und jetzt, wo es konform ist, nicht in der Partei zu sein, tritt er nicht aus. Der hat sich offenbar nie nach dem Nutzen der Parteizugehörigkeit gefragt, der Traumtänzer.

»Ich habe in der vorletzten Woche, gleich nach Neujahr, ein persönliches Gespräch mit unserem wichtigsten Gast gehabt«, begann Alfred Bunzuweit. »Herr Schniedel hat mich davon in Kenntnis gesetzt, daß sein Herr Vater, Ernst Schniedel, als Vorstandsvorsitzender der Volkswagen AG zu einem Gespräch mit der Wirtschaftsministerin eingeladen ist. Hat Herr Ernst Schniedel bei uns gebucht?«

Die Frage ging an den Beherbergungsdirektor.

»Uns liegt eine Buchung für Herrn Schniedel senior vor, vom 17. auf den 18. Januar«, sagte der Beherbergungsdirektor demonstrativ gelangweilt, im Stile eines Adjutanten, der in seiner Funktion beleidigend unterfordert ist. Bockig wie immer, wenn die Rede auf Schniedel kam. Ein Grund mehr für Alfred Bunzuweit, ihn mit dem Rang seines liebsten Gastes zu quälen.

»Ich hatte, wie gesagt, eine längere Unterredung mit Herrn Werner Schniedel, in der er nochmals die Tragweite seiner Mission umrissen hat. Der Mann ist ja nicht hier, um kleine Brötchen zu backen. Er ist eine Schlüsselfigur, jawohl, eine Schlüsselfigur bei der Reorganisation der DDR-Wirtschaft. Er sondiert für einen Weltkonzern eine Volkswirtschaft. Und vom Erfolg seiner Mission hängt ab, ob und in welchem Maßstab sich VW engagiert.« *Engagiert*, das Wort ist ihm noch rechtzeitig eingefallen. Das, beschloß Alfred Bunzuweit, sollte er auch auf die Liste bevorzugter Vokabeln setzen. Als Faustregel mal: Sätze, in denen früher die Worte *ausbeuten* und *Ausbeutung* vorkamen, müssen jetzt was mit *engagieren* und *Engagement* haben.

»Nun gibt es aber auf dem freien Markt eine Menge Trittbrettfahrer, oder, sagen wir mal, Schmarotzer, die der Volkswagen AG den Vorsprung neiden. Es gibt das riesige Feld der Industriespionage, da laufen Machenschaften – also unsere gute alte Stasi, die sind dagegen Waisenknaben. Verwanzte Telefone, Richtmikrophone, Beschattungen, durchwühlter Müll, Einbrüche, sogar verwanzte Kleidungsstücke. Es sind bereits dreimal in Ernst Schniedels Kleidung Wanzen gefunden worden. *Unser* Herr Schniedel, also Werner Schniedel, ist, das ist mein Eindruck, und ich *kenne* ihn ja nun ein bißchen und auch ein bißchen näher« – ach, war das schön gesagt –, »er ist deshalb hier, weil er noch ein bißchen mehr inkognito operieren kann als ein gestandener Manager. Er profitiert davon, daß man ihn nicht unbedingt für voll nimmt.«

»Da ist was dran«, unterbrach der Beherbergungsdirektor beipflichtend und schaute auftrumpfend in die Runde. Eifersüchtig war er, versuchte Stimmung zu machen bei denen, die sich noch immer nicht dran gewöhnen konnten, daß im Westen auch ein Neunzehnjähriger auf die Kapitänsbrücke gelassen wird, ums mal seefahrerisch zu sagen.

»Herr Schniedel, Werner Schniedel, bat mich deshalb, in Gegenwart seines Vaters jede Bemerkung, auch die kleinste Bemerkung zu unterlassen, die seine Anwesenheit hier bei uns im Hotel zum Gegenstand hat. Wenn der Vater verwanzt ist, dann ist das Inkognito des Sohnes gefährdet.«

Darüber sollten sie jetzt mal nachdenken. Alfred Bunzuweit ließ ihnen eine Denkpause, so lang, wie sie sie brauchten.

»Das heißt, wir müssen gegenüber dem Vater so tun, als wohnt sein Sohn gar nicht hier?« fragte Judith Sportz.

»Judith, du sagst es«, erwiderte Alfred Bunzuweit. Und dann, in Richtung des Beherbergungsdirektors. »Es ist schon ein Fehler, von Herrn Schniedel *junior* und Herrn Schniedel *senior* zu sprechen.«

»Und wieso?« fragte der Verkaufsdirektor.

»Willst du es ihm sagen?« fragte Alfred Bunzuweit seinen Beherbergungsdirektor. Wie Schuljungs seid ihr jetzt dran, dachte Alfred Bunzuweit, vergnügt über seinen Schachzug. Der Streber belehrt den kleinen Dummkopf.

Doch der Beherbergungsdirektor schüttelte den Kopf, wollte

nicht sagen, wieso *junior* und *senior* Unwörter sind. Judith Sportz übernahm es. Sie schlug sich auf seine Seite! Brav so, Mädchen.

»Na, das ist doch klar«, sagte sie. »Weil ein Gespräch, das abgelauscht wird und in dem Herr Ernst Schniedel als Herr Schniedel senior bezeichnet wird, darauf hinweist, daß es auch einen Junior geben muß. Damit ist plötzlich Junior für die Wirtschaftsstasi interessant. Dadurch wiederum ist sein Inkognito gefährdet und seine gesamte Mission.«

»Mann, das ist ja wie bei John le Carré«, sagte der technische Direktor. »Wo waren denn die Wanzen?«

»Meist unterm Jackettkragen«, sagte Alfred Bunzuweit kühl.

Der Verkaufsdirektor – ist das zu fassen? dachte Alfred Bunzuweit – durchkämmte seinen Jackettkragen mit zwei Fingern. »Achim, glaubst du im Ernst, daß du verwanzt bist?« fragte er entgeistert. »So wichtig wie der Herr Schniedel bist du ja wohl nicht.«

»Entschuldigung«, sagte der Verkaufsdirektor, der, als er sich der Anmaßung bewußt wurde, die Hand zurückzucken ließ, als hätte er sich verbrannt.

Die peinliche Stille danach nutzte Georg Weschke, um ein neues Thema aufzumachen. »Darf ich denn Herrn Schniedel sen ... Herrn Ernst Schniedel«, verbesserte er sich, »fragen, ob er die Rechnung begleichen will, die mittlerweile für seinen Sohn aufgelaufen ist? Wir sind bei über fünfzehntausend Mark, und er hat noch keine einzige Mark ...«

»Schorsch, komm mir jetzt nicht mit der Rechnung«, unterbrach Alfred Bunzuweit, doch sein Beherbergungsdirektor wagte es, zu widersprechen.

»Doch, ich *muß* mit der Rechnung kommen«, sagte er. »Es verstößt eminent gegen alle unsere Grundsätze! Bei zehntausend Mark machen wir Zwischenkasse, spätestens! Aber ich habe nichts, keine Kreditkarte, keine Kostenübernahmeerklärung ...«

Alfred Bunzuweit versuchte ein zweites Mal seinen Beherbergungsdirektor zu unterbrechen, diesmal mit mehr Erfolg. »Herr

Schniedel ist tatsächlich ein Gast, der jede Dimension sprengt, das gebe ich zu. Aber hört ihr die Nachrichten? Hört ihr manchmal die Nachrichten, hört ihr die Zahlen, die da genannt werden? Es geht nur noch um *Milliarden.* Millionen, Hunderte Millionen sind uninteressant, spielen keine Rolle. Nur noch Milliarden. Und er ist da involviert. Und jetzt kommst du und spielst dich auf wegen ein paar Tausend. Schorsch, ich darf doch bitten. Du mußt doch mitkriegen, was die Stunde geschlagen hat.«

Ein väterlicher Ratschlag, und so schön herablassend. Hats Judith auch mitgekriegt? Sie hat.

»Alfred«, sagte der Verkaufsdirektor. »Vielleicht, also ich glaube, du überschätzt Herrn Schniedel vielleicht.«

Mutig, mutig! dachte Alfred Bunzuweit.

»Schon wie du anfängst: Unser wichtigster Gast ...«

»Ist er das etwa nicht? Wer soll denn sonst unser wichtigster Gast sein?«

»Die Dresdner Bank«, »Die WestLB«,
sagten Beherbergungsdirektor und Verkaufsdirektor gleichzeitig. Die beiden Herren schauten sich feindselig an.
Die Die Dresdner Bank West LB ist hat ein ein traditionsreiches größeres Geldhaus Wachstum, mit eine einem höhere großen Bilanzsumme Filialnetz, und einer macht starken deutlich Marke mehr und Gewinn. dem höheren Marktanteil.

»Dann werd ich euch mal was erzählen«, unterbrach Alfred Bunzuweit, indem er die Stimme hob und so die beiden Streithähne, deren Argumente in der Gleichzeitigkeit ihres Geäußertwerdens untergingen, zur Räson brachte. »Mir gefällt die Klientel nicht, die durch diese beiden Banken angezogen wird. Ich habe in der letzten Woche einen jungen Mann aus dem Aufzug geholt, der sah aus wie ein albanischer Kleingangster. Wollte nach oben fahren. Hab ich ihn gefragt, was er hier zu suchen hat. Sagt der: ›Zur Dresdner Bank‹. Will sich als Handwerker selbständig machen, und weil er kein Telefon hat, solln die ihm das Geld für ein Funktelefon borgen. – Dafür ist also die Dresdner Bank hier. Und das solln unsere wichtigsten Gäste sein? – Herr Schniedel, Werner Schniedel, der kommt rum, und ein bißchen hab ich seine Aktivitäten verfolgen können. Wen der in den letzten Wochen getroffen hat, noch vor Weihnachten – es ist imponierend. Der hat in einer Woche getroffen, wofür andere ein halbes Jahr brauchen. Jetzt hat Herr Schniedel seine Reisetätigkeit ja etwas eingestellt, ich nehme an, er arbeitet Konzepte aus. Aber eins kann ich euch sagen: Der gibt sich nicht mit der Bearbeitung von Kleinkrediten für Funktelefone ab.«

»Vielleicht ...«, erwiderte der Verkaufsdirektor schwach. »Aber hinter so einer Bank steht doch Kapital!«

»Und das ist auch so ein Irrtum«, sagte Alfred Bunzuweit mit vollem Schwung, und er war so wohlgestimmt, so im Vollbesitz seiner Kräfte, daß er am liebsten alle rausgeschickt hätte – alle, außer Judith Sportz ... Aber jetzt mußte er erst mal seine beiden Bankenanbeter abschießen. In Grund und Boden verspotten. Dann – Sand drüber und draufspucken. Drauf*pissen*; ihm war nach genitaler Aktivität.

»Das ist auch so ein Irrtum, daß Banken Geld haben. Wo kommt bloß diese Bankengläubigkeit her? Alle denken, die Banken hätten Geld. Weil jeder, wenn er Geld braucht, zur Bank geht.« Kunstpause. »Aber wem gehört das Geld auf der Bank? Habt ihr euch das mal gefragt? Es gehört nicht den Banken, sondern denen, die es dorthin geschafft haben – den einfachen Sparern. Wenn die sich alle ihr Geld auszahlen lassen, hat die Bank gar nichts mehr.« Zweite Kunstpause. »Hingegen VW – die bauen ein Auto, und dann verkaufen sies. Und den Gewinn schaffen sie zur Bank, da trägt es Zinsen. So gesehen gehört das Geld von deiner WestLB vielleicht sogar VW. Möglich isses.«

Dazu fiel keinem etwas ein. Schweigen, klar. Was gab es dazu schon zu sagen? Na, wenigstens er hatte sich mal Gedanken über die Wirtschaft gemacht, und wie sie wirklich funktioniert.

Dann ließ er sie gehen. Zufrieden blieb er in seinem Konferenzraum zurück. Nur noch eine Sitzung, Judith, dachte er. Das war besser als in alten Zeiten. Er hatte einen Ständer, er hatte tatsächlich einen Ständer. Einen Ständer von einer Leitungssitzung – das hatte er noch nie. Das muß die Wende sein, die Wende, von der alle reden. Die so toll sein soll. Dann sagte er dieses Wort – das Wort, das er noch nie benutzt hatte. Jetzt konnte er nicht anders.

Wahnsinn!

2

Alfred Bunzuweit stand in der Hotelhalle und wartete. Er wartete in der höchsten, ehrerbietigsten Form des Wartens – dem demonstrativen Warten. *Sehet her, ich warte! Ich warte auf den, der es wert ist!* Der letzte, den er erwartet hatte, war Valentin Eich, und danach befiel ihn die Angst, nie wieder einen Gewaltigen so erwarten zu dürfen wie Valentin. Er hatte befürchtet, keinen Großen mehr zu finden, dem er sich andienen könnte. Doch er hatte sich geirrt. Endlich kam wieder einer: Alfred Bunzuweit wartete auf Ernst Schniedel.

Auch Werner Schniedel wartete auf Ernst Schniedel. Er übte sich im *verdeckten Warten.* Er saß in der Hotelhalle, in einem Ledersessel und las die F. A. Z. Wenn er aufsah, hatte er Eingangsbereich und Rezeptionstresen im Blick.

Bei Georg Weschke lag, nach Alfred Bunzuweits Kriterien, das *beiläufige Warten* vor. Er saß in seinem Büro und telefonierte. Das Empfangspersonal war angewiesen, ihm unverzüglich Bescheid zu geben, wenn Ernst Schniedel eintrifft. Georg Weschke kam dieses Versteckspiel zwischen Vater und Sohn nicht geheuer vor; er glaubte nicht an verwanzte Kleidungsstücke und Richtmikrophone und in der Tiefe seines Herzens immer weniger an Sondervollmachten. Georg Weschke wollte sich den ganzen Spuk mal aus der Nähe anschauen.

Ernst Schniedel fuhr um 21.12 Uhr vor, in einer Sonderanfertigung eines Audi A8. Ein Portier eilte auf einen Wink Alfred Bunzuweits vor die Tür und öffnete den Schlag. Ernst Schniedel hatte kaum Gepäck; nur einen Pilotenkoffer, und den gab er nicht aus der Hand.

Alfred Bunzuweit breitete die Arme aus und hieß seinen Gast willkommen. Sein Lächeln war so breit, daß das Fleisch seines Gesichts die Augen verengte.

Ernst Schniedel mochte keinen Hofstaat. Er wünschte sich Personal, das flink ist, mitdenkt und auf Zuruf springt. Wenn er morgens in die Hände klatscht und »Baut Rom!« ruft, sollte es am Abend stehen. Alfred Bunzuweit mit seinem Händeschütteln, seinem »Herr Schniedel!* Ich freue mich, Sie zu sehen!** Wie geht es Ihnen?***« stahl ihm nur die Zeit. Und so betrachtete es Ernst Schniedel als Zeitvertreib, zu jedem Satz Alfred Bunzuweits eine Fußnote mitzudenken.

* *Ich weiß wie ich heiße, da mußt du nicht kommen und mir meinen Namen sagen.*

** *Bin ich dein Lieblingsfilm oder was?*

*** *Das geht nur meinen Doktor was an.*

Ernst Schniedel war ein Mann, der nie mit der Beinfreiheit im Käfer zurechtkam, trotz seines biegsamen Körpers. Er war ein hervorragender Tänzer und ein Draufgänger dazu. Sein Clownsgesicht mit den großen blauen Augen, dem breiten Mund und den auffällig abstehenden Ohren verführte dazu, ihn zu unterschätzen. Ernst Schniedel wußte von sich, daß er, wenn es darauf ankam, ein verdammt zähes Luder war. Aber eben nur dann. Er fühlte sich nicht als Marionette seines Jobs, immer wieder warf er lustvoll die Verpflichtungen ab, die auf seine Schultern geladen wurden. Als ihn Alfred Bunzuweit auf einen Begrüßungsdrink in die Bar einladen wollte, schlug er aus – leiderleider keine Zeit. So was verstehn die Bunzuweits dieser Welt. Dabei wußte Ernst Schniedel von sich, daß er *immer* Zeit hatte. *Zeit zu haben für das, was mir wichtig ist* – jede andere Lebensmaxime für den Top-Manager über Fünfzig führt nur in den Infarkt, sagte sich Ernst Schniedel.

Mit Alfred Bunzuweit redete er nur während der Anmeldeformalitäten, über die Schulter. Verglichen mit dem Papierkrieg, der bis vor wenigen Wochen auf dem Rezeptionstresen entfesselt wurde, schien ihm das jetzige Procedere ein Akt tätiger Reue: Für eine Unterschrift bekam Ernst Schniedel seinen Zimmerschlüssel. Er verabschiedete sich von Alfred Bunzuweit, wünschte ihm eine gute Nacht und ließ ihn stehen.

Als er den Lift ansteuerte, verfolgten ihn in asymptotischen Bahnen Werner Schniedel und der Beherbergungsdirektor. Fast gleichzeitig erreichten sie die Duftwolke, die Ernst Schniedel hinter sich herzog. Doch als Georg Weschke mit Ernst und Werner Schniedel einsteigen wollte, verstellte ihm Werner Schniedel den Weg und sagte diskret: »Familienangelegenheit.«

Alfred Bunzuweit beobachtete die Szene. Wie mißtrauisch dieser Georg Weschke die Leuchtziffern über dem Aufzug verfolgte. Sie kletterten ohne Stopp auf die Acht – dorthin, wo Ernst Schniedel sein Zimmer hatte. Der Aufzug hatte nicht haltgemacht in der dritten Etage, wo Werner Schniedel seine Junior-Suite bewohnte. Es sah ganz nach einem Gespräch zwischen Vater und Sohn aus.

Alfred Bunzuweit gesellte sich zu Georg Weschke und genoß es, eine Bosheit vom Stapel zu lassen, die wie ein Trost klingen sollte: »Hat dich der Kleine abserviert? Mich der Große.«

Georg Weschke hatte jetzt nichts übrig für derartige Sticheleien. Er fand es eine grenzenlose Dummheit, die Überwachungselektronik zu entfernen. Das war doch Maschinenstürmerei. Die paar Zimmer, die verwanzt waren, hätte man doch so lassen können. Den *Hausdetektiv* zu feuern – na schön, der war nicht mehr zu halten. Nicht in diesen Zeiten. Aber alle Wanzen rauszureißen? Es war doch nicht alles schlecht.

3

Was haben wir denn da noch Feines im Köfferchen? Was zu lesen, für heute abend. Eine 100 000-*Dollar-Lektüre* – und bei dem Dollarkurs ist es eher eine 200 000-Dollar-Lektüre. Laß dich anschaun. Lecker: Klarsichtfolie, Rollbindung, holzfreies Papier. Vierunddreißig Seiten. Die nennen das *slides.* Wenn du nen Berater sprachlos machen willst, mußt du ihm nur verbieten, Englisch zu reden.

Drei Wochen haben sechs Berater an diesen vierunddreißig *slides* gearbeitet, mit allen Zutaten der betriebswirtschaftlichen Alchimie: forecasts, interviews, expert opinions, scenario analyses, cost / benefit assessments, feasibility studies. Das waren die Jungs von Boston Consulting. Die holt man sich, wenn man Neues angeht, Strategische Neuausrichtung wollen die das genannt haben; McKinsey ist mehr fürs Kostendrücken.

Laß dich mal blättern, meine 100 000-Dollar-Lektüre.

Na, ganz vierunddreißig Seiten sind das nicht. Auf jeder Seite irgendwelche Graphiken, Statistiken, Balken, Kreise, Kästen, Pfeile – wirst denen mal sagen, daß du was zum Lesen kriegen willst und nicht zum Ausmalen. Ha ha!

Sechs Leute haben drei Wochen daran gearbeitet. Jeden von denen müssen wir mit mindestens viertausend Mark bezahlen, pro Tag! Da sind garantiert auch ein, zwei darunter, die das Doppelte kriegen. Oder sogar noch mehr. Diese Berater sind kein billiger Spaß. Und sie sind nur dazu da, um dir nach drei Wochen pünktlich auf die Minute ein Papier hinzulegen, ganz allein, nur für dich, damit du nicht blind hineintappst morgen in das Gespräch mit dieser Ministerin. Das Mädchen war mal in Moskau, das kann was werden. Wie die sich in den Kopf gesetzt hat, dreißig Häuptlinge auf einmal zu sich zu holen – das ist doch ne Nummer zu groß für die. Typisch Anfänger, Übereifer im Amt. Aber wenn ich an unsere Wirtschaftsminister denke – da löst eine Nachteule die nächste ab, da ist nichts mit Übereifer im Amt. Es ist 21.32 Uhr, und du wirst in neunzig Minuten diese 100 000-Dollar-Lektüre durchgearbeitet haben. *Transformation der DDR als Chance für VW – Ausgangslage und Handlungsempfehlungen.* Ein trockener Titel. Staubtrocken. Das geht nicht ohne Bier. Aber wenn du dir aus der Minibar ein Bier nimmst, dann pennst du dabei ein. Verpennst die letzten zehn Seiten!

Komm Ernst, das machste. Trink ein Bier für 30 000 Dollar.

Und dann sag noch einer, es gäb keinen Luxus mehr.

4

Nenn sie nicht Mädchen. Die ist kein Mädchen. Sie ist nur vier Jahre jünger als du. Was diese Einladung sollte. Die Würfel sind doch längst gefallen. Ihr laufen die Leute weg, und Bonn geht das nichts an. Hilfe aus Bonn ist nicht. Bonn zeigt die kalte Schulter, aber die eiskalte. Bonn sagt alles oder nichts. Da können die sich hier den Arsch bis zur Halskrause aufreißen. Am Ende werden sie doch die weiße Fahne hissen müssen. Es gibt erst Geld, wenn dein Laden Bonn gehört. Mädchen, deine Firma ist vor den Baum gefahren.

Nenn sie nicht Mädchen.

Ich glaube, die weiß, was läuft. Als sie uns eingeladen hat, wollte sie noch den Karren aus dem Dreck ziehen. Aber jetzt – die fädelt das anders ein. Die redet von Startvorteil. Die weiß, was läuft.

Und die soll bei den Kommunisten sein? Ist doch kaum zu glauben. Früher, was die da in der Wirtschaft hatten – war das peinlich! *Guck mal, Onkel Westindustrieller, habt ihr auch so große Turbinen? Du-u, Onkel Westindustrieller, ist das ein richtiger Mikrochip, den wir hier selbst gebastelt haben?* Aber die ist anders. Macht keine Witzchen über Planwirtschaft oder darüber, daß wir hier an einem runden Tisch sitzen. Als du rein bist und den Tisch gesehen hast – gibs zu! –, hast du gedacht, daß jetzt die Runde-Tisch-Nummer abgefahren wird. Aber nee – kein Wort über runde Tische. Hat die gar nicht nötig. Und sie versteht sich anzuziehen. Ein Kostüm. Als ob sie wüßte, daß du mit nem Maschinengewehr reingehen könntest, wo die Weiber in Business-Anzügen rumsitzen. Gibt nichts, was du mehr haßt. Wird planvoll aus deiner Umgebung entfernt. Soll anderswo Karriere machen im Business-Anzug. Nicht bei VW, solange Ernst Schniedel das Sagen hat. Aber die? Kostüm, Frisur, Make-up – da gibt's nichts dran auszusetzen. Lächeln kann sie auch. Wo sie das gelernt hat. Doch wohl kaum bei den Kommunisten.

Dieser Raum sieht voll nach DDR aus. Die schweren Vorhänge, die gepolsterten Stühle, die furnierten Bretter an den Wänden für die – ich lach mich tot! – Behaglichkeit. Oder dieses Bild an der Stirnseite, das hängt da garantiert noch nicht lange. Da hing doch eben noch was mit entschlossenen Grenzsoldaten, entzückenden Kinderchen am Ententeich, Mama im Labor und Papa beim Stahlstechen. Das bringen die nicht mehr, das haben sie ab- und – sicher ist sicher – was Abstraktes hingehängt. Weiße vollgekleckste Leinwand. Das haben die sich doch bei uns abgeguckt. Ich wette, die hat mit der Deutschen Bank geredet. Die Deutsche Bank hat überall einen hängen, der mit weißer Farbe macht. Und mit Nägeln. Einmal vorgelassen zu den Herren der Deutschen Bank, und schon glaubt sie, sie kann ein Besprechungszimmer einrichten. Nee, das sieht trotzdem nach DDR aus. Nur diese Ministerin paßt hier nicht hin.

Und dann guckt die einen beim Sprechen auch an. Die starrt nicht, und sie guckt nicht weg. Die kann das. Ich wette, die konnte das immer. Du erkennst ja immer den Vorstand für Verkauf. Verkaufschefs sind doch dressierte Wesen. Vertreter, die sich hochgearbeitet haben. Machen alles, wie sie's gelernt haben. Und ist auch immer richtig, aber du merkst, daß sie dressiert sind. Die hier macht auch alles richtig, aber die ist nicht dressiert. So eine hättst du gerne.

Willst du sie fragen? Komm, Ernst, Finger weg! Das ist ne Kommunistin! Aber die macht das gut. Es gibt ein Wort dafür, es liegt mir die ganze Zeit auf der Zunge ... *Redlichkeit*, genau. Die hier ist redlich. Die könnte ne gute, ne erstklassige Gewerkschafterin abgeben. Die würde elastisch verhandeln und trotzdem mehr rausholen als die Betonköppe der IG Metall. Würd mich mal interessieren, was sie macht, wenn sie keine Ministerin ist. Die hat bestimmt schon was vor. So ein Talent geht nicht unter.

Und wenn sie noch nichts hat? Wäre die nicht was für VW? So was als Personalvorstand, das wär ein Hammer. Den Kommunismus muß sie sich zwar abgewöhnen, aber den hat sie heute ja auch ganz gut verstecken können, zumindest bis jetzt. Willst du sie nachher mal fragen? Wie macht man das? *Könnten Sie sich vorstellen, nach Ihrer Tätigkeit als Ministerin auch in der freien Wirtschaft...* Da kannste ihr gleich nen Fragebogen geben. *Sagen Sie mal, was machen Sie eigentlich, wenn Sie keine Ministerin mehr sind?* Das klingt, als ob du sie aus ner Schummerbar auf dein Zimmer mitnehmen willst. *Mir hat Ihr Stil* – nee, konkreter! – *Mich hat Ihre Kompetenz und Ihre* – kann man das sagen? klar, sags! – *Redlichkeit sehr beeindruckt, und ich kann mir gut vorstellen* – kann mir gut vorstellen, spinnst du? Bist du ’n André-Heller-Herman-van-Veen-Liedermacherfuzzi, oder bist du ein Vorstandschef? – *und ich biete Ihnen eine Spitzenfunktion bei VW an.* Ja, das willst du eigentlich sagen, aber damit machst du dich doch nackig. Wie stehstn da, wenn sie dir n Korb gibt? Aber du mußt die schon selbst anbaggern, das kannst du nicht den Headhuntern überlassen.

Anbaggern ist das richtige Wort. So schüchtern warst du das letzte Mal mit fünfzehn. Deutschland heute: Ernst Schniedel will ne Kommunistin verführen und weiß nicht, wie ers anstellen soll. Hättste dir auch nie träumen lassen.

Mensch, Ernst, jetzt hat sie dich bei den Eiern. Die weiß, was läuft. Wenn die Wiedervereinigung kommt – und jeder, der noch halbwegs bei Troste ist, weiß, daß sie frühestens, aber allerfrühestens in vier Jahren kommt –, dann ist der neue Golf raus, und der ist teuer. Die Leute hier werden sich Japaner kaufen und den Opel Kadett und zehn Jahre alte Mercedes-Limousinen. Und der Polo wird hier auch ein Flop. Die Frauen haben hier gleich mit zwanzig den

Gebärwettstreit aufgenommen, da gibt's n Markt für Familienwagen – nicht für den Polo. Und das erklärt sie dir, als könnte sie Gedanken lesen, als hätte sie *Transformation der DDR als Chance für VW – Ausgangslage und Handlungsempfehlungen* in die Finger gekriegt. VW sollte hier die Autos bauen, die hier verkauft werden. Abgesehen vom monetären Effekt wäre es gut fürs Image. Da sag mal was dagegen. Die hat nämlich recht. Aber dann soll sie dir mal erklären, wie das mit dem Risiko ist. Wenn es funktioniert, dann haben wir den Gewinn und die machen über die Steuern ihren Schnitt. Aber wenn wir investieren und dann auf Halde produzieren, dann haben wir n Problem, und zwar wir allein.

Sieh an, da guckt sie traurig. Hat sich mehr vom Kapital versprochen. Hat an Marx geglaubt, der mal gesagt hat – sinngemäß jetzt: Je größer die Aussicht auf Profit, desto munterer wird das Kapital. Ein berühmtes Zitat. Kann jeder Kommunist auswendig. Wurde auf jeder Parteischulung am Anfang und am Ende wie das Vaterunser gemeinsam aufgesagt. Und nun sitzt sie mit dem Kapital an einem Tisch, und es sind nur Bedenkenträger. Ja, Mädchen – nenn sie nicht Mädchen! –, das Kapital ist auch nicht mehr das, was es früher mal war.

Jetzt spielt sie die patriotische Karte. Ne Kommunistin, es ist nicht zu fassen! Erzählt dir was von einer drohenden Sizilianisierung. Wörtlich. War die schon mal auf Sizilien? Mädchen – nenn sie nicht Mädchen! –, du hast ja recht, aber Ernst, denk dran: Du bist nicht für Sachsen verantwortlich. Du bist für VW verantwortlich.

Und was war das jetzt für ne Bemerkung? Wenn ein Weltkonzern in einer Volkswirtschaft die Lage sondiert, dann darf er sich auf ihre Unterstützung verlassen. Ist ja schön, aber hast du je was von Lage sondieren gesagt? Wo hat sie denn das her? Wir sind doch schon hier, in Zwickau, in Karl-Marx-Stadt, bald auch in Eisenach, aber das weiß sie; die ist doch topfit. Wie kommt sie jetzt auf Lage sondieren?

Na, nimms einfach zur Kenntnis. Sag nichts. Mußt sie nicht noch bloßstellen, vor dreißig Leuten. Die Frau hats schwer genug.

Hast du eben Frau gesagt?

5

Ernst Schniedel hatte beim Auschecken gegenüber der Rezeptionistin eine Bemerkung fallenlassen. Die Rezeptionistin meldete es der Schichtleiterin. Die Schichtleiterin gab es weiter an den Beherbergungsdirektor. Der sagte es in Gegenwart von Alfred Bunzuweit auf dem Rapport, kurz nach fünfzehn Uhr.

»*Was* hat er gesagt?« fragte Alfred Bunzuweit ungläubig.

»Daß er hier ein Bier für dreißigtausend Dollar getrunken hat«, sagte Georg Weschke ungerührt.

»Und *wem* hat er das gesagt?« fragte Alfred Bunzuweit.

»Der Kollegin Staiser«, sagte Georg Weschke ungerührt.

»Dann soll sie mal kommen. Jetzt gleich«, sagte Alfred Bunzuweit.

»Die hat seit zehn Minuten Feierabend«, sagte Georg Weschke ungerührt.

Alfred Bunzuweit beugte sich über sein Diktaphon. »Fragen Sie beim Pförtner, ob Frau Staiser schon raus ist. Wenn nicht, soll sie sich umgehend hier melden«, und wenige Sekunden später meldete sich die Sekretärin über das Diktaphon. »Der Pförtner sagt, Frau Staiser ist noch nicht raus.«

»Wie wird er das wohl gemeint haben?« fragte Alfred Bunzuweit in die Runde. »Ein Bier für dreißigtausend Dollar.«

Keiner wußte es. Nur er.

»Er ist gestern abend mit Werner Schniedel auf sein Zimmer in die achte Etage gefahren«, sagte Alfred Bunzuweit, der so tat, als ob er im Stil von Kommissar Maigret kombiniert. »Dort hat er sich ein Bier aus der Minibar genommen und mit seinem Sohn über das weitere Vorgehen gesprochen. Werner Schniedel wird ihm gesagt haben, daß er noch eine ganze Weile bleiben muß. Wir hören ja die Nachrichten und wissen alle, wie es um unsere Wirtschaft bestellt ist. Die Krise ist tiefer, als wir uns haben träumen lassen. Das macht es natürlich auch für Werner Schniedel schwieriger – viel schwieriger, als anfangs gedacht. Er wird den Vorstandsvorsitzenden um eine Erhöhung des Spesenkontingents gebeten haben – auf insgesamt dreißigtausend Dollar. Und ehe das Bier ausgetrunken war, hatte Ernst Schniedel den Antrag bewilligt. Deshalb kostete dieses eine Bier dreißigtausend Dollar.«

Er sah sich triumphierend um. Hatte er das nicht toll ...

»Wir stellen unsere Rechnungen in D-Mark aus«, sagte Georg Weschke ungerührt.

»Der Dollar ist die internationale Leitwährung!« sagte Alfred Bunzuweit. »Und du glaubst doch nicht, daß ein Weltkonzern anfängt, in D-Mark zu rechnen, bloß weil du deine Rechnungen in D-Mark ausstellst?«

Georg Weschke widersprach nicht. Er konnte sich keinen Reim auf Ernst Schniedels Bemerkung machen. An Alfred Bunzuweits Erklärung glaubte er allerdings nicht.

Es klopfte, und Gloria Staiser trat ein, ein blonder Engel mit blauen Augen und zarten Lippen. Georg Weschke sah sie das erste Mal in ihrer Alltagskleidung. Die Berufskleidung machte die Frauen so züchtig, fast uninteressant. Die Reize waren abgedimmt: Die Röcke gingen übers Knie und ließen kaum etwas von den Beinen sehen, die Blusen waren so weit, daß die Oberweite eine echte Dunkelziffer war. Das Haar mußte geschlossen getragen werden. Doch nun hatte sich Gloria Staiser von einer Angestellten in eine Frau verwandelt: Sie trug Jeans und Wildlederstiefel, die bis übers Knie gingen. Dazu ein weißes Felljäckchen, das ihren Hintern nicht bedeckte – was von einer realistischen Selbsteinschätzung zeugte; sie hatte einen phänomenalen Jeansarsch. Gegen die Kälte schützten rosa Wollhandschuhe und rosa Ohrenschützer aus Plüsch. Ihr blondes

Haar war verwuschelt und erinnerte Georg Weschke an ein aufgeschütteltes Federbett. Zwanzig war sie, aber während sie gegenüber Georg Weschke immer die Unschuld vom Lande spielte, auf sein Poussieren nur verlegen kicherte und am liebsten so tat, als wisse sie nicht, was er meint, sah er nun, daß sie längst nicht so unschuldig war, wie sie tat. Schwarze kniehohe Wildlederstiefel!

»Frau Staiser«, begann Alfred Bunzuweit. »Sie haben heute früh Herrn Schniedels Rechnung ausgestellt?«

»Ja.«

»Und wie war das?«

»Er kam so gegen acht. Er kam aus dem Fahrstuhl, hat den Schlüssel abgegeben und um die Rechnung gebeten. Ich habe ihn gefragt, ob er noch was aus der Minibar hatte. Er hat gesagt, ein Bier. Ich habe gesagt, das sind noch mal fünf Mark fünfzig. Und wie die Rechnung gedruckt wird, sagt er, daß das ein Dreißigtausend-Dollar-Bier war.«

»Und was haben Sie geantwortet?« fragte Alfred Bunzuweit.

»Daß er dann hoffentlich bald wieder unser Gast sein wird, wenn er hier ein Dreißigtausend-Dollar-Bier für fünf Mark fünfzig bekommt.«

»Und was hat er gesagt?«

»Daß er mir noch einen schönen Tag wünscht.«

»Sonst nichts?«

»Einen Tag, so schön wie meine Augen, hat er gesagt.« Gloria Staiser mußte kichern.

Der Beherbergungsdirektor Georg Weschke wußte nicht, ob er sich freuen oder ärgern sollte. Es ärgerte ihn, daß sich Gloria Staiser bei ihm immer als Fräulein Rührmichnichtan gerierte – aber das Gegenteil davon war. Sie war eine, die mit Freude die Gäste zu gewissen Unvernünftigkeiten hinreißt, Komplimente hervorkitzelt, eine, die in der Arbeitszeit flirtet. Eine, die sich trotz reiztötender Arbeitskleidung noch immer mit einer so frivolen Ausstrahlung versieht, daß die Männer schon am Morgen um sie herumschleichen wie geile Kater. So also ist sie – aber so kannte er sie nicht. Diese Zurücksetzung ärgerte ihn. Sie ärgerte ihn eminent.

Doch dann entschied Georg Weschke, sich zu freuen. Er hatte eine bessere Erklärung für das Dreißigtausend-Dollar-Bier als Alfred Bunzuweit: Georg Weschke erkannte, daß da ein kleiner Flirt gelaufen war, ein sinnfreies Gespräch, mit dem sich ein Gast vor dem blonden Engelchen wichtig machen wollte. Ein Vorstandsvorsitzender ist auch nur ein Mann.

Vielleicht hatten sich Werner und Ernst Schniedel gar nicht getroffen. Vielleicht ist Werner Schniedel nur in die Achte gefahren, um den Anschein zu erwecken, und auf anderen Wegen in seine Junior-Suite in der Dritten gelangt. Vielleicht ist Werner Schniedel nicht der Sohn von Ernst Schniedel, und vielleicht ist er auch kein VW-Mann. Damit wäre Alfred Bunzuweit so schwer blamiert, daß er nicht mehr Hoteldirektor sein könnte. Dann wäre er, Georg Weschke, sein Nachfolger als Hoteldirektor. Das war eine berauschende Vorstellung.

Alfred Bunzuweit hatte alle mit seiner Dreißigtausend-Dollar-Theorie überzeugt. Nur Georg Weschke nicht – nicht, als er sah, in welche Frau sich die Angestellte Gloria Staiser verwandelt hatte.

6

Leo Lattke stand am Fenster und schaute auf die Straße, die so leer war wie der Januar. Die Euphorie, die er noch kurz nach Weihnachten verspürt hatte, war verflogen; die Schreibkrise hielt ihn weiter fest umklammert. Auf der Suche nach kreativitätsdienlicher Zerstreuung war er über Wochen durch die Suiten und die Etagen des Hotels vagabundiert. Lange bewohnte er eines der begehrten Zimmer mit Blick auf den Dom – bis ihn der Eklektizismus des protestantischen Wuchtklotzes aus der Kaiserzeit, der als architektonisch wertlos galt, abstieß. Er wechselte auf eigenen Wunsch in ein Zimmer zum großen Innenhof des Hotels hin – doch da fehlte ihm das Gefühl für das Einmalige des Ortes, an dem er sich befand. Darauf ließ er sich ein Zimmer geben, das auf einen Neubauwohnblock aus den Siebzigern blickte – nur leider war ihm das zuviel des sozialen Realismus. Nun hatte er ein Zimmer zur Straße verlangt – und bekommen. Die Karl-Liebknecht-Straße war eine von Ostberlins Hauptstraßen, sie war die direkte Verlängerung der Linden, *dem* Traditionsboulevard Berlins. Leo Lattke sah in seiner Wahl für das straßenseitige Zimmer eine Art letzte Verzweiflungstat – der Verkehrslärm machte Zimmer dieser Lage gewöhnlich zu Beherbergungen der untersten Kategorie. Doch Leo Lattke wollte sich bei geöffnetem Fenster Motorgeräuschen, Abgasen und Verkehrslärm aussetzen, um sich zugleich anregen und ablenken zu lassen. Er wollte hören, wie draußen das Leben tobte.

Doch es gab keinen Verkehrslärm. Als er um halb elf abends das Fenster öffnete, hörte er nur einen Trabi anfahren, der in den dritten Gang hochgeschaltet wurde und sich schließlich entfernte. Leo Lattke begann, dieses Ostberlin zu verachten. So was nennt sich Hauptstraße! So was nennt sich Hauptstadt! Kein Wunder, daß ihm hier nichts einfiel.

Da klingelte das Telefon. »Ja!« sagte Leo Lattke, laut und energisch. Bullig wollte er klingen. Vielleicht wars ja der Chefredakteur. Soll der mal ruhig glauben, er störe beim Schreiben.

»Ich hab sie«, sagte eine aufgeregte Stimme. »Sie heißt Sabine Busse und ist einunddreißig.«

Leo Lattkes Gedanken stoben auf. Verwechslung, dachte er, klar, mein Zimmerwechsel – gibts da ne Story?

»Ich muß sie mir noch genauer anschauen«, sagte die Stimme mit unverminderter Erregung. »Spätestens übermorgen weiß ich es genau. Leo, wie findstn das?«

Woher weiß der meinen Namen? dachte Leo Lattke verwirrt, ehe er begriff: Es war sein Bruder. Er hatte ihn noch nie so erlebt – so also klang er, wenn er aufgeregt war.

»Ja«, sagte Leo. »Find ich toll. Übermorgen also. Ja. Ich nehme an, du rufst wegen des Blinden an. Du hast jemanden gefunden.«

»Natürlich, was dachtest du denn?« fragte Stefan.

»Ich mußte erst mal meine Gedanken sortieren. Ich bin davon ausgegangen, daß unser Blinder ein Mann ist.«

»Wir hatten doch nie ausgemacht, ob Mann oder Frau. Wir hatten gesagt: von Geburt an blind.«

»Ist ja richtig«, sagte Leo Lattke, der schon wieder spürte, wie komplexbeladen sein Bruder war. Er mochte es nicht, wenn sich andere rechtfertigten. »Ich assoziiere unter einem Blinden eben einen Mann. Wahrscheinlich wegen Ödipus. Aber eine Blinde ist auch gut. Einunddreißig, wunderbar!«

»Und sie wohnt in Ostberlin!« sagte Stefan stolz.

»Mensch, das ist ja gleich um die Ecke«, sagte Leo Lattke.

Und Leo Lattkes Bruder, der Neurochirurg Dr. Stefan Sternhagen, erzählte in einem Schwall von Worten, wie er jene Blinde, die aus dem Osten kommen sollte, gefunden hatte. Leo Lattke hörte nur unkonzentriert zu, weil er überlegte, wie lange er für diese Reportage brauchen, wann er liefern und wann sie erscheinen wird. Er notierte ein paar Begriffe, die ihm sein Bruder diktierte, ließ sich die Adresse der Blinden geben und begann zu entwerfen, wie er sich das Weitere vorstellt. Da wurde er von seinem Bruder unterbrochen. Stefan wurde sehr deutlich, seine atemlosen Wortkaskaden brachen ab, er sprach langsam, wie zum Mitschreiben. »Leo«, sagte er, »was ich vorhabe, ist eine Pioniertat. Es ist völlig ausgeschlossen, daß ich mich nach dir richte.«

»Ist klar«, sagte Leo Lattke.

Nach dem Gespräch versuchte Leo Lattke, Lenas großen Bruder anzurufen, um sich mit ihm in der Kaminbar zu treffen, sofort. Doch Lenas großer Bruder ging nicht ans Telefon.

Leo Lattke ließ das Telefon etwa zwanzigmal klingeln. Wenn es Arbeit gibt, hatte sein Fotograf nicht zu schlafen, sondern gefälligst aufzustehen. Egal, wie spät es war. Er war schließlich Leo Lattke.

Lenas großer Bruder saß in der Kaminbar, mit Lena, die überraschend nach Berlin gekommen war.

»Ich muß dir was zeigen«, sagte sie und zog aufgeregt eine Zeitung aus der Tasche. Er begriff sofort, wen Lena ihm da zeigte. Der stechende Blick, die Brille. Kein Zweifel. Es war dreizehn Jahre her, und die Jahre waren an dem nicht spurlos vorübergegangen.

Er war der neue Intendant eines kleinen Theaters in der Nähe von Karl-Marx-Stadt. Er bekam jetzt auch einen Namen: Paul R. Masunke. Es war ein klangvoller Name, ein Name, den Lenas großer Bruder einem Menschen mißgönnte, den er mal als Schwein bezeichnet hatte, als ganz elende miese Drecksau. Er hatte ihn unter der Bezeichnung *der Typ* in seinem Gedächtnis verstaut, und er hatte sich gewünscht, nie mehr von ihm zu hören. Geschweige denn, ihn wiederzusehen. »Woher kennst *du* den?« fragte er Lena. Sie schaute ihn an, schluckte schwer, und ihre Augen füllten sich mit Wasser.

»Hat der mit dir auch etwas gemacht?« fragte Lenas großer Bruder. Lena nickte. Dabei fiel ihr die erste Träne ins Gesicht. Doch sie schaute ihn fest an. Sie war entschlossen, jetzt zu reden, aber nicht in dieser Kaminbar, wo sich die Geräusche gewöhnlicher, alltäglicher Unterhaltungen in ihr Gespräch mischen würden. Sie fanden im Korridor des Kongreßzentrums, wo der Betrieb längst geendet hatte, zwei braune Sessel, ausladend und klobig zugleich. Nach einer Weile begann Lena, zu erzählen.

»Es war, als du bei der Armee warst. Ich war in der zweiten Klasse, und wir hatten ein Timurheft, wo immer unsere guten Taten eingetragen wurden. Ich wollte nur gute Taten vollbringen, ich steckte voller guter Taten. Eines Morgens ist ein Mann mit mir in den Fahrstuhl eingestiegen. Plötzlich blieben wir stecken, der Fahrstuhl blieb einfach stehen. Da hat mir der Mann erzählt, daß er Arzt ist, Kinderarzt, und daß gestern eine Mutter mit ihrem Baby bei ihm in der Sprechstunde war, und das Baby war an der Luftröhre von einer Wespe gestochen worden. Er hat den Wespenstich gekühlt, damit es nicht dick wird und das Baby nicht erstickt. Und heute muß er den Stich wieder kühlen, unbedingt. Aber wenn er jetzt im Fahrstuhl steckt, dann wird das Baby vielleicht sterben. Aber er hat einen Zauberjoghurt, mit dem er den Fahrstuhl wieder zum Fahren bringen kann. Und ob ich ihm helfe, den Zauberjoghurt zu machen, damit das Baby nicht sterben muß. Der Zauberjoghurt ist nämlich in seinem Puller. Ob ich da anfasse, wenn er es sagt.

Mir war das alles unheimlich, aber ich wollte doch nicht, daß das kleine Baby stirbt. Er macht sich also die Hosen auf und hantierte da so rum. Das war wie ein Rohr, wie ein kleines verkrüppeltes Beinchen, was da aufrecht stand – ich hatte so was noch nie gesehen. Ich fand es schockierend. Dann rieb der das, fing an zu keuchen und zu schwitzen. Da hab ich Angst bekommen. Ich wollte, daß er aufhört, daß das alles irgendwie schnell vorbei ist, daß der Fahrstuhl wieder fährt. Dann sagte er *Los, jetzt anfassen!* Ich hab mich nicht getraut, das war mir alles so unheimlich – da hat er meinen Arm gepackt, am Handgelenk, und hat mich gezwungen. Das hat dann den Fahrstuhl vollgekleckert, es fing schon an, bevor ich da angefaßt habe. Ich hab die Augen zugemacht und an mein Timurheft gedacht und an das Baby, das jetzt nicht sterben muß.

Er hat dann mit einem Lappen oder einem Taschentuch alles aufgewischt und auf ein paar Knöpfe gedrückt – und der Fahrstuhl fuhr tatsächlich wieder. Die Kriminalpolizei hat später herausgefunden, daß der einfach nur den Hauptschalter umgelegt hatte.«

Lena hielt inne, weil sie glaubte, Schritte zu hören – aber sie hatte sich getäuscht.

»Ich kam zu spät zum Unterricht, hab der Lehrerin gesagt, daß der Fahrstuhl steckengeblieben wäre, und damit war alles in Ordnung. Erst mal. Das Schlimme kam noch. Am Nachmittag habe ich im Schulhort erzählt, wie ich im Fahrstuhl steckengeblieben bin und daß da ein Mann war, der einen Zauberjoghurt hatte, und daß ich ihm geholfen habe, damit er das kleine Baby retten kann. Ich habe nicht gesagt, wo der Zauberjoghurt herkam; das war die einzige heikle Stelle in meiner heldischen Geschichte. Ich hab ja immer noch geglaubt, eine gute Tat vollbracht zu haben, wegen dem Baby. Die Hortnerin hat eine Lehrerin geholt, und ich sollte die Geschichte noch mal erzählen. Das mit dem Zauberjoghurt hat die sehr interessiert, sie wollten immer wissen, ob der etwa aus der Hose von dem Mann gekommen ist, oder aus seinem Puller. Die wußten das irgendwie, ich fand das unglaublich! Also hab ichs zugegeben. Die Lehrerin sieht die Hortnerin an und sagt: Da müssen wir die Polizei holen. Ich wurde in einen Raum gesetzt, ganz allein. Dann wurde meine Mutter verständigt. Was hatte ich denn Schlimmes getan? Ich wollte doch nur, daß das kleine Baby nicht stirbt! Wieso rufen sie die Polizei, sperren mich weg von den anderen Kindern und lassen mich von meiner Mutter abholen? Ich hatte doch nichts Schlimmes getan! Als ich abgeholt wurde – die haben mir alle hinterhergeschaut, als ob ich was ganz Schlimmes gemacht hätte!«

Lenas Stimme war während der Erzählung hochgegangen, ihre Wortwahl wie auch die Tonlage tendierten ins Kindliche – so unmittelbar standen die damaligen Erlebnisse vor ihren Augen. Doch nun legte sich die Stimme; sie kam im Jetzt an. »Und seitdem stimmt etwas nicht mit mir. Wenn du mit Männern was falsch machst, dann stehst du ganz schnell am Pranger und du weißt nicht, weswegen. Ich sag dir: Das, was im Fahrstuhl passiert ist, war nicht so schlimm wie das hinterher. Der Mann war schlecht zu mir, die hinterher aber auch. Der Mann hatte zumindest eine Geschichte, die ich ihm geglaubt habe. Sie hat zwar nicht gestimmt, aber ich habe sie verstanden. Hinterher habe ich gar nichts verstanden. Und sie haben mir auch nichts erklärt. Sie haben mir immer nur gesagt, daß es was Schlimmes wäre, aber daß ich keine Schuld hätte. Es war für mich nicht zu begreifen! – Nach ein paar Wochen kam ein Brief von der Polizei. Die Ermittlungen wurden eingestellt. Alle Fahrstühle im Bezirk wurden umgebaut, so daß der Hauptschalter nur mit einem kleinen Sicherheitsschlüssel bedient werden konnte. Über den eigentlichen Vorfall hat niemand mehr ein Wort verloren.

Ich habe begriffen, daß das etwas ist, was man am besten vergessen sollte.«

»Deshalb hab ich es nie erfahren«, sagte Lenas großer Bruder düster.

»Es ließ sich nicht vergessen. Aber als du mir im letzten Herbst erzählt hast, wie du von diesem Typen hypnotisiert wurdest, hätte ich es dir beinahe erzählt. Ich hab ja noch in derselben Nacht das Lied geschrieben. Ich wollte all meine Ablehnung aus mir herausbringen. Die erste Strophe ging *Sitzt n Typ vor mir in der Straßenbahn, holt was ausm Ohr und schaut es sich an.* Ich meinte eigentlich was anderes. Ich habs zuerst versucht mit *Steigt n Typ zu mir in den Fahrstuhl ein*, aber ich bin damit nicht weitergekommen. Aber diesen Ekel vor dem, was Typen aus ihrem Körper holen – Popel, Rotze, Ohrenschmalz oder eben *Zauberjoghurt* –, das hab ich seit dem Fahrstuhl. Und jede Frau versteht das.«

Lena stand abrupt auf. »Der Typ heißt Paul R. Masunke«, rief sie ärgerlich. »Dieses R in der Mitte, das regt mich total auf! Der ist doch nicht John F. Kennedy oder ...«

Der Zeitungsartikel drehte sich um das Theater in Pleitz. Masunke war der neue Intendant, nachdem der alte abgesetzt wurde. Er sei in Pleitz geboren, hieß es, er war Schauspieler und ging Anfang der achtziger Jahre in den Westen, wo er in der freien Szene auch als Regisseur tätig war. Nun kommt er zurück – als einer, der beide Seiten kennt, politisch und künstlerisch: Ost und West, Regie und Schauspiel.

Ganz konkret wurde der Artikel in der Beschreibung einer Probe von *Endstation Sehnsucht.* Masunke wollte, daß die Schauspielerin der Stella von Stanley Kowalski zu Boden gestoßen werde. Dieser Moment wurde immer wieder geprobt, denn nie war es Masunke »überzeugend« genug. Ein Foto zeigte neben Masunke eine zarte Frau und einen kräftigen Kerl, der gewiß Hemmungen hatte, seine körperliche Überlegenheit undosiert einzusetzen. Masunke fand, daß der Zuschauer die Grobheit des Zu-Boden-gestoßen-Werdens nicht durch Wehgeschrei erlebt, sondern nur durch den Anblick einer groben Tat. Nachdem der Schauspieler des Kowalski seine Kollegin mehrmals zu Boden gestoßen hatte und es Masunke nie gut genug war, wollte der Schauspieler wissen, was ihm denn vorschwebt und baute sich vor Masunke auf, um von ihm hingeworfen zu werden. Masunke aber packte die kleine Schauspielerin und warf sie brutal auf die Bretter. Der Schauspieler ging auf Masunke los, packte ihn – als Masunke plötzlich ad spectatores sprach, daß es ihm genau darauf ankäme: Empörung zu wecken.

Nur mühsam kam die Schauspielerin der Stella auf alle viere. Der Schauspieler des Kowalski sagte, das sei Körperverletzung, kriminell und häßlich; dafür gebe er sich nicht her. Masunke erwiderte, daß er ihn dann an seinem Theater nicht gebrauchen könne. Das Jahrhundert stecke voller Grausamkeit und Barbarei, und das Theater müsse darauf reagieren. Es könne nicht so rücksichtsvoll und ästhetisch weitergehen, »wenn wir ein wirklich zeitgenössisches Theater wollen«.

Das Ensemble, von Masunkes grober Tat zunächst schockiert, wechselte am Ende der Auseinandersetzung auf Masunkes Seite.

Damit schloß der Artikel über den neuen Theaterleiter in Pleitz. Die Haltung des Journalisten war unklar. Er wagte nicht zu benennen, was er gesehen hatte: einen als Künstler verkleideten Sadisten. Masunke, der in den Westen gegangen und von dort zurückgekehrt war, hatte einen moralischen Bonus, den ein Journalist mit einem schlechten Gewissen nicht anzutasten wagte.

»Kommst du mit?« fragte Lena.

»Was willst du von ihm?« fragte ihr großer Bruder. »Ihn wegen damals zur Rede stellen? Das funktioniert nie so, wie man es sich immer ausmalt.«

»Wie bitte?« sagte Lena empört. »Wir haben alle Trümpfe in der Hand! *Er* ist das Schwein, er hat sich an dir und an mir vergangen, und er hat jetzt irgendeinen Posten bekommen. Den wird er wieder räumen müssen.«

»So was klappt nie«, sagte ihr großer Bruder.

Lena starrte ihn an. »Heißt das, du willst nicht mit nach Pleitz?«

»Ich will mir um den Perversling nicht allzu viele Gedanken machen«, sagte Lenas großer Bruder. »Schon, daß er einen Namen hat, ist mir zuviel.«

Sie schwiegen.

»Aber eines finde ich schon komisch«, sagte Lena nach einer Weile. »Der macht sich an große Jungs *und* an kleine Mädchen ran.«

Ja, das fand auch Lenas großer Bruder merkwürdig. »Macht«, sagte er schließlich, und das zeigte, daß er sich doch Gedanken um den Perversling machte. Er sprach langsam, versuchte eine Vorstellung von Masunke zu gewinnen. »Der will einfach nur Macht über die, die ihm ausgeliefert sind. Der hat nicht mehr Trieb als jeder andere. Am Theater kann er seinen Perversionen nachgehen, kann sich dafür sogar feiern lassen. Von uns will da keiner was wissen. Wir würden nur stören.«

Lena stand auf und ging langsam davon, ohne sich zu verabschieden, ohne sich umzudrehen und ohne darauf zu hoffen, zurückgehalten zu werden. Ihr großer Bruder war ein kluger, schwacher Mensch, von des Gedankens Blässe angekränkelt. Sie mußte nicht klug sein. Es reichte, daß sie mit einem starken Willen ausgestattet war. Und wenn sie es will, dann wird sie nach Pleitz fahren – mit oder ohne ihn.

7

Als Leo Lattke wenige Tage später im Taxi saß, entfalteten im trüben Januarlicht die grauen Fassaden Ostberlins ihr ganzes bedrückendes Aroma. »Mann, ist das hier alles alt«, sagte Leo Lattke mit einem Stöhnen.

Lenas großer Bruder hatte diesen Satz schon oft gehört – und bis zum Fall der Mauer hatte er ihn nie verstanden. Er dachte lange, daß *alt* und *verfallen* dasselbe sei, daß bei alten Häusern der Verfall dazugehöre, ja, daß sich am Grade des Verfalls das Alter bestimmen ließe. Er verstand die Westdeutschen, die immer wieder auf den Verfall, das Runtergekommene zu sprechen kamen, erst, als er selbst im Westen war. Da sah er Häuser, so schmuck und strahlend, als seien sie eben erst gebaut worden – und nicht vor langer Zeit. Er ging durch die Straßen und kam sich vor wie jemand, der ins Jahr 1910 versetzt worden war. Mann, ist das hier alles alt! dachte er damals.

Doch er wollte nicht mit Leo Lattke darüber sprechen, nicht schon wieder. So erwiderte er lediglich: »Alles nur eine Frage der Wahrnehmung.«

Viel mehr sprachen sie nicht im Taxi, als sie auf dem Weg zu Sabine Busse waren, der Blinden, der das Sehen geschenkt werden sollte.

Sabine Busse öffnete selbst; sie wohnte allein. Sie war aufgeregt, Leo Lattkes Bruder war mit ihr verabredet, per Telefon. Punkt sechzehn Uhr wollte er sie anrufen und ihr mitteilen, ob er, nach Auswertung der computertomographischen Aufnahmen, bereit ist, eine vielstündige Hirnoperation zu wagen. In eineinhalb Stunden sollte der Anruf kommen, und nun waren auch noch die beiden Männer bei ihr, um sie zu interviewen und zu fotografieren. Sabine Busse stand im Zentrum des Interesses, und ihre daraus erwachsende Aufgeregtheit äußerte sich in einem schon penetranten Selbstbewußtsein. Während Leo Lattke sie befragte – was nicht schwer war, die Geschichte ihrer Blindheit wurde ihm geradezu aufgedrängt –, machte Lenas großer Bruder Fotos. Sabine Busse war eines der seltsamsten Motive, das er je vor der Linse hatte. Ihre Augen führten ein Dasein völliger Verwahrlosung, wie zwei Kinder, die im Wald ausgesetzt wurden und der Sprache wie jeglicher Einübung ins Leben entbehrt aufwuchsen. Auch ohne schwarzgepunktete Binde war die Blindheit auf Anhieb erkennbar.

Lenas großer Bruder mußte an das Verdikt *Frauen stehen zu oft vor dem Spiegel* denken. Über die Beleidigungskraft dieses Satzes dachte Lenas großer Bruder neu, als er diese Frau fotografierte, die nie vor dem Spiegel stand. Zwar hing in Sabines Badezimmer über dem Waschbecken ein Spiegel – aber er blieb ihr ein kaltes, glattes Stück Glas.

Sabine Busse imitierte die Angewohnheiten der Sehenden mit einem bemerkenswerten Ideenreichtum. Es war eine Quelle ihrer Lust am Leben, die Sehenden zu verblüffen. Doch viele ihrer Provokationen mündeten in Peinlichkeit, denn sie war natürlich unfähig, es den Sehenden auch nur annähernd gleichzutun. Wenn sie tatsächlich den »Blick in den Spiegel warf« und sich »korrigierte«, dann mit Gesten, die sie vom Hörensagen kannte. Sabine Busse wirkte auf Lenas großen Bruder wie ferngesteuert. Die kleinen Korrekturen, die Sehende an sich vornehmen, wann immer sie einen Spiegel erblicken – die Gesichtszüge glätten, einen harmonischen Ausdruck suchen, einen Krümel aus dem Mundwinkel entfernen –, all das machen Blinde nicht. Was den Sehenden der Umgang mit dem Spiegel beschert, ist ein Gefühl für das eigene Gesicht, für Aussehen und Mimik. Den Gesichtern der Blinden fehlt die mit mimischen Mitteln geführte Auseinandersetzung mit den Fragen *Wie gefalle ich mir jetzt?* und *Wie wirke ich auf andere?* Ihnen fehlen Anmut und Harmonie, Nuancenreichtum und Lebhaftigkeit. Gesichter von Blinden sind wie das Gesicht der Erde in der Erdurzeit, als der Planet roh und zerklüftet war.

Obwohl Lenas großer Bruder wußte, daß die besten Bilder dem unsichtbaren Fotografen gelingen, verfehlte er ausgerechnet gegenüber einer Blinden den Zustand seiner Unsichtbarwerdung. So, wie Stotterer gerne reden, ließ sich Sabine Busse gern fotografieren. Ständig und ungebeten posierte sie für die Kamera, und Lenas großer Bruder spürte, daß sie in Fotostudios mit Begriffen wie *Profil*, *aufstützen* und *zurechtsetzen* vertraut wurde. Klickte es, wechselte sie die Positur: Mal saß sie aufrecht und band das Haar zum Knoten, dann schlug sie die Beine übereinander oder sie stützte sich auf die

Knie und schaute mit ihren so unnützen Augen in Richtung der Kamera. Es war, als hätte sie die ganze Session des Studiofotografen Position für Position im Gedächtnis. Sie redete zugleich mit Leo Lattke, wobei auch dieses Reden ein Posieren war, ein Posieren mit Worten.

Sabine Busse ließ sich nicht nur gern fotografieren, sie ließ sich mit Vorliebe malen. In ihrem Schlafzimmer hingen sechs Porträts von ihr, und sie fragte Leo Lattke, welches er für das gelungenste halte.

»Das da«, sagte Leo Lattke, der sich ihrer Aufdringlichkeit nur noch mit unfairen Mitteln erwehren konnte.

»Ich das«, sagte Lenas großer Bruder.

»Welches?« fragte Sabine Busse verärgert.

»Das ganz links«, sagte Leo Lattke.

»Das große«, sagte der Fotograf.

»Ja«, sagte Sabine Busse. »Alle finden entweder das ganz links am besten oder das große. Auf dem ganz links finden sie gut, wie die Blindheit getroffen wurde, und an dem großen finden sie gut, daß ich da überhaupt nicht aussehe wie eine Blinde. Ich finde natürlich auch das ganz große am besten.«

Beim Hinausgehen sagte Leo Lattke mit einem Seufzer: »Mein Name sei Gantenbein.«

»Mein Lieblingsbuch!« sagte Sabine Busse.

Sie wollte sehender sein als die Sehenden. Blindheit schien für sie ein Zustand zu sein, dem sich mit etwas Improvisation und Sorgfalt entrinnen ließ. Über Malerei und Ästhetik redete sie mit aufdringlicher Gelehrsamkeit und der Beflissenheit eines präpotenten philosophierenden Gymnasiasten. Sie umzingelte ihre Blindheit mit den Attributen der Sehenden, als könnte sie dadurch ihrer Blindheit den Boden entziehen. »Ich weiß alles über Max Liebermann!« sagte sie und hob zu einem Vortrag über die Entwicklung seines Malstils an – über seine Farben, seine Pinselführung, seine Motive im Wandel seiner Schaffensphasen. Es war absurd: Sie schien alles über einen Maler zu wissen, von dem sie noch nie ein Bild gesehen hatte. Sie war die Blinde, die von den Farben redet.

Leo Lattke fragte sie, ob sie sich gegenüber dem Krankenbett, in dem sie liegen wird, wenn sie nach der Operation die Augen aufschlägt, ein Bild von Max Liebermann wünsche. Da war Sabine Busse verwirrt; sie schwieg. Dann sagte sie trotzig: »Ist noch gar nicht raus, ob ich operiert werde.« Die Frage traf ins Zentrum ihrer Angst, die zu zeigen sie nicht bereit war.

8

Alfred Bunzuweit konnte, seitdem er nicht mehr furzte und demzufolge auch keine Luft im Bauch spazierentrug, den Gürtel um ganze zwei Löcher enger schnallen. Seinem Namen, oft als Alfred Bund-zu-weit lächerlich gemacht, wurde er das erste Mal seit über dreißig Jahren weniger gerecht. Er war weit davon entfernt, ein alerter Mann zu werden, doch er war Werner Schniedel aus tiefster Seele dankbar für jenen Hinweis, und wann immer sich die Gelegenheit ergab, lud er ihn auf ein kleines Gespräch in die Kaminbar ein. Von dem jungen Sonderbevollmächtigten würde er eine Menge lernen können.

»Sehen Sie denn eine Zukunft für dieses Hotel?« fragte Alfred Bunzuweit einmal, als ihm Werner Schniedel den hoffnungslos maroden Zustand jener Volkswirtschaft darlegte, die er für seinen Weltkonzern sondierte.

»Wenn es sich zu einer Drehscheibe entwickelt«, sagte Werner Schniedel nach einigem Nachdenken. »Machen Sie denn hier eine Wahlparty?« Ihm schoß das Wort *Wahlparty* durch den Kopf, nachdem in den Nachrichten berichtet wurde, daß die amtierende Regierung den Wahltermin um sieben Wochen vorgezogen hatte.

»Und für welche ... Partei?« fragte Alfred Bunzuweit zaghaft.

Wie sehr Werner Schniedel diese Frage mißbilligte, war trotz Sonnenbrille in seinem Gesicht zu lesen.

»Entschuldigung«, sagte Alfred Bunzuweit, sich verlegen räuspernd. »Aber von denen kenne ich keinen. Vielleicht könnten ja Sie, mit Ihren Kontakten …«

»Sie glauben doch nicht, daß ich Ihnen die Wahlparty organisiere«, sagte Werner Schniedel.

Alfred Bunzuweit schwieg. Er fand sich unhöflich, aufdringlich. Ja, er war jahrzehntelang in der falschen Partei. Im Grunde seines Herzens wußte er, daß es nur gerecht war, wenn er wieder von vorn anfangen mußte.

Während Alfred Bunzuweit ein bißchen bereute, dachte Werner Schniedel nach. Warum sollte er nicht diesem Alfred Bunzuweit helfen? Er langweilte sich. Er hatte recherchiert, was es mit dem Haus seiner Großmutter auf sich hatte, dem ererbten Besitz. Das war trockene Materie. Es war ein Verhau von Gesetzen, Verordnungen, Durchführungsbestimmungen und Grundsatzurteilen, die völlig unverständlich waren. Erschwerend kam hinzu, daß zwei Rechtssysteme gültig waren, mindestens. Seit Wochen umschwirrten ihn Begriffe, die er nie zuvor gehört hatte. Er mußte nachlesen, was sie bedeuten, um schließlich zu begreifen, daß verschiedenste Unterlagen, Dokumente und Urkunden zu beschaffen oder einzusehen waren. Kein Mensch wußte, wo sie zu finden waren. Wenn er in der Amtsstube stand, wo es sie geben sollte, konnte ihm niemand sagen, ob es sie überhaupt noch gab. Und wenn es sie noch geben müßte, dann ließen sie sich nicht finden. Es war eine trockene Materie, und Werner Schniedel wollte sich zur Aufmunterung eine Party gönnen. »Ich werd sehen, was sich machen läßt«, hörte er sich sagen.

»Ja?« fragte Alfred Bunzuweit.

»Ja«, sagte Werner Schniedel. »Ich werd sehn, was ich machen kann.«

Honorige Leute hatte Werner Schniedel versprochen, und um sie zu finden, begann er, das Innenleben der Westberliner Christdemokraten zu erkunden. Ermittelte die Namen der konservativen Abgeordneten, recherchierte deren Privatadressen. Interessierte sich für die Namen von Referenten in konservativen Kreisen, für Podienbesetzungen und Moderatoren bei Veranstaltungen der Konrad-Adenauer-Stiftung. Notierte sich die Namen von Journalisten, die kenntnisreich, wohlwollend und oft über die Seele der Westberliner Konservativen schrieben. Ging tagelang die Jahrgänge einer erzkonservativen Tageszeitung durch, auf der Suche nach offenen Briefen und deren Unterzeichnern. Fand sogenannte Mitgliederbriefe, in denen Sitzungsprotokolle von parteinahen Mittelstandsvereinigungen die Namen der Anwesenden verrieten. Studierte Kandidatenlisten früherer Wahlen und die Besetzungen von Kreisvorständen. Befaßte sich mit den Veröffentlichungen von Arbeitskreisen, Interessenverbanden und Unterorganisationen der Westberliner CDU. Beinahe wäre er selbst in die CDU eingetreten.

Nur zwei Tage später hatte Werner Schniedel fast alle Namen um die Adressen ergänzt. Von manchen Adressen wußte er, daß sie nicht mehr aktuell sind. Da setzte er die alte Adresse auf die Liste. Soll doch die Post die neue Anschrift ermitteln.

Bei einem Besuch im CDU-Büro des Berliner Abgeordnetenhauses konnte er ein paar Briefbögen mit dem offiziellen Briefkopf mitgehen lassen. In einem Schreibwarengeschäft spielte er einen unentschlossenen Kunden, der sich unter der Zusicherung, den Kauf rückgängig machen zu können, dann doch zur Anschaffung einer modernen Schreibmaschine überreden ließ. Er setzte sich in einen leeren Seminarraum der Freien Universität, die während der Semesterferien kaum bevölkert war, tippte einen Brief an Alfred Bunzuweit und setzte die Unterschrift des ehemaligen Regierenden Bürgermeisters und jetzigen Fraktionsvorsitzenden darunter. Die Unterschrift hatte er als ersten Eintrag im Gästebuch der Ausstellung »Rundfunk in Berlin« gefunden. Dem Brief an Alfred Bunzuweit folgten acht Seiten mit Namen und Adressen. Das Ganze ließ er aus einem Copyshop in das Palasthotel faxen. Dann brachte er die Schreibmaschine zurück.

Als Werner Schniedel am Abend ins Hotel zurückkehrte, entführte ihn ein hochgestimmter Alfred Bunzuweit in die Kaminbar.

»Herr Schniedel«, sagte er. »Danke! Der Herr Regierende Bürgermeister a.D. hat mir persönlich eine Liste ...«

»Bürgermeister sind die schlimmsten Kriecher«, sagte Werner Schniedel voller Verachtung. »Die wollen immer nur das eine: daß wir in ihren Städten Werke eröffnen und Gewerbesteuern zahlen. Vor zwei Tagen hab ich den erst getroffen, vor zwei Tagen! – Wieviel Namen hat er Ihnen denn geschickt?«

»Fast vierhundert Namen, mit Adressen!« sagte Alfred Bunzuweit.

»Vierhundert!« sagte Werner Schniedel und atmete höhnisch durch die Nase aus. »Das ist eindeutig überreagiert.«

»Die honorigsten Kreise!« sagte Alfred Bunzuweit.

»Na gut«, sagte Werner Schniedel. »Einem Schniedel schlägt man keinen Wunsch ab.«

Alfred Bunzuweit griff in die Innentasche seines Jacketts und holte einen strahlend weißen Umschlag hervor. »Das sind die Einladungen.«

Er zeigte eine Karte aus hochwertigem Karton. In schwungvoller, reichlich verzierter Schrift stand dort: *Wir geben uns die Ehre, Sie am 18. März 1990 anläßlich der ersten freien Wahlen in der DDR zu einem Empfang in das Kongreßzentrum des Palasthotels zu laden. Beginn: 17.30 Uhr.* Und als Unterschrift: *Die Direktion.* Im Kopf der Karte, die im Querformat gehalten war, standen drei Wörter nebeneinander, wovon das erste, *Freiheit*, in schwarzer Schrift, das zweite, *Wohlstand*, in roten, das dritte, *Recht*, in goldenen Lettern gestanzt war. Auf der Rückseite war eine Wegbeschreibung.

»Wie finden Sie's?« fragte Alfred Bunzuweit stolz.

»Mißlungen«, sagte Werner Schniedel. Alfred Bunzuweit schaute entsetzt drein. »Die drei Wörter heißen Einigkeit und Recht und Freiheit. Und die drei Großbuchstaben will ich auf dieser Karte nicht sehen. Sie wenden sich schließlich an honorigste Kreise und nicht an … die Hippiebewegung.« Hippiebewegung ist gut, glaubte Werner Schniedel. Gibt kaum etwas, was auf Alfred Bunzuweit abstoßender wirkt. »Und das Wichtigste haben Sie vergessen«, setzte Schniedel fort. »Das reichhaltige Buffet und die Parkplätze. Sie müssen mit kleinen Buchstaben druntersetzen: Reichhaltiges Buffet, in Klammern warm und kalt. Und: Parkplätze vorhanden. Sonst kommt keiner.«

Alfred Bunzuweit machte sich Notizen.

»Und das Buffet ist selbstverständlich kostenlos …«, fuhr Werner Schniedel fort. »Ich sag das, weil man in diesem Hotel manchmal etwas knickrig zu sein scheint. Anders verstehe ich die mahnenden Blicke nicht, die ich mir gefallen lassen muß. Ich komme mir hier manchmal nur noch geduldet vor.«

Alfred Bunzuweit wurde rot. Die mahnenden Blicke waren die Blicke Georg Weschkes. Beim nächsten Rapport wird er ihn anschreien. Runterputzen. Zur Schnecke machen. In was für eine Situation bringt der einen! Ein Schniedel fühlt sich an diesem Hause nur noch geduldet. Dieser Weschke hat sie wohl nicht mehr alle.

»Das Buffet …«

»Das *reichhaltige* Buffet«, unterbrach Werner Schniedel.

»Selbstverständlich. Das reichhaltige Buffet ist selbstverständlich kostenlos«, sagte Alfred Bunzuweit. »Aber sonst ist gut?«

Er überreichte Werner Schniedel die Karte, samt der Streichungen und Ergänzungen.

»Sonst ist gut«, sagte Werner Schniedel und zerriß die Karte in kleine Stücke. Ein bißchen Peitsche muß schon sein, fand er. Sonst lernt der es nie.

9

»Na, Sie kenne ich doch!« sagte Frau Schreiter, zog ihren Handschuh aus und gab Lena die Hand. »Sie sind doch die mit dem Lied!«

»Genau, die mit dem Lied«, sagte der Kandidat der Bürgerrechtsbewegung, ein Aktivist der ersten Stunde. Er war eine der beiden bürgerrechtlerisch anmutenden Gestalten, die sich nach dem abrupten Ende des »Tag der offenen Tür« vor dem Theater um die Richtung stritten. Der Kandidat hieß Reinhard Zschokke und trug noch immer Jeans, Nickelbrille und Vollbart. Es war sein letzter »Auftritt« als »Wahlkämpfer« – zwei Worte, die er verabscheute –, und es war sein inniger Wunsch, Lena an seiner Seite zu wissen. Lena war *die mit dem Lied*, und wer Lena hatte, der hatte den Geist der Revolution.

Schon um neun Uhr morgens standen sie vor dem *Nischl.* Sie klappten einen Campingtisch auf, verhüllten ihn mit grün-grünem Fahnentuch, stellten einen Thermosbehälter mit Kaffee auf und legten Informationsmaterial aus. Ein lachender gelber Igel, aufs Fahnentuch genäht, diente als Blickfang des Arrangements. Frau Schreiter zog Lena ins Vertrauen, von Frau zu Frau. »Ich bin doch nicht von hier, ich bin aus Zwickau, wissen Sie, und da bin ich einfach zu bekannt. Nicht, daß ich mich schäme, aber mein Mann ist doch zu sehr einer vom alten Regime, da waren die vom Neuen Forum gar nicht froh, daß ich bei denen mitmachen wollte.«

»Was ist denn Ihr Mann?« fragte Lena.

»Ach, das ist doch nicht so wichtig. Ich bin mit meinen Kindern politisch geworden. Die sind in Ihrem Alter. Die Tochter ist rübergemacht im letzten Sommer, noch über Ungarn, und der Sohn war bei der Bepo, also Bereitschaftspolizei, und als Mutter hat man sich doch Sorgen gemacht, daß die den eigenen Sohn aufs Volk hetzen, also ich sage Ihnen, das war keene schöne Zeit für uns.«

Reinhard Zschokke zeigte auf den Citroën, mit dem Frau Schreiter gekommen war. »Aber eens müssense mir mal erklären, Teuerste: Unsre Anhänger steigen normalerweise nicht aus so nem Auto.«

»Ja«, sagte Frau Schreiter, ein wenig traurig darüber, daß die Partei ihrer Wahl sie zu einer anderen Partei abschieben wollte. »Ich hab mich früh festgelegt. Was soll man machen?«

Auch die anderen Parteien erbauten ihre Stände in der Nähe des *Nischl.* Der Kandidat der Sozialdemokratie stellte sich nicht direkt vor das Denkmal, sondern dorthin, wo der Strom an Passanten am breitesten war. Er trug einen Anzug. Sein Selbstbewußtsein wurde von der Demoskopie gespeist, er konnte sich als sicherer Sieger fühlen. Nur heute noch mußte er sich den Launen der Straße aussetzen. Ab Montag lächelte ein Platz im Parlament.

Der konservative Kandidat errichtete seinen Stand dicht am Straßenrand. Er spannte einen Sonnenschirm als Blickfang auf. Der Tisch reichte bis zur Brust und eignete sich glänzend als Mittelpunkt für Gespräche unter sechs Augen sowie als Litfaßsäule für ein hochformatiges Wahlplakat, das »Freiheit und Wohlstand« versprach. Nichts an diesem Stand verleugnete seine westdeutsche Herkunft: Nicht der frische Sonnenschirm mit den angeschrägten Kapitälchen, nicht das strahlende Papier der Handzettel oder das sanft glänzende Faltblatt, das den Kandidaten vorstellte, nicht das Nummernschild des Lieferwagens, aus dem er sich versorgte. Auf holprigen, gebrochenen Pflasterplatten, inmitten von Fassaden, die grau verschleiert waren vom Regen und vom Abgas, war dieser Stand ein unübersehbarer Vorposten der geleckten Welt. Nicht Karl Marx stach ins Auge, sondern dieser weiß-rote Fleck am Straßenrand. Als der Stand komplett schien, warf der Kandidat einen triumphierenden Blick in die Runde – und spielte seinen letzten Trumpf in Rot und Weiß aus: Er verschwand zur Hälfte im Lieferwagen und kam mit der Palette eines Büchsengetränks hervor, die er am Fuß des Sonnenschirms ablegte. Er holte eine zweite, eine dritte Palette aus dem Lieferwagen. Er holte weitere Paletten aus dem Lieferwagen, bis ein beachtlicher Stapel neben seinem Sonnenschirm und eine beachtliche Zufriedenheit in seinem Gesicht stand.

Lena ging zum Stand der Liberalen, wo sie einen Bekannten begrüßte: Dr. Matthies.

»Lena, du würdest gut zu uns passen«, sagte Dr. Matthies.

»Das sagen alle«, sagte Lena.

»Aber nur wir haben Genscher«, sagte Dr. Matthies.

»Wir haben Gisi!« rief jemand, der für die Postkommunisten Wahlkampf machte.

Wie Gisela Blank brillierte, hatte Lena bei der großen Wahlveranstaltung der Postkommunisten, einem Ereignis, das die Stadthalle füllte, selbst erlebt. Gisela Blank, die eine aussichtslose Kandidatur für das Amt der Ministerpräsidentin verfolgte, hielt eine Rede und stellte sich danach den Fragen des Publikums. Gisela Blank war für alles, wofür auch Lena war: Für ein einiges, nicht paktgebundenes Deutschland, für einen besonnenen, wohlüberlegten Weg in die Einheit zweier gleichberechtigter Partner, sie war für eine Wirtschaftsform, die zugleich die Produktivität der Menschen entfesselt und die Destruktivität des Gewinnstrebens bändigt, die also, mit anderen Worten, den Tüchtigen belohnt und die Allgemeinheit schützt, sie war für Abrüstung, Zivildienst, den Rechtsstaat, eine aktive Steuerpolitik. Was vernünftig und utopisch zugleich war, schien so nah, so greifbar. Die anderen Parteien waren längst zur Tagesordnung übergegangen, waren von einer frustrierenden Diesseitigkeit, hatten vor etwas resigniert, das sie *Sachzwänge* nannten. *Keine Experimente!* war gar der Slogan der konservativen *Allianz für Deutschland.*

Es erschien Lena unglaublich, daß die Partei, die bis vor einem halben Jahr so dumm, arrogant, häßlich und langweilig war, eine Gisela Blank hervorbringen konnte: witzig, charmant, klug, attraktiv. Während sie der Anwältin lauschte, bemerkte sie, wie ihr von Minute zu Minute die Gründe ausgingen, die Postkommunisten nicht zu wählen. Trotzdem kam es zu dem Moment, an dem die sich permanent verbreiternde Zustimmung jäh abriß. Lena fragte Gisela Blank vor dreitausend Zuhörern, wie sich die Postkommunisten zur Forderung *Jedem seine Akte!* stellen.

Gisela Blank antwortete, einen ungewohnt nachdenklichen Tonfall anschlagend, mit einer Gegenfrage: »Können Sie garantieren, daß die Öffnung der Archive nicht zu Mord und Totschlag führt?

Können Sie garantieren, daß bei all dem Leid, das von der Stasi ausging, sich nicht jede Menge Haß, ganz persönlicher Haß entlädt? Wollen wir uns wegen Papier gegenseitig umbringen?«

Es gab plötzlich eine Kluft. Nicht nur zwischen Lena und Gisela Blank, sondern zwischen dem ganzen Saal und Gisela Blank. Der Saal ließ ein Murren vernehmen. Irgend etwas stimmt hier nicht, dachte Lena.

Lena hatte nicht ohne Grund gefragt. Sie selbst war unter Stasi-Verdacht geraten, nachdem die Rundfunkredakteurin Inessa, die Lenas Lied aufgenommen hatte, in einer öffentlichen Diskussion ihre Mitarbeit für die Stasi bekanntgegeben hatte. Inessa tat das völlig überraschend, ohne den Atem der Verfolger im Nacken zu haben. Es war ein Akt der Ehrlichkeit, ein offensiver Abschluß des jahrelangen Doppellebens. Inessa war sich bewußt, daß ihr Name und ihre Sendungen durch dieses Bekenntnis belastet werden, hatte aber nicht erwartet, auf die Schattenseite ihres Doppellebens reduziert zu werden. Sie wurde schlagartig zur *Stasi-Inessa*, die im Auftrag der Stasi deren Botschaften in die Hirne der Menschen funkte. Und als Lena das Thema *Jedem seine Akte* berührte, da wurde sie, zumindest unausgesprochen, als Komplizin der *Stasi-Inessa* beargwöhnt.

Lena traf am Karl-Marx-Denkmal auch den Uhrmacher, ihren letzten Patienten vor der Rede auf dem Krankenwagen. Seine rohe Kraft wirkte um so unheimlicher, da er sehr formell gekleidet war und sich mit schleppendem Schritt bewegte. Er verteilte ohne Mütze, Schal und Handschuhe die Handzettel der Nationalkonservativen. Er fror nicht, seine Hand blieb warm. Der schmale Schlips aus schwarzem Leder, knapp geknotet, wollte bemerkt werden wie ein Ausrufungszeichen. Wie ein schlendernder Riese ging er auf und ab und hielt mit ruckartigen Bewegungen ausgewählten Passanten den Handzettel seiner Partei hin. Am Stand der Nationalkonservativen saß ein ehemaliger Häftling, der zwei Jahre im Gefängnis verbringen mußte, weil er in der Nacht zum fünfundzwanzigsten Staatsjubiläum den Fahnen im Küchwald das Wappen aus Hammer,

Zirkel und Stroh herausgetrennt hatte. Unter Hinweis auf sein Schicksal boten die Nationalkonservativen deutschlandwilligen Karl-Marx-Städtern an, sich die Fahne durch geübte Hand nun straflos von HammerZirkelStroh befreien zu lassen – ein Service, der rege in Anspruch genommen wurde.

Lena mied das Revier des Uhrmachers, der sie wiedererkannt und mit dem Blick eines Vergewaltigers angestarrt hatte. Doch es langweilte sie, Zettel zu verteilen, und als bei den Konservativen die Austeilung der rot-weißen Büchsen begann, verteilte sie keine Zettel mehr.

Lena fand es eine klassisch dumme Idee, an einem kalten Märzvormittag mit Cola zu locken. Doch die Cola fand reißenden Absatz. Der Palettenstapel mit der konservativen Cola wurde weit schneller abgetragen als die Türmchen aus Pappbechern, die darauf warteten, von Lena mit heißem bürgerrechtlerischem Kaffee gefüllt zu werden. Die ungewohnten Behältnisse knackten und zischten beim Öffnen und bescherten jedem Wähler ein kleines Erlebnis. Wenn sie leer waren, wurden sie ungläubig in der Hand gewogen – ihre Leichtigkeit entsprach so gar nicht dem, was das Wahlvolk von den heimischen Blechbüchsen, ob Fischbüchsen oder Gemüsedosen, kannte. Auch daß sie sich leicht zerknautschen ließen, war eine kleine Attraktion. Die leeren Coladosen wurden in einen Papierkorb geworfen, der sich schnell füllte. Ein Berg bildete sich, und bald fiel jede weitere Büchse aus dem Papierkorb mit einem Scheppern auf die Erde.

Manche entschieden sich, die Büchsen mitzunehmen, wozu sie vom Kandidaten ausdrücklich ermuntert wurden: »Trinken Sie sie morgen auf den Wahlsieg der Allianz!«

Darüber ärgerte sich Lena, und sie entfachte in der Mitte des Platzes eine Diskussion, die den Kandidaten der Sozialdemokraten, der Postkommunisten, der Nationalkonservativen sowie Dr. Matthies von den Liberalen und Reinhard Zschokke von den Bürgerrechtlern anlockte. Lena hatte sich über den konservativen Kandidaten lustig gemacht: Wer glaubt, daß kalte Cola an einem Märzmorgen besser ist als heißer Kaffee, der soll zu den Konservativen gehen, rief sie. Und wer glaubt, daß etwas nur deshalb besser ist, weil es aus dem Westen kommt, der soll sie auch gleich wählen. Dumm kamen ihr die Menschen vor, schafsdumm. Kein halbes Jahr war die Sache mit den Zügen her. Als sie sich am Bahnhof um Kopf und Kragen redete. Damals waren die politischen Verhältnisse so elementar und unerträglich. Daß all dieser Aufruhr in Wahlen mündete, die mit Coca-Cola-Dosen entschieden werden sollten, erschien ihr als einziger großer Verrat. Das Wort *Verrat* ärgerte den konservativen Kandidaten sehr, und er sagte Lena ins Gesicht, sie mit ihrem Stasi-Hit dürfte als letzte über Verrat urteilen.

Stasi-Hit war wie eine Ohrfeige.

»Jawohl, Stasi-Hit«, sagte der konservative Kandidat. »Von der Stasi aufgenommen, von der Stasi abgemischt und von der Stasi ausgestrahlt. Sogar mitgesungen hat die Stasi!«

»Das Lied haben zigtausend Leute gesungen, jeden Montag!« rief Lena. »Und danach hagelte es immer Rücktritte!«

»Ja, schon«, sagte der sozialdemokratische Kandidat. »Aber der Refrain kann auch ganz anders gemeint sein. *Warum können wir keine Freunde sein* kann ebensogut bedeuten: *Ach, laß uns doch gut Freund sein!*«

»So habe ich es immer verstanden«, sagte die postkommunistische Kandidatin. »Alle ziehen an einem Strang! Alle Menschen werden Brüder.«

»Nein!« rief Lena.

»Aber damals war doch die Dialogpolitik!« beharrte die postkommunistische Kandidatin. »Natürlich hieß *Warum können wir keine Freunde sein*, daß wir die Hand zur Versöhnung ausstrecken müssen.«

Sie zeigte, wie es geht: Sie streckte Lena die Hand hin. »Warum können wir keine Freunde sein?« sagte sie.

»Ich werd doch wohl wissen, was es heißt!« sagte Lena wütend und schlug die Hand weg. »Ich habs gesungen, ich habs geschrieben! *Warum können wir keine Freunde sein* heißt *Wir können niemals Freunde werden*!«

»Das behaupten Sie jetzt«, sagte der konservative Kandidat.

»Ach hören Sie doch auf«, rief Lena, und verzweifelt bemerkte sie, daß sie aus ihrer Ohnmacht heraus unsachlich wurde. »Sie mit Ihrem *Freiheit und Wohlstand*! Sie sehen gerade aus, als ob Sie wissen, was Freiheit ist, mit Ihrer Verkleidung als Politiker, binden sich einen Schlips um den Kragen und stehen mit einer Aktentasche rum und haben sich rasiert und führen große Worte im Mund. Wenn so einer die Freiheit verspricht, da weiß ich aber, daß ich ne andere Freiheit will. Wissen Sie, wie Sie aussehen? Wie das Freiheitssymbol der Autofahrer.«

»Davon gibt's immerhin mehr als Rollschuhläufer«, sagte der konservative Kandidat trocken.

»Und wenn ich schon das Wort *Wohlstand* höre, dieses fettarschige, langweilige, biedere *Wohl*stand, Mann, Wohlstand ist was für welche, die keine Ahnung haben vom Leben, die abgeschlossen haben.«

»Sehen Sie«, sagte der konservative Kandidat gelassen. »Für solche wie Sie bieten wir immer noch die Freiheit – die Freiheit sich gegen den Wohlstand zu entscheiden. Danke, daß Sie unser Konzept bestärkt haben.« Er reichte Lena mit großzügiger Geste eine Dose Coca-Cola.

Lena griff nicht nach der Büchse. Statt dessen wandte sie sich an die Kandidaten der anderen Parteien. »Wie findet ihr denn das?«

»Ich bin mit Ihnen einer Meinung, daß wir von diesen Wahlen mehr erwarten dürfen, als Coca-Cola trinken zu können«, sagte der Sozialdemokrat, sicherte sich aber mit anhebender Stimme sogleich ab. »Ohne daß ich deswegen etwas gegen Coca-Cola habe.« Dann hielt er eine kleine Rede, staatstragend und sendefähig, wobei er seine Stimme in drei Richtungen schickte. »Aber wenn mir die Wähler den Auftrag erteilen, an der Wiedervereinigung Deutschlands mitzuarbeiten, dann werde ich all meine Kräfte einsetzen, eine sozial gerechte, wirtschaftlich effiziente und ökologisch vertretbare Umgestaltung voranzutreiben. Die Braut noch aufzuhübschen, die mit dem reichen Gemahl verheiratet werden soll.«

»Ihr spinnt doch alle!« rief Lena. »Und jetzt geh ich mich aufhübschen!«

Wütend lief sie zum Stand der Nationalkonservativen und verteilte die herausgeschnittenen HämmerZirkelStrohkränze auf ihren Schultern, dem Kopf, den Armen.

»Dreht jetzt die Stasi völlig durch?« brüllte der Ex-Häftling, der die Wappen herausgeschnitten hatte. Im Nu war sie von Fahnen ohne Emblem umzingelt, die teilweise verwittert und ausgeblichen waren und dadurch von oftmaligem staatstreuen Flaggen kündeten. Ja, auch diese Fahnen hatten eine Wahrheit: Sie waren so unansehnlich wie das Land, über dem sie wehten, aber sie hatten nun ein Emblem aus Schwarz, Rot und Gold in der Mitte, das wiederum so kräftig war wie die Verheißung, die Deutschland hieß.

»Stasi-Ziege, jetzt reichts!« sagte ein Fahnenschwenker und schlug Lena auf den Arm, um die Embleme herunterzuschlagen. Innerhalb weniger Momente prasselten die Schläge, stießen und stocherten Fahnenstangen nach Lena. Selbst als alle Embleme von ihr abgefallen waren wie die Blätter eines Baumes, gingen die Schläge weiter. Es war eine Abreibung, ein Denkzettel – keine Prügelorgie. Aber mit Deutschland war nicht zu spaßen.

Als sich Lena an jenem Abend nach der Spätschicht dem Nischl näherte, dem Ort, der nun zur Stätte ihrer gründlichen, restlosen und endgültigen Niederlage geworden war, hörte sie schon von fern ein seltsames Sirren, das mehr und mehr zum karnevalesken Geschepper wurde. Eine Kehrmaschine hatte die herumliegenden Colabüchsen in Bewegung gesetzt und trieb sie auf der leicht abschüssigen Straße vor sich her. Der Lärm war gegen Lena. Auf jede Büchse kam einer, der sie getrunken hatte. Jeder, der sie getrunken hatte, war denen auf den Leim gegangen. Sie hatte sich über die Büchsen lustig gemacht. Jetzt machten sich die Büchsen lustig über sie. Es war der Triumphgesang der Büchsentrinker. Ihr Triumph mußte nur noch amtlich gemacht werden.

10

Was Lena schon wußte, als sie die Coladosen die *Nischlgasse* herunterscheppern hörte, wurde zur Gewißheit am nächsten Tag um 18.01 Uhr. Das Fernsehen zeigte ein Diagramm. Farbige Balken reckten sich in die Höhe oder verkümmerten im Niedrigprozentbereich als bunte Dekoration. Dünne Scheibchen, deren Farben kaum noch erkennbar waren, verbannten in die Bedeutungslosigkeit.

Der Balken, der zuerst wachsen durfte, war der rote des Favoriten SPD. Doch der verreckte bei 22. Ein klägliches Ergebnis für den gesetzten Sieger. Dann versuchte sich der schwarze Balken der CDU. Er wuchs und wuchs – und erst bei 40 ging ihm die Puste aus. Das Wachstum des grünen Balkens, des Bündnis 90, des Erfinders des Protestes, der die alte Ordnung erst zum Erzittern und schließlich zum Einsturz brachte, dauerte so lange wie ein Blinzeln: Bei drei war alles vorbei. Selbst die Liberalen, von denen keiner etwas zu sagen wußte, da sie nur eine Idee, aber keine Stimmung repräsentierten, kamen auf fünf. Der tiefrote Balken der Postkommunisten durfte bis zur 14 wachsen, und Gisela Blank kommentierte, schlau wie immer, das ganze Ausmaß der Erneuerung ihrer Partei sei dadurch offensichtlich, daß die gewandelte Partei weniger Wähler habe als die Staatspartei Mitglieder hatte.

Werner Schniedel sah den schwarzen Balken dort wachsen, wo er von Freunden des schwarzen Balkenwachstums umgeben war – auf einer Wahlparty der Konservativen, in einer Großgaststätte auf der Fischerinsel, die aufgrund ihres Grundrisses, der ein eingezacktes Fünfeck darstellte, *Ahornblatt* hieß. Als der schwarze Balken über den roten hinauswuchs, holten Hunderte Luft, und als er schließlich in einsamer Höhe stehenblieb, brach besinnungsloser Jubel aus. Ein Wald von Armen flog hoch, und Werner Schniedel wurde von seinem unbekannten Nachbarn zur Linken und seiner unbekannten Nachbarin zur Rechten begeistert umarmt. Der Saal fand im abebbenden Jubel wieder Schwung in einer Losung, in einem Wort, das rhythmisch, hämmernd gerufen wurde, so lange, bis sich die Bedeutung entleert und der Klang abgenutzt und verbraucht hatte: »Deutschland, Deutschland, Deutschland, Deutschland Deutschland Deutschland Deutsch Land Deutsch Land Deutsch Land Deutsch Land Deutsch Land deusch lannt deusch lannt deusch lannt deusch lannt deusch lannt deusch lannt deu schlann deu schlann deu schlann deu schlann ...«

Dann ein großes Bier.

Lena sah den schwarzen Balken wachsen, als sie allein in ihrer Wohnung war. Sie schaltete den Fernseher aus, schaute aus dem Fenster, und alles war ihr fremd. Hier will ich nicht bleiben, dachte sie und ging aus der Wohnung.

Valentin Eich sah den schwarzen Balken in einer kleinen Wohnung in einer kleinen Stadt im schönen Bayern wachsen. Lydia, seine Frau, saß neben ihm auf der Couch und sagte: »Donnerwetter!« Die Miete für ihre Wohnung, eine Einliegerwohnung, bezahlte ein Wurstfabrikant, der auch ihren Kühlschrank bestückte. Die Eichs mußten noch mal von unten anfangen, und als sie sahen, wie mächtig der ausgewachsene schwarze Balken steht, da wußten sie, daß genau jetzt der Moment des Beginnens ist. Sie wechselten einen Blick, Lydia schob Valentin das Telefon hin und sagte: »Versuchs doch mal.«

Waldemar sah den schwarzen Balken in der Hotelhalle wachsen, wo sich vor dem Fernseher eine Menschentraube gebildet hatte. Er hörte ein triumphierendes »Ja!«, das seinem Chef, dem Beherbergungsdirektor Georg Weschke, aus tiefster Seele kam. Er orderte hastig fingerschnippend Sekt aus der Kaminbar. Seine Herren von der

Dresdner Bank verfolgten den Wahlausgang mit Gelassenheit. Auf das Wahlergebnis brachte der ältere der beiden Bankpioniere einen Trinkspruch aus: »Mit dem Ergebnis können wir arbeiten.« – »Ja,« sagte der jüngere. »Ich hab schon befürchtet, wir müssen noch mal wählen lassen.«

Fritz Bode sah den schwarzen Balken im Studio von ELF99 wachsen, wo er zu gegebener Zeit den Wahlausgang kommentieren sollte. Er hatte aus romantischen Motiven die Sozialdemokraten gewählt, obwohl er nicht umhinkam, mit den Zielen der Postkommunisten zu sympathisieren. Er mußte seinen Wunsch niederkämpfen, die Wähler zu beschimpfen. So war *Wir brauchen Manager* nicht gemeint. Was er bisher nur spürte, bestätigte sich in Zahlen: Es war etwas angebrochen, das mit den Koordinaten seines bisherigen Lebens nichts mehr zu tun hatte. Doch gelang ihm an diesem Abend ein Kommentar, der von den Korrespondenten in siebenunddreißig Länder weitergetragen wurde: Wer die Revolution mit Kerzen gewinnt, darf sich nicht wundern, daß er sie gegen Blechdosen verliert.

Kathleen Bräunlich sah bei ihrer Freundin Julia den schwarzen Balken wachsen. Es gab Würstchen und Kartoffelsalat. »Vierzig Prozent sind gut«, sagte Julias Mutter. »Noch Senf?« – »Gerne«, sagte Kathleen. »Hundert wären besser.«

Der dünne Jakob, einer der Trickbeatles, sah den schwarzen Balken in seiner kleinen teuren Münchner Wohnung wachsen. Das Ergebnis empörte ihn. Er durchschaute die Wähler sofort: Es war ein riesiger Betrug, ein millionenfacher Versuch, sich auf die andere Seite zu schummeln.

Dr.-Ing. Helfried Schreiter sah den schwarzen Balken im Fernsehraum des Bad Doberaner Kurhauses wachsen. Ein schönes Ergebnis. Er zog sicheren Wohlstand unsicheren Weltverbesserungsphantastereien vor. »Die Leute haben das Geld gewählt, ganz klar, ohne Wenn und Aber«, erklärte er seiner Frau, der die Enttäuschung im Gesicht stand. »Jetzt bloß keene halben Sachen!«

Der kleine unrasierte Dichter sah den schwarzen Balken in einer Charlottenburger Bar wachsen. Ein Korrespondent von *Le Monde* hatte ihn und seine Frau eingeladen. Als sich der Balken ausgewachsen hatte, brach Sprachlosigkeit aus. Schließlich fand der kleine unrasierte Dichter ein paar herzlose, analytische Worte, kühl und trokken, die einen historischen Bogen vom Wiener Kongreß 1814 bis zum Wahlabend spannten. Er berief sich auf Ewiges, verweigerte dem Wahlergebnis Wichtigkeit und kam trotzig auf Sartres *Fliegen* zu sprechen. Er fühlte sich wie betäubt, und im weiteren Verlauf des Abends trank er mehr und redete weniger als sonst. Als seine Frau ihre Hand sanft auf seinen Schenkel legte, schloß er die Augen und wünschte sich, er hätte sich nie für Politik interessiert.

Der Fontanekenner Dr. Erler sah den schwarzen Balken im Rohbau seines zukünftigen Wohnzimmers wachsen, in dem er gerade die elektrischen Installationen vollendet hatte; seit fünfzehn Monaten verbrachte Familie Erler die Sonntage auf der Baustelle. Dr. Erler trug Gummistiefel. Er maß dem Wahlergebnis historische Bedeutung zu, die Politik hatte den Auftrag bekommen, die deutsche Einheit herzustellen. Er hatte sich mehr von freien Wahlen versprochen, die Gier nach der D-Mark hatte die Sinne benebelt und einer an historischen Erfahrungen geschulten Deutschlandskepsis keine Chance gegeben. »Und jetzt?« fragte seine sechzehnjährige Tochter, die mit ihm zuschaute. »Jetzt werden sie etwas bauen müssen, was noch nie funktioniert hat«, sagte er. Der Slogan *Keine Experimente!* beleidigte seine Geschichtskenntnisse – er gehörte eigentlich den Gegnern des Einheitsstaates.

Daniel Detjen sah den schwarzen Balken auf der Wahlparty der Postkommunisten wachsen. Er schloß entsetzt die Augen – und plötzlich brach Jubel aus. Daniel Detjen öffnete die Augen und sah den tiefroten Balken bei vierzehn stehen. Jede Hochrechnung, die weitere Zehntelprozente brachte, wurde frenetisch bejubelt. Eine merkwürdige Partei, dachte Daniel: Interessieren sich für nichts außerhalb ihrer selbst. Daniel Detjen, der nicht nur das Faktotum in der Kanzlei der Spitzenkandidatin Gisela Blank war, sondern auch ein um sein Abitur betrogener Pfarrerssohn, fand, daß er ein Recht darauf hatte, auch die anderen Parteien zu besuchen. Und so vagabundierte er bis tief in die Nacht von Wahlparty zu Wahlparty. Er fühlte sich nirgends zugehörig, nirgends.

Der Gesundheitsminister Prof. Dr. Rüdiger Jürgends war auf der heimischen Couch eingeschlafen, als der schwarze Balken wuchs. Erschöpft vom Regieren war er, hatte im Amt alles gegeben, wollte keinen Tag länger Minister sein. Jetzt war nur noch die Übergabe vorzubereiten. Die Tafel mit den Planungen für den letzten »Tag des Dialogs«, an dem wie an den Freitagen zuvor im Viertelstundentakt Anliegen vorgebracht wurden, wollte er stehenlassen. Sollte sein Nachfolger ruhig ein wenig Respekt vor ihm und seinem Pensum bekommen.

Heidi Schlüter sah den schwarzen Balken wachsen, als sie sich, allein vorm Fernseher, die Fingernägel rot lackierte. Ihr entfuhr ein erstauntes »Huuuch!«. Sie hatte lustvoll die *Unabhängigen Frauen* gewählt. Frau wollte sie sein und unabhängig dazu. Die *Unabhängigen Frauen* waren nur eine Splittergruppe, zu klein für die Hochrechnung. Doch Heidi war es gewohnt, Minderheit zu sein.

Jürgen Warthe sah den schwarzen Balken im »Haus der Demokratie« wachsen, und ihm war, als würde ihm der Balken vor den Kopf geschlagen. Drei Prozent haben die Bürgerrechtler bekommen, die Postkommunisten das Fünffache. Eine Riesenschweinerei ist das. Die Konservativen waren auch nicht viel besser. Angsthasen, durch die Bank, Beschwichtiger, Mitglieder einer Phantompartei, stolz darauf, an der langen Leine mitlaufen zu dürfen. Nun haben die sich vom Kohl chartern lassen und für den die Wahl gewonnen. Jürgen Warthe saß mit vollbärtigen Männern und langhaarigen Frauen zusammen. Sie trugen Lederjacken oder Wanderschuhe oder Schlabbermoden oder Strickpullover oder Latzhosen oder Palästinensertücher oder Babys. Jürgen Warthe trug Fliege. Wenn ich uns so ansehe, dachte er grimmig, sind drei Prozent gerecht.

Judith Sportz sah den schwarzen Balken auf der 59-cm-Bildröhre ihres JVC-Fernsehers wachsen. Den Fernseher hatte sie im eigenen Laden gekauft, nachdem sie den Preis wegen eines fingierten Mangels herabgesetzt hatte. Judith Sportz holte eine Flasche Curaçao aus der Schrankwand und schenkte sich ein Gläschen ein. Wenn die D-Mark gewonnen hat, dachte sie, wird es bald keine Intershops mehr geben. Sie trank und schenkte sich erneut ein. Und wenn die Leute die D-Mark haben, dann können sie alles haben, was ich hier habe. Sie trank, schenkte sich ein drittes Glas ein und beschloß, die Flasche im Laufe des Abends leer zu machen. Den Curaçao wollte sie nicht mehr haben, wenn ihn alle haben. Sich privilegiert zu fühlen, wird schwieriger werden. Unmöglich nicht, aber schwieriger.

Karli sah den schwarzen Balken in einer Ruine wachsen, während eines als »Untergangsparty« deklarierten Festes. Dielen waren vermodert, Schilfrohr spleißte unter der Decke hervor. Der Strom kam aus dem Keller des Nachbarhauses, die Drogen, die Karli unter Redezwang setzten, waren aus dem Westen. »Schaut euch das alles noch mal an!« missionierte er die Partygäste. »Das gibt's bald nicht mehr: Solche Häuser! Solche Tassen! Solche Autos! Solche Tapeten! Solche Etiketten!« Und als er durch ein Loch in der Decke durchbrach, rief er von unten: »Und solche Decken!«

Carola Schreiter sah den schwarzen Balken wachsen, als sie mit Thilo Prospekte für Nordamerika-Reisen durchsah. Sie hatte ihm nie anvertrauen können, daß sie es insgeheim bedauerte, die erregte Zeit nur aus der Distanz zu erleben. Sie kannte den Osten und sie kannte nun den Westen – aber das Schönste hatte sie ausgelassen. An dieser Wahl hätte sie gern teilgenommen. So viel ging ihr voraus, ihr Ausgang war völlig offen – und so viel hing von ihm ab. Das Ergebnis war enttäuschend. »Die haben Vorstellungen!« sagte Carola und fand, als sie den Satz nachklingen ließ, das *die* bemerkenswert.

Der Staatsanwalt Matthias Lange sah den schwarzen Balken beim Abendessen wachsen. »Schau dir das an!« sagte er überrascht zu Verena. Das Ergebnis war ihm unheimlich. In seinem Bekanntenkreis gab es wohl niemanden, der zum Wachstum des schwarzen Balkens beigetragen hatte. »Im Namen des Volkes heißt es doch immer«, sagte er. »Aber wie wenig kenne ich das Volk!« Wie wenig kennst du mich, dachte Verena. Selbstverständlich behielt sie für sich, daß sie zu den Wahlsiegern gehörte.

Alfred Bunzuweit sah den schwarzen Balken auf seiner eigenen Wahlparty wachsen. Ein Fernseher hing oben über den Köpfen, den Menschen zugeneigt, die sich in einer dichten Traube vor ihm versammelten. Als sich der Balken ausgewachsen hatte, löste sich die Spannung in frenetischen Rufen der Zustimmung. Es wurde nur vereinzelt applaudiert; fast jeder Gast hielt ein Glas in der Hand, das ihn behinderte. Alfred Bunzuweit, der in der ersten Reihe stand, drehte sich zu seinen Gästen, und ein Lächeln nahm sich Zeit, sein Gesicht zu erobern. Es war das selige Lächeln Alfred Bunzuweits, bei dem sich all sein Fett verschob und den Augen nur noch kleine Ritzen ließ. Er hatte zur Party geladen, und bei dem Ergebnis mußte es seinen Gästen gefallen. Und wenn es ihnen gefiel, dann auch ihm.

Alfred Bunzuweit wußte nicht, wo Werner Schniedel steckte. Er wollte sich bedanken. Wie viele Gäste der Einladung gefolgt waren. Bestimmt dreihundert, darunter auch zwei Mitglieder des Abgeordnetenhauses und sogar ein ehemaliger Senator. Er, Alfred Bunzuweit, hatte dürftige dreißig Gäste mobilisieren können. Aber die Westberliner langweilten sich nicht. Sie waren fast unter sich, und ihre Kontaktfreudigkeit verschaffte Alfred Bunzuweit manch neue Bekanntschaft.

»Sie sind also der Gastgeber«, sagte eine hochaufgeschossene Dame mit gebräunter Haut und zahllosen Falten zu Alfred Bunzuweit, dem eine verwirrende Menge ungewöhnlicher Details auffiel: eine große Brille, deren Bügel die Fassungen von unten hielten, Ringe an drei Fingern jeder Hand, ein buntgeringelter Pullover mit weiten, fallenden Ärmeln, Ketten, Ohrringe, falsche Zähne. Ihr Mann stand neben ihr und faltete die Hände vor dem Bauch.

»Gefällt es Ihnen?« fragte Alfred Bunzuweit.

Die Frau kniff die Augen zusammen und holte Luft. »Toll!« sagte sie mit Emphase; dazu riß sie die Augen wieder auf und schien die Arme wegzuwerfen.

»Das freut mich!« sagte Alfred Bunzuweit.

»Na, bei dem Ergebnis!« sagte die Frau. »Mein Mann ist seit über dreißig Jahren in der Immobilienbranche tätig, und was man hier so sieht ... Wie das aussieht ...«

Alfred Bunzuweit nickte, obwohl er nicht wußte, was die Dame meint. Ihr Mann hatte, als die Rede auf ihn kam, Alfred Bunzuweit zugenickt, ihm eine Visitenkarte überreicht und ihm die Hand gedrückt. *Hagen C. Lörsch* las Alfred Bunzuweit. Der Name sagte ihm was ... Spate Siebziger ... Baustoffskandal ... Rucktritt des Bausenators. Irgend etwas war eingestürzt, weil die Betongüteklasse nicht die war, als die sie deklariert wurde. Alfred Bunzuweit hatte diesen Skandal damals in der *Berliner Abendschau* mit schaurigem Interesse verfolgt, weil ihm neu war, daß Beton nicht gleich Beton ist.

»Aber daß ein CDU-Mitglied so ein großes Hotel leiten darf. Ich dachte, da muß man in der SED sein. Sie sind doch in der CDU?«

»In der CDU?« fragte er hilflos, als verstünde er die Frage nicht. Einige Gäste hatten sich bereits nach ihm umgedreht.

»Na, in der SED sind Sie doch hoffentlich nicht«, sagte die Dame, und Alfred Bunzuweit sagte schnell »Nein, natürlich nicht«.

»Oder gewesen ...«, setzte die Dame mit lauter singender Stimme nach.

»Mich hat besonders die Wirtschaft interessiert«, versuchte es Alfred Bunzuweit. »Und die CDU war bei uns nicht so die Partei der Wirtschaft. Die war eher so ... kirchlich.«

»War die SED etwa Wirtschaft?« fragte die Dame empört. »Die haben doch alles kaputtgewirtschaftet, so wie das hier aussieht überall.«

»Das Hotel hat gut gewirtschaftet«, sagte Alfred Bunzuweit. »Wir haben immer Gewinn gemacht.« *Planerfüllung* war ein Wort, das Alfred Bunzuweit aus seinem Wortschatz gestrichen hatte.

Plötzlich stand der Portier Waldemar neben Alfred Bunzuweit. »Telefon für Sie«, sagte Waldemar. Der Anblick der mit Schmuck behängten Dame reizte ihn zu einem merkwürdigen Gedanken: Wenn die mal gehängt wird, klimpert sie noch tagelang im Wind.

»Wer ist es denn?« fragte Alfred Bunzuweit.

»Herr Schniedel.«

Das kam wie auf Bestellung. Die Gattin eines vorbestraften Bauunternehmers wagt es, ihn zu blamieren, und er kann sagen »Bitte entschuldigen Sie, der Herr Schniedel wünscht mich persönlich zu sprechen«. Da werden die vielleicht mal kapieren, daß er in eine Liga aufsteigt, aus der die längst abgestiegen sind!

Alfred Bunzuweit ging mit raschen Schritten den langen Gang vom Kongreßzentrum in die Hotelhalle. Die Rezeptionistin winkte ihm aufgeregt mit dem Telefonhörer. Das Telefonat war das schönste seines Lebens.

»Ja, Bunzuweit!«

»Hier ist Werner Schniedel. Tolles Ergebnis, ne?«

»Ja, wer hätte das gedacht!«

»Und? Wie läufts?«

»Sehr gut, ausgezeichnet, vielen Dank. Es sind schon über dreihundert Gäste gekommen, und bei dem Ergebnis wird es ja nicht dabei bleiben.« Da schulde ich Ihnen einsachtundzwanzig, wollte er sagen, aber das würde Schniedel nicht verstehen.

»Wie sind denn so die Ost-West-Proportionen?« fragte der.

»Neunzig-zehn, schätze ich.«

»Ach je.« Werner Schniedel klang enttäuscht. Da merkte Alfred Bunzuweit, daß er einen Fehler gemacht hatte. »Neunzig Prozent sind aus dem Westen, also ...«

»Ach so, sagen Sie das doch gleich! – Weshalb ich eigentlich anrufe: Soll ich nachher mal mit dem neuen Ministerpräsidenten rumkommen?« fragte Werner Schniedel locker.

»Können Sie denn das?« fragte Alfred Bunzuweit, dann wurde ihm schwarz vor Augen, und er hörte sich sagen: »Natürlich! Nein! Ja! Kommen Sie! Wann darf ich mit Ihnen rechnen?«

»Wird noch ein Weilchen dauern. Wir haben ein volles Programm, kommen aber gerne. Sorgen Sie dafür, daß die Leute bleiben! Voll muß es schon sein!«

»Natürlich!«

»Sperren Sie sie notfalls ein!«

»Mach ich!«

»Gut, bis nachher!«

»Vielen, vielen Dank!« sagte Alfred Bunzuweit, aber Werner Schniedel hatte schon aufgelegt.

Alfred Bunzuweit verfiel in Aktivität, als müßte er sich der Ehre durch Tätigwerden würdig erweisen. »Der Ministerpräsident kommt«, sagte er der Rezeptionistin und zeigte mit dem Finger auf die Dinge, die es in den nächsten Minuten zu perfektionieren galt. Die Verben ließ er weg; wenn er auf eine nackte Säule zeigte und »Blumen!« sagte, dann wußte die Rezeptionistin, daß sie beim hauseigenen Floristen ein prächtiges Gebinde zu ordern hatte, wenn er »Garderobe!« sagte, dann meinte er, daß eine Kellnerin die Garderobe besetzen soll, er sagte »Portal!«, weil es gefegt, »Gästebuch!«, weil es bereitgelegt und »Foto!«, weil es geschossen werden sollte.

Er war aufgeregt, er mußte sich zwingen, ruhig und entspannt zu wirken, er durfte sich seine Freude nicht anmerken lassen, als er vor die Herren der Dresdner Bank trat. Fast beiläufig, floskelhaft wollte er seinen Coup präsentieren, wie das Normalste von der Welt: »Kommen Sie doch zu uns nach hinten, meine Herren, wir erwarten nachher den Ministerpräsidenten.«

»Den frei gewählten oder den alten?« fragte der jüngere der beiden Bankpioniere. Danke, mein Goldjunge! dachte Alfred Bunzuweit. Besser kannst du gar nicht fragen.

»Selbstverständlich den frei gewählten«, antwortete Alfred Bunzuweit.

»Der nicht im Amt ist«, präzisierte Georg Weschke eifersüchtig, der herunterspielen wollte, was sich kaum herunterspielen ließ.

Alfred Bunzuweit ging zurück auf seine Party, mischte sich unter die Westberliner Gesellschaft. Rechtsanwälte, Architekten, Beamte, ein Professor für Geschichte. Man stand zu dritt, zu viert, zu fünft zusammen, plauderte angeregt, Gesellschaften lösten sich auf und bildeten neue Grüppchen. Die CDU konnte Westberlin über zehn Jahre lang regieren, war aber seit einem Jahr nicht mehr an der Macht. Seitdem saßen sie auf dem trocknen. Seitdem konnten sie nur übers Wetter reden, konnten sich keine Posten und Aufträge zuschieben. Alfred Bunzuweit beobachtete seine Gäste und dachte: Filz. Das war eine völlig andere Partei, als die, in der er war. Die Mitgliedschaft in seiner Partei bedeutete ein Dasein in gesteigerter Hörigkeit. Dafür ließen sich auf der Karriereleiter auch höhere Sprossen erklimmen. Diese Partei hingegen war ein Netzwerk für die Umtriebigen, die ihre Finger überall drin haben. So eine Partei gefiel Alfred Bunzuweit. In so einer Partei wollte er schon immer sein.

Ach, der Herr Lörsch und seine Gattin, der wandelnde Trödelladen. Nicht, daß die glauben, er sei vor ihnen geflohen. »Entschuldigen Sie nochmals«, sagte Alfred Bunzuweit, der bester, allerbester Laune war. »Aber ich habe eben die Nachricht bekommen, daß uns nachher der neue Ministerpräsident beehren wird.«

»Was, hier?« fragte Frau Lörsch.

»Ja, selbstverständlich!« sagte Alfred Bunzuweit. Diese Person schien ihm gar nichts zuzutrauen. Alfred Bunzuweit entschied sich, nun seinerseits das Ehepaar Lörsch zu quälen. »Aber der Name Lörsch sagt mir etwas. Ich überlege die ganze Zeit ...«

»Mein Mann hat ein großes und angesehenes Unternehmen ...«

»Bauunternehmen?«

»Ach, das ist *lange* her. Immobilieninvestitionen ...«

»Hat es da mal einen Unfall gegeben, Ende der Siebziger?« unterbrach Alfred Bunzuweit, dem plötzlich die ganze Geschichte wieder einfiel: Lörsch kam sogar ins Gefängnis. »Auf einer Baustelle? Zwei tote Arbeiter, weil was eingestürzt ist?«

»Ja, na sicher, da haben die den falschen Beton eingebaut, und als Unternehmer hält man dafür den Kopf hin«, sagte Frau Lörsch ärgerlich.

»Und schon ist man vorbestraft«, sagte Alfred Bunzuweit, wobei er einen mitfühlenden Ton wählte, um ihr das schöne Wort *vorbestraft* hinstellen zu können.

»Eben«, sagte Frau Lörsch. »Das hat er doch nicht nötig, mit dieser Verantwortung jeden Tag zu leben. Da wechseln wir die Branche, haben wir uns gesagt, nicht?«

Nachdem Werner Schniedel den Hörer eingehängt hatte, ging er zurück in den feiernden Saal. Es war laut, Kellner rannten herum, die Leute lachten und schlugen sich auf die Schultern. Vor den Fernsehern herrschte Gedränge. Der neue Ministerpräsident wagte sich vor die Kameras. Er war selbst bei seiner eigenen Partei kaum bekannt. Den Wahlkampf machte Helmut Kohl, und Ministerpräsident sollte immer ein anderer werden. Doch der mußte wenige Tage vor der Wahl aufgeben: Ein Offizier der Staatssicherheit behauptete öffentlich, daß der Spitzenkandidat der konservativen *Allianz für Deutschland* seit über zwanzig Jahren für die Staatssicherheit gearbeitet hatte. Das klang kaum glaubwürdig, doch noch weniger glaubwürdig klang die Gegenwehr des Spitzenkandidaten. Er nutzte einen Nervenzusammenbruch, um sich ins Krankenhaus zu verkriechen, wo er vier Tage vor der Wahl in einem schwarz-grün-blaugestreiften Frotteebademantel vor die Presse trat und erklärte, bis zur endgültigen Klärung der gegen ihn erhobenen Vorwürfe seine Ämter ruhen zu lassen. Mit anderen Worten: Er gab zu, daß sie ihn hatten.

Der neue Spitzenkandidat war ein Unbekannter, der auf die Aufgabe, die ihm plötzlich zufiel, überhaupt nicht vorbereitet war. Er hatte nicht in das Amt gestrebt, das er jetzt ausfüllen mußte. Werner

Schniedel sah ihn sich im Fernsehen an. Der war viel zu aufgeregt, um sich freuen zu können. Die vielen Kameras und Mikrophone irritierten ihn, und er war ständig von Menschen umgeben, die größer waren als er. Er mußte zu allen aufschauen, und der Stehtisch war so hoch, daß es ihm sichtlich unbequem war, den Arm aufzulegen. Werner Schniedel glaubte ihm anzusehen, daß er sich als Marionette fühlte, als ein vom Schicksal auserkorenes Spielzeug, als Objekt einer Wette, die im Jenseits geschlossen wurde. Vor einem halben Jahr war an freie Wahlen überhaupt nicht zu denken, erst vor einer Woche, im Verdichten der Gerüchte gegen den Spitzenkandidaten wird er geahnt haben, daß er nun selbst Spitzenkandidat werden könnte, und bis zum Wahlabend sah ihn keine Wahlprognose als Sieger.

Werner Schniedel beobachtete, wie sich der Mann Mühe gab, alles richtig zu machen. Er lächelte, gequält, erschöpft und flüchtete sich in Floskeln. Bedankte sich. Besonders Helmut Kohl. Deutschland. Großer Sieg. Deutschland. Eindeutiges Bekenntnis. Deutschland. Marktwirtschaft. Wiedervereinigung. Morgen an die Arbeit. Freiheit errungen. Menge nachzuholen.

Werner Schniedel wußte, wie er ihn nehmen muß.

Der Wahlparty im *Ahornblatt* war der Spitzenkandidat versprochen worden, als noch niemand ahnte, daß der Spitzenkandidat auch der Wahlsieger war. Das *Ahornblatt* lag drei Minuten Fußweg vom *Palast der Republik*, dem Zentrum der Wahlberichterstattung entfernt, das Palasthotel nur zwei Minuten – aber in genau entgegengesetzter Richtung. Der Spitzenkandidat wollte um halb zehn kommen, doch als Wahlsieger hielten ihn unvorhergesehene Verpflichtungen auf. Um halb elf erwarteten ihn die Organisatoren der Wahlparty vor dem Eingang. Werner Schniedel gesellte sich dazu. Zückte die Visitenkarte. Sagte, daß er den Ministerpräsidenten zum nächsten Termin geleitet.

Dann kam der Wagen. Männer in Anzügen, aber keine Leibwächter. Der Ministerpräsident. Drei Mann gleich bei ihm. Dann, beim

Hineingehen, war Werner Schniedel an seiner Seite. Überreichte seine Visitenkarte und sagte hastig: »Es tut mir leid, aber Sie müssen da noch hin. Wenn Sie *hier* sind, können Sie *uns* keinen Korb geben. Nur guten Abend sagen, gleich um die Ecke.«

Der Ministerpräsident sagte nicht ja und nicht nein. Menschen plapperten auf ihn ein, schon seit Stunden. Die Überforderung war offensichtlich. Er tappte dorthin, wohin man ihn führte; er fühlte sich, als hätte er Medikamente genommen.

Ein zweites Auto war gekommen, unter anderem mit der Frau des Ministerpräsidenten. Auch dieses Auto war voll. Werner Schniedel rief im Palasthotel an und bestellte einen Wagen, den 7er BMW, das Flaggschiff der hoteleigenen Wagenflotte. Das Gespräch war sehr kurz. Er werde in Kürze mit dem Ministerpräsidenten kommen, allerdings brauche er das Auto, und zwar sofort. Sofort!

Dann legte er auf und sprach mit den beiden Chauffeuren, die den Ministerpräsidenten und seine Delegation gebracht hatten. Zeigte seine Visitenkarte und sagte, daß es als nächstes ins Palasthotel geht, der Ministerpräsident weiß Bescheid. Er setzte sich in das Auto, mit dem der Ministerpräsident gekommen war.

Drinnen redete der Ministerpräsident. Bedankte sich. Besonders Helmut Kohl. Deutschland. Großer Sieg. Deutschland. Eindeutiges Bekenntnis. Deutschland. Marktwirtschaft. Wiedervereinigung. Morgen an die Arbeit. Freiheit errungen. Menge nachzuholen.

Kurz darauf kam die BMW-Limousine des Palasthotels. Der Portier Waldemar saß am Steuer; die Limousinenfahrer hatten längst keine Schicht mehr, und so wurde Waldemar kurzerhand zum Fahrer eines Wagens gemacht, der ihm riesig vorkam.

Waldemar ging ins *Ahornblatt*, auf der Suche nach Werner Schniedel. Der Saal war nur noch halb voll, die Siegesfeier, eine Mischung aus stundenlanger Euphorie und stundenlangem Gelage, war im Endstadium. Das Narrenschiff war auf Grund gelaufen.

Der Ministerpräsident hatte seine Ansprache gerade beendet, als einer der Deutschlandseligen die Bühne erklomm, das Mikrophon okkupierte und in deutscher Treue vor deutschen Frauen, berauscht vom deutschen Wein, einen deutschen Sang anstimmte: Es war ein Lied, das mit dem Wort des Tages, gedoppelt, begann, und um seiner Vision auch gestisch Ausdruck zu verleihen, hob sich tastend, schwankend des Sängers rechter Arm, eierte in der Luft wie auch der Gesang eierte, der mangels Textkenntnis ohnehin nicht über die zweite Zeile hinauskam. Der Arm war tätowiert, primitive Motive, wer-weiß-wo angefertigt, wohin der Sänger wofür-auch-immer geraten war. Nicht streng gereckt war der Arm, nur somnambul erhoben. Das sah Waldemar, und es lief ihm kalt den Rücken runter: Es gab welche, die das Wort *Wiedervereinigung* so verstanden, daß Deutschland da weitermacht, wo es zuletzt aufhören mußte.

Kaum einer außer Waldemar sah es, die Blicke der Verbliebenen waren beim Ministerpräsidenten, der sich den Weg zum Ausgang bahnte. Waldemar ging nach draußen. Männer und Frauen verabschiedeten sich voneinander. Werner Schniedel stieg aus einem schwarzen Mercedes. Waldemar ging auf ihn zu. »Guten Abend. Ich soll Sie abholen.«

»Ich fahr mit dem Ministerpräsidenten«, sagte Werner Schniedel, den Blick aufmerksam auf die Verabschiedung gerichtet, das Geschehen abtastend, um den richtigen Moment nicht zu verpassen. »Sie fahren vor, ich sag Ihnen, mit wem!«

Als der persönliche Referent in den Mercedes des Wahlsiegers einsteigen wollte, reichte ihm Werner Schniedel seine Visitenkarte und instruierte in einer Mischung aus Hektik und Geschäftigkeit. »Wir fahren noch ins Palasthotel, zu einer Wahlparty. Ist mit dem Ministerpräsidenten abgesprochen. Sie nehmen den!« Er führte ihn zum BMW, öffnete den Schlag und stieß ihn in den Wagen. Der Referent hielt eine Visitenkarte in der Hand. Der Name Schniedel sagte ihm was. Das blaue Signet sagte ihm was. *Sonderbevollmächtigter* klang bedeutend. Die Limousine sah ebenfalls bedeutend aus. Sogar einen Chauffeur mit einer Livree gab es. So wurde er noch nie gefahren, der persönliche Referent. Und das Palasthotel war gleich um die Ecke. Also ließ er sich in den BMW stoßen. Werner Schniedel schlug die Tür zu und hastete zum Wagen des Ministerpräsidenten. Der Ministerpräsident sackte gerade in den Mercedes. Seine Frau saß schon wieder im anderen Wagen. Werner Schniedel gab Waldemar Zeichen, loszufahren und stieg als Beifahrer in den Mercedes des Ministerpräsidenten.

»Einfach hinterherfahren«, sagte Werner Schniedel zum Fahrer.

»Junge, Junge«, sagte der Ministerpräsident.

Werner Schniedel wollte den erschöpften Wahlsieger aufmuntern. »Hat Ihnen mal der Dr. Kohl erzählt, wie es bei ihm abging nach der Wahl?« Im selben Moment fiel Werner Schniedel ein, daß der ja nicht mit Wahlen an die Macht gekommen war.

»Nee«, sagte der Ministerpräsident, viel zu erschöpft, um noch stutzen zu können.

»Fragen Sie ihn mal bei Gelegenheit«, sagte Werner Schniedel. »Und grüßen Sie ihn von mir.« Er reichte dem Ministerpräsidenten erneut seine Visitenkarte.

»Schniedel, VW«, las der müde und unkonzentriert. Es war im Auto zu dunkel, um das Wort *Sonderbevollmächtigter* zu entziffern, ein Wort, das haargenau dieselbe Länge hatte wie das Wort *Vorstandsvorsitzender.*

Werner Schniedel drehte sich auf seinem Beifahrersitz um und lächelte den Ministerpräsidenten an. Der sah einen Albino, der mitten in der Nacht eine Sonnenbrille trug und wie ein Oberschüler wirkte. Doch der Ministerpräsident war zu kraftlos, um Werner Schniedel als Vorstandsvorsitzenden anzuzweifeln. Wenn er, der kleine Mann, den niemand kannte, plötzlich Ministerpräsident ist, dann kann auch ein Neunzehnjähriger Vorstandsvorsitzender sein. Die Welt ist verrückt, und in der Freiheit ist auf gar nichts Verlaß.

»Sind Sie der Vorstandsvorsitzende?« fragte der Ministerpräsident, und ein Schuß Wachheit kroch in seinen müden Geist.

»Noch nicht«, sagte Werner Schniedel. »Aber mein Vater.«

Sie waren schon am Palasthotel. Waldemar führte den Konvoi an und steuerte den mächtigen BMW, das Flaggschiff der hoteleigenen Limousinenflotte, die Anfahrt hinauf. Die beiden anderen Fahrzeuge folgten. Doch Waldemars Abfahrt vom Hotel war fluchtartig vonstatten gegangen; Werner Schniedel hatte *Sofort!* verlangt. Und *Sofort!* war zu kurz, um zu klären, ob der Ministerpräsident die lange Anfahrt hinauf zum Portal gefahren werden sollte oder nach unten, zum Spreeufer, wo der Eingang zum Kongreßzentrum war. So fuhr Waldemar, der gesehen hatte, wie ein neues Blumengebinde die Hotelhalle schmückte, zum Portal, das er vorhin noch zu fegen hatte. Doch da oben stand kein Hoteldirektor. So fuhr Waldemar, die Ruhe selbst, um das Rondell herum und die Anfahrt hinunter zum Eingang des Kongreßzentrums. Doch auch da kein Alfred Bunzuweit. Der war, als er den Konvoi die Anfahrt hochfahren sah, vom Eingang des Kongreßzentrums auf dem kürzesten Weg, also durch das Hotel, in die Halle gelaufen. Die erreichte er erst, als die kleine Kolonne schon wieder unten war, drei Paar Bremslichter lachten ihn aus.

Doch Waldemar drehte nun auch eine Ehrenrunde vor dem Kongreßzentrum – und fuhr erneut die Anfahrt hinauf.

»Waren wir hier nicht schon mal?« fragte der Ministerpräsident, als sein Mercedes, Waldemar folgend, das zweite Mal die Anfahrt hinauffuhr.

Oben stand Alfred Bunzuweit. Er begrüßte den Ministerpräsidenten mit einem herzlichen Händedruck und dem seligen Lächeln eines Babys. »Ich grüße Sie, Gen …«, und ihm sollte die Zunge abfallen, wünschte er sich. Den ersten frei gewählten Ministerpräsidenten als *Genossen* anzusprechen war ein letzter, nicht mehr steigerungsfähiger Beweis seiner hoffnungslosen und kompletten Nichteignung als Hoteldirektor, als Manager und als Mensch dieser Zeit.

»Ja«, sagte Werner Schniedel. »Gehn wir doch nach hinten!« Schniedel sprach das *Gehn* so wie Alfred Bunzuweit den angefangenen *Genossen*, er tat so, als setzte er Alfred Bunzuweits Gedanken nur fort. Alfred Bunzuweit ging wie betäubt neben Werner Schniedel her. Das Foto zeigte einen strahlenden Sonderbevollmächtigten, einen verschreckten Hoteldirektor und einen erschöpften Wahlsieger. Der ging voran ins Kongreßzentrum, durch ein Spalier von freundlichem Applaus. Er bekam ein Mikrophon und ein Sektglas, und als er seine Rede begann, wunderte er sich, warum ihn niemand verstand – bis er begriff, daß er nicht ins Sektglas, sondern ins Mikrophon sprechen muß.

Bedankte sich. Besonders Helmut Kohl. Deutschland. Großer Sieg. Deutschland. Eindeutiges Bekenntnis. Deutschland. Marktwirtschaft. Wiedervereinigung. Morgen an die Arbeit. Freiheit errungen. Menge nachzuholen.

Und dann ging er wieder, krakelte was ins Gästebuch, das ihm noch hingeschoben wurde, ließ sich in den Fond des Mercedes fallen und fuhr. Der große schwere Alfred Bunzuweit stand vor dem schmächtigen Werner Schniedel und strahlte ihn an, mit einem Ausdruck zärtlichster Dankbarkeit.

»Wissen Sie, was eine Flasche Bier bei uns kostet?« fragte er.

»Nein«, sagte Werner Schniedel. »Wieso?«

»Eine Mark achtundzwanzig.«

»Aha«, sagte Werner Schniedel ratlos.

»Ich schulde Ihnen jetzt eine Mark achtundzwanzig«, sagte Alfred Bunzuweit und drückte Werner Schniedel die Hand, ergeben und dankbar.

»Wollen wir nicht du zueinander sagen?« fragte Werner Schniedel.

»Gerne!« sagte Alfred Bunzuweit. »Sehr gerne! Ich bin Alfred, und ich schulde dir eine Mark achtundzwanzig.« Es war fast wie mit Valentin. Ob er auch Kartoffelpuffer mag?

»Werner«, sagte Werner Schniedel, und er dachte: Ich schulde dir über zwanzigtausend D-Mark.

Lena hatte den Fernseher ausgeschaltet, aus dem Fenster geschaut und gedacht: Hier will ich nicht bleiben. Sie ging aus der Wohnung, setzte sich in den Zug und fuhr nach Berlin.

Ein paar Stunden saß sie in der Hotelhalle und wartete auf ihren großen Bruder. Doch der war mit Leo Lattke unterwegs, fotografierte gelöste, zufriedene, bestürzte und enttäuschte Gesichter.

In der Hotelhalle war die ganze Zeit eine eigentümliche Stimmung. Der Fernseher wurde umlagert, davor wurde gesprochen, gelacht, getrunken und gefeiert. Wie nach einem Coup von Bankräubern, die nach glücklicher Flucht den Fernseher einschalten und sich in einer Mischung aus Großmäuligkeit und Erleichterung davon überzeugen, daß die Polizei keine heiße Spur hat.

Der Portier Waldemar kommentierte das Verhalten des Publikums mit Blicken. Lena verwickelte ihn in ein Gespräch. Sie fand ihn auf Anhieb interessant. Sein ganzes Wesen drückte eine starke Ablehnung aus, einen Hochmut gegenüber dem Gewöhnlichen in der Welt, ein unduldsames Verhältnis gegenüber Phrasen und Floskeln. Ein sperriger Mensch, aber er war interessant, ungewöhnlich, ja selten, und Lena fragte sich, ob Waldemars Feuerkreis der Ungeduld auch vor ihren Auffassungen nicht haltmacht.

Lena erfuhr, daß er aus Polen kam und in wenigen Wochen ein Soziologiestudium an der Freien Universität beginnen wollte. Auch sie hatte Pläne – sie wollte nach Berlin, hatte aber keine Wohnung. »Ich hör mich mal um«, sagte Waldemar.

Kurz darauf schwoll die Hektik in der Hotelhalle an und Waldemar mußte am Steuer eines großen BMW davonfahren. Bald darauf sah Lena den neuen Ministerpräsidenten. Sie war fast beleidigt: Wie wenig Klasse doch dieser Mensch hatte! Einer wie der wurde immer übersehen. Daß sich der Ministerpräsident mit diesem Albino zeigte, den sie am Tag nach dem Mauerfall hatte abblitzen lassen – Lena erkannte ihn sofort wieder –, gab ihr noch mehr recht: keine Klasse. Die Zweitklassigen erleben jetzt ihre große Stunde. Sie war erstklassig, das wußte sie.

Lenas großer Bruder kam erst nach Mitternacht. Er hatte Lena nicht erwartet, entsprechend war seine Überraschung. Leo Lattke hatte sie nur auf den Fotos beim Gesundheitsminister gesehen und nicht für möglich gehalten, daß die leibhaftige Lena die geknipste noch übertrifft. Zu dritt setzten sie sich in die Kaminbar.

»Scheißtag«, sagte Lena.

Lenas großer Bruder glaubte, sie über das Wahlergebnis hinwegtrösten zu müssen, und begann, staatstragend zu referieren. Währenddessen beobachtete Lena Waldemar durch die verspiegelten Scheiben beim Entladen der Koffer, die größer waren als alles, was sie an Koffern gesehen hatte. Es waren amerikanische Koffer, Waldemars Spezialität. Er nahm Koffer für Koffer von der Bordsteinkante, wo der Busfahrer sie abgestellt hatte, wuchtete sie zügig, aber ohne Hast, mit ökonomischen Bewegungen auf einen großen Wagen, zentimetergenau, den Platz optimal ausnutzend. Dann bugsierte er das schwer beladene Gefährt um eine ganze Anzahl von Hindernissen.

Lena gefiel nicht, wie geschickt er sich anstellte. Sie wünschte sich, bei ihm, gerade bei ihm, Distanz zur Pflicht zu sehen. Doch das, was sie sah, schien auf ein beträchtliches Maß an Identifikation hinzuweisen. Sie hatte sich einen trotzigen, renitenten Menschen versprochen, doch wie er den Reiseleiter anschaute, um Anweisungen entgegenzunehmen, zeigte er ein Maß an Dienstbarkeit, das nicht zu seinen Auffassungen paßte. Er setzte dem Betrieb nicht den geringsten Widerstand entgegen, er schien mit dem Hotel zu verschmelzen. Für die Uniform, die goldenen Tressen und Litzen konnte er nichts, aber daß er in dieser Uniform den Haussklaven gab, nahm sie ihm übel. Bis eben fand sie ihn interessant wegen seiner Widerspenstigkeit, seinem Hochmut gegenüber Moden und Mehrheiten, seinem leichtsinnigen Selbstbewußtsein. Doch als sie ihn bei der Arbeit sah, unterschied er sich durch nichts von jedem anderen. Auch ihr großer Bruder ärgerte sie, als der ihr erklärte, warum *das Land mit dem D*, das sie nicht mal als Wort über die Lippen brachte, her muß. *Erst in Deutschland findet das Ruhe, was seit letztem Sommer in Bewegung gekommen ist.*

Und als ihr großer Bruder redete und sie draußen Waldemar mit den Koffern sah, da wünschte sie sich, mit Leo Lattke allein in der Bar zu sitzen, und die Vorstellung ließ ihr das Herz klopfen und das Blut in den Ohren rauschen. Sie wollte ihren großen Bruder loswerden – also sagte sie, was sie dachte. »Wenn das mit der Ruhe so wichtig ist, dann kannst du dich ja auch zur Ruhe legen. Am besten gleich.«

Lenas großer Bruder nahm seinen Schlüssel und verschwand wortlos.

»Scheißtag«, sagte Lena.

»Hab ich vor einer Viertelstunde auch gedacht. Aber jetzt ...« Leo Lattke lächelte. »... ist wieder Hoffnung.«

Er strahlte eine unendliche Selbstsicherheit aus.

»Sag mal, warst du schon immer so schön?« fragte sie; es war das erste, was ihr in den Sinn kam, und als die Kellnerin kam, bestellte sie einen Manhattan, ohne zu wissen, was das ist, aber es klang nach großer weiter Welt, und sie bestellte ihn, ohne die Kellnerin anzuschauen, denn sie saß vor Leo Lattke, und es gab nichts, was es wert war, sich von seinem Anblick loszureißen. Leo Lattke bestellte dasselbe.

»Also«, drängte Lena. »Ich hab dich was gefragt.«

»Schwierige Frage«, sagte Leo Lattke. »So sah ich vor vier Jahren aus.« Er holte seinen Reisepaß heraus. »Und so vor fünfzehn.« Führerschein.

Lena lachte. »Wenn du mich dasselbe fragen würdest, dann müßte ich dir meinen Betriebsausweis zeigen und sagen: vor drei Jahren. Dann meinen FDJ-Ausweis: vor sechs Jahren. Und meinen Pionierausweis. Vor, warte mal – vor *dreizehn* Jahren.«

Was rede ich, dachte sie, und lachte.

Die Kellnerin brachte die Cocktails. Er stieß mit ihr an.

»Immer noch n Scheißtag?« fragte er.

»Nee!« sagte sie. »Mein erster Manhattan. Ich hab jetzt einfach Lust zu reden, wenns dir nichts ausmacht. Ist doch toll, du gehst in eine Bar und sagst *Einen Manhattan* und dann stellen sie dir das Empire State Building hin und die Freiheitsstatue und die Bronx und ... Was ist denn noch in Manhattan? Du warst doch bestimmt schon mal da.«

»Die Bronx ist nicht in Manhattan. Harlem ist in Manhattan. Und das World Trade Center, der Times Square, der Broadway, der Central Park, Greenwich Village ...«

»Wo ist es am schönsten?« fragte Lena.

»Schwer zu sagen.« Leo Lattke dachte nach, und Lena gefiel, daß er wirklich nachdachte. »Wenn du 5th Avenue stehst, Ecke 59th street, also South-East Corner Central Park und downtown schaust – da hast du links den Trump Tower und rechts das Hotel Grand Central Plaza, ein herrlicher Bau, Imperialstil. Und wenn du dann downtown gehst, dann hast du alle hundert Schritte eine Kreuzung, und *jedesmal* siehst du in eine Straßen*schlucht* im wahrsten Sinne des Wortes, und *jedesmal* ist der Blick anders. Die Wolkenkratzer in New York sind toll, so unterschiedlich und doch schön. Jeder für sich und alle zusammen.«

Lena hatte die Augen geschlossen und langsam den Cocktail getrunken, mit der Absicht, ihre Phantasie zusätzlich zu befeuern und sich an den Ort versetzen zu lassen, von dem Leo Lattke erzählte. »Weiter«, sagte sie knapp und trank langsam, ganz langsam. Leo Lattke verstand das Spiel.

»Manhattan ist unglaublich laut. Die Sirenen der Feuerwehren, die Müllautos, die Preßlufthämmer, das ständige Hupen und die Trillerpfeifen der Polizisten. Die New Yorker haben das Talent, alles nur auf die denkbar lauteste Art zu verrichten. Wenn die U-Bahn einfährt – es tut richtig weh. Du kannst in dieser Stadt nur berühmt oder verrückt werden. Entweder bist du lauter als der Lärm oder du wirst von ihm verschlungen.«

Lenas Manhattan war leer. Sie öffnete die Augen wieder.

»Bald wird abgestimmt, ob Karl-Marx-Stadt wieder Chemnitz heißen soll.«

»Und wofür willst du stimmen?« fragte Leo Lattke.

»Für gar nichts. Es ist mir scheißegal, verstehst du? Mich interessiert das alles nicht mehr, ich bin so ... neben allem, auf einmal. Ich versteh nicht, wieso das plötzlich so wichtig sein soll. Ein *Manhattan*, das klingt nach was, aber ein *Chemnitzer* oder ein *Karl-Marx-Städter*, das ist doch beides Scheiße.«

Wie zum Beweis sagte sie sächselnd: »Fräulein, een Chemnitzer! – Bringse mir een Karl-Marx-Städter. – Limbach-Oberfrohna.«

»Was ist Limbach-Oberfrohna?« fragte Leo Lattke.

»Meine Unterwäsche ist aus dem VEB Untertrikotagenwerk Limbach-Oberfrohna«, sagte sie übermütig. Den Firmennamen sächselte sie.

»Du machst mich ja richtig neugierig«, sagte Leo Lattke. »*Unter*trikotagen ... aus *Ober*frohna.«

Lena lachte schallend. Wann hab ich das letzte Mal so gelacht? Untertrikotagen aus Oberfrohna – das war ihr noch nie aufgefallen, und es war so komisch!

»Die würde ich wahnsinnig gerne sehen«, sagte Leo Lattke.

»Vielleicht«, sagte Lena leicht, »ergibt sich mal eine Gelegenheit.«

Leo Lattke legte seine Hand vor ihr auf die Tischkante. Sie konnte sie nehmen, wenn sie wollte. »Vielleicht ist sie jetzt, die Gelegenheit.«

Lena holte Luft, und sie merkte, wie sich ihr Busen hob und den Oberkörper füllte, und sie schloß die Augen, weil sie etwas in sich aufsteigen fühlte, ein starkes Gefühl, von dem sie glaubte, es würde sie zerreißen, in alle Richtungen versprengen, und als sie die Augen wieder öffnete, Leo Lattkes Hand ergriff und aufstand, taumelte sie leicht.

Im Fahrstuhl umschlang sie ihn und schnurrte ihn an. Seine Arme hielten sie umfangen, und erst im Zimmer lernte sie Leo Lattke als Liebhaber kennen. Seine Hände griffen sicher und erfahren; sie wußten, wie eine Frau angefaßt werden will. Sie fand es erregend, seinen harten Schwanz zart zu umschließen; die dicken Adern gaben diesem Organ eine unabweisbare Authentizität. Das ist ein Mann, dachte sie, und ich bin eine Frau.

Es kamen Dinge in Gang, von denen sie keine Ahnung hatte. Als sie mit ihrem Mund über seine Brust, sein Schlüsselbein wanderte, hatte sie das Gefühl, daß sich ihre Lippen erweitern, nach außen kehren, und als sie sich auf den Rücken legte, fühlte sie einen kurzen, reißenden Schmerz zwischen ihren Beinen, aber sie ließ die Bilder spielen, die sie überfielen: Sie sah sich am Fuße einer Düne liegen, im Schatten, und mit jedem Stoß wurde sie ein Stück höher geschoben, der Sonne entgegen, und sie wußte nicht, wie hoch die Düne ist, aber plötzlich, nach einer schönen Weile, war die Krone nahe, war die Sonne nahe, und plötzlich brach Licht in ihr aus und sie kam über die Krone der Düne auf die andere Seite und sie rutschte herunter, mit dem Kopf zuerst, und da war die Sonne und es war warm und es war so schön. Ihr war schwindlig geworden, und sie hatte wohl auch geschrien.

Sie öffnete die Augen, und sie wußte, daß es aus ihren Augen leuchtet, und sie sah seine Augen, den Blick verhangen, und ihr war, als hätte sie all seinen Strom abgezogen. Das Feuer, das seine Augen vorher noch hatten, schien in sie gelangt zu sein. Und während sie die Aufrichtung all ihrer Sinne erlebte, während sie von einer Euphorie, einem Redebedürfnis und einer Hingezogenheit überschwemmt wurde, erschlaffte Leo Lattke. Träge wurde er, ganz entspannt und von einer untätigen Zufriedenheit. Er war erloschen, und sie war entzündet.

Als er ins Bad ging, schloß er hinter sich ab. Wenn das so ist, dachte Lena, wird das nichts mit uns.

11

Das Sekretariat des Aufbau-Verlages sah wieder aus wie früher: Die Manuskriptstapel, die das ganze Zimmer verbaut hatten, waren gelesen. Auf den Fenstersimsen standen wieder Blumentöpfe, die Schreibtische waren frei, die Tür ließ sich wieder öffnen und schließen. Es gab kaum Nachschub, und der konnte wieder, wie früher, mit einem Gummiband zusammengehalten und den Lektoren in die Fächer gelegt werden. Das Arbeitspensum für das Lektorat war auf ein übliches Maß geschmolzen: Jeder Lektor hatte zwei, drei Manuskripte im Fach. Wie früher. *Unverlangt Eingesandtes* wurde im Zwanzigminutentakt abgelehnt. Wer nach zwanzig Minuten spürt, daß ein Manuskript nichts taugt, wird seine Meinung nicht mehr ändern. Wozu dann weiterlesen?

Dr. Erler hatte von der Kiste im Keller erzählt – doch das eine Manuskript, das nicht in die Kiste wanderte, erwähnte er nicht. Wenn es wirklich so gut war, wie er glaubte, dann muß es auch den Lektoren auffallen.

Das Manuskript fiel auf, und es verzauberte das Lektorat. Es kursierte, ging von Lektor zu Lektor. Wer es las, reichte es mit leuchtenden Augen weiter. Oft landeten ungewöhnliche, manchmal schöne Geschichten im Verlag. Aber eine solche Geschichte, die zugleich ungewöhnlich und ungewöhnlich schön ist, hatten sie lange nicht mehr.

Waldemars Geschichte war in schlichten Hauptsätzen und mit malerischen Vokabeln erzählt. Nie hatte Waldemar den Ehrgeiz, mit kalter Präzision zu formulieren. Hier wurde mit anderen, großzügigen Toleranzen gebaut. Die Worte hatten eine Unschärfe, sie verfehlten auf eine interessante Weise das, was sie ausdrücken müßten. Es war, als nähme Waldemar das Deutsche nicht ernst. Als wäre es ein Spielzeug. Seine Formulierungen waren wacklig, stimmungsvoll, grotesk. Waldemar schrieb, wie Chagall malte, fand Dr. Erler.

Die Verlagsleitung beschloß, das Programm des kommenden Frühjahres mit Waldemars Buch anzuführen. Dr. Erler schrieb Waldemar einen Brief. Er habe erfreuliche Nachrichten, bitte zunächst aber um einen Anruf, um ein Treffen zu verabreden.

12

Werner Schniedel wohnte fast fünf Monate im Palasthotel. Seine Zimmerrechnung war auf 24670 D-Mark angewachsen. Georg Weschkes Versuche, an das Geld zu kommen, schlugen fehl. Der kleine Schniedel ließ sich einfach nicht fassen. Zweimal hatte der Beherbergungsdirektor versucht, ihn zu einem Gespräch zu bitten – doch er erschien einfach nicht. »Es ist was dazwischengekommen, tut mir leid.« So oder so ähnlich floskelte sich Schniedel aus der Affäre. Einmal hatte ihn Georg Weschke direkt und ohne Vorwarnung auf die offene Rechnung angesprochen – und sich eine eiskalte Abfuhr geholt. »Mit so was kann ich mich jetzt wirklich nicht beschäftigen«, hatte der weiße Vogel mit der schwarzen Brille zwischen den Zähnen hervorgestoßen – und weg war er.

Georg Weschke war es sogar gelungen, Alfred Bunzuweit vorzuschicken – allerdings war ihm nicht vergönnt, Schniedels Ausbruch zu erleben. »Weißt du, womit ich mich hier beschäftige?« mußte sich Alfred Bunzuweit von seinem kaum halb so schweren Duzfreund anfahren lassen. »Hast du eine Ahnung, womit mein Kopf voll ist? Sagt dir der Begriff *Immobilien* was? Ich wühle mich jeden Tag durch so einen Berg von Akten, ich arbeite mich in die Rechtssituation hier ein, studiere die Urteile des Bundesverfassungsgerichts seit 1952, und du kommst mit ner Hotelrechnung? Da gibt's doch bei VW den, sag schnell, den Wagner, der die Bestellung gemacht hat. Schick dem das Zeug – aber komm mir nie wieder mit ner Rechnung! Ist das ein Luxushotel, oder ne Pension, wo am Monatsersten die Miete fällig wird ..« Und so weiter. Alfred Bunzuweit verfluchte sich. Werner Schniedel hatte anderes im Kopf, natürlich. Sein Beherbergungsdirektor sollte gefälligst lernen, daß andere Zeiten angebrochen sind. »Die Maßstäbe der Planwirtschaft sind passé«, erklärte Alfred Bunzuweit in einer Leitungssitzung. »Ein Spitzenmanager ist per se solvent. Deshalb zücken die ihre Visitenkarten – um nicht mit dem Kontoauszug herumfuchteln zu müssen.«

Alfred Bunzuweit unterließ es, seinem Beherbergungsdirektor in allen demütigenden Details zu berichten; er sagte nur, daß Herr Schniedel Verständnis gezeigt und darum gebeten habe, die Rechnung an einen Herrn Wagner bei VW zu schicken.

Alle Versuche, jene Telefonnummer anzurufen, die bei der Buchung hinterlassen wurde, scheiterten. Als die Telefonistin nach Stunden endlich durch das Nadelöhr der deutsch-deutschen Telefonverbindungen des Frühjahrs 1990 kam, war kein Gesprächspartner und schon gar kein Herr Wagner in der Leitung, sondern – Faxtöne. Ein weiterer Versuch, einige Tage später, brachte dasselbe Ergebnis. Die Telefonnummer, die bei der Bestellung aufgenommen wurde, für Rückfragen, war fehlerhaft notiert; das kam schon mal vor.

Der Beherbergungsdirektor Georg Weschke trat auf der Stelle. Aber die Rechnung drückte, und mit jedem Tag drückte sie mehr. Doch einfach bei VW anzurufen und zu fragen, ob alles seine Richtigkeit hat – das ging nicht. Das war eminent unmöglich. Das wäre ein grober, ein übler, ein eklatanter Stilbruch. Man stelle sich vor, diese Frage wäre so verstanden worden, wie sie gemeint war: als Mißtrauensbekundung. Und wenn sie grundlos wäre – dann gute Nacht, Georg Weschke, dann kannst du Beherbergungschef im Arbeiterwohnheim werden. Ein Luxushotel kann sich keinen Beherbergungschef leisten, der an der Solvenz des wichtigsten Gastes Zweifel hegt.

Das war die Lage für Georg Weschke. Doch dann hatte er Geburtstag.

Auch ein Schniedel hat irgendwann Geburtstag. Aber wann? Auf dem Meldeschein, den Werner Schniedel am Tag seiner Ankunft ausgefüllt hatte, stand ein Datum – der 29. September –, aber der Beherbergungsdirektor Georg Weschke entschied sich, davon nichts zu wissen. Er wollte sich das Datum lieber sagen lassen. Und zwar von VW.

Nachdem seine Telefonistin endlich das Büro von Ernst Schniedel, Vorstandsvorsitzenden der Volkswagen AG, in der Leitung hatte, übernahm der Beherbergungsdirektor Georg Weschke. Er stand bei diesem Gespräch; er hatte die Angewohnheit, bei allen wichtigen Gesprächen zu stehen.

»Ja, Weschke hier, ich bin der Beherbergungschef des Berliner Palasthotels. Der Herr Schniedel ist ja hier seit Monaten unser ständiger Gast, ein sehr geschätzter Gast, und wir möchten auf keinen Fall seinen Geburtstag verpassen. Könnte ich diese Information vielleicht auf diesem Wege ...?«

»Herr *Schniedel*?« Die Stimme klang so erstaunt, als hätte er gesagt, daß Herr Schniedel in den Wehen liegt.

»Ganz recht, Herr Schniedel. Werner Schniedel.«

Georg Weschke hörte, wie die Sekretärin – oder mit wem immer er sprach – den Hörer abdeckte und zur Seite in einem Ton höchsten Befremdens sagte: »Werner Schniedel?«

Nun noch leiser – der Hörer war abgedeckt, die Person saß abseits des Telefon und das Gespräch lief über eine deutsch-deutsche Telefonverbindung vom Frühjahr 90 – hörte Georg Weschke die Antwort, und sie bestand nur aus einem Wort: Werkschutz.

Dann, für seine Ohren bestimmt, sagte seine Gesprächspartnerin: »Augenblick, ich verbinde!«

Dann war die Leitung tot. Sie war eminent tot. Keine Musik, die Warteschleife harrte noch ihrer Erfindung. Georg Weschke mußte Nervenstärke beweisen. Warum war die Leitung so eminent tot? War schon wieder etwas schiefgegangen?

Es knackte. Es knackte erneut. »Focke, Werkschutz. Sie rufen wegen Herrn Schniedel an. Werner Schniedel, richtig?«

»Genau.«

»Und der wohnt bei Ihnen?«

»Ja.«

»Na, dann sehnse mal zu. Ich hab hier Rechnungen vorliegen aus Heidelberg, Hamburg, München, Bremen – also wir haben mit dem

Bürschchen nichts zu tun. Der ist kein VWler und auch kein Sonderbevollmächtigter. Der fährt auf nem andern Ticket. – Wie hoch ist denn die Rechnung bei Ihnen?«

»24 670 Mark, D-Mark.«

»Na, da gratulier ich! Das ist neuer Rekord. Wohnt er denn noch?«

»Ja«, sagte Georg Weschke und hatte das Bedürfnis, sich zu setzen. Seine Stimme zitterte. »Ja, wohnt noch«, hauchte er.

»Na dann sollte er bald umziehen. In eine Herberge, die etwas weniger Luxus bietet. Mehr kann ich Ihnen jetzt auch nicht raten. Aber wir haben mit dem nichts zu tun. Wir haben nichts bezahlt, und wir werden auch nichts bezahlen.«

»Danke, ist schon gut«, sagte Georg Weschke. »Danke. Danke. Wiederhörn!«

Er legte auf, so heftig, daß das Telefon splitterte. Er warf die Tür seines Büros zu und vollführte einen Freudentanz. Jetzt habe ich ihn, Alfred Bunzuweits wichtigster Gast – ein Hochstapler!

Georg Weschke hätte nie gedacht, daß er für den weißen Vogel mit der dunklen Brille jemals so viel Sympathie empfinden würde. Für diesen Moment wollte er ihm alles verzeihen. War das ein schöner Geburtstag!

Der Beherbergungsdirektor Georg Weschke rief die Polizei. Die kam und setzte einen Oberleutnant der Kriminalpolizei in die Junior-Suite Werner Schniedels, der für den Abend erwartet wurde.

Als Werner Schniedel um halb zehn das Palasthotel betrat, konnte Georg Weschke der Versuchung nicht widerstehen und lud ihn auf einen Drink in die Bar ein. Schniedel nahm an – er spürte, daß es Georg Weschke nicht um die Rechnung ging. Der Beherbergungschef wirkte gelöst und merkwürdig selig.

Sie tranken auf Georg Weschkes Geburtstag.

»Was machen Sie eigentlich den ganzen Tag?« fragte Georg Weschke. Das interessierte ihn wirklich: Was macht einer, der monatelang nichts zu tun hat?

Schniedel winkte ab. »Ich will auch mal abschalten«, sagte er müde.

Das kannst du haben, dachte Georg Weschke. Dann zeigte er auf Schniedels Drink und sagte großzügig: »Geht aufs Haus.«

Daß Werner Schniedel, nachdem er in seiner Junior-Suite von Oberleutnant Lutz Neustein verhaftet worden war, durch die Hotelhalle abgeführt wurde, sah Georg Weschke nicht mehr. Er telefonierte mit Alfred Bunzuweit. Es gab schließlich Neuigkeiten.

13

Waldemar wurde von Dr. Erler beim Pförtner in Empfang genommen und durch das Haus geführt. Alle schienen ihn zu kennen, begrüßten ihn freundlich, äußerten sich begeistert über sein Buch. Waldemar konnte sich nicht einen einzigen Namen dieser freundlichen Menschen merken. In Dr. Erlers Zimmer erwarteten ihn der Verlagsdirektor, die Cheflektorin und Waldemars Lektorin. Der Verlagsdirektor sagte, man mache in diesem Verlag Autoren und keine Bücher. Die Cheflektorin sagte, sie sei ganz begeistert von seinem Buch, aber der Titel müsse noch geändert werden. Die Lektorin sagte, daß sie Handball gespielt habe und ihm nicht nur als Literatin, sondern auch als ehemalige Sportlerin nur Komplimente machen könnte. Dr. Erler sagte: »Wollen wir uns erst mal setzen?«

Also setzten sie sich. Es gab Kaffee und Kekse. Waldemar saß wieder auf dem dunkelroten Samtsofa, auf dem er schon an jenem Tag gesessen hatte, als er das Manuskript abgab und ohne Hoffnung war.

Dr. Erler schlug einen Bogen, der bei Fontane begann und mit den Volkskammerwahlen endete. »Es wird wieder den Einheitsstaat geben, und wir werden Verhältnisse haben, in denen wir uns nicht auskennen. Das, wo wir herkommen, wird es nicht mehr geben, und das, was wir kriegen, wird uns fremd sein.«

»Und Ihr Buch, Waldemar«, sagte der Verlagsdirektor, »trägt dieses Problem der Fremdheit mit sprachlichen Mitteln aus.«

»Die Identität«, sagte die Lektorin, »ist ein urliterarisches Thema. Indem der Mensch Sprache benutzt, empfindet er Identität, und er gibt sich Identität.«

»Genau«, sagte Dr. Erler. »Sie mühen sich in einer Sprache, die nicht die Ihre ist.«

Waldemar verstand nicht, wieso er *Genau!* sagte.

»Sie können ja auch nicht Polnisch«, sagte der Verlagsdirektor.

»Eigentlich können Sie gar nichts«, sagte die Lektorin. Will sie mich beleidigen? dachte Waldemar, versuchte aber, endlich das Wesen der Diskussion zu fassen zu kriegen. Sie ging ihm viel zu schnell.

»Genau!« sagte Dr. Erler – Schon wieder Dr. Erler, der *Genau*! sagt, dachte Waldemar. »Sie sind sprachlich unbehaust. Sie sind von zwei Seiten unfertig, aber *wie* Sie danebenhauen – das ist schöner, als wenn Sie treffen würden. Wir werden uns bald in einer Gesellschaft mühen, die nicht die unsere ist …«

»Und deshalb könnte Ihr Buch auf eine ganz subtile, scheinbar unerklärliche, rätselhafte Art einen Nerv treffen«, sagte der Verlagsdirektor. »Weil wir aber bald die Marktwirtschaft bekommen und – entschuldigen Sie die fürchterliche Formulierung – weil sich *alles rechnen muß*, suchen wir nach Büchern, die einen Nerv treffen können.«

Plötzlich redeten Verlagsdirektor, Cheflektorin und Lektorin durcheinander: Alle brachten ihre Gründe vor, weshalb Waldemars Buch einen Nerv treffen könnte, und in dem allgemeinen Stimmengewirr behielt der Verlagsdirektor das letzte Wort.

»Wir glauben, daß Sie ein großer Erfolg werden«, sagte er.

»Heißt das, daß Sie mein Buch machen wollen?« fragte Waldemar.

Verlagsdirektor, Cheflektorin, Lektorin und Dr. Erler schauten sich verblüfft an. Das mußte er doch begriffen haben! Darum saß er doch hier!

»Natürlich!« sagte der Verlagsdirektor. »Natürlich wollen wir Ihr Buch machen! Davon reden wir doch die ganze Zeit!«

»Warum sagt mir das keiner!« rief Waldemar und stand auf. Er ging, die Tür hinter sich zuwerfend, hinaus auf den Flur. Dort stampfte er vor Begeisterung dreimal mit dem Fuß auf, so kräftig, daß in Dr. Erlers Zimmer der Kaffee in allen fünf Tassen zitterte. Dann stieß Waldemar einen Jubelschrei aus, der im ganzen Verlag zu hören war.

»Ja«, sagte Dr. Erler in die Verlegenheit. »Hier kommt eben ganz was Neues.«

Sechstes Buch

VON VOR UND NACH DEM GELD

1. Die Beruhigung
2. Lutz Neustein sitzt auf einer Holzbank (III)
3. Gisela Blank ist verstimmt
4. Der nette Mann von nebenan
5. Das Wiedersehen
6. Der Häftling
7. Etwas, was die Phantasie beflügelt
8. Daniel Detjen findet eine Bombe
9. Die Abreisewelle
10. Rettung in letzter Minute
11. Das schwarze Loch
12. Alles, was Männer wollen
13. Ganz nah bei den Sternen
14. Jenaer Glas, ganz blank
15. Die Nummer Eins der Hitparaden (II)
16. Waldemar springt
17. Große Freiheit

1

Der Mai hatte vor wenigen Tagen begonnen, und der fünfeckige Platz, eingerahmt von Mietskasernen, war kaum wiederzuerkennen. Vier Wochen erst war es her, daß ihm Lena ein Haus gezeigt hatte, ein Haus mit abgeschlagenen Balkonen, deren vormalige Doppel-T-Träger von Schneidbrennern so eng an der Fassade gestutzt waren, daß keine Taube auf ihnen sitzen konnte, ein Haus mit abgefallenem Putz, so daß die müden, wohl hundert Jahre alten Mauersteine zutage traten. Der Rolladen im Erdgeschoß war heruntergelassen, die Farbe, die sich kaum noch bestimmen ließ, längst abgeblättert. Ein jahrzehntealter Schriftzug verriet wie zum Hohn, was einst in dem Laden verkauft wurde:

Farben & Lacke

Der Verfall dieses Hauses unterschied sich in nichts von dem der anderen. Nur die zahlreichen Einschußlöcher neben dem Kellerfenster ließen darauf schließen, daß im Häuserkampf der Schlacht um Berlin hier wohl ein MG-Schütze sein Nest gebaut hatte und zum Ziel verbissenen Beschusses wurde. Kahle Bäume und tiefe Wolken ließen die Tristesse noch schwerer lasten.

Doch jetzt war der Platz wie verwandelt: Das Grün war da, noch zart in der Farbe, doch mehr als nur ein Hauch. Indem die Blätter wuchsen, wuchs die junge Farbe insgesamt, die von der Sonne zum Leuchten gebracht wurde. Die Sonne schenkte sogar den grauen Fassaden Facetten, Schattierungen, Töne. Der frische blaue Himmel brachte eine weitere optimistische Farbe. Es ließ sich aushalten, hier zu stehen und zu warten, fand Leo Lattke, sehr gut aushalten sogar.

Der kleine Park und der Spielplatz, die in der Mitte des Platzes lagen, waren mittlerweile belebt. Vor wenigen Wochen noch hatte er Lena nicht verstanden, als sie, schwelgend im Glück, auf ein Haus zeigte und sagte: »Hier werd ich wohnen!«

Dann ging sie durch eine Tordurchfahrt und verschwand in einem Seiteneingang. Er folgte ihr. Die Tür war schmal und niedrig, er mußte den Kopf einziehen. Das Kabel für die Treppenhausbeleuchtung war dick und metallisch ummantelt wie ein Duschschlauch und verlief auf dem Putz. Die Treppe war eng. Auf jeder Etage gab es nur eine Tür. Sie gingen ganz nach oben, in eine Wohnung mit einer niedrigen Decke, so niedrig, daß Leo Lattke sie ohne Mühe berühren konnte. »Ist doch schön, oder?« sagte Lena euphorisch. Die Wohnung war nach Leo Lattkes Maßstäben völlig heruntergekommen. Eine Bruchbude, kahl und klamm. Über der Badewanne hing ein massiger Boiler, der, wenn er aus der morschen Wand bricht, einen Menschen erschlagen konnte. Der Wasserhahn über der Spüle hatte einen Schwenkarm, der dünner war als ein kleiner Finger und in Treppenform gekrümmt war. Über das Ende des verchromten Metalls war ein orange-rosa Gummischlauch mit einem Kopfstück aus Kunststoff gezogen. Lena war begeistert von der Wohnung, Leo Lattke entsetzt. Um ihr die Freude nicht zu vergällen, sagte er gar nichts, sondern spielte zur Ablenkung mit jenem Kopfstück herum, drehte das Wasser an und stellte es mit einem kleinen Hebel wechselweise als *Strahl* oder als *Brause* ein. Die Wohnung hatte zwei Zimmer, wovon das eine winzig, das andere ein Durchgangszimmer war. Auch die Küche war ein Durchgangszimmer – dahinter kam das Bad, aus dessen Klo der Stein griente und das, abgesehen von drei Reihen Fliesen über der Wanne, tapeziert war. Die Diele war gerade so groß, daß sich die Wohnungstür nach innen öffnen ließ. Von dort ging es nach links in die Zimmer, nach rechts in Küche und Bad. »Ne eigene Wohnung in Berlin! Und gleich zwei Zimmer! Mit Innentoilette! Die Fenster gehen alle nach Süden! Wie findstn das!« rief Lena. Leo Lattke sah die dünnen Fenster, die noch mit einem Riegel verschlossen wurden und spielte verlegen mit dem Wasser. Strahl – Brause – Strahl – Brause. Es gab immer einen anderen Klang.

»Hier ist noch einiges zu machen«, sagte er.

Nun stand Leo Lattke wieder vor jenem Haus, und mit ihm warteten fünf Männer, die durchweg zehn Jahre jünger waren als er. Er stach heraus. Er war besser gekleidet, trug braunglänzende Mokassins, die im Sonnenlicht einen edlen weinroten Schimmer gewannen, helle Baumwollhosen, einen offenen leichten Mantel, dessen Kragen einen gelben Kaschmirschal umschloß, der gut mit dem schwarzen Pullover harmonierte. Der Pullover hatte ein rotes Muster, vertikal gezackt, nur zwei Fäden stark, linksseitig. Leo Lattke war der einzige in der Gruppe, der ein After Shave benutzte.

Leo Lattke wußte nicht, ob er und Lena ein Paar waren. Sie kam und ging, wie sie wollte, erwartete aber, daß er für sie da war, wenn sie es wollte. Aussprachen über ihren Status verweigerte sie. »Ich hasse diese Diskussionen.« Planungen jeder Art – ein Wochenende nach Paris, vielleicht einen gemeinsamen Urlaub – waren nicht möglich. »Mal sehen«, sagte Lena, oder »Ich muß erst noch ...«. Leo Lattke war Mitte Dreißig, und er hatte eine Zwanzigjährige, die sich wie ein Kind benahm, unverantwortlich und selbstsüchtig. Er sehnte sich keinesfalls nach einer problematischen Beziehung; auf diesen unverbindlichen Umgang konnte er verzichten. Auf Lena nicht.

Er haßte es, daß sie mit ihm fünf Jungs zum Umzug bestellt hatte. Er allein – das wäre kein Problem. Der Umzug ganz ohne ihn – gerne, aber mit diesen fünfen, die ihn auch noch siezten, sich aber untereinander duzten, obwohl sie sich eben erst kennenlernten – das war wieder so eine Art von Situation, in die Leo Lattke immer wieder geriet, seitdem er mit Lena zusammen war – ohne zu wissen, ob er überhaupt mit ihr zusammen war.

Sie hatten nach jenem achtzehnten März, der Wahlnacht, noch zweimal Sex, und beide Male hatte Lena die Initiative ergriffen. Sie nahm ihn einfach, benutzte ihn, wenn ihr danach war. Sie wurde bei einer gewissen Art von Musik romantisch und schmiegte sich an ihn, als würde sie von einem heftigen Wunsch nach körperlicher Vereinigung überfallen. Er konnte ihn erfüllen. Wenn dieser Wunsch von ihm ausging, ließ sie sich nie verführen. Und das kotzte ihn an. Er hatte Lena ein erstes Mal beschert, das so grandios war, daß nach Leo Lattkes Schätzung ungefähr die Hälfte aller Frauen glücklich wären, wenn sie das einmal im Leben erlebten – und dafür könne Lena seinem Paarungsverlangen gern mehr Vertrauen und größere Bereitwilligkeit entgegenbringen. Doch sie spielte mit ihm, nannte ihn *mein superwichtiger bedeutender Weltjournalistenschönling*, und als er erwiderte, es mache ihn froh, in diesem Zusammenhang das Wörtchen *mein* zu hören, nannte sie ihn das nächste Mal und fortan nur noch *du superwichtiger bedeutender Weltjournalistenschönling*. Leo Lattke konnte sich zuschauen, wie er dabei war, sich zum Deppen zu machen.

Die anderen fünf hatten Jeans und derbe Hemden – entweder kräftig gemusterte Holzfällerhemden oder manschettenlose Hemden mit dünnen blau-weißen Streifen. Auch die Schuhe waren schwer und fest. Leo Lattke kannte nur einen der fünf: den Portier Waldemar. Ihm hatte Lena die Wohnung am Kollwitzplatz zu verdanken.

Ein weißer Kleinlaster mit einer weißen Plane, auf der eine himmelblaue Robbe die Schnauze wie ein Zirkustier nach oben reckte, kam langsam die holprige Straße heruntergefahren. »Das sind sie«, sagte Waldemar.

Lenas großer Bruder lenkte den geliehenen Kleinlaster, Lena saß neben ihm. Als sie die Möbelträger sah, hellte sich ihr Gesicht auf; mit einem wunderschönen Lächeln bedankte sie sich fürs Kommen.

Lenas großer Bruder legte den Rückwärtsgang ein und fuhr langsam auf den Bürgersteig. Waldemar dirigierte den Wagen durch die Tordurchfahrt und ließ ihn schließlich genau neben der kleinen Tür des Seitenflügels anhalten. Zwei Helfer öffneten flink und neugierig das hintere Verdeck und schlugen die Plane über das Dach. Ein Sofa stand auf der allenfalls halbvollen Ladefläche, eine Anrichte mit einem Spiegel, Tisch, Stühle, Koffer, Wäschekorb, Stehlampe, Pappkartons, Federbett. »Das ist alles?« fragte Leo Lattke. Lena nahm zwei Stühle und ging hinauf, Leo Lattke nahm die Stehlampe und folgte ihr bis in die Wohnung.

Er glaubte für einen Moment, in der falschen Wohnung zu stehen. Aus dem muffigen, düsteren Loch war eine helle Wohnung geworden. Die Dielen waren abgeschliffen, die Wände tapeziert und weiß gestrichen, die Sonne schien herein. Die Kochmaschine in der Küche war abgerissen. Lena stellte die Stühle in die Küche und zeigte Leo Lattke die Ecke, in der die Lampe stehen sollte. Auf der Treppe hörte sie ihre Helfer. Waldemar keuchte. »Ist jetzt die Treppe zu schmal … oder die Couch zu breit?«

»Die Couch hält auf!« mahnte ein anderer. »Hier stauts sich!«

Die fünf Helfer erreichten gleichzeitig das obere Stockwerk. Lena zeigte, wo die Sachen abgestellt werden sollten.

»Immer wenn ich bei einem Umzug helfe, ziehen die Leute in die oberste Etage«, sagte einer der fünf beim Hinausgehen, als er bereits auf der Treppe war.

Lena öffnete das Fenster und schaute runter. Ihr großer Bruder hatte die Ladeklappe verriegelt und zog ein Stahlseil durch Ösen, um die Plane zu schließen. Ein Nachbar, der aus dem Hinterhaus kam und über den Hof ging, starrte Lenas großen Bruder ungeniert an – ein Transporter mit einer Westberliner Nummer hatte wohl noch nie zuvor auf diesem Hof gestanden.

»Das Auto is von driehm«, rief Lena auf sächsisch in den Hof. »Abr mir sin von hier!«

Ihr großer Bruder fuhr den Umzugswagen zurück in den Westen Berlins, zum Autoverleiher, dessen Rechnung Leo Lattke beglichen hatte. Lena zeigte ihren Helfern, wo das Regal gebaut werden sollte.

Als Lenas großer Bruder eine Stunde später zurückkam, lief eine merkwürdige Unterhaltung, in der eine Vokabel hervorstach, die er sich nicht erklären konnte.

»Hier muß noch mal jemand mit Meineigen ran!« rief einer der Umzugsleute und zeigte auf einen Punkt an der Wand.

Waldemar reichte ihm die Bohrmaschine und sagte warnend: »Meineigen ist schon ziemlich heiß. Wenn der Schutzschalter rausfliegt, kannst du Meineigen zehn Minuten nicht benutzen.«

Lenas großer Bruder verfolgte diesen Wortwechsel völlig verständnislos. Die Umzugshelfer brachen in Gelächter aus, auch Lena lachte. Waldemar besorgte die fällige Aufklärung. Er hielt sich die Bohrmaschine vor die Brust, legte eine Hand auf sie und verkündete: »Diese Bohrmaschine nenne ich mein eigen.«

Mit dieser Bemerkung hatte es angefangen, kurz nachdem Lenas großer Bruder gegangen war. Waldemar wurde von Lena gefragt, ob dies seine, Waldemars, Bohrmaschine sei. Darauf Waldemar: »Ja, diese Bohrmaschine nenne ich mein eigen.«

»Kannst du hier ein Loch bohren?« hatte Lena ihn gefragt.

»Dafür ist mein eigen ja da.«

Eine Stunde später, als Lenas großer Bruder zurückkehrte, war die Bezeichnung *Bohrmaschine* bereits verschwunden.

Lena machte Kaffee. Leo Lattke saß auf dem Sofa, um ihn herum die Umzugshelfer – außer Waldemar. Der sortierte Lenas Bücher ein.

»Wollt ihr euch tausend Westmark verdienen?« fragte Leo Lattke. »Jeder von euch.« Er ärgerte sich, daß er so direkt war – aber der Gedanke beschäftigte ihn schon den ganzen Tag. »Ihr habt doch alle ein Konto. Jeder von euch kann zum ersten Juli viertausend Ostmark einseins in Westmark tauschen. Kinder können zweitausend, Rentner sechstausend einseins tauschen. Wer mehr hat, kriegt den Rest zweieins getauscht. Ich geb dir – oder dir oder dir – vierzigtausend Ostmark zum Einzahlen auf dein Konto. Dafür kriegst du am ersten Juli zwanzigtausend West. Davon will ich neunzehntausend, der Rest ist für dich.«

Leo Lattke merkte daran, wie ihn die Umzugshelfer ansahen, daß sie ihn für einen unvorstellbar reichen Menschen hielten, für einen, der fünfmal vierzigtausend Ostmark verteilen könnte, mindestens, und der fünfmal neunzehntausend Westmark haben würde, mindestens.

»Und wenn es schiefgeht?« fragte einer.

»Wie denn?« fragte Leo Lattke.

»Zum Beispiel, wenn die Bank mißtrauisch wird. Ich hatte noch nie soviel Geld auf meinem Konto. Nicht mal annähernd.«

Genau dieses Problem bereitete auch Leo Lattke Sorgen. Es war so simpel, die Währungsumstellung für den privaten Profit zu nutzen. Im Westen bekam er in den Wechselstuben für eine Westmark noch immer über fünf Ostmark. Aus zehntausend D-Mark ließen sich zweiundfünfzigtausend Ostmark machen, aus denen durch die Währungsunion sechsundzwanzigtausend D-Mark werden. Ein Umtausch, eine Einzahlung, etwas Warten. Es war so simpel wie eine Falle für die Blöden.

Es gab unter den fünfen nicht nur einen Skeptiker, sondern auch einen Optimisten. »Wenn ich nun aber überhaupt kein Geld auf meinem Konto habe«, sagte er, »und Sie geben mir vierzigtausend Mark, dann kriege ich dafür viertausend Mark eins zu eins und den Rest, also sechsunddreißigtausend Mark zwei zu eins – das macht zusammen ...«, er rechnete einen Moment, »... zweiundzwanzigtausend D-Mark. Muß ich Ihnen dann neunzehntausend oder einundzwanzigtausend D-Mark geben?«

»Neunzehntausend«, sagte Leo Lattke.

»Und wenn meine Oma, die ja sechstausend Mark eins zu eins tauschen kann, die vierzigtausend Mark von Ihnen nimmt und dafür ... dreiundzwanzigtausend D-Mark bekommt, dann wollen Sie wieder nur neunzehntausend Mark?«

»Genau«, sagte Leo Lattke.

»Dann hätte sie ja nicht tausend, sondern viertausend D-Mark verdient«, sagte der Optimist. »*Vier*tausend!«

Dann schwiegen sie, rauchten und dachten über Leo Lattkes Angebot nach. Sie rechneten. Sie schoben Zahlen in ihren Köpfen hin und her, schauten mit konzentriert zusammengekniffenen Augen auf imaginäre Punkte. Sie überschlugen ihre finanziellen Verhältnisse, rechneten den baren Nutzen aus und welche Wünsche sich mit dem leichtverdienten Geld erfüllen ließen. Ein neues Gefühl erwachte. Es bemächtigte sich ihrer nicht, aber sie lernten es kennen: die Geldgier. Leicht kam sie daher, diskret und formvollendet, nicht lärmend, primitiv, obszön. Sie kam daher unwiderstehlich: Für einen geringen Aufwand einen hübschen Gewinn – was daran ist schlecht, wenn niemand sich geschädigt fühlt?

»Und wenn ich nur zwanzigtausend Ostmark nehme?« fragte der Optimist.

»Dafür kriegst du zehntausend West. Neunfünf für mich, fünfhundert für dich.«

»Und bei achtzigtausend?«

»Na na«, sagte Leo Lattke. »Wir wollen es mal nicht übertreiben.«

»Was soll denn dieses Geschacher«, sagte Lena, die mit dem Kaffee aus der Küche kam. »Ich hör immer nur noch einseins, zweieins, fünfeins, viertausend, zweitausend, sechstausend D-Mark, Ostmark...«

»Hör dir das mal an«, sagte der Optimist. »Das klingt wirklich ganz interessant.«

»Gibt's denn nichts Besseres, als über Geld zu reden?« fragte Lena ärgerlich.

»Normalerweise schon«, sagte Leo Lattke. »Aber nicht jetzt. *Jetzt* gibt es nichts Besseres, als über Geld zu reden.«

»Wenn du ne arme Omi hast, die überhaupt keinen Pfennig hat, dann kommt die durch seine Geschichte zu viertausend West!« sagte der Optimist. »Weil die kann sechstausend einseins...«

»Hör auf, ich will das nicht verstehen!« sagte Lena.

Sie stand auf und ging wütend hinaus. Nach einer Minute kam sie zurück, immer noch ärgerlich. »Und das Klo sieht aus, da hockt der Stein...«

»Da kenn ich ein richtig feines Mittel dagegen, das werd ich dir jetzt besorgen«, sagte Leo Lattke und erhob sich. Lena sah ihn erstaunt an.

»Was, jetzt?« fragte sie. »Gehst du?«

»Klar!« sagte Leo Lattke. »Und danach bitte ich um etwas Akzeptanz gegenüber den westlichen Wohltaten. Ich bring dir was mit, das kippst du rein, wartest, spülst – und fertig. Wie wir es aus der Werbung kennen.«

Er verabschiedete sich von Lenas Umzugshelfern mit dem Hinweis, daß er im Palasthotel wohnt, »nur für den Fall«. Nachdem er gegangen war, saßen Lenas Helfer schweigend auf dem Sofa. Nur Waldemar sortierte treu die Bücher ein.

»Ihr guckt mir alle zu gierig«, sagte Lena zu der schweigenden Runde. »Ich seh euch doch rechnen, einseins, zweieins, siebeneins... Eh, wenn ihr weg seid, muß ich hier erst mal lüften! – Ich fands ja nett, daß ihr mir geholfen habt, und zur Einweihungsfete seid ihr herzlich eingeladen – aber ich kann euch mit eurem Problem nicht helfen!«

Und so nötigte sie ihre Helfer, auch ihren großen Bruder, zum Gehen. Nur Waldemar blieb. Lena riß tatsächlich die Fenster auf.

»Guck mal«, sagte Waldemar und zeigte auf eine kleine Lücke, die er zwischen *Brecht* und *Bulgakow* gelassen hatte. »Für mein Buch. Brecht – Bude – Bulgakow.«

»Du hast ein Buch geschrieben?« Das fand Lena interessant. »Du bist Schriftsteller?«

»Ich weiß nicht«, sagte Waldemar, verlegen und stolz zugleich. »Richtige Schriftsteller sind nur die, die davon leben können.«

»Weißt du, daß ich keinen einzigen richtigen Schriftsteller kenne?« sagte Lena mit ungebrochener Begeisterung. »Du bist der erste.«

»Leo Lattke hat schon ein paar Bücher geschrieben.«

»Der schreibt für Zeitungen und so. Das schmeißt man weg, wenns gelesen ist. Bücher hebt man auf. Die sind für die Ewigkeit.«

Ihre Augen strahlten, sie drückte die Bücher links von Brecht und rechts von Bulgakow noch weiter weg. »Für dein zweites und drittes«, sagte sie fröhlich. Waldemar fand es berauschend. Daß Lenas Bewunderung ihm galt und nicht dem berühmten Leo Lattke – ohne daß Lena auch nur eine Zeile von ihm gelesen hatte!

»Ich hab mir bei dir schon so was gedacht«, sagte Lena. »Wie du vorhin alle dazu gebracht hast, anstatt Bohrmaschine mein eigen zu sagen – wer kommt schon auf so eine schöne Idee? Das eine Wort ist verschwunden und das andere war plötzlich da. Wie ein Zaubertrick.«

Waldemar kannte Situationen wie diese. Er hatte oft in gerade bezogenen Wohnungen gesessen, allein mit schönen Frauen. Er bekam nie, was er brauchte. Er fand Küssen besser als Reden, Rummachen besser als Nachdenklichsein, und er fühlte sich auf eine taub machende Art entwertet, wenn er abgewiesen wurde. Wenn sie ihn bewundert und nicht Leo Lattke – warum ging sie doch zu dem aufs Zimmer? Es waren solche Beobachtungen, die ihn davon abbrachten, das menschliche Verhalten mit Maßstäben der Vernunft, der Logik gar, zu ergründen. Der Mensch handelt unlogisch, widersprüchlich, paradox. Waldemar hatte oft mit Menschen zu tun, die durch die Nacht und den Alkohol in seltsame Aggregatzustände gerieten, Menschen, die ein unechtes Leben in Hotels führten, Menschen, denen die Masken verrutschten. Es war Teil wie auch Reiz seines Berufes, daß es jedem erlaubt war, Launen an ihm auszulassen. *Wir sind alle auf der Suche nach der Beziehung, in der wir ein Leben lang unglücklich werden.* Es ist keine Kunst, jemanden zu finden, mit dem man drei Wochen oder drei Jahre unglücklich sein kann – das ist noch nicht die Lösung –, nein, es kommt darauf an, mit jemandem ein Leben lang unglücklich zu sein. In der Wohnung unter Waldemar lebte eine alte Frau, die sich fast jeden Tag mit ihrem Mann stritt. Er hörte sie jeden Tag, ihre monotonen, sprechgesangsartig rhythmisierten Reden, Kaskaden von Vorwürfen. »Wie oft habe ich dir gesagt«, begann sie. »Aber du hast mich immer verachtet, du hast mich nie geliebt!« Ihr Mann hörte sich das an, ohne je zu widersprechen. Eines Tages erfuhr Waldemar, daß der Mann seit fünfzehn Jahren tot war. Es mußte sich um eine erfüllte, intensive Beziehung gehandelt haben. *Der Mensch handelt nicht, um etwas zu erreichen, sondern um etwas zu vermeiden.* Das war auch ein Axiom in Waldemars Menschenbild. Wenn er Gott wäre, dann würde er die Angst abschaffen. *Was uns vom Menschen trennt, ist die Angst.* Diesen Satz hatte er irgendwann formuliert, ohne eine Verwendung für ihn zu haben.

Die beglückendsten Momente seines Lebens waren die, in denen die Angst von ihm abfiel. Niemand verstand besser als er, wie glücklich Lena in jener Nacht war, als sie vor dem Bahnhof mit weißglühendem Zorn die Übermacht der Polizisten beschimpfte. Daß ausgerechnet Lena, die Sonnige, Gütige, Gerechte, ihr Glück im Hassen fand, war so rätselhaft und widersprüchlich wie der Mensch überhaupt.

Der Nachmittag fand ein abruptes Ende, als Waldemar von seiner Beschäftigung mit einer Frage erzählte, die sich jeder Schriftsteller irgendwann einmal stellt. Diese Frage, glaubte Waldemar, kann einen Schriftsteller nur mal streifen oder ihn ein Leben lang begleiten, und die Antworten auf diese Frage, die in zahllosen Varianten existiert, können mit derselben Berechtigung völlig entgegengesetzt ausfallen – aber solange die Frage nicht steht, ist der Schriftsteller keiner. So dachte Waldemar wirklich über den Schriftsteller. Nicht, wer vom Schreiben leben kann, war ihm ein Schriftsteller, sondern jemand, der sich einmal oder fortwährend, mit gleichen, mit ähnlichen oder mit ganz anderen Worten fragt: Kann mein Buch die Welt verändern? Davon erzählte er Lena, und Lena hatte eine Antwort, die war so schön, daß Waldemar von einem erregenden, großen Gefühl überflutet wurde und ihm nach Bewegung war. So verabschiedete er sich von Lena, überstürzt, glücklich, und lief aus der Wohnung, nahm zwei Stufen auf einmal und rannte die Straße hinunter.

Wenn ein Schmetterling in Thailand einen Hurrikan in Amerika auslöst, dann kann auch ein Buch die Welt verändern.

Als Lena allein war, lief sie durch ihre neue Wohnung, durch alle Räume. Hier würde sie leben. Hier wollte sie leben. Sie schloß das Fenster, setzte sich auf einen Stuhl, legte die Hände in den Schoß und wartete. Was sollte sie tun? Wann hatte sie das letzte Mal das Gefühl, daß es eigentlich nichts zu tun gibt? Sie sah sich im Spiegel – aufrecht, kerzengerade auf der vorderen Stuhlkante sitzend, die Hände im Schoß. Sie mußte lachen, als sie sich so sitzen sah. Sie stand auf und legte sich aufs Sofa, die Beine über Kreuz, einen Arm hintern Kopf, und schaute an die Decke. Sie fühlte eine Beruhigung. Ja, es hatte sich etwas beruhigt. Es lag nichts mehr an. Wenn ich auf dem Sofa liege, an die Decke starre und mir nichts fehlt, beschloß Lena, dann ist die Revolution vorbei.

Jetzt gibt es nichts Besseres, als über Geld zu reden.

Vielleicht hatte Leo Lattke ja recht. Lena wollte nicht blöd sein. Sie wollte nicht zum Gespött werden als das ewig reine Gewissen der Revolution. Wenn jetzt die Stunde der Egoisten ist, wenn *Money, Money, Money* der Hit der Saison ist, dann sollte sie nicht über *dieses Geschacher* geifern – nein, sie sollte einfach selbst das Rennen machen. Sie sollte Millionärin werden, so wie sie es auf Platz Eins der Hitparade geschafft hat – mühelos, lässig, wie im Vorübergehen.

Lena hatte keine müde Mark auf dem Konto; der Umzug und die Renovierung hatten alles aufgebraucht. Ginge sie auf Leo Lattkes Angebot ein und funktionierte alles so, wie er glaubt, dann würde sie am ersten Juli dreitausend Westmark für sich haben. Fehlen noch neunhundersiebenundneunzigtausend D-Mark.

Sie beschloß, auch zu Leo Lattke ein Verhältnis zu finden. Sie fragte sich, warum sie ihn immer wieder so launenhaft, fast verachtend behandelte. Es hatte etwas damit zu tun, daß sie schon gern mit ihm zusammen war – aber er war auf eine Art der erste, und ihr behagte nicht der Gedanke, daß die Entscheidung für ihn eine Entscheidung gegen alle anderen wäre. Dafür hatte sie einfach zu wenig erlebt. Aber selbst wenn sie diesen Gedanken beiseite ließ – es war immerhin Leo Lattke, *der* Leo Lattke, der *der* Reporter für das Magazin der Magazine war. Und sie war *die* Lena, die Jeanne d'Arc von Karl-Marx-Stadt. Die Beziehung zu Leo Lattke hatte eine gewisse Brisanz, wie zu früheren Zeiten die zwischen einer Bürgerlichen und einem Adligen.

Leo Lattke hatte all ihre Kapriolen nicht nur duldsam, sondern souverän ertragen. Das imponierte Lena und beschämte sie auch ein wenig. Er war kein Masochist und keiner, der gerne kuscht. Es gab nur eine Erklärung: Sie bedeutete ihm etwas.

Dr. Matthies, das wußte Lena, wollte die Wiedervereinigung – was daran »wieder« war, verstand Lena nicht –, weil er von einem *Erdbeerkörbchen* träumte, einem VW Golf Cabrio. Andere träumten von Mallorca. Mit Colabüchsen wurde die Wahl entschieden. Sollen sie ihre Cola kriegen, dachte Lena, ich nehme Leo Lattke.

Lena wollte nicht zu der Art Sieger gehören. Aber ihr Widerstand war endlich.

Leo Lattke wußte noch nichts von seinem Glück, als er die Treppe hochstieg. Zu welch absurden Taten ihn Lena trieb! Ein Galan hat mit Blumen anzutreten, Konfekt oder Parfum – er jedoch kommt mit Kloputzmitteln.

Lena lachte schallend, als Leo Lattke tatsächlich die WC-Ente unter dem Mantel hervorholte.

»Da kannst du dir echt was drauf einbilden«, sagte er mit gespieltem Grimm. »Du bist die erste Frau, zu deren Kloputzer ich mich erniedrige. Was willst du denn noch? Was willst du denn noch?«

Lena lachte. Jetzt, wo sie ihn nicht mehr wie den Feind behandeln mußte, war ihr leichter. Es konnte ihr schon gefallen, wenn sich ein Mann, noch dazu ein berühmter Mann, um sie bemühte. Wenn er Einfälle produzierte, um sie zu beeindrucken. Sie fühlte sich dahinschmelzen, wenn dieser Leo Lattke nur die entsprechenden Register zog. Und sie bedauerte Waldemar. Das Lächeln, das gekonnte Zwinkern, das Schweigen und das Hochfahren im richtigen Moment – das alles konnte der nicht. Gewiß, sie verstand sich hervorragend mit ihm. Ein netter Mensch war er, ein außergewöhnlicher – aber niemand, der sie in den Wahnsinn treiben konnte. Leo Lattke war jemand, mit dem Lena vielleicht ein Leben lang unglücklich sein könnte.

2

Oberleutnant Lutz Neustein saß auf einer Holzbank und analysierte die Situation. Diesen Fall mochte er ganz und gar nicht. Einen BRD-Bürger zu vernehmen, in diesen Zeiten, das ist doch halsbrecherisch. Den darf man nicht mal so nennen. Jetzt waren das wohl Deutsche oder Bundesbürger. Und wie soll man so einen vernehmen? Die haben doch die Menschenrechte, und wenn die Einheit bald kommt – und danach sieht es aus –, dann will er, Lutz Neustein, keine Schwierigkeiten bekommen, weil er einen Deutschen nicht menschenrechtsgerecht vernommen hat. Natürlich wird er nicht zuschlagen oder ihn anbrüllen oder die Nacht durchmachen oder ihm drohen oder ihm kein Wasser geben oder ihn blenden oder hinter ihm herumgehen. Aber fragen muß er ihn schon. Die Beweislast ist erdrückend.

Gestern hat er diesem Schniedel bei der Vernehmung eine Zigarette angeboten, eine *Alte Juwel*. Schniedel nahm sie, drückte sie aber angeekelt wieder aus, nach nur einem Zug. So was darf nicht wieder vorkommen. Wenn im Westen beim Optiker neben der Kasse eine Bonbonschale steht, dann gibt's bei den Vernehmungen vielleicht auch Zigaretten gratis. Vielleicht ein Menschenrecht.

Lutz Neustein saß wegen der Zigaretten in der S-Bahn, auf einer hölzernen Bank und fuhr zum Bahnhof Zoo. Er stieg aus, holte am Automaten eine Schachtel Marlboro, stieg wieder in die S-Bahn und fuhr zurück.

Am Bahnhof Friedrichstraße endete der Zug. Lutz Neustein stieg aus, passierte die Kontrolle und stieg in eine weitere S-Bahn. Er fuhr zwei Stationen, ging quer über den Alexanderplatz und durch den Fußgängertunnel zum Polizeipräsidium. Hier fühlte er sich sicher. Alle hatten dichtgehalten. Niemand hatte einen Kollegen verraten.

Lutz Neustein fand diesen Untersuchungsausschuß höchst überflüssig. Er tagte trotzdem noch. Dieser Jürgen Warthe zum Beispiel, der Komponist mit der Fliege. Der machte sich im Winter noch Hoffnungen, Ministerpräsident zu werden. Gab kein Amt, für das er sich nicht interessierte, kein Gremium, in dem er nicht mitmischte. Das einzige, was noch geblieben ist: der »Untersuchungsausschuß zur Aufklärung der polizeilichen Übergriffe am 7./8. Oktober 1989«. Es interessiert keinen Menschen mehr, aber die untersuchen weiter. Aber irgendwann wird denen ein Licht aufgehen: Wenn sie begreifen, daß es ohne Polizei nicht geht. Und wenn sie die Polizisten nur einschüchtern, dann kommen wir bald an den Punkt, wo sich die Polizei vor den Verbrechern fürchtet und nicht umgekehrt. Eine Polizei, die nicht durchgreifen kann, ist keine Polizei. Die ist ein Witz, eine Maskerade.

Lutz Neustein ließ Werner Schniedel in das Vernehmungszimmer bringen.

»Guten Tag, Herr Schniedel«, sagte Lutz Neustein, erhob sich und gab Werner Schniedel die Hand. »Wie geht es Ihnen?«

»Wie schon«, sagte Werner Schniedel. »Ich hab schon besser gewohnt.«

»Kann ich mir vorstellen«, sagte Lutz Neustein und überlegte, wie diese Bemerkung wohl gemeint war. »Aber es gibt leider dieses Verfahren, und da sind mir die Hände gebunden.«

»Richtig«, sagte Werner Schniedel, »mir ist da noch was eingefallen. Weil immer von vierundzwanzigtausendnochwas D-Mark die Rede ist.«

»Ich höre«, sagte Lutz Neustein und hob die Hände über die Tastatur der Schreibmaschine, seine Bereitschaft kundtuend, die Hervorbringungen Schniedels sofort und unzensiert zu protokollieren.

»Am Abend des vierten Dezember«, sagte Werner Schniedel, »hat mich der Direktor des Palasthotels auf einen Schlummertrunk in die Bar eingeladen, und im Verlauf unseres Gesprächs hat er wörtlich gesagt: Herr Schniedel, ab heute sind Sie mein Gast!« Schniedel lehnte sich zurück und verschränkte zufrieden die Arme.

»Ja, und?« fragte Lutz Neustein, der auf die Pointe wartete.

»Wenn ich zu Ihnen sage: Seien Sie mein Gast! dann bedeutet das doch, daß ich Sie freihalte.«

»Das ist ja interessant«, sagte Lutz Neustein verblüfft.

»Und wenn ich seit über drei Wochen in seinem Hotel wohne – was soll denn *Ab heute sind Sie mein Gast* sonst bedeuten? In dem Hotel bin ich doch schon längst! Wie würden Sie das verstehen? Sie wohnen wochenlang in einem Hotel, und plötzlich steht der Hoteldirektor vor Ihnen und sagt: *Seien Sie ab heute mein Gast!* Ich finde es eine Unverschämtheit, daß er November bis April bezahlt haben will. Alle Kosten, die nach dem vierten Dezember entstanden sind, hat das Hotel selbst zu tragen.«

»Ich nehm das mal so auf«, sagte Lutz Neustein und ließ die Tasten klappern.

So ging es weiter. Lutz Neustein tastete sich vorsichtig durch einen Verhau von heiklen Momenten, bemüht um eine Vernehmung nach westlichen Standards. Er drängte Werner Schniedel, einen Rechtsbeistand zu kontaktieren. Er bot Werner Schniedel eine Marlboro an. Lutz Neustein war sich nicht sicher, ob er von Werner Schniedel verlangen dürfe, Dinge zu sagen, mit denen er sich belastet. Lutz Neustein konfrontierte Werner Schniedel lediglich mit der Anzeige und den Anschuldigungen und überließ es ihm, sich dazu zu äußern. Es war eine ausgesprochen lasche Unterhaltung, die das Thema Gesetzesbruch höflich umschiffte. Nein, fand Lutz Neustein nach einer Stunde, hier ging seine Rücksicht zu weit. In der Konsequenz bedeutete es, daß das, was er unter einer Vernehmung nach westlichen Standards verstand, nicht auf ein Geständnis hinausläuft. Das jedoch fand er absurd. Natürlich wollen auch westliche

Vernehmer ein Geständnis. Nur wollen sie es, ohne danach den Boden aufwischen zu müssen.

Lutz Neustein fühlte sich gegenüber dem sonderbaren weißhaarigen Jüngelchen auf eine seltsame Art unterlegen. Werner Schniedel sprach mit Selbstverständlichkeit über Dinge, von denen er, Lutz Neustein, keine Ahnung hatte. Was ein Döner ist, hatte Lutz Neustein gelernt. Aber was ist ein Wirtschaftsgymnasium? Ein Fax? Was sind Drückerkolonnen? Privatpatienten? Charterflüge? Postmoderne? Föhtong, Bleindeht, Opea? Vor allem: Was sind Menschenrechte?

Nach der Vernehmung machte sich Lutz Neustein erneut auf den Weg in den Westen. Er stieg aus am U-Bahnhof Kochstraße. Er hörte über dem Verkehrslärm ein hohes Plinkern, das von den Mauerspechten herrührte. Die besten Stücke der Mauer waren hier, im Zentrum der Stadt und ein halbes Jahr nach dem Mauerfall, längst weggeschlagen. Die einst glatte, bunt eingesprühte Oberfläche war längst erbeutet, wie abgeknabbert stand sie da, die Berliner Mauer, abgenagt bis auf die rostigen Armierungsstähle, die, hochgebogen, wie unwirksame Fangarme in die Luft ragten. Löcher gab es zuhauf in der Mauer, groß genug für einen Blick, einen Arm, ein Kind oder einen ausgewachsenen Menschen.

Nur einen Steinwurf von der Mauer war das Mauermuseum. Dorthin wollte Lutz Neustein. Er wollte sich nach Menschenrechten für Westdeutsche erkundigen.

Zur selben Stunde ging der Schriftsteller Uwe Nielsen durch die Ausstellung des Mauermuseums. Dieses Museum war in seinen Kreisen immer verpönt gewesen. Hier waren Erfindungsreichtum, Wagemut und Todesverachtung ausgestellt, mit denen ein Entrinnen aus gerade jener Welt gelingen sollte, die Uwe Nielsens Kreise im Ansatz für die bessere hielten. Doch die Energie, mit der es immer wieder viele Menschen in die Welt Uwe Nielsens zog, stellte deren Abschaffungswürdigkeit in Frage. Uwe Nielsens Kreise wußten sich nur für etwa zwei Jahre einig mit ihrer Epoche; dann ging die Epoche andere Wege. Es begann mit einem Schuß auf einen Berliner Studenten, und genauso endete es: mit einem Schuß auf einen Berliner Studenten. Der eine wurde allen zum Begriff, weil er erschossen wurde, auf den anderen wurde geschossen, weil er allen ein Begriff war.

Nun war es vorbei mit dem Kalten Krieg und den falschen Rücksichten. Uwe Nielsen wollte Ferien machen von der anstrengenden Frage nach einer besseren Welt. Die Hälfte seines Lebens hat er von der Revolution geträumt, doch neuerdings konnte er sich auch vorstellen, daß ihm ein Haus in Oberitalien genügt. Dafür brauchte er Geld, und dafür mußte er dieses Drehbuch schreiben. Dafür mußte er recherchieren, und dafür ging er ins Mauermuseum. Nach zehn Minuten fand er es einen Fehler, nie in dieses Museum gegangen zu sein.

Es waren nicht die Fluggeräte, nicht die selbstgebauten Mini-U-Boote und nicht die zu Fluchtzwecken umgebauten Autos, die ihn in den Bann zogen. Es waren schon gar nicht die Fluchttunnel. Nicht mal der Trick mit den Puppen. Es waren die Zeichnungen. Bilder und Zeichnungen, dilettantisch und schwülstig zugleich. Aber ihr Aufschrei war echt. In ihnen drückten sich ein Freiheitswille und eine Leidenschaft gegen Unterdrückung aus, wie er sie niemals bei Deutschen vermutet hatte. Uwe Nielsen kannte die naive Malerei nicaraguanischer Bauern, er kannte Zeichnungen aus dem KZ, er kannte Bilder von chilenischen Kindern, deren Eltern verschleppt waren, und er hatte gesehen, was im Warschauer Ghetto gemalt und gezeichnet wurde. Nur für die Laienkunst derer, die an den deutschen Zuständen litten, war sich Uwe Nielsen immer zu fein.

Eines der Bilder, so groß wie ein Gemälde, zeigte die Selbstverbrennung eines Pfarrers, auf einem nahezu menschenleeren Platz, ein anderes den nächtlichen Todesstreifen in all seiner Abscheulichkeit, in schiefen Proportionen, klobig, monochrom, starrend vor

Leere. Gewiß, es waren keine guten Maler, aber ihre Bilder waren nicht trivial.

Den ganzen Nachmittag verbrachte Uwe Nielsen in der Ausstellung, ging immer wieder vor den Bildern auf und ab, die in den wenigen Räumen hingen, und als er hinaus auf die Straße trat, da dachte er heimlich einen feierlichen Gedanken: Ich bin stolz, ein Deutscher zu sein.

Auch Lutz Neustein hatte inzwischen etwas gelernt. Wenn er die Broschüre richtig verstanden hatte, dann müßten die Menschenrechte für alle Menschen – nicht nur für Westdeutsche – gleichermaßen gültig sein. *Alle Menschen sind frei und gleich an Würde und Rechten geboren,* hieß es. Dieser Anfang war Lutz Neustein viel zu pathetisch. Wenn ein Tatverdächtiger vor ihm sitzt, soll der sich nicht darauf berufen können, daß der mal, wie alle, nackt aus Muttis Bauch gerutscht kam. *Sie sind mit Vernunft und Gewissen begabt und sollen einander im Geiste der Brüderlichkeit begegnen.* Auch das war ein bißchen übertrieben. Aber es ist gut, das zu wissen. Diesem Schniedel begegnet er im Geiste der Brüderlichkeit, fährt bis zum Bahnhof Zoo, für die richtigen Zigaretten. Einen Gefangenen zu mißhandeln sieht doch wohl anders aus.

Aber diese Formulierungen, nee: *Alle Menschen sind gleich an Würde und Rechten geboren* oder *Sie sind mit Gewissen begabt* oder *Sollen einander im Geiste der Brüderlichkeit begegnen.* Mit solchen Formeln hantiert ein Jürgen Warthe. Er, Lutz Neustein, ist ein Mann der Praxis.

3

Gisela Blank hatte es sich seit langem zur Angewohnheit gemacht, Wörter beim Wort zu nehmen, und zu dem Wort für die Einrichtung, in der sie Sitz und Stimme hatte, fiel ihr einiges ein. Früher, als die Zusammensetzung der Volkskammer nicht durch freie Wahlen entschieden wurde, entsprach sie ungefähr der sozialen Gestalt der Gesellschaft: Es gab Arbeiter, Bauern, Ingenieure, Generaldirektoren, Wissenschaftler, Offiziere, Handwerker, Angestellte, Polizisten, Künstler, Ärzte, Prominente und nicht wenige Funktionäre. Der jüngste Abgeordnete war neunzehn, der älteste siebenundsiebzig. Die Frauen waren nicht dramatisch unterrepräsentiert, sie machten immerhin mehr als ein Drittel aus.

Doch sosehr die Volkskammer repräsentativ sein wollte und in ihren soziologischen Merkmalen auch war – abgesehen davon, daß Punks, Penner, Knastologen, Ausreisewillige, Wehrdienstverweigerer und Umweltschützer fehlten –, so wenig war sie es in der Repräsentation des politischen Willens des Volkes. Dazu brauchte es freie Wahlen, und siehe da: Der politische Willen des Volkes wurde durch eine Volkskammer verkörpert, deren soziale Zusammensetzung so gar nicht mehr der soziologischen Gestalt der Gesellschaft entsprach. Meist Männer, meist im besten Alter. Viel zu viele Rechtsanwälte, Pfarrer und Ärzte. Und so gab es für Gisela Blank, die sich seit langem zur Angewohnheit gemacht hatte, Wörter beim Wort zu nehmen, genausowenig Grund wie früher, die Volkskammer *Volkskammer* zu nennen. Sie dachte an *Quasselbude*, ihre Übersetzung von *Parlament*.

Sie fand sich damit ab, im Parlament keinen Einfluß zu haben, immer überstimmt, ausgebuht, verlacht, unterbrochen und beschimpft zu werden. Dennoch redete sie so, als ließe sich das Parlament womöglich überzeugen. Das war fürs Fernsehen: Die Zuschauer sollten ihr beim Argumentieren zusehen. Sie konnte besser reden als der Rest des Parlaments, sie war gescheiter, hatte ein unschlagbar gutes Gedächtnis, war raffiniert und schlagfertig. Sie riß Witze, über die sogar ihre Gegner lachen mußten. Sie konnte alles fordern, ohne irgend etwas verantworten zu müssen. Sie konnte über die Regierenden milde spotten oder sie in die Enge treiben. Je einleuchtender ihre Argumente waren, desto lauter mußten die Buhs kommen.

Es gab fast nichts, was Gisela Blank die gute Laune vermiesen konnte, aber am Abend zuvor war so etwas passiert: Sie hatte ihren treuesten Mitarbeiter verloren. Daniel Detjen war nicht mehr dabei, der sonnige Assistent, der jeden zu kennen schien und den jeder mochte. Schon als sie Anwältin war, waren es Dutzende, die gern an Daniel Detjens Stelle gearbeitet hätten. Jetzt waren es Hunderte. Das Magazin, in dessen Diensten Leo Lattke schrieb, hatte Gisela Blank im Mai auf die Titelseite gebracht. Die Talkshows rissen sich um sie, die schlagfertige, unverbrauchte Politikerin. Gisela Blank war der Sozialismus mit menschlichem Antlitz. Daniel Detjen war der einzige Mensch in ihrer Umgebung, der so flott denken konnte wie sie; die Wortwechsel mit ihm hatten immer etwas Aufmunterndes. So wie andere zur Entspannung Musik hören, redete sie mit Daniel über Politik oder Literatur. Es erfrischte den Geist, entstaubte die Werkzeuge ihrer Rhetorik und gab ihr das Gefühl von Beständigkeit: Es hatte sich vielleicht alles geändert, nur nicht die Pointenschlachten mit ihrem Bürogehilfen; die waren die alten.

Daniel Detjen hatte sie angerufen und fristlos gekündigt, ohne daß sich in den Wochen oder Tagen zuvor etwas angedeutet hatte. Er wolle Roadie werden. Drei Minuten vielleicht hatte das Telefonat gedauert. »Tu, was du tun mußt«, hatte Gisela Blank, sich zu Gelassenheit zwingend, gesagt. Sie wollte sich schwarzärgern. Der Junge hat doch eine Scheibe. Wer bei Gisela Blank arbeitet, hat eine Position, keinen Job. Daß Daniel nach drei Jahren alles hinschmiß, von einem Moment auf den anderen, zeugte nur von Unreife und Komplexen. Diplomierte Politikwissenschaftler aus Westberlin und Marburg hatten sich in den letzten Wochen bei ihr beworben, unaufgefordert – und sie hatte Daniel die Treue gehalten, dem armen Pfarrerssohn, der kein Abi machen durfte, sie hatte ihm Einblicke gewährt in Dinge, die nie in der Zeitung standen – und das war der Dank. Steigt einfach aus, weil er mal sechs Wochen Roadie sein will.

4

Karli hatte sein Atelier in einer Ruine des Zweiten Weltkriegs, einem ausgebombten Warenhaus. Die Ruine wurde wenige Wochen nach dem Mauerfall von Künstlern aus mehreren Ländern in Beschlag genommen, die sich ausdrücklich die allgemeine Gesetzlosigkeit zunutze machten. Sie arbeiteten in Overalls, fertigten fast ausschließlich Überlebensgroßes und erzeugten baustellenartigen Lärm, der von den für ihre Kunst unverzichtbaren Trennwerkzeugen herrührte. Den Ort ihres Schaffens nannten sie *Tacheles*, um keine Zweifel darüber aufkommen zu lassen, daß hier die Radikalität seßhaft zu werden gedachte.

Karli war nicht unbedingt wohlgelitten unter den internationalen Künstlern. Er hatte so gar kein Gefühl dafür, wie sich elitäres Künstlertum am Ausgang des zwanzigsten Jahrhunderts zu zelebrieren hat. Er verstand es nicht, neugierigen Besuchern durch abfällige Blicke oder hochmütiges Gebaren das Gefühl zu geben, sie seien als mittelmäßig und latent faschistisch durchschaut. Statt dessen versuchte Karli eifrig, jedes, aber auch *jedes* Kamerateam in sein Atelier zu lotsen. Das verächtliche Verhältnis zum Gelärm der Welt wollte sich so gar nicht bei ihm einstellen. Als das Deutsche Theater im Foyer eines von Karlis Werken präsentierte, erzählte er es überall herum, anstatt es, wie es sich gehört, herumerzählen zu lassen.

Karli wollte das Westberliner Büro der BBC anrufen. Er wartete vor einer Telefonzelle, wo sich, wie bei allen Münztelefonen kurz hinter der Grenze, eine kleine Schlange gebildet hatte. An der gegenüberliegenden Bushaltestelle hielt ein Lieferwagen. Der Fahrer stieg aus und bestückte den Schaukasten mit einem neuen Werbeplakat. Als der Lieferwagen davonfuhr, gab er den Blick auf die neue Werbung frei. »Das bin ich!« rief Karli. Er drehte sich zu den Leuten um, die in der Schlange mit ihm warteten. »Leute, das gibts nicht, das bin ich!« Das Foto, für das er fünfzig Westmark bekommen hatte. Er allein, auf einem Plakat! DER NETTE MANN VON NE-

BENAN stand groß, in grüner Schrift neben dem Schwarzweißfoto, und darunter stand etwas in dünneren, schwarzen Lettern, was Karli wegen seiner Kurzsichtigkeit nicht lesen konnte.

»Ich bin der nette Mann von nebenan!« sagte er, und es fiel ihm sogar selbst auf, wie eitel er war.

Ein Mann in Maurerhosen, der jünger war als Karli, fragte lachend: »Eh, Keule, sag mal, wieviel haste dafür gekriegt?« Und dann lachte er schadenfroh.

Karli ging auf die andere Straßenseite, zu lesen, was es da zu lachen gab.

Bei 86 % des sexuellen Kindesmißbrauchs ist der Täter kein Fremder stand unter dem Slogan, und darunter, noch dünner, in Weiß, präsentierte sich der Initiator des Plakates: *Kind e. V.*

Karli brauchte einen Moment, um zu begreifen, daß dieses Plakat behauptet, daß man sich den durchschnittlichen Kinderschänder so vorstellen muß wie ihn. Durch dieses Plakat bekamen sechsundachtzig Prozent aller Kinderschänder ein Gesicht – sein Gesicht.

Karli ging zurück zu seinem Platz in der Schlange, aber er hatte vergessen, wofür er anstand. Daß die BBC vor zwei Wochen im *Tacheles* drehte und er, übertrieben winkend, ins Bild geriet, hatte er vergessen. Auch, daß er sich einen Videomitschnitt erbitten wollte. Daß er es, Sekundenauftritt hin oder her, in die BBC geschafft hatte, ebenfalls. Selbst mit der Telefonnummer des Berliner Büros der BBC, die er in seiner Hand hielt, konnte er im Moment nichts anfangen.

Ich bin doch kein Kinderschänder! Er mußte diese Ungeheuerlichkeit klären, und zwar sofort. Zuständig war die Kreuzberger Agentur *Das Gesicht.* Im Foyer hingen gerahmte Anzeigen und Plakate, die sich im Archiv von *Das Gesicht* bedienten: Meist zufriedene und fast immer durchschnittliche Gesichter neben völlig harmlosen Aussagen. *Am 14. Februar ist Valentinstag,* oder *WICK für freien Atem* oder die Anzeige einer Heizungsfirma, die ihre Kunden zu regelmäßigen Durchsichten animieren wollte: *Vorsorge zahlt sich aus.*

Bei dieser Anzeige waren neben das zufriedene Gesicht einige Hundertmarkscheine montiert. Die Innung des Fleischerhandwerks warb mit zwanzig Gesichtern auf einmal: *Currywurst – schmeckt jedem!* Daran konnte sich Karli erinnern, mit solchen Anzeigen und Plakaten präsentierte sich *Das Gesicht.* Von einer Heimtücke à la *Der nette Mann von nebenan* war nie die Rede.

Nach einer halben Stunde Fahrt war Karli dort, wo die Agentur Sitz und Fotostudio hatte: Ein Mietshaus im, das hatte Karli ganz schnell gelernt, als *bürgerlich* geltenden Kreuzberg 61, mit strahlend weißer Fassade, schwarzen schmiedeeisernen Balkongittern, Blumenkästen. Er drückte auf den Türsummer und konnte das Haus betreten, dessen Eingang mit schwarzem und weißem Marmor ausgekleidet war. Hellbraune Kokosläufer, mit Messingstangen festgespannt, lagen auf der Treppe. Er mußte in den ersten Stock.

Er wußte selbst nicht, wie er sein Anliegen vortragen sollte, aber als er im Empfang stand, kam ihm der Zufall zu Hilfe: Über den Empfangstresen war das Plakat mit seinem Porträt ausgebreitet, als sei es frisch eingetroffen.

»Tach«, sagte Karli und zeigte auf das Plakat. »Ich komme deswegen.« Er zeigte kurz auf das Plakat.

»Und?« sagte die Praktikantin vom Empfang, die noch jünger war als Karli, so daß er sich gezwungen sah, *Du's* oder *Sie's* in seinen Sätzen zu vermeiden, um nicht ins Fettnäpfchen zu treten; im Westen wurde anders geduzt und gesiezt als im Osten, und in Kreuzberg wurde, obwohl das Westen war, anders geduzt und gesiezt als im Westen, und in Kreuzberg 61 wurde noch mal anders geduzt und gesiezt; das war alles eine Wissenschaft für sich.

»Das bin ich«, sagte Karli.

Die Praktikantin drehte ihren Kopf, denn auf dem Plakat war Karli für sie nur kopfstehend zu sehen. Sie konnte sein Gesicht nur vom Scheitel bis zur Nasenwurzel sehen, der Rest hing über den Empfangstresen.

»Stimmt«, sagte sie und lächelte. »Und?«

»Das war nicht abgesprochen.«

»Ich hol mal die Chefin, Augenblick mal«, sagte sie und ging nach hinten. Eine halbe Minute später kam sie zurück. »Chefin kommt gleich.«

Karli hörte eine Tür und geräuschvolle Schritte – Damenschuhe auf Parkett. Es war die Chefin, in einer sandfarbenen, luftigen Kombination, deren Stoff so dünn war, daß BH und Höschen durchschienen.

Er erkannte sie sofort wieder – sie hatte ihn fotografiert. Sie hatte ein Blatt Papier in der Hand, den Vertrag, den er damals unterschreiben mußte.

»Guten Tag, Herr Karler«, rief die Chefin. Sie klang weder zerknirscht noch schuldbewußt, ja, sie strahlte ihn an. »Sie sind nicht glücklich mit der Verwendung Ihres Fotos.«

»Ich hab ne Freundin, die hat eine kleine Tochter«, log Karli. »Wie soll ich der denn unter die Augen treten?«

»Ach, nehmen Sie das sportlich«, sagte die Chefin versöhnlich. »Zwei Wochen werden die Plakate hängen, da lacht man doch bald drüber.«

»Ich kann da nicht drüber lachen«, sagte Karli, der sich von der vielen guten Laune um ihn herum bedroht fühlte, der spürte, daß sich sein Anliegen auflöste wie Zucker im heißen Tee, wenn er nicht andere Saiten aufzieht. »Ich bin doch kein Kinderschänder! Sie hätten mich fragen oder mir Bescheid geben müssen! Es kann doch nicht sein, daß ich durch die Stadt laufe und plötzlich vor so nem Plakat stehe!«

»Da kann ich Sie sehr gut verstehen«, sagte die Chefin mit ungebrochen guter Laune. Sie sah wahnsinnig gesund aus, wie eine, die sich nur von Obst ernährt. »Aber wir nehmen überhaupt keinen Einfluß darauf, wie unsere Kunden die Bilder verwenden. Selbst wir haben eben erst erfahren, wie das Plakat aussieht. Wahrscheinlich haben Sie es sogar noch vor uns gesehen.«

»Aber es kann doch nicht sein, daß mein Foto einfach so ...« Er wußte nicht, wie er fortsetzen sollte. Das Ungeheuerliche war doch offensichtlich!

»Ich hab Ihren Vertrag mal rausgesucht. Sie haben unterschrieben, daß Sie uns die Rechte an Ihrem Bild uneingeschränkt und exklusiv überlassen. Davon, daß wir Sie vor Ausübung der Bildrechte um Erlaubnis bitten müssen oder daß wir verpflichtet sind, Sie darüber zu informieren, wer wann wo wie und in welchen Zusammenhängen Ihr Bild verwendet, steht hier nichts.«

Karli war platt. »Das ... Das haben Sie mir doch zum Unterschreiben hingelegt! Das hab ich doch nicht geschrieben!«

Einen Moment war Stille. Dann sagte die Chefin, sanft und nachsichtig: »Sie sind ausm Osten, nicht wahr?«

Karli kam sich vor wie ein Idiot. Dringt mit seinem verschwitzten T-Shirt in ein herausgeputztes Haus ein, macht Stunk, anstatt gute Laune mitzubringen, kann keine Verträge lesen und ist obendrein aus dem Osten.

»Sehn Sie mal«, sagte die Chefin. »Die Plakate hängen nur im Westen, und als wir das Bild verkauft haben, wußte doch noch keiner, daß jetzt alles holterdiepolter geht.« Sie geleitete Karli zur Tür. »Nehmen Sie das Plakat doch mit, als Souvenir. Und wenn ich Ihnen einen Tip geben darf: Immer gut durchlesen, bevor Sie etwas unterschreiben. So läuft das bei uns.«

Dann fiel die Tür ins Schloß. Er hörte drinnen die beiden Frauen schallend lachen. Karli stand allein im Treppenhaus. Er hatte wieder was gelernt: *So läuft das bei uns.*

Im *Tacheles* erntete Karli Schulterklopfen und anerkennende Blicke – oder abfällige Bemerkungen. Doch niemand lachte ihn aus. Es gab Befürworter und Gegner seiner Präsenz auf den Plakaten. Die Befürworter fanden, daß es ein *Coup* sei, die ganze halbe Stadt mit seinem Gesicht vertraut zu machen, die Gegner fanden Karlis Geltungsdrang peinlich. Niemand kam auf die Idee, daß alles ein dummes Mißgeschick war, alle glaubten, es sei als Kampagne kühl geplant und eiskalt durchgezogen. Da verstand Robert Karler, genannt Karli, das erste Mal, warum Künstler oft als »abgehoben« gelten.

Nur Heike, die Skulpteurin, die immer im Schlosseranzug herumlief und die am ehesten das war, was sich Karli unter »meine Freundin« vorstellte, als er in der Agentur von einer Freundin sprach, berücksichtigte seine Angebote zum Babysitten nicht mehr.

5

Verena Lange wollte nach Venedig. Sie wollte nicht in die Alpen wie ihre Nachbarin, nicht nach Mallorca wie ihre Mutter, nicht nach London und Paris – das käme später –, nicht in den Himalaja, nicht nach Island, nicht nach Spanien oder Südfrankreich, nicht nach Kreta, Ibiza oder an die Adria, weder nach Skandinavien noch in die Karibik, nicht in die USA, nicht nach Kanada und schon gar nicht nach Australien. In der Kantine der Nationalgalerie kursierten Erfahrungsberichte, wonach man einfach nur in ein beliebiges Westberliner Reisebüro zu gehen braucht und sagen muß, wann man wohin will. Dann würden Angebote unterbreitet, von ganz billig bis ganz teuer, einschließlich ausführlicher Beratung. Wer sich nicht gleich entscheiden kann, darf die Kataloge mitnehmen – Werbung. Verena Lange wollte das Hotel gemeinsam mit ihrem Mann auswählen, auf der Kantstraße, wo man, so die Erfahrungsberichte, »über die Reisebüros nur so stolpert«.

Am S-Bahnhof Savignyplatz sah sie Karli wieder, ihren Karli, an den sie nur noch dachte, wenn ihr die Nacht des Mauerfalls in den Sinn kam, als er mit heruntergelassenen Hosen von der Toilette gerannt kam. Die S-Bahn hielt genau vor ihm, sie sah sein Gesicht, das sie so gut kannte. Es war so abartig groß – als würde sie ihm wieder so nahe sein wie in ihren nahesten Stunden. *Der nette Mann von nebenan* wurde Karli genannt, groß stand es auf dem Plakat. Der Strom der Menschen, die aus der S-Bahn ausstiegen, verdeckte das

Plakat für Augenblicke. Als Verena das ganze Plakat erkennen konnte, las sie: »Bei 86 % des sexuellen Kindesmißbrauchs ist der Täter kein Fremder – *Kind e. V.*«

Verena Lange erlebte einen entsetzlichen, einen ungeheuren Moment. Mit wem hatte sie sich eingelassen! Sie dachte fast gleichzeitig *Mein Gott, den kenn ich!* und *Mein Gott, ich kenn den ja gar nicht!* und sie wußte nicht, welcher Gedanke der richtige ist. Sie ist ihm begegnet in einer Zeit, wo alles im Zerfall war, wo sich Ordnungen auflösten, Autoritäten kippten und Regeln wenig galten. Wo es eine Lust war, dem Impuls zu folgen. Und so folgte sie ihrem und verführte diesen schnuckligen, unschuldigen Jungen an einem schönen Septembernachmittag, traf sich eine Weile, triebs mit ihm – und dann war es vorbei. Es war prickelnd, heimlich, gegen die Moral, ohne wirklich schlimm zu sein. Er hatte mal von irgendwelchen Fotos erzählt, und sie hatte selbst da nicht geahnt, mit was für einem sie sich eingelassen hatte: Mit einem, dem es nichts ausmachte, so ausgestellt zu werden als *Der nette Mann von nebenan.* Wie entwurzelt, wie bindungslos, wie entsetzlich frei er doch war, wenn er das mit sich machen ließ. Verena Lange war nicht entwurzelt, nicht bindungslos. Sie hatte Mann und Kind. Die Affäre mit Karli war eine Episode, ein leichtsinniger Ausflug, ein Schwips, ein Karnevalsabenteuer. Sie mußte ein bißchen tricksen, schwindeln, schauspielern und verheimlichen – aber sie schämte sich nicht. Sie spielte mit dem Feuer, aber sie hatte alles so schön unter Kontrolle. Doch als sie vor dem Plakat stand, vor Karlis Gesicht, das so groß war wie sie selbst, da merkte sie, daß diese Sicherheit eine Illusion war. Wer weiß, vielleicht war Karli ja wirklich ein Kinderschänder, vielleicht wurde er es sogar *durch sie.* Wie er sich, als sie das letzte Mal bei ihm war, subtil vor ihrem Körper ekelte. Wie er sich genierte, etwas mit einer deutlich Älteren zu haben. Vielleicht hatte er deshalb begonnen, mit dem Gegenteil zu experimentieren – wer weiß?

»Was ist denn los mit dir?« fragte Matthias Lange. Sogar er merkte, daß mit ihr etwas nicht stimmte.

»Ich kann jetzt kein Hotel aussuchen«, sagte Verena. »Komm Katja, geh mal ein bißchen spielen.«

Katja maulte »Hier ist doch nichts zum Spielen«, begann dann aber doch, lustlos zunächst, die Gegend zu erkunden.

Verena und Matthias setzten sich auf eine Bank. Als Verena im Schaukasten gegenüber ebenfalls Karlis Plakat bemerkte, wechselte sie ihren Platz. Ihr Mann jedoch blieb sitzen. Und so saß das Ehepaar Lange auf zwei Bänken, Rücken an Rücken.

»Weißt du, an wen der mich erinnert?« sagte Staatsanwalt Matthias Lange zu Verena, die ihren Kopf nicht zu ihm umwandte. »An den von der Bornholmer ...« Er brach mitten im Satz ab. Hier stimmte etwas ganz entschieden nicht: Diese Wiederbegegnung, Verenas merkwürdiges Verhalten ...

»Kennst du den? Den von der Bornholmer Brücke, kanntest du den?«

Er sah, wie Verena nickte.

»Und ... Hattest du was mit dem?«

Es dauerte etwas länger – und Verena nickte auch diesmal. Matthias Lange spürte, wie die Luft aus ihm entwich. Verena hatte eine Affäre.

»Immer noch?« fragte er. Sie schüttelte den Kopf.

»Und ...« Oh, das war wieder eine ganz schwierige Frage, denn die Rede war von Kindesmißbrauch, der nicht von Fremden verübt wird. »Kennt er Katja?«

Verena drehte sich zu ihm um, zeigte ihr Gesicht. Sie weinte, die Augen waren rot. Sie schüttelte den Kopf. Was soll das heißen? *Es sollte nicht sein* oder *Nein, er kennt Katja nicht.*

»Kennt er Katja?« fragte er noch mal – und sie schüttelte erneut den Kopf.

»Wieso?« sagte Matthias Lange mit mühsam gedämpfter Erregung. Diese theatralische Wendung fand er höchst ungerecht. Wenn jemand das Recht hat zu heulen, dann er. Er stand auf, ging um die Bank herum und setzte sich neben Verena.

»Es ist vorbei«, sagte die. »Schon seit einem halben Jahr.«

Staatsanwalt Matthias Lange sagte nichts. Seit einem halben Jahr – das war ungefähr Weihnachten. Danach hatte sie wohl einen anderen. Vielleicht den, mit dem sie Silvester rumgeknutscht hatte.

»Und mit dem vom Brandenburger Tor«, fragte er. »Hattest du mit dem auch was?«

Sie schüttelte wieder den Kopf, aber er glaubte es nicht so recht. Viel zu oft beschäftigte sich Verena mit diesem Vorfall in der Silvesternacht, immer wieder brachte sie das zur Sprache, mit unvermindertem Schock, daß dem Mann neben ihr eine Flasche auf den Kopf gefallen war. Staatsanwalt Matthias Lange hielt es für ausgeschlossen, daß man Fremden gegenüber so mitfühlend ist.

Nein, seine Verena war kein Kind von Traurigkeit. Sie war durchaus der Typ für Affären, das war ihm bewußt. Aber sie trug seinen Ring am Finger, hatte ein Heim und ein Kind, und daß ihr das alles scheißegal war, wenn auch nur für Stunden, das machte Matthias Lange wütend. So was muß doch nicht sein. »*Ich* könnte heulen!« sagte Staatsanwalt Matthias Lange hilflos. Dann ging er.

Matthias Lange wußte, was er an Verena hat, und es würde ihm nichts anderes übrigbleiben, als ihr zu verzeihen. Er liebte ihre Bedenkenlosigkeit, ihren Leichtsinn. Er war anders. Er war ein sturer Mensch, der Pläne faßte und Pläne umsetzte. Verena hatte ein Gefühl für den Augenblick, und er war immer wieder glücklich, wenn sie ihn daran teilhaben ließ. Mit ihr in ein Gewitter zu geraten war schön. Sich mit ihr zu verlaufen war schön, und sich mit ihr zu verspäten auch. Alles, was schiefging, war schön mit Verena. Er liebte ihre Bedenkenlosigkeit und ihren Leichtsinn, und ein Seitensprung hatte etwas Bedenkenloses und Leichtsinniges. Ja, es paßte zu Verena, und er erkannte darin die Verena, die er liebte. Trotzdem war er wütend.

Staatsanwalt Matthias Lange hatte nämlich diesen dummen, wirklich saudummen Fall auf dem Tisch: Er mußte einen Westdeutschen anklagen, wegen »Betruges zum Nachteil sozialistischen

Eigentums«. Die Höhe des Schadens belief sich auf 24 670 DM, und der Betrüger war neunzehn. Ein wirklich saudummer Fall, denn, egal was Staatsanwalt Matthias Lange unternimmt: Es konnte alles nach hinten losgehen. Dann wäre seine ganze Wende, die er mit Richard Mütze so prima hingelegt hatte, wieder futsch.

Rechtsstaatlichkeit war die neueste Mode. Rechtsstaatlichkeit sollte bedeuten, daß Gesetze angewendet werden, wie sie im Gesetzbuch stehen. Das Gesetz sollte nach seinen Buchstaben gelesen werden, die Zeit der klassenmäßigen Auslegung von Gesetzen war vorbei. So wie es in den Paragraphen steht, muß das Recht zur Anwendung kommen, und die Rechtsstaatstreuen waren der Auffassung, daß eben auch alles in den Paragraphen steht. Die haben doch keine Ahnung.

Die Privatisierung rollt an, alles mit dem Wortstamm *sozialis-* ist aus der Verfassung gestrichen –, und Matthias Lange soll einen Westdeutschen wegen »Betruges zum Nachteil sozialistischen Eigentums« anklagen. Tut er es, ist er ein Ewiggestriger. Tut er es nicht, ist er kein Rechtsstaatler – schließlich *gibt* es diesen Paragraphen, das Gesetz ist nicht außer Kraft. Es ist der blanke Hohn. Der Angeklagte ist neunzehn. Nach dem Gesetz *seines* Landes, der Bundesrepublik, fällt er unter das mildere Jugendstrafrecht, doch das Jugendstrafrecht des Landes, in dem er angeklagt ist, endet bei den Achtzehnjährigen. Und es kommt noch dicker: Ist der Schaden zum Nachteil sozialistischen Eigentums höher als 20 000 Mark, dann ist die Tat ein *Verbrechen*, und Verbrechen sind ohne Wenn und Aber mit einer Freiheitsstrafe ohne Bewährung zu ahnden. Nie und nimmer jedoch würde im Westen ein neunzehnjähriger Ersttäter für eine solche Tat bei 24 670 DM Schaden »zu einer Freiheitsstrafe ohne Bewährung nicht unter zwei Jahren« verurteilt werden. Nun stand die staatliche Einheit vor der Tür. Unter normalen Umständen hätte der Richter das Urteil gesprochen und die Vollstreckung ausgesetzt. Die Gefängnisse waren immer überfüllt, da kamen die leichteren Fälle auf eine Warteliste. Doch heutzutage sind die Gefängnisse leer.

Wurde ja beinahe alles amnestiert in den letzten Monaten. Der Verurteilte wird seine Strafe gleich antreten müssen. Das bedeutet, daß der von ihm Angeklagte noch in den Kasematten schmachtet, wenn die deutsche Fahne hochgezogen wird. Der Mann, Werner Schniedel sein Name, wird Revision beantragen und kriegen. Und wie steht er, Matthias Lange, dann da, wenn er einen Neunzehnjährigen wegen Betruges zum Nachteil sozialistischen Eigentums in Höhe von 24 670 DM zu zwei Jahren ohne Bewährung verurteilt hat? Wie ein sozialistischer Racheengel steht er dann da, der dem letzten der Klassenfeinde noch mal so richtig eine reindrücken wollte. Dabei wollte er nur rechtsstaatlich sein. Es war ein dummer, ein wirklich saudummer Fall: Entweder er beantragt ganz rechtsstaatlich ein drakonisches Urteil, oder er plädiert für ein mildes Urteil – das jedoch wäre Willkürjustiz, die Buchstaben des Gesetzes mißachtend.

Gut, er ist Staatsanwalt. Milde ist nicht sein Ressort. Trotzdem war ihm nicht wohl. Noch weniger wohl dürfte sich aber der Richter fühlen, denn der muß diesen Schniedel schließlich verurteilen – rechtsstaatlich drakonisch oder mit willkürlicher Milde. Er hat schon mal vorgefühlt: Ob man diesen Schniedel nicht ausliefern könnte. Er hat ja auch im Westen als Hochstapler einiges angerichtet, den müßten die doch haben wollen. Daran hatte der Richter auch schon gedacht, und er hat den Kollegen drüben einen Wink gegeben: Sie sollen um Auslieferung nachsuchen, dann kriegen sie ihn und können ihn nach Herzenslust verurteilen, nach Jugendstrafrecht und auf Bewährung. Aber die Kollegen im Westen wollten nicht. Es hat in der deutsch-deutschen Rechtsgeschichte nämlich noch nie ein Auslieferungsersuchen der Westjustiz an die Ostjustiz gegeben, denn dies käme einer Anerkennung der Ostjustiz gleich. Die Bilanz ist lupenrein. Und diese schöne Bilanz wollten sich die westdeutschen Kollegen so kurz vor dem Ende der Zweistaatlichkeit nicht vermiesen, nicht für einen so läppischen Fall.

Letzte Chance: Schniedel den Jagdschein geben. Soll ihn ein Gutachter für nicht schuldfähig erklären. Doch da weigert sich jeder

Gutachter, und Matthias Lange konnte es ihnen nicht verdenken. So, wie die Vereinigung laufen wird, steht es Ostlern nicht zu, über den Geisteszustand von Westdeutschen zu befinden. Und wenn ein Ostgutachter Werner Schniedel für plemplem erklärt und die Westjustiz nach der Vereinigung der Beschwerde des in seinem Ehrgefühl verletzten Schniedel nachgeht, dann könnte der Gutachter in eine peinliche Lage geraten. Matthias Lange konnte die zaudernde Gutachterzunft gut verstehen.

Es war ein dummer, ein wirklich saudummer Fall. Einen Hochstaplerprozeß, davon träumt doch jeder Gerichtsreporter. Und die kommen auf ihre Kosten: Ein neunzehnjähriges Jüngelchen, das Männer von ausgewiesener Tonnage monatelang an der Nase herumführte, nur mit einer Visitenkarte. Duzt sich mit dem Hoteldirektor des größten Fünf-Sterne-Hotels des Landes, bringt die Chefs des größten Autoherstellers dazu, ihre nagelneuen Wagen zu Schrott zu fahren, und führt den Ministerpräsidenten aus wie ein angeleintes Hündchen. Das reinste Possenspiel. Und er, Staatsanwalt Matthias Lange hat seinen Auftritt im letzten Akt. Ein dummer, ein wirklich saudummer Fall, der ihm da auf den Tisch gelegt wurde: Er kann machen, was er will, und er wird es nicht richtig machen.

6

Die Holländer spielten in leuchtendem Orange. Die Deutschen trugen schwarze Hosen und weiße Jerseys, über deren Brust und Ärmel ein Muster aus schwarzrotgoldenen Rauten lief. Der Rasen im Mailänder Stadion war ein sattes Grün. Doch Werner Schniedel hatte nichts davon. Im Ostknast gab es nur einen Schwarzweißfernseher.

Werner Schniedel saß in Untersuchungshaft. Er merkte schnell: Er war kein gewöhnlicher Betrüger. Er war nicht mal ein außergewöhnlicher Betrüger. Er war – ein Westler. Alle, die ihm in der Untersuchungshaftanstalt begegneten, hatten ein merkwürdig schlechtes Gewissen, so einen verdrucksten Rechtfertigungszwang. Nicht etwa die Häftlinge – es gab ja keine, die Zellen waren leer, die Polizei traute sich schon seit Monaten nicht mehr, Leute zu verhaften. Nein, es waren die Aufseher.

Die Untersuchungshaft, so erfuhr Werner Schniedel, war der finsterste und bitterste Winkel, den die DDR zu bieten hatte: Untersuchungshäftlinge durften weder Briefe schreiben noch empfangen, keine Bücher oder Zeitung lesen, nicht Radio hören, nicht fernsehen. Auch Besuch war verboten. Oft waren sie monatelang allein, abgeschnitten von Informationen und jeglichen Reizen. Ihre Tage waren ein zäher Teig aus grauer Zeit, und sie wurden völlig im unklaren über ihre Zukunft gelassen. Niemand nahm ihnen die Ängste, die sich in ihnen hochschaukelten. Ihr Vernehmer war der einzige Mensch, mit dem sie reden konnten. Nicht selten sehnten sie die nächste Vernehmung herbei, nicht selten fielen sie auf den vertraulichen, wohlmeinenden Ton mancher Vernehmer herein. Oder sie hörten auf, sich zu wehren, nur um endlich den Prozeß zu bekommen. Und die Gefangenen, die sich ihrem Vernehmer nicht öffneten, bekamen Zellenspitzel.

Werner Schniedel fand es kurios, wie ihm alle Wachleute versicherten, die Schauergeschichten aus der Untersuchungshaft hätten nur die politischen Häftlinge betroffen, und die saßen in Hohenschönhausen, nicht hier, in der Keibelstraße.

Werner Schniedel hatte schnell begriffen, was die Aufseher von ihm wollten. Er, ein westdeutscher Häftling, sollte bezeugen: In dieser Untersuchungshaftanstalt sind keine Schweinereien passiert. Das waren anständige Beamte. Er war gerne bereit, das von ihnen zu denken, aber ein bißchen Mühe geben sollten sie sich schon.

Sie brachten ihm zu dritt das Essen, schlossen ihn tagsüber nicht ein, gaben ihm Zeitungen oder ließen ihn fernsehen. Der tragbare Fernseher, ein sowjetischer »Junost«, wurde von einem der Schließer mitgebracht. Es war sein privates Gerät. »Service außer der Reihe.« Das war in die richtige Richtung gedacht. Werner Schniedel wollte seinen Wärtern etwas Servicementalität beibringen, die Dienstleister in ihnen wecken.

Ein verwaistes Zimmer, in dem ein paar leergeräumte Büromöbel standen, wurde zum Fernsehraum. Werner Schniedel hatte nichts dagegen, daß sich die Wärter beim Fußball zu ihm setzten. Allerdings sollten sie ihm schon ein Bier anbieten, wenn sie selbst welches tranken. Und natürlich sollte der beste Platz ihm freigehalten werden: Ein eckiger Sessel, der vielleicht in den frühen Siebzigern als modern galt, aber nie so bequem war, wie es Sessel zu sein haben. Doch besser als die Stühle, auf die sich die Schließer setzten, war er allemal.

Werner Schniedel hatte den besten Platz, die Aufseher gruppierten sich um ihn herum. An der Decke war der Abdruck einer Schuhsohle, der Werner Schniedel während der niederländischen Nationalhymne auffiel – aber er vergaß zu fragen, wie der dorthin gekommen war.

Die Holländer spielten in leuchtendem Orange. Doch selbst das war hier nur ein Grauton.

Beide Mannschaften waren gut genug, Weltmeister zu werden, trafen aber bereits im Achtelfinale aufeinander. Wer dieses Spiel verlor, für den war die Weltmeisterschaft vorbei. Was die Dramatik zusätzlich anheizte, war die Tradition der deutsch-niederländischen Rivalität: Die Partie galt als Revanche für das Halbfinale der Europameisterschaft, das die Niederländer zwei Jahre zuvor in Hamburg gewonnen hatten. Die meisten Spieler kannten sich noch von jener Partie, die wiederum als Revanche für das Münchner Weltmeisterschaftsfinale von 1974 galt.

Werner Schniedel bemerkte, daß die Schließer nur aus Rücksicht ihm gegenüber ihre Parteinahme für die Niederländer nicht offen zeigten. Es konnte sich nur um Eifersucht handeln: Weil die ostdeutsche Mannschaft nicht mal die Qualifikation überstanden hatte, wünschten sie den anderen Deutschen ein möglichst schnelles Versagen. Überhaupt schienen ihm die Schließerterminologien nicht sattelfest: Sie sprachen nicht von den »Deutschen« oder der »deutschen Mannschaft«, geschweige denn von »wir« und »uns«, sondern vom »Westen« oder gar der »BRD«.

Diese zweifelhafte Parteinahme wurde durch das Geschehen auf dem Platz erschüttert: In der Mitte der ersten Halbzeit gab es ein kleines Gerangel, in dessen Verlauf ein niederländischer Verteidiger einem deutschen Stürmer ins Gesicht spuckte. Beide sahen die rote Karte. Darauf verlangte der Fernsehkommentator, der argentinische Schiedsrichter solle »in die Pampas« gehen. »Genau!« rief Werner Schniedel in Richtung des Schwarzweißfernsehers sowjetischer Bauart. »In die Pampas mit dem!«

»Zimperlich ist der ja nicht gerade«, sagte einer der Schließer.

»Warum auch?« sagte Werner Schniedel.

In der Pause zeigte das Fernsehen eine Zeitlupenwiederholung der entscheidenden Szene. Es war ganz deutlich, daß die rote Karte gegen den deutschen Stürmer eine eklatante Fehlentscheidung war, eine glatte Ungerechtigkeit. Mühelos selbst auf einem Schwarzweißfernseher sowjetischer Bauart zu erkennen.

»Stellt euch vor, die Holländer gewinnen jetzt gegen uns!« sagte Werner Schniedel. »Ein Sieger, der nur dank einer Fehlentscheidung gewinnt, ist kein wahrer Sieger.« Da wurden die Aufseher nachdenklich.

Bald nach dem Beginn der zweiten Halbzeit schossen die Deutschen das erste Tor. Werner Schniedel sprang auf, stieß einen Begeisterungsschrei aus und drehte sich den Wachleuten zu. Na, immerhin, sie nickten anerkennend.

In der Schlußphase des Spiels gelang der deutschen Mannschaft das zweite Tor. Werner Schniedel jubelte, und auch die Schließer schienen froh. Als die Niederländer zwei Minuten vor dem Ende noch einen Strafstoß zugesprochen bekamen, wünschten sie sich schon, er möge nicht verwandelt werden. Doch der Elfmeter ging ins Tor, und so blieb es spannend.

Als endlich der Schlußpfiff ertönte, klatschte Werner Schniedel Beifall, und seine Aufseher klatschten mit. Das Spiel war vorüber, und sie horchten nach innen, wie es sich anfühlt, für die Deutschen zu sein.

Jürgen Warthe stand vor dem Spiegel und betrachtete sein Gesicht, als er ein paar Feuerwerkskörper krachen hörte. Sie haben also wieder gewonnen. Diese Fußballweltmeisterschaft interessierte ihn gar nicht. Es ärgerte ihn, daß sie so wichtig genommen wurde.

Er widmete sich wieder seinem Spiegelbild.

Wegen einer Sehnenscheidenentzündung konnte er seit einer Woche den Rasierapparat nicht halten. Und so verwandelte er sich von Tag zu Tag mehr in ein unbekanntes Wesen. Denn er hatte sich immer rasiert, immer. Er hatte nie mit seinem Äußeren experimentiert. Er hatte sich früh auf ein Äußeres festgelegt und war mit ihm älter geworden.

Auch die Fliege trug er seit seiner Studienzeit. Er war damals natürlich der einzige mit Fliege. Ein paar Professoren kamen mit Krawatte; nur er trug Fliege. Eine einfache und unmißverständliche Methode, sich als außergewöhnlicher Mensch bemerkbar zu machen. Durchschnittsmenschen sollten die anderen werden. Gab ja genug, die sich darum rissen, bloß nicht aufzufallen. Er hatte keine Angst aufzufallen.

Der Fliege verdankte Jürgen Warthe nicht nur, daß er ein Markenzeichen hatte. Er verdankte ihr Souveränität gegenüber dem, was andere über ihn dachten. Die Fliege löste Aversionen aus, und so erlebte er die anderen fast immer als funktionierende feindselige Mehrheit. Den eigenen Standpunkt zu einer stolzen Bastion auszubauen war ihm ein tiefes Bedürfnis. Andere, und zwar möglichst viele, auf seine Seite zu ziehen, zu überzeugen, war blanke Illusion und obendrein mühselig. Und gar einen Standpunkt zu finden, der die Schnittmenge für das Denken vieler bildet, war ihm zuwider. Jürgen Warthe wußte genau, warum er als Politiker scheiterte, obwohl er als politischer Aktivist so erfolgreich war. Er repräsentierte niemanden, und die Fliege ließ daran auch keinen Zweifel. Er war ein einziges Wesen.

Es gab Dinge in seinem Leben, auf die er wirklich stolz war. Er war jemand, *an dem die sich die Zähne ausgebissen hatten* – und kaum einer konnte ermessen, was das bedeutete. Das war mehr, als nur mit Fliege herumzulaufen. Die monatelange Isolation während der Untersuchungshaft, wo manchmal Wochen zwischen zwei Verhören vergingen, die entsetzliche Monotonie des Eingesperrtseins, der schuhschachtelartige Käfig ohne Dach, in dem er eine halbe Stunde täglich frische Luft bekam und zumindest einen kleinen Ausschnitt des Himmels sehen konnte, die Nächte, in denen er mit einem Schäferhund zusammengesperrt wurde – gewiß, das zermürbte ihn. Aber es hob ihn nicht aus den Angeln. Er war Realist: Es gab keine Häßlichkeit, die er seinen Feinden nicht zutraute.

Nachdem er im Zuge einer Amnestie vorzeitig entlassen wurde, schlug er sich als Gitarrenlehrer durch. Der Lehrer mit der Fliege galt als präzis, kühl und streng. Keinen Tag, keine Stunde konnte er vergessen, daß er im Krieg mit den Machthabern war. Angelika, seine Frau, arbeitete in einer Evangelischen Buchhandlung. Sie wünschte sich Kinder, um wenigstens etwas Normales im Leben zu haben, doch sie konnte keine Kinder bekommen.

Daß er krank war, wußte er lange nicht. Vermutlich über mehrere Jahre hinweg blieb die Krankheit unentdeckt. Er war oft müde, schwitzte nachts, aber seine fiebernde, manische Besessenheit, diesem Staat die Stirn zu bieten, machte ihn blind und taub für das Geschehen in seinem Körper. Selbst als die Diagnose Leukämie gestellt wurde, vermutete er ein Komplott der Stasi: Die lassen ihn für schwerkrank erklären, um ihn durch medizinische Behandlungen von der politischen Arbeit abzuhalten. Er mußte einiges über seine Krankheit lesen, um die allgemeinen, unspezifischen Symptome, die er zwar an sich bemerkte, wegen denen er aber nie zu einem Arzt ging, ernst zu nehmen. Was ist ein Nasenbluten, wenn man sich auf einen Kampf mit den Machthabern eingelassen hat?

Und dann bekam er seine Krankheit nicht in den Griff. Er mußte zunächst lernen, den Ärzten zu vertrauen. Das war schwer, denn er haderte nicht damit, ein mißtrauischer Mensch zu sein. Im Gegenteil: Sein Mißtrauen hatte ihn oft geschützt. Als ihn Ärzte behandelten, denen er vertraute, mußte er lernen, mit den Rückschlägen und schließlich auch mit der Ohnmacht zu leben. Er lernte ihn kennen und bewerten, diesen Tonfall des Mißlingens, der immer mit der nächsten Maßnahme Hoffnung machen wollte. Die nächste Chemo, die nächste Bestrahlung, und je länger wir warten, desto wahrscheinlicher wird es auch, daß sich ein Knochenmarkspender findet. So ging es von Rückschlag zu Rückschlag.

Nun stand er vor dem Spiegel und betrachtete sich nachdenklich. Ein Bart ist mal ein Anfang, dachte er. Aber wie ist es damit? Er nahm die Fliege ab. Er mußte lächeln. Wenn ich so bleibe, dachte er, und bekam Lust, es darauf ankommen zu lassen. Ohne Fliege erkennt mich keiner.

Er erinnerte sich, wann er das letzte Mal frei war, frei von Verfolgung und frei von Prominenz. Das war lange her, sehr lange. Ja, das Gefühl, unbeschwert leben zu können, war ihm abhanden gekommen; er erinnerte es als etwas Unwirkliches wie einen Traum.

Er ging aus dem Badezimmer, ohne Fliege, bärtig. Seine Frau saß im Wohnzimmer und las ein Buch. Als sie aufsah zu ihm, sagte sie: »Na, du anderer Mensch«, und lächelte ihn an. »Setz dich mal her zu mir.«

7

Der Rechtsanwalt Ansgar von Jördenfeld schaute aus dem Fenster seines Büros auf den Kurfürstendamm. Er war immer stolz auf sein Büro. Eine Top-Lage für Berlin. Aber nicht mehr lange. Ansgar von Jördenfeld hörte das Gras wachsen auf dem Immobiliensektor. Er war Mitbegründer der *Interessengemeinschaft der Eigentümer von*

Grundstücken in der DDR, die es seit dem 21. Februar gab. Die wurden ganz schnell munter, die Eigentümer von Grundstücken in der DDR.

Auf seinem Schreibtisch lag eine Akte. Eine alte Dame hatte ihm ein Ostberliner Mietshaus zum Kauf angeboten. Er wollte sie abwimmeln; er kaufe ja nicht selbst, verhelfe nur anderen Menschen zu ihrer Wiederinbesitznahme. Doch diese Besucherin bestand darauf, daß er ihr Angebot prüft.

Es war tatsächlich verlockend. Die Dokumentation über ein Mietshaus mit zweiundzwanzig Wohnungen in der Friedrichstraße war lückenlos, nachgerade vorbildlich. Es gab zwei Friedrichstraßen in Berlin, aber hier ging es wirklich um *die* Friedrichstraße. Das besagte Haus war völlig heruntergekommen, das Dach verrottet, die Fenster waren undicht, die Fassade war fast schwarz vom Dreck der Abgase. Der Hausflur düster. Räuberhöhle. Wo die Exhibitionisten lauern. Die alten Trittfliesen waren gebrochen, verbeulte Briefkästen rosteten, die Wände waren zerkratzt, *Doof* war hineingeritzt oder ein auf der Spitze stehender Rhombus mit einem nicht durchgehenden Längsstrich. Mitten in Berlin die Bronx. Aber wegen dieses Zustandes lasteten keine Hypotheken auf dem Haus, auch das war zweifelsfrei dokumentiert. Die mit den Hypotheken für Instandsetzungsaufwendungen waren die heiklen Fälle für eine Rückübertragung: Oft hatten die Besitzer verkauft oder waren enteignet worden. An solche Häuser war schwer ranzukommen. Aber hier gab es keine Hypothek. Aus dem Lastenausgleich der Bundesregierung hatte der Vorbesitzer eine Entschädigung bekommen, dafür, daß ihm die Kommunisten die Nutzung ihres Besitzes verwehrten. Nach Antrag im Jahre 1957 wurden im Februar 1961 33 500 DM gezahlt. Das alles ging aus der Dokumentation hervor. Bei einer Wiederinbesitznahme des Hauses müßte die Entschädigung vielleicht zurückgezahlt werden, möglicherweise sogar mit Zins und Zinseszins. Diese Fragen hingen noch in der Schwebe. Aber es gab keinen Zweifel: Das Haus gehörte ihr, mit dieser Dokumentation kommt sie vor jedem Gericht durch. Der Enkel dieser Frau Schniedel hatte ganze Arbeit geleistet.

Nun will sie dieses Haus aber nicht in Besitz nehmen, sondern verkaufen. Sie verlangt die lächerliche Summe von 25 000 DM. Selbst wenn der neue Besitzer den Lastenausgleich zurückzahlen muß, mit Zins und Zinseszins, bleibt immer noch ein satter Profit. Und erst recht, wenn das Haus von Grund auf renoviert wird. Die Friedrichstraße muß doch die Phantasie jedes Immobilieninvestors beflügeln. Die Bilder aus den Zwanzigern, mit Menschengewühl und Straßenbahnen, dagegen ist dieser Kurfürstendamm doch ein schäbiger Boulevard, vermufft wie die Fünfziger, im Nichts endend, sprich, an einer Autobahnauffahrt. Die Friedrichstraße geht vom Checkpoint Charlie bis zum Oranienburger Tor, sie kreuzt die Leipziger und die Linden, sie geht am Admiralspalast vorbei und über die Weidendammer Brücke …

Ein erstklassiges Spekulationsobjekt. Mit 25 000 DM kann man nichts falsch machen. Saniert, abgeschlossen, geteilt und als Eigentumswohnungen verkauft, bringt es acht Mio brutto. Konservative Annahme bei 2360 Quadratmeter Wohnfläche und den Läden unten mit insgesamt 300 Quadratmetern. Wenn Berlin abgeht wie Frankfurt oder München, kommt locker das Doppelte. Und warum soll Berlin nicht abgehen? Wohnungsnot ist schon jetzt. Er würde es sich nie verzeihen, wenn er nicht zugreift.

8

Daniel Detjen war tatsächlich Roadie geworden. Der Entschluß kam so schnell wie ein Fingerschnippen. Er fuhr im Trabant eines Freundes die Linden hinauf, vom Brandenburger Tor zum Fernsehturm, und hörte DT 64. Ein Reporter sprach in der Nähe des Brandenburger Tores mit einem Konzertveranstalter, der ein Großereignis im Todesstreifen ankündigte: Der ehemalige Bassist von Pink Floyd,

Roger Waters, der über fünfundzwanzig Jahre zugleich Texter und musikalische Leitfigur der Band war, würde das Spektakel *The Wall* in Berlin aufführen. Kulisse, Soundanlage und technischer Aufwand werden alles Dagewesene in den Schatten stellen. Mindestens eine halbe Million Menschen werde erwartet, es soll einen Film geben, Fernsehübertragungen in alle Welt und natürlich einen Live-Mitschnitt. Zwar sei die Band Pink Floyd, die einst das Doppelalbum *The Wall* produzierte, heillos zerstritten – Roger Waters, der eigene Wege ging, wollte die verbliebenen Musiker mit juristischen Mitteln daran hindern, sich weiterhin Pink Floyd zu nennen –, doch andere Musiker würden an der Seite von Roger Waters spielen, es formierte sich gerade eine All-Star-Band zu einem einmaligen Auftritt. Noch werden Helfer gesucht, die die Bühne aufbauen, Absperrungen errichten und für sonstige Arbeiten zur Verfügung stehen.

Daniel Detjen, der Staatsoper und Schloßbrücke passiert hatte und sich dem Palasthotel näherte, blinkte links, wechselte über zwei Spuren und wendete scharf. Er fuhr zurück zum Brandenburger Tor, in dessen Nähe er das Zelt des Veranstalters und den Übertragungswagen von DT 64 erblickte. Zehn Minuten später hatte er einen Arbeitsvertrag auf Honorarbasis.

Die Arbeit am großen Spektakel begann mit der Inszenierung einer Minensuchaktion. Die achtzehn Helfer wurden in das Areal des Todesstreifens geschickt, wobei sie die Metalldetektoren in gemächlichen, pendelnden Bewegungen eine Handbreit über dem Boden schwingen ließen, von links nach rechts und rechts nach links, und indem sie dabei kleine Schritte machten, beschrieb der tellergroße Detektor einen ungefähren Halbkreis. Sie taten es für die Presse, brachten mit klaren, verständlichen Bildern den Ort ins Gespräch, an dem bald das Großereignis stattfinden sollte, und zerstreuten die Bedenken der Ängstlichen. Daß es Minen im Todesstreifen gab, war allenfalls ein Gerücht. In den militärischen Karten, die jede Panzersperre, jedes Signalelement und jede Laterne dokumentierten, gab es keine Hinweise auf Minen.

Die Metalldetektoren reagierten bei Brettern, in denen Nägel steckten, bei Schlüsseln, Gürtelschnallen und Blechschildern. Sie reagierten sogar bei Büroklammern – bis Daniel die Sensibilität seines Suchgerätes dämpfte. Er fand weder Patronenhülsen noch Wehrmachtsorden, derer sich vor mehr als fünfundvierzig Jahren ein Flüchtling aus der nahen Reichskanzlei entledigt haben könnte. Nur etwas Stacheldraht. Daniel Detjen war enttäuscht: So viel Geschichte war hier, und so wenig Spuren.

Daniel Detjen war nach kurzer Zeit der Mittelpunkt der Roadie-Truppe. Er hatte das verwegene Aussehen, fand schnell Kontakt, war hilfsbereit und schlagfertig. Er gehörte zu den Menschen, die bei der Arbeit über eine Mischung aus Geschick und Voraussicht verfügen, so daß es bald von ihm hieß: Ihm liegt das Arbeiten. Als er gefragt wurde, was er vorher gemacht hätte, sagte er zwar, daß er persönlicher Referent in einer Kanzlei gewesen sei, verschwieg aber, in welcher. Dieser Werdegang war den Männern rätselhaft, und so sagte Daniel, daß er schon im letzten Sommer die Büroluft kaum ausgehalten hatte – und als er im Radio von diesem Job hörte, konnte er nicht widerstehen.

Kurz nach der Mittagspause sahen die Roadies aus großer Entfernung, daß Daniel Detjen mit seiner Arbeit innegehalten und sich auf das Minensuchgerät gestützt hatte. Es sah aus, als hätte er etwas gefunden.

Daniel war durch das kahle Gelände gegangen und hatte darüber nachgedacht, weshalb er nicht mehr in der Kanzlei arbeitete. Warum hatte er sich von Gisela Blank getrennt?

Ihr Verhältnis war ein anderes geworden, seitdem Gisela Blank ein Medienstar geworden war. Sie glaubte, Daniel würde sich gern in ihrem Glanze sonnen, würde ihren Ruhm als Gratifikation verstehen – schließlich ließ sie ihn ihr interessantes Leben hautnah miterleben. Er durfte, er sollte sagen *Wir haben hinterher noch ein Interview, Wir haben eine Einladung an die Uni in Tübingen* ... Doch ihre

Art, ihn zu ihrem Komplizen zu machen, war ihm unangenehm. Es stimmte nicht, das *Wir.* Gisela Blank hatte mal, als er sie rundheraus fragte, woher sie denn wisse, welcher ihrer Mandanten bald in den Westen entlassen werde, bedeutungsvoll gesagt: *Anwälte wissen immer mehr* ... Diese Antwort hatte ihn gekränkt. Sie war die werweiß-woher informierte Anwältin, und er war der treue Büroknecht, der sich als eine Art Hofnarr selbst verwirklichen durfte. Sie waren ungleich, Gisela Blank und er. *Wir* waren sie nie. Er war ein wohlgelittener Gehilfe, mit einem großen Bekanntenkreis von Menschen, die so interessant wie machtlos waren. Sie hingegen hatte die Kontakte zu den Hebeln der Macht, sie war die bekannte Anwältin. Daniel Detjen ließ den Gedanken zu, daß es bei ihr eine Schattenseite gab. Wenn er nicht wußte, wo seine Chefin war. Sie sagte eigentlich immer, wo sie hinging. Obwohl ihr Terminkalender vor ihm lag und er sogar anhand der mitgeführten Akten erkennen konnte, wo sie war. Manchmal hatte Gisela Blank die Kanzlei verlassen, ohne zu sagen, wohin. Wenn Anrufe kamen, konnte er nur sagen, *wann* sie wiederkommt – in ihrem Terminkalender waren eineinhalb Stunden einfach durchgestrichen, mit einem hohen, schmalen X. Als würde diese Zeit überhaupt nicht existieren ...

Ihr vieldeutiges *Anwälte wissen immer mehr*, ihr überraschendes Nein zur Öffnung der Stasi-Archive – was bedeutete, daß sie nicht mal ihre eigene Stasi-Akte sehen wollte ... So wenig Neugier bei Gisela Blank konnte sich Daniel Detjen nur schwer vorstellen.

Daniel Detjen hielt inne und setzte das Gerät ab. Er atmete schneller und flacher, so aufgeregt war er. Als hätte er eine Mine gefunden. Eine Bombe. Ja, dachte er. Ja, es ist möglich. Deshalb auch dieses *Wir*, das Gisela Blank so wichtig war. Wir bedeutet, wir sind gleich. Eine Illusion. Sie waren heute so wenig gleich wie in den letzten drei Jahren. Wieso auf einmal Wir? Da sprach das schlechte Gewissen. Sie wollte so wenig Stasi sein wie er – und war es doch. Da war die Lüge zwischen sie gekrochen, wie ein giftiges Gas. Er hatte es gerochen und hatte sich nicht mehr wohl gefühlt. Er hatte gespürt, daß etwas nicht stimmte – und erst jetzt, als er aufgehört hatte, bei ihr zu arbeiten, verstand er den wahren Grund seiner Kündigung.

9

»Ich checke aus! Machen Sie meine Rechnung fertig!« sagte Leo Lattke mit demselben Vollklang, der sonst die Kaminbar beschallte. »Und für meinen Fotografen gleich mit!«

Es war Sonntag, der 1. Juli, der Tag der Währungsunion. In der Nacht zuvor wurde wieder gefeiert – es gab Partys und Gegenpartys, Gesänge und Pfiffe, Deutschlandfahnen, Hupkonzerte, Autokorso. Am Samstagabend hatte die deutsche Mannschaft das Halbfinale der Fußballweltmeisterschaft erreicht, Samstagnacht punkt null Uhr gab der erste Geldautomat im Osten Westgeld aus. Im Gegensatz zu den Feiern am 9. November hatten sich Stadt, Medien und Gastwirte auf das Ereignis vorbereiten können.

Leo Lattke fühlte in dieser Nacht dasselbe, was er vor über einem halben Jahr, kurz nach seiner Ankunft in Berlin gefühlt hatte: Gleichgültigkeit und Taubheit. Was da geschah, entzündete nichts in ihm. Aber anders als vor einem halben Jahr fühlte er sich nicht als impotenter Reporter. Weder beunruhigte noch ängstigte es ihn, daß er den wogenden Emotionen nichts Nennenswertes abgewinnen konnte. Das, was er schreiben wollte, hatte er geschrieben. Das, was es zu sagen gab, hatte er gesagt. In einer einzigen Reportage. Sie mußte nur noch gedruckt werden.

Er konnte, endlich wieder im Einklang mit sich selbst, mit lauter Stimme die Rechnung verlangen. Für ihn und seinen Fotografen kamen locker vierzigtausend Mark zusammen. Die Rechnungen von der Kaminbar schlagen mit sechs- bis achttausend Mark ins Kontor. Die soll das Blatt übernehmen. Normalerweise müßte er, aber wenn die seine Reportage lesen, wird er ihnen die Rechnung überhelfen können. Wer so was liefert, diktiert die Preise. Leo Lattke war nicht erst seit heute im Geschäft.

Auch an der Kasse nebenan wurde die Rechnung verlangt. Die Herren Wasmuth und Neuss von der Dresdner Bank. Die Dame, die bei ihnen stand, kannte Leo Lattke, doch er wußte nicht, wo er sie hinstecken soll. Sie ist aus dem Osten, dachte er. Als Herr Wasmuth eine freie Hand brauchte, nahm sie ihm rasch den Aktenkoffer ab.

»Sie reisen auch ab?« fragte Herr Wasmuth.

»Und wie ich abreise«, sagte Leo Lattke. »Und Sie? Die Dresdner Bank geht jetzt nach Dresden?«

»Nee.« Herr Wasmuth lachte gezwungen. »Unsere erste eigene Filiale im Osten ist ein Container auf dem Alexanderplatz.«

»Ein großer Tag für die D-Mark«, sagte Leo Lattke, und Herr Wasmuth lachte wieder.

Leo Lattke ging frühstücken. Am Frühstücksbüfett mußte er an eine Conférence von Dieter Hildebrandt denken, wonach zu allem, was bei heutigen Grundsteinlegungen nachfolgenden Generationen vermacht werden müßte, auch ein deutsches Hotelfrühstück gehöre.

Als Leo Lattke sich setzte, sah er, daß die beiden Bankenpioniere und die Dame, die er noch immer nicht einzuordnen wußte, am Nebentisch Platz genommen hatten. Vor Herrn Wasmuth stand eine Tasse mit heißer Suppe.

»Sehnse mal«, erklärte Herr Wasmuth mit gönnerhafter Freundlichkeit der Dame. »In der Finanzwelt geht es immer um ein Gleichgewicht. Es geht auch darum, zu optimieren. Ich habs mir angewöhnt, so zu denken. Wenn ich hier zum Beispiel diese viel zu heiße Suppe vor mir stehen habe, aber ich habe nur wenig Zeit – was ist der effektivste Weg, sie zu essen? Ich könnte die Suppe immer rühren, rühren, rühren, wodurch sich *das Ganze* etwas abkühlt. Irgendwann hat sie sich so abgekühlt, daß ich sie relativ schnell essen kann. Bis dahin ist aber schon eine Menge Zeit vergangen. Ich kann die

Suppe aber auch Löffel für Löffel essen, indem ich auf jeden Löffel puste. Da esse ich zwar sehr langsam, aber immerhin etwas, und je weniger Suppe in der Tasse bleibt, desto schneller kühlt der Rest ab, verstehen Sie? Das ist ein typisches Optimierungsproblem, wie sie in der Finanzwelt alltäglich sind.«

»Wissen Sie, was ich machen würde, wenn ich wenig Zeit hätte?« sagte die Dame, die sich Wasmuths Darlegungen anhören mußte. »Ich würde einfach eine zweite Tasse nehmen und drei-, viermal umgießen.«

Leo Lattke lächelte ihr zu – und in dem Moment, als er sich zu ihrem Komplizen machen wollte, wußte er wieder, wer sie war. Natürlich, dachte er, mit den Intershops muß doch nach der Währungsunion auch etwas geschehen, *Der König ist tot, es lebe der König*: Wenn der Osten ein einziger Intershop wird, dann ist das der Untergang der Intershops.

Judith Sportz hatte sich an dem Tag, als Werner Schniedel verhaftet wurde, endgültig von Alfred Bunzuweit abgewandt. Da schienen ihr die Herren von der Dresdner oder der WestLB solider. Und sieh an: Der Wasmuth von der Dresdner Bank wurde tatsächlich aufmerksam, schaute ganz fasziniert, wenn sie das obere Ende des Bleistiftes an ihre Unterlippe legte und mit der Zungenspitze daran spielte. Vielleicht lag es ja am Vornamen, der hieß nämlich auch Alfred. Jetzt durfte sie schon seine Aktentasche tragen und seinen gesammelten Erfahrungen lauschen; der legte sich ins Zeug, der wollte was von ihr, genauer: von ihren Lippen und ihrer Zungenspitze. Wenn eine wirklich schöne Stelle zu vergeben ist, entschied Judith Sportz, kann sie mit diesem Alfred immer noch das machen, was sich der andere immer gewünscht hat. Bis dahin mußte sie das Begehren wachhalten, und das war lachhaft leicht: Nur das Dessertlöffelchen langsam und mit der Wölbung nach oben aus dem Mund ziehen, die Augen geschlossen, und Alfred Wasmuth schaute gebannt zu, bereit, ihr jeden Wunsch zu erfüllen.

Nach dem Frühstück ging Leo Lattke auf sein Zimmer. Seine Sachen waren gepackt; was er für siebeneinhalb Monate zum Leben brauchte, stand auf einen Quadratmeter zusammengedrängt: ein Koffer, ein Kleidersack, eine Aktentasche. Die Habseligkeiten eines Luxus-Hobo. Was abhanden käme, ließe sich ersetzen. Er brauchte das alles *nicht wirklich*, eine Redewendung, die in den letzten Jahren aus den USA eingeschleppt wurde, *not really*; er war's nicht.

Was Leo Lattke brauchte, lag auf dem Schreibtisch. Es war weiß und null Komma null sechs Quadratmeter groß, neunundzwanzig Komma sieben mal einundzwanzig Zentimeter. Er war Reporter, und er liebte diesen Beruf. Er hatte Präsidenten porträtiert, Filmregisseure, Rockstars, Formel-1-Piloten, und mit niemandem wollte er tauschen. Alles erkunden und darüber schreiben, alles aufspießen und benennen, das war's. *Die Welt in meine Worte tauchen,* so nannte er das. Alles, was er dafür brauchte, waren ein Stift und ein Blatt Papier. Gewiß, die tragbaren Computer waren ganz praktisch, und bald würde er auch so ein Ding haben, schon aus Statusgründen, und er würde es immer nur *Das Scheißding* nennen, ebenfalls aus Statusgründen, er war schließlich Leo Lattke.

Auf dem Schreibtisch lagen ein leeres Blatt Papier und ein Umschlag, der noch nicht verschlossen war. Darin war die Reportage, für die er über sieben Monate in diesem Hotel gelebt hatte, anfangs fast wie ein Mönch, wenn er die Saufereien in der Kaminbar mal untern Tisch fallen läßt. *Ficken ist nicht, solange du nichts geschrieben hast.* Das hatte er sich auferlegt, und er hatte sich daran gehalten. Der Artikel für die Silvesterausgabe, über Heidi, die mal Rainer war, erschien ihm allerdings noch nicht würdig, ein Ende seines mönchischen Daseins zu rechtfertigen. Als er Lena traf, hatte er den Faden wiederaufgenommen, hatte Tritt gefaßt, hatte wieder die richtige Temperatur, schrieb an einer Story, grübelte nicht nur an ihr.

Nun war sie fertig. Es fehlte nur noch etwas, das vor dem Anfang stehen sollte. Eine Einstimmung, ein Wegweiser, drei, vier Sätze. Zwanzig Minuten hatte er noch. Genug Zeit für drei, vier Sätze.

Er nahm den Stift, malte große Wörter aufs Papier, so als würde er sich dem freien Assoziieren ergeben. Was da stand, sah kindlich aus, so daß er es abschrieb, mit einem Füller, wozu er ein neues Blatt Papier nahm, Briefpapier des Hotels.

Das größte denkbare Glück? Sabine Busse hat es erlebt. Sie war blind. Ihr wurde das Licht gebracht. Und damit begann ein Alptraum.

Leo Lattke faltete das Blatt und tat es in den Umschlag. Leckte am Gummi und verschloß das Kuvert. Atmete durch.

Geschafft.

Da klingelte das Telefon. Der Ressortleiter. »Lattke, gut, daß Sie noch da sind. Haben Sie einen Augenblick Zeit?«

»Hab ich.«

»Sie haben doch auf der Weihnachtsfeier dieses Band aus unserem Ostberliner Büro vorgespielt, und da war doch, wenn Sie sich noch erinnern, eine Anruferin, die gesagt hat, daß die Stasi ihren Mann im Knast heimlich bestrahlt hat ...«

»... und er Krebs hat, ja, ja, ich weiß schon.«

»Also Lattke, Sie müssen zugeben: Wenn das wahr wäre, dann wär das schon ne dolle Story.«

»Sie rufen mich doch nicht etwa an, weil ich dem nachgehen soll«, sagte Leo Lattke.

»Nicht direkt«, sagte sein Ressortleiter. »Wir sind schon ein bißchen weiter. Es gibt in einer Zelle der Stasi-Untersuchungshaft in Berlin-Hohenschönhausen einen kleinen Hohlraum in der Decke, über dem Bett. Nicht groß, ganz diskret. Nicht mal ein Apfel würde da reinpassen. Wozu, fragten sich nun ein paar Aufmerksame, war diese Klappe? Die haben mal den Geigerzähler rangehalten, und dann wußten sie es. Die Stasi hat die Gefangenen dieser Zelle vermutlich – ich sag vermutlich, weil man es einfach nicht glauben kann – mit radioaktiven Substanzen zusammengesperrt. Das wissen wir, also dem müssen Sie nicht nachgehen. Sind Sie noch dran?«

»Klar«, sagte Leo Lattke.

»Die Anruferin von dem Band damals war Angelika Warthe, die Frau von Jürgen Warthe. Und Jürgen Warthe war ein Dreivierteljahr in genau dieser Zelle mit der Klappe. Und jetzt hat er Leukämie, eine typische Strahlenkrankheit. Das ist doch eine große Story, das müssen Sie zugeben. Jürgen Warthe wäre, wenn am Tage der Weihnachtsfeier gewählt worden wäre, wahrscheinlich Ministerpräsident geworden. Wissen Sie, wo er jetzt ist?«

»Keine Ahnung«, sagte Leo Lattke, froh, daß er es nicht wußte.

»Sehnse«, sagte der Ressortleiter. »Keiner weiß es. Ist untergetaucht. Nicht aufzutreiben. Und deshalb, Lattke, dachte ich, da müssen Sie ran. Sie hocken seit sieben Monaten im Osten, und jetzt haben wir eine Story, bei der es einen Aufschrei geben wird. Das, was wir jetzt schon haben, reicht allemal für eine Veröffentlichung, aber mit Jürgen Warthe hat das eine ganz andere, wie soll ich sagen, eine ganz andere Relevanz. Da wird das konkret, verstehen Sie? Außerdem ist er verschwunden, weg, wie vom Erdboden verschluckt – und ihn zu suchen ist doch auch ein Abenteuer. Ein glänzender Aufhänger für eine Reportage. Muß ich noch länger reden, oder sind Sie jetzt schon ganz wild?«

»Weder noch«, sagte Leo Lattke. »Jürgen Warthe ist nicht meine Kragenweite. Ich kann ihn nicht leiden. Er riecht ausm Mund.«

»Ich dachte, ich tu Ihnen einen Gefallen ...«, sagte der Ressortleiter enttäuscht.

»Ist schon in Ordnung«, sagte Leo Lattke. »Aber ich hab gerade eben was Feines in ein Kuvert getan ...«

»Na, das ist ja schön!« rief der Ressortleiter. »Lassen Sie es durch einen Kurier in die Berliner Redaktion ...«

»Ich brings selbst hin«, sagte Leo Lattke.

»Auch gut«, sagte der Ressortleiter. »Mensch, Lattke, siebeneinhalb Monate in einem Hotel hocken, zusammen mit nem Fotografen, und dann nur eine einzige Story liefern, ohne daß es Ärger gibt – da können Sie sich was drauf einbilden.«

Ja, sieben Monate für eine Story in einem Hotel zu hocken, das hatte noch keiner vor ihm gewagt. Aber es war ihm nur recht, als der Francis Ford Coppola oder der Stanley Kubrick des Reportagejournalismus zu gelten und seine Auftraggeber mit monstermäßigen Budgetüberziehungen zu schocken. Was er da im Kuvert hatte, war ein *Apocalypse Now*, ein *2001 – Odyssee im Weltraum* unter den Reportagen. Sie war das Doppelte, das Zehnfache wert von dem, was sie das Blatt gekostet hat.

Bald nachdem Leo Lattke aufgelegt hatte, fuhr er im Fahrstuhl nach unten und bat einen Portier, sein Gepäck zu holen. Er unterschrieb die Rechnung und flirtete ein wenig mit der Rezeptionistin.

»Wie soll das hier weitergehen ohne mich«, seufzte er.

»Wir können das Hotel zumachen«, sagte die Rezeptionistin, eine kleine Freche. Aus ihren Augen schienen goldene Funken zu fliegen.

»Ich bin etwas beleidigt, daß die Herbergsväter nicht zu meiner Verabschiedung angetreten sind. So einen Gast wie mich läßt man doch nicht einfach ziehen.«

»Sie haben mich geschickt«, sagte die kleine Freche. »Wer sich an mich erinnert, kommt immer wieder.«

»Zweifellos«, sagte Leo Lattke.

Die kleine Freche beugte sich etwas weiter über den breiten Tresen, um leiser sprechen zu können. »Ihnen kann ichs ja sagen, Sie gehören ja zur Familie: Unser Beherbergungsdirektor, der Herr Weschke, arbeitet hier nicht mehr. Der ist Henkel-Vertreter geworden. Bei dem solln sich die Hotels im Osten mit Reinigungsmitteln, Seife und Waschpulver eindecken.«

»Weil er so ne reine Weste hat?« fragte Leo Lattke, und die kleine Freche lachte so laut, daß Leo Lattke befürchtete, der Austausch von Vertraulichkeiten könnte ein Ende finden, weil neugierige Kolleginnen fragen, was es denn zu lachen gäbe.

»Eher im Gegenteil«, sagte die kleine Freche. »Der ist bei Henkel untergekrochen genau einen Tag nachdem alles klar war mit *Jedem seine Akte*. Ich will ihm ja nichts unterstellen«, sagte die kleine Freche, zwinkerte und lachte unverschämt. »Und Herr Bunzuweit ist beurlaubt«, sagte sie leise. »Der hat sich an diesen Hochstapler gehalten, und nun soll er im Prozeß aussagen. Hier rechnet keiner damit, daß er noch mal wiederkommt. Ein Tankwart und VW ...« Sie seufzte mit ironischem Bedauern. »Wir hofften auf ein deutsch-deutsches Traumpaar.«

»Wann ist denn der Prozeß?« fragte Leo Lattke.

»Nächste Woche, glaube ich«, sagte die kleine Freche.

»Gehn Sie hin?« fragte Leo Lattke.

»Nicht, wenn Sie darüber schreiben«, sagte sie. Leo Lattke brauchte einen Moment, um zu begreifen, welch ungeheures Kompliment ihm eben gemacht wurde. Die kleine Freche lachte, hatte Freude daran, Leo Lattke beim Begreifen zuzuschauen.

»Ich komm wieder!« rief Leo Lattke und griff sich pathetisch an die Brust. »Wo man so über mich denkt, bin ich zu Hause!«

»Sag ich doch«, sagte die kleine Freche und lachte schon wieder. »Ich kann mehr als Hoteldirektor und Beherbergungsdirektor zusammen.«

»Gloria, das Taxi für Herrn Lattke ist da«, unterbrach der Portier und geleitete Leo Lattke zum Wagen. »Es war schon die ganze Zeit da. Niemand will sein Westgeld für Taxi ausgeben, die stehen seit heut früh nur rum.«

Leo Lattke stieg ein. Sein Gepäck lag bereits im Kofferraum. Er wollte zum Berliner Büro seines Blattes, den Umschlag übergeben und den Inhalt nach Hamburg faxen lassen. An seine Wohnung wollte er nicht denken. Der Staub würde in tennisballgroßen Fusseln herumliegen. Wo wohnte er eigentlich? Verdammt, er hatte seine Adresse vergessen, seine eigene Adresse. Es war eine noble, sehr noble Adresse in Bremen. Wenn er sie nannte, wurden die Bremer immer ganz ehrfürchtig. Aber die Details waren ihm entfallen. Er holte seinen Ausweis hervor.

»Ausweis brauchense nich«, sagte der Taxifahrer. »Kontrolln hamse heut abjeschafft.«

»Nee, nee«, sagte Leo Lattke und schaute nach. Schwachhauser

Ring 17, 4000 Bremen 1. Richtig, das war seine Adresse, und er hatte sie tatsächlich vergessen. Das sollte ihm mal einer nachmachen.

Na, er war schließlich Leo Lattke.

10

Der Prozeß gegen Werner Schniedel fand in dem riesigen Gerichtsgebäude in der Littenstraße statt, vor dem Stadtbezirksgericht Berlin-Mitte. Die Verhandlung wurde von der Öffentlichkeit mit schadenfrohem, geradezu lüsternem Interesse verfolgt: Alle Gerichtsreporter waren erschienen, Glossisten, notorische Gerichtszuschauer.

Die Zeugen der Anklage traten mit einer Entrüstung auf, die sogar dem Staatsanwalt Matthias Lange peinlich war. *Vertrauensmißbrauch!* Der gute Name der Weltfirma VW und ihres Vorstandsvorsitzenden sei mißbraucht worden. Dr.-Ing. Helfried Schreiter, Sachsenring-Generaldirektor im Krankenstand, wollte Schadenersatz für neun demolierte Trabis. Da fuhr ihm gleich der Richter in die Parade: Die sind nicht Gegenstand der Verhandlung.

Die Zeugen Bunzuweit und Schreiter bezichtigten sich gegenseitig: Der eine wäre nie auf Werner Schniedel reingefallen, wenn ihn der andere nicht empfohlen hätte, jedoch der andere wäre nicht auf ihn reingefallen, wenn ihn der erste nicht empfangen hätte. Das war alles nicht mehr zu entwirren.

Während der Zeuge Alfred Bunzuweit immer von »Herrn Schniedel« sprach und Werner Schniedel umgekehrt von »Alfred« sprach, seine *einsachtundzwanzig* einlösen wollte und auf dem *Du* beharrte, irrte Lieselotte Schniedel durch das riesige Gerichtsgebäude. Die Verhandlung gegen ihren Enkel sollte im Saal 2038 tagen. Nach einigem Suchen stand sie in einem Büro. Zwei vollbärtige Männer in Leinenhosen und gebatikten Hemden packten Bücher, Hefter und Aktenordner in einen Einkaufswagen, eine Blonde mit einem Pferdeschwanz protokollierte. »Können wir Ihnen helfen?« fragte die Blonde, als Lieselotte Schniedel ratlos im Zimmer stand.

»Ja, ist das nicht 2038?« fragte Lieselotte Schniedel.

»Das ist 2083. Sie hatten einen Zahlendreher«, sagte die Blonde. »Sie wollen in die 2038.«

»Und wo ist die 2038?« fragte Lieselotte Schniedel.

»Wir sind auch nicht von hier«, sagte die Blonde.

»Ach so«, sagte Lieselotte Schniedel verwundert.

»Wir räumen Stasi-Akten aus. Sicherstellung«, sagte einer der Männer. »Das hier war mal ein geheimes Büro der Staatssicherheit.«

»Ach so«, sagte Lieselotte Schniedel wieder, ohne sich vom Fleck zu rühren. Warum halfen ihr die Männer nicht? Waren sie gerade bei etwas Bedeutendem?

»Von außen sah es ganz normal aus, wie das Büro eines Staatsanwaltes. Und keiner in den umliegenden Büros will wissen, was hier wirklich los war«, sagte der andere Mann.

»Ach so«, sagte Lieselotte Schniedel wieder. »Dann sind Sie von der Staatssicherheit.«

»Kommen Sie mal, ich bring Sie in die 2038«, sagte die junge Frau mit dem Pferdeschwanz, nachdem sie einen weiteren Stapel dicker Hefter in einer Umzugskiste versenkt hatte.

»Ich danke Ihnen vielmals, das ist sehr freundlich«, sagte Lieselotte Schniedel. »Ich bin im Mai achtzig geworden.«

Dieser Prozeß ist eine Komödie, fand Staatsanwalt Matthias Lange. Der Rechtsanwalt von Werner Schniedel war eine Katastrophe. Ein Scheidungsexperte. Keine Erfahrung im Strafrecht. Die guten Anwälte hatten sich in die Volkskammer wählen lassen oder auf irgendwelche Parteiposten. Nannten sich »Anwalt der Gerechtigkeit«, »Anwalt der sozialen Interessen«, »Anwalt für Deutschland«. Werner Schniedels Anwalt hieß Axel Kotze, und mit diesem Namen war nichts zu holen in der Politik.

Der Scheidungsexperte konnte sich kaum vorbereiten auf den

Prozeß gegen Werner Schniedel. Vor der Währungsunion hatten die Scheidungsanwälte Hochkonjunktur. Jede kriselnde Ehe wollte sich schnell noch für Ostgeld scheiden lassen. Und jetzt, wo den verheirateten, doch zerstrittenen Paaren klar wird, wie teuer eine Scheidung nach Westgebühren wird, wollen sie sich noch vor der Einheit scheiden lassen. Die Einheit soll ja bald kommen, noch im Herbst. Termine werden schon genannt. Mit einer neuen Verfassung und ähnlich zeitraubenden Formalien will sich niemand aufhalten.

Dieser Prozeß ist eine Komödie, fand Staatsanwalt Matthias Lange: Jede Menge Verwicklungen – und ein überraschendes Happy-End. Eine klassische *Rettung in letzter Minute*, als sich unmittelbar vor den Plädoyers die Tür des Gerichtssaals öffnete und eine blonde Frau mit einem Pferdeschwanz ein krummbeiniges Weiblein in den Gerichtssaal schob. Die marschierte schnurstracks zum Tisch des Richters, öffnete ihre Handtasche und legte eine größere Summe Bares auf den Tisch.

Der Angeklagte wurde knallrot, schaute zu Boden, wäre am liebsten gar nicht dagewesen. Den ganzen Prozeß über tat er unbekümmert, begrüßte munter die Zeugen, lachte, grinste. Nur jetzt, wo mal jemand was für ihn tat, wurde er kleinlaut, schaute betreten drein, zeigte Reue.

Der Richter bat Werner Schniedels Großmutter, die 24 670 DM bei der Gerichtskasse einzuzahlen und die Quittung dafür vorzulegen. Lieselotte Schniedel jedoch wollte nicht in dem riesigen Gerichtsgebäude ein weiteres Zimmer suchen; sie hatte sich eben erst verlaufen und sei bei der Stasi gelandet. Die alte Dame war offensichtlich nicht mehr ganz auf der Höhe. Staatsanwalt Matthias Lange erbot sich, sie zur Gerichtskasse zu geleiten, konnte er doch, wenn der Schaden bezahlt ist, ganz rechtsstaatlich auf eine Bewährungsstrafe plädieren. Die Verhandlung wurde für zehn Minuten unterbrochen. Danach lag die Quittung vor; ein Gerichtsdiener hatte Lieselotte Schniedel zur Gerichtskasse geführt.

Staatsanwalt Matthias Lange forderte eine Bewährungszeit von drei Jahren bei einer angedrohten Freiheitsstrafe von einem Jahr und acht Monaten. Rechtsanwalt Axel Kotze feierte seinen Einstand als Strafverteidiger, indem er vollmundig Freispruch und Rückerstattung der soeben eingezahlten 24670 DM forderte, denn sein Mandant habe denen, die sich jetzt als geschädigt darstellen, nur gegeben, was sie von ihm wollten. Er beantragte, seinen Mandanten sofort auf freien Fuß zu setzen.

Dem Antrag wurde angesichts des Strafantrags des Staatsanwalts stattgegeben; Urteilsverkündung sollte am Montag der nächsten Woche sein. Dann wurde die Sitzung geschlossen.

11

Daß Gisela Blank bei ihren Reden in der Volkskammer immer von Beschimpfungen unterbrochen wurde, zermürbte sie. So schuf sie sich Gelegenheiten, Applaus zu ernten: Sie redete außerhalb des Parlaments, in Milieus, die ihr wohlgesonnen waren. Das Berliner Stadtzentrum war ihr wohlgesonnen. In den Neubauten am Fuße des Fernsehturmes, in der Rathausstraße und der Karl-Liebknecht-Straße, wohnten staatsnahe Bedienstete in einer popligen heilen Welt. Es war der ministerielle Wasserkopf, der hier wohnte, die Helden des konfliktscheuen Widerstandes, der unbescholtene Bürger. Hier und da gab es einen Stasi-Nachbarn, einige Hausbewohner trugen das Parteiabzeichen am Revers, wenn sie morgens in den Fahrstuhl stiegen, doch viele hatten das Abzeichen gar nicht. Sie erzählten keine politischen Witze in der Öffentlichkeit, hatten Kinder, Zentralheizung, Westfernsehen, wollten ihre Ruhe und hatten sie auch. Und nun drohte Deutschland.

Gisela Blank stellte sich an einem Nachmittag in der ersten Juliwoche mit einem Mikrophon auf eine Obstkiste, gleich neben einen LKW-Anhänger voller Erdbeeren, die auf dem Alexanderplatz zum Spottpreis verkauft wurden, das Kilo für 99 Pfennige.

Sie geißelte die Zerschlagung der ostdeutschen Wirtschaft, wetterte gegen die Entwertung ostdeutscher Arbeit, malte in düsteren Farben eine Sizilianisierung des Ostens und wies auf das Centrum-Warenhaus, das vollständige Verschwinden ostdeutscher Produkte anprangernd – als sie plötzlich einen Menschen über den Alexanderplatz kommen sah, den sie kannte: Es war der graumelierte Herr, den sie über Jahre hinweg einmal im Monat in einem kleinen Zimmer des gewaltig großen, unüberschaubar riesigen Gerichtskastens in der Littenstraße getroffen hatte. Gisela Blank brachte ihre Rede schnell zu Ende und stieg, bevor der Applaus der Hunderte Zuhörer verebbt war, von der Obstkiste und verfolgte ihre peinliche Bekanntschaft mit Blicken.

Ein Wrack trieb durch Berlin, ein Geisterschiff.

Der Mann hatte nichts mehr von einem distinguierten Herren. Er war ein Rentner, der verwahrloste. Der Verfall war noch weiter fortgeschritten seit der letzten Begegnung in seinem Büro Anfang Dezember, als Gisela Blank ihre Akte eigenhändig, Blatt für Blatt, verbrannte. Jetzt war er in Hauslatschen unterwegs und in einer braungestreiften Schlafanzughose. Am Handgelenk baumelte leer ein bunt ornamentierter Stoffbeutel. Er ging langsam, stoisch, mit kleinen wackligen Schritten. Sein Gesicht war von einer ausdruckslosen, allumspannenden Härte, und sein stierer Blick erschreckte die Passanten und ließ sie ausweichen.

Gisela Blank hatte bei den Treffen als einzigen Hinweis auf sein Privatleben den Ring an der rechten Hand entdeckt, aber sie konnte sich nicht vorstellen, wie seine Frau ihn so aus dem Hause ließ. Gehörte der Ehering zur geheimdienstlichen Legende, war er nur ein Accessoire, das aus psychologischen Gründen *im Dienst* getragen wurde, um eine Ich-bin-wie-jeder-Normalität vorzutäuschen, um vom Geliebtwerden zu erzählen, von einem Leben außerhalb der *Behörde*?

Gisela Blank wollte diesem Mann, mit dem sie sich jahrelang getroffen hatte, folgen; er hatte etwas merkwürdig Echtes. Sein Abstieg war furchteinflößend und zugleich konsequent.

Sie machte sich frei von den Menschen, die sie umdrängten, um ihre Zustimmung zu der Rede mitzuteilen oder ihr Probleme aufzutischen, für die sie jetzt kein Ohr hatte. Sie hatte den graumelierten Herrn aus den Augen verloren, als er im Centrum-Warenhaus verschwand. Bevor sie ihn in der Lebensmittelabteilung wiedersah, hörte sie ihn schimpfen: »So was freß ich nicht! Lieber verhungern!« Den Einkaufswagen stieß er wütend vor sich her. Er war von Westwaren umzingelt. Die knalligen Farben der Verpackungen schienen zu blenden, und alles kostete 1,99 DM oder 4,99 DM oder 9,99 DM. »Haut mir ab mit eurem Westfraß!« schnauzte er die Verkäuferinnen des Backwarenstandes an. »Habt ihr überhaupt kein Ehrgefühl im Leibe?«

Gisela Blank verschanzte sich bei der Babynahrung. Sie wollte nicht, daß der graumelierte Herr sie entdeckt. So wurde sie Zeugin einer Diskussion zwischen einer Mutter, die ihr Baby im Arm hielt, und einer Verkäuferin. »Die westliche Babynahrung ist viel besser, schon mal farblich«, erklärte die Verkäuferin geduldig. »Außerdem gibt es mehr Sorten ...«

»Das Kind *kotzt*!« unterbrach die Mutter erregt und zeigte auf die Babynahrung im Regal. »Die wird immer nur ausgekotzt. Alle Sorten!«

»Das Baby muß sich erst dran gewöhnen ...«

»Wieso gewöhnen?« unterbrach die Mutter wieder. »Stelln Sie doch die frühere ins Regal. Ne Babynahrung, von der mein Baby nicht kotzt, ist doch nicht zuviel verlangt!«

»Wir müssen uns alle umstellen ...«

Eine zweite Mutter mischte sich ein. »Ihr Kind verträgt die neue Babynahrung auch nicht?« Sie sah Gisela Blank und sagte: »Darüber haben Sie ja eben gesprochen, auf dem Alexanderplatz, ich hab Sie gehört. Sie haben ja so recht, kann ich Ihnen nur sagen.«

Gisela Blank lächelte verlegen. Sie konnte nicht mehr unerkannt bleiben – daran hatte sie sich gewöhnt. Aber jetzt wollte sie das Weite suchen. Sie stellte sich, mit nur einer Packung Waffeletten im

Einkaufswagen, an der Kasse an, bezahlte 2,39 DM, riß die Packung hinter der Kasse auf und schob sich nach kurzem Zögern eines dieser knusprigen Waffelröllchen in den Mund. Ein zweites gleich hinterher. Früher hatte sie den Genuß auf alle erdenkliche Weise gestreckt: Sie hatte den Schokoladenkopf im Mund schmelzen lassen und abgelutscht, hatte ihn separat abgeknabbert, sie hatte die schneckenförmige Waffel ringsherum abgenagt oder sie mit den Zähnen abgeraspelt, so daß sich der Mund mit den köstlichen Splittern füllte. Niemals hatte sie zwei auf einmal gegessen.

Gisela Blank erstarrte. Der graumelierte Herr stand wie aus dem Nichts neben ihr am Packtisch. Er leerte seinen Einkaufswagen – Limonade, Bier und ein paar Nahrungsmittel, die verramscht wurden, Würstchen, Käse, Sauerkraut, schlicht etikettiert. Schlafanzughose trug er, ein nachlässig geknöpftes Oberhemd, Hauslatschen. Er war schlecht rasiert und ungekämmt. Er verkörperte die Sorte Mensch, die Umwälzungen dieser Art normalerweise nicht überlebt – doch anstatt an einer Laterne zu hängen oder auf eine Giftkapsel zu beißen, schleppte er sich durchs Leben, irgendwie. Hielt die biologischen Funktionen aufrecht, mehr nicht.

Gisela Blank tat, als würde sie ihn nicht kennen. Kein Nicken, kein Zwinkern. Er war nicht geistig umnachtet, war nicht irre. Er ließ sich Zeit beim Packen.

»Sie habens ja nun geschafft«, sagte er leise. »Nur nicht übermütig werden. Wir sind noch nicht fertig miteinander.«

Dann ging er. Gisela Blank schaute ihm hinterher, und es lief ihr kalt den Rücken herunter.

12

Der gelbe Mercedes mit der Ostberliner Nummer war schon zweimal durch die Potsdamer Straße gefahren. Der Mann am Steuer war Ende Vierzig. Bestimmt auch einer, der nicht nur zum Gucken gekommen ist, dachte Heidi.

Sie ging vor der Filiale der Deutschen Bank auf und ab. Die Scheiben des Geldhauses reichten bis zum Boden. Ihr Spiegelbild wollte sie im Ganzen sehen, vom Scheitel bis zur Sohle. Von der Perücke, deren blonde Haare tief in den Rücken fielen, bis zu den hochhakkigen rotlackierten Pumps, auf denen je ein falscher Brillant funkelte.

Heidi spazierte auf den Bordstein zu, und wenn sie ihn erreicht hatte, vollführte sie eine Drehung – und dann sah sie sich im Spiegel. Zweifellos ein Klasseweib. Sie ging auf die Scheiben zu und musterte sich, entweder von oben nach unten, oder, beim nächsten Gang, von unten nach oben, immer im Wechsel. Sie feilte an ihren Gesten, an ihrem Gang. Diese Pumps waren der Wahnsinn. Zweihundertsiebzig D-Mark hatten sie gekostet, und sie waren jeden Pfennig wert. Sie zwangen zu Langsamkeit, sie eliminierten jede Hast aus den Bewegungen. Das Gehen wurde zum Schreiten, und die hohen Absätze stellten Heidi mit jedem Schritt auf einen Sockel. Diese Schuhe verschafften ihr ein königinnenhaftes Gefühl von Würde und Überlegenheit. Die gestreckten Füße verlängerten ihre Beine, eine optische Täuschung, die um so günstiger wirkte, da Heidi die großen Füße Rainers hatte. Die Waden waren von der anstrengenden Haltung hart und angespannt, doch das gab ihnen eine Form, die Heidi gefiel. Um in diesen Schuhen das Gleichgewicht zu bewahren, war Heidi zu einer Körperhaltung gezwungen, bei der sie Hintern und Brüste herausstrecken mußte. Ihre Ausstrahlung wurde von den Schuhen diktiert. *Erhaben* mußte sie auftreten, da hatte sie keine Wahl. Wurde sie hastig, stolperte sie, wurde sie lässig und verlor die Spannung, klappte sie einfach zusammen. Lange Beine, blonde Haare, Arsch und Titten – sie liebte diesen Anblick. *Eine Frau ist eine, die Männer um den Verstand bringt.* Sie konnte es. Sie konnte es so gut, daß sie damit Geld verdiente.

Heidi war immer von dem Gedanken fasziniert, Macht über Männer zu besitzen. Sie wußte nur zu gut, was Männer für hilflose, primitive Wesen sind. So unsicher und schwach, daß sie sich das Gefühl kaufen müssen, mächtig zu sein und unwiderstehlich. Ihr Trieb ist das Lächerlichste von der Welt. Männer haben sich den Kommunismus und andere Weltbeglückungstheorien doch nur ausgedacht, um davon abzulenken, wie billig sie in Wirklichkeit beglückt werden können. Als dieser Achtundsechziger über dieses Fotomodell sagte »Für diese Frau würde ich jede Revolution verraten«, hat er ausgeplaudert, wie Männer denken.

Männer waren Geschöpfe, die von ihrem Trieb geritten wurden. Und sie konnte Erlösung spenden. Sie wußte, was Männer beglückt, und sie zeigte, daß sie es wußte. Wenn sie durch geöffnete Autofenster mit einem dieser armen Wesen sprach, dann spielte sie wie geistesabwesend am Dichtungsgummi der Scheiben, so als könnten ihre Finger es gar nicht erwarten, an etwas hinauf und hinunter zu gleiten. Oder sie öffnete den Mund leicht und wölbte die Lippen vor, als hätten die seit Mutters Brust den Instinkt, an allem zu saugen und zu lutschen, was ihnen hingehalten wird. Und wer sie auf der Straße ansprach, den berührte sie wie zufällig am Unterarm – und schon hatte sie ihn am Haken. So einfach war das mit den Männern. Mit denen mußte frau doch Mitleid haben.

Der Vorwurf der Frauen, den Heidi in unzähligen Filmen dargestellt sah – »Ihr Männer seid doch alle gleich!« –, war Heidis Grundwissen. Warum die Filme daraus eine Erkenntnis und die Frauen einen Vorwurf machten, war Heidi ein Rätsel. Natürlich waren alle Männer gleich – auch wenn ihre Gesichter vorgaukelten, sie seien unterschiedlich.

Wenn ein Wagen hielt, stieg Heidi ein und ließ sich in eine abgelegene Gegend fahren, zu einem Platz vor alten Lagerhallen, drei Straßen weiter. Unterwegs spielte sie mit spitzen Fingern an Arm und Bein ihres Opfers. Wenn der Wagen stand, drängte sie ihm ihre Brust entgegen und strich den Nacken hinauf, leckte die Halssehne hoch und riskierte einen Griff zwischen die Beine. Sie vergewisserte sich ihrer Wirkung, ließ einen anerkennenden Laut vernehmen und raunte, den anschwellenden Schwanz mit Verbindlichkeit befühlend: »Das kostet zwanzig. Wenn du mich anfassen willst, noch mal zwanzig. Französisch ...« – sie deutete am Ohrläppchen des Opfers die Güte der Ausführung an – »... kostet fünfzig.«

Heidis Geheimnis wurde nicht entdeckt. Es war dunkel in der Gegend, in die sie die Männer dirigierte. Manchmal kam ihr das Glück zu Hilfe, wie bei jenem Mann, der ihren Schlüpfer über das Gesicht gelegt bekommen wollte und mit der Linken onanierte, während Heidi auf dem Vordersitz kniete, den Hintern ihm zugewandt, auf daß der Mann seinen rechten Zeigefinger wie gewünscht in Heidis Anus stecken konnte. So blieb ihre Operation unentdeckt, deren Narben in dieser Perspektive zu sehen gewesen wären. Als der Schlüpfer vom Gesicht zu rutschen begann, vollführte Heidi einige Kontraktionen mit ihrem Schließmuskel, was den Onanisten schließlich auf die Zielgerade brachte. Knapp war es auch bei jenem Kunden, der Heidi mit gespreizten Beinen vor sich sehen wollte, wobei er an ihrer großen Zehe nuckeln und sich zugleich mit ihrem anderen Fuß bis zur Erfüllung den Schwanz reiben wollte. Heidis Füße waren die eines Mannes; es waren nicht die zierlichen Füßchen von Feinsliebchen, das nicht barfuß gehen soll. Heidi bemerkte die Irritation, fuhr sich mit dem Finger in den Schlüpfer und spielte ihm die Lust vor, die er an sich erleben sollte, ungeachtet ihrer Schuhgröße. Auch das funktionierte; Heidi war aus ihrer unbequemen Position – sie hatte sich in die Ecke gequetscht, Handschuhfach und Türgriff im Rücken – nach nicht mal fünf Minuten erlöst. Doch als der Mann bezahlte, schaute er so merkwürdig – es war ein Blick, den Heidi aus ihrer Faschingszeit kannte, als sie sich vom Sohn jenes Staatsfunktionärs verabschiedete, nachdem sie in der S-Bahn rumgeknutscht hatten.

Es war ein seltsames Gefühl, das Heidi wecken konnte: Die Bestimmung von Frau und Mann ist eine der alltäglichsten und mühelosesten Unterscheidungen, die ein Mensch zu treffen weiß. Doch in Heidis Nähe ahnten manche Männer, wie trügerisch ihr aus der Erfahrung gewonnenes Bild von Mann und Frau ist. Heidi war eine

Frau mit unabweisbar männlichen Stücken. Zwar reichten die Phantasien der Männer nicht aus, um Heidis unweibliche Herkunft zu erkennen – manchmal aber für eine Erschütterung dessen, was unter *weiblich* zu verstehen sei. Es war gerade Heidis anzweifelbare Weiblichkeit, auf die sie immer wieder mit femininen Hervorbringungen reagierte.

Die meisten Männer waren aus dem Osten. Mit dem Westgeld in der Tasche wollten sie sich echten westlichen Sex kaufen. Sie bekamen einen Mann aus dem Osten, frisch transformiert. Wenn die wüßten, dachte Heidi. Für diejenigen aber, die ostdeutsches Material suchten, weil sie sich von dem noch Frische und eine aufreizende, anfängerhafte Schamhaftigkeit erhofften, war sie aus dem Osten.

Die Männer aus dem Osten waren ihr die liebsten. Sie wußte ungefähr, mit wem sie es zu tun hatte, und deren mangelnde Erfahrungen in Sachen Prostitution machten es Heidi leicht, das Spiel nach ihren Regeln zu spielen.

Der gelbe Mercedes mit der Ostberliner Nummer kam schon wieder. Er fuhr langsam und hielt fünf Meter vor Heidi. Der Wagen war mindestens zwölf Jahre alt. Der Fahrer umklammerte das Lenkrad mit beiden Händen. Mächtig stolz auf sein Auto. Garantiert auch so einer, der die Währungsunion nutzte, um sich ein großes Auto zu kaufen, das er für preiswert hielt, weil er die astronomischen Unterhaltskosten nicht kennt. So einem verdoppelte Heidi den Tarif – und der hält es immer noch für billig.

»Endlich mal einer, der Klasse zu schätzen weiß«, sagte Heidi, lächelte und beugte sich zum Fenster hinunter, auf daß ihre Brüste schwer aushingen und der Fahrer zwischen ihren leicht gespreizten Beinen hindurchschauen konnte. »Da werd ich mir bei dir besonders Mühe geben.«

Der Mann am Steuer bekam augenblicklich eine Erektion.

»Ah, du freust dich auch!« sagte Heidi und zog am Türgriff. »Darf ich?«

13

Die neuen Chancen, aus seinem Leben etwas zu machen, versetzten Daniel Detjen in eine Unruhe; er hatte Angst, Zeit zu verschenken, um die es ihm später leid tun würde. So war er oft nicht bei der Sache. Als er sich, mit einem Mauerstein der Bühnendekoration auf den Schultern, umdrehte, um einem Roadie Anweisungen zuzurufen, mähte er eine zierliche Person um: eine irische Sängerin, den jüngsten, strahlendsten Stern der All-Star-Band.

Daniel warf den Block aus Styropor ab und half der kleinen Frau unter Entschuldigungen und Selbstverwünschungen auf. Sein Hieb war in der Tat heftig, und es dauerte einige Augenblicke, bis sie ihre Sinne wieder beisammen hatte: Sie sah das Gesicht eines männlichen Prachtexemplars, das nach wochenlanger Arbeit im Freien fast weiße Augenbrauen hatte und einen sonnensatten Hautton ... Ein Kerl wie ein Fotomodell. Doch dieser Mann blickte sie aus erschrockenen Augen an, kümmerte sich, redete mitfühlend auf sie ein. Die irische Sängerin lächelte, kokettierte mit ihrer Verwirrung. *Am I dreaming?* Daniel schien vor Aufregung nur ein Wort zu kennen: *Sorry, sorry, sorry! I'm so much sorry!* Er wagte nicht zu fragen, ob sie o. k. sei. *That's a drink, at least,* sagte die zarte Sängerin. *Of course,* sagte Daniel. *You need a doctor? Let me see!* Er betrachtete die Stelle, wo er sie getroffen hatte, und er befühlte sie auch, aufmerksam und besorgt. *Hurt?* fragte er. Sie war zwei Köpfe kleiner. Von dort unten schaute sie ihm in die Augen – und schüttelte schließlich den Kopf. Da wußte Daniel Detjen, was ein Weltstar ist, was Charisma bedeutet und Ausstrahlung. Seine Knie wurden zu Gummi, er spürte sein Gesicht jede Form verlieren, und ihm war nach einem großen reinigenden Dünnschiß zumute. *Come to the V. I. P. tent after work,* sagte sie. *After work at six,* sagte er. *O. k.* sagte sie lächelnd und *Thank you!* Dann ging sie, und er sah ihr hinterher. Sie taumelte noch bei manchem ihrer Schritte.

Daniel Detjen hatte einen großen, einen riesigen, einen unüberschaubaren Freundeskreis, und es ergaben sich immer neue Bekanntschaften. Er war ein nahbarer Mensch, er hatte keine Scheu, auf andere zuzugehen und konnte das, ohne sie zu erschrecken. Aber eine Begegnung wie die eben hatte er noch nie gehabt. Etwas selten Direktes hatte diese Sängerin. Sie war ganz nah bei sich und ihren Empfindungen. Sie vergeudete ihre Zeit nicht mit Ritualen, sie schien keine Konventionen zu kennen. Sie war so wie ihr Lied, ein langsames, gezogenes Lied, in dem mit seltener Wucht gelitten wurde. Die klagende Stimme, kraftvoll und zerbrechlich zugleich, taumelte in großen Höhen. Es war unmöglich, sich diesem Lied zu entziehen, und es war lange her, daß Daniel Detjen von solchem Kummer gehört hatte.

Nach Feierabend ging Daniel Detjen zu dem Zelt, das exklusiv den Musikern der All-Star-Band vorbehalten war. Freunde durften mit hinein, Journalisten waren tabu. Am Eingang wachte ein muskulöser Glatzkopf mit stechendem Blick. Immerhin gestattete er Daniel eine Position, von der aus ihn die Sängerin sehen könnte. Während Daniel wartete, daß ihr Blick ihn trifft, wollte ein weiterer Besucher in das Zelt. Es war ein Falsettsänger, der sich über lange Jahre mit seiner deutschen Hard-Rock-Band hochgedient hatte, bis er endlich für viele, viele Wochen mit einem Hit auf Platz Eins der US-Rock-Charts stand. Er instruierte den Einlasser, wohl, weil ihm Daniel für einen Augenblick im Wege stand: *Der kommt hier nicht rein!* und piekte zum *der* den Zeigefinger auf Daniels Brust. Wenige Augenblicke später drehte sich die irische Sängerin zum Eingang und sah Daniel Detjen. Ihr Gesicht hellte sich auf, sie winkte ihm und eilte auf ihn zu. Sie nahm ihn mit beiden Händen am Arm und führte ihn in das Zelt.

Es fehlte Daniel Detjen an der nötigen Lockerheit – er hatte selbst auf ihr Strahlen nicht so recht zurücklächeln können. Zu sehr ärgerte ihn dieser Diskant. Er kannte ein paar Interviews mit ihm und hatte ihm nie getraut: Wie der immer bemüht war, Hard Rock als ein Vergnügen für die ganze Familie hinzustellen. Kein Schnulzensänger hatte ein größeres Konsensbewußtsein als dieser Musikgeschäfts-Emporkömmling. So einer, verstand Daniel Detjen, muß doch das V. I. P.-Zelt als sein Revier verteidigen. Irgend etwas mußte dem doch das Gefühl bestätigen, etwas Besonderes zu sein. Für Daniel Detjen war er der gewöhnlichste Mensch unter der Sonne, hatte das langweiligste Empfinden. Seine Nähe hatte für Daniel Detjen nichts Verlockendes, wie ihm auch die verbotene Zone des V. I. P.-Zeltes nicht imponierte, und wenn er dort nicht mit der irischen Sängerin verabredet gewesen wäre, dann wäre ihm dieses Zelt so egal gewesen wie die ganze Zeit zuvor.

Das Englisch von Daniel Detjen war ulkig. Er hatte nur vier Jahre Englischunterricht gehabt, mit nur zwei Unterrichtsstunden pro Woche. Obendrein hatte sein Wortschatz eine schwer anwendbare Ausrichtung, da die beiden Protagonisten seines Englischlehrbuches Mitglieder des kommunistischen Jugendverbandes Britanniens waren. Die Unterhaltung hatte Charme. Daniel Detjen merkte, daß die kleine Irin ein bißchen flirten wollte. *You are the first man this week who I invite to my tipi.*

Doch hinter seinem Rücken wurde Gift versprüht. *Die haben die Roadies über nen Ostsender gesucht, und nun haste ne Crew, mit der kannst du Russisch sprechen statt Englisch.* Daniel konnte die Arroganz nicht ertragen, er konnte der irischen Sängerin nicht mehr lokker und unbefangen begegnen. Sein Blick verirrte sich. Die wunderbare Spannung, leicht wie der Juni, das Zwinkern, Lachen und die gelegentlichen tiefen Blicke, die sie sich gestatteten – alles dahin. Kaputtgestänkert von einer Marionette der Musikindustrie.

Daniel war für den Abend mit Waldemar verabredet, sie wollten ins Theater. Er merkte, daß er, gefangen in seinem Ärger über den Diskantsänger, die Sängerin nur langweilen würde. So trank er sein Bier aus und verabschiedete sich von ihr.

Crosby, Stills & Nash unterm Brandenburger Tor – das war der

Geist des Rock'n'Roll, die Freiheit in voller Pracht. Das war ein halbes Jahr her. Inzwischen war viel passiert, und die Menschen, die einem den ganzen Tag verderben, waren wieder zurück.

14

Daniel und Waldemar hatten sich nicht mehr gesehen, seitdem bei Daniel der kleine unrasierte Dichter zu Gast war, dessen Vortrag in Waldemar Assoziationen mit einer eierlegenden Wasserspinne heraufbeschwor. Nun waren sie verabredet, um ein Stück zu sehen, das nach Jahren des Verbots endlich auf die Bühne kam. Daniel besaß eine hektographierte Kopie des Manuskriptes, dem jedoch die drei letzten Seiten fehlten. An einem Juniabend des Jahres 1987 hatte sich in Daniels Wohnung eine stundenlange, bis in den Morgen währende Diskussion darüber entsponnen, was wohl auf den drei verschwundenen Seiten dieses verbotenen Stückes steht. Die Freunde kamen und gingen, lasen oder überflogen das Stück und stiegen in eine Diskussion ein, die vor nichts haltmachte. Es war eine Verneigung vor jenem Abend und jener Lebensweise, daß Waldemar Daniel Detjen fragte, ob sie sich gemeinsam dieses Stück ansehen wollten, jetzt, wo es nicht mehr verboten war.

Als Waldemar im Foyer des Deutschen Theaters wartete, sah er einen Flipperautomaten, der zugleich ein Kunstwerk darstellte: *Das Auge Bodes.* Waldemar wechselte an der Garderobe einen Schein und steckte ein Zweimarkstück in den Schlitz. Anstatt einer Stahlkugel rollte ein Glasauge in die Startposition, das ins Spielfeld geschnipst werden mußte. Karambolagen mit den Signalkontakten quittierte der Automat nicht mit dem üblichen Klingeln und Scheppern, und die synchronen Lichter ließen weder Sexbomben im Bikini noch Ferraris, Motorräder oder Liegestuhlschönheiten aufleuchten. Das Auge Bodes, das durch diesen Flipper mehr taumelte und eierte, als daß es rollte, kam über Schneefelder mit Leichen, einen Lichthof im Knast, sah die Kristallnacht, trudelte durch ein Arbeitslager, prallte gegen die Berliner Mauer, landete immer wieder im Fahnenmeer, verirrte sich in Ruinen, weckte einen Russenpanzer, und die Geräusche, die das Auge Bodes auf seiner Irrfahrt durch das Jahrhundert begleiteten, waren Stukas, Gefängnistür, Granatenkrachen, *Heil!*-Geschrei, rhythmischer Applaus, Panzerketten, Sprechchöre, Stiefel im Gleichschritt und Sirenen.

Bevor Waldemar ein weiteres Zweimarkstück einwarf, las er auf einer unscheinbaren Tafel, daß *Das Auge Bodes* eine Hommage an Fritz Bode sei, dessen Autobiographie in diesem Haus eine legendäre Lesung erlebte. Dann flipperte Waldemar weiter, spielte mit den Scheußlichkeiten eines Jahrhunderts, die sich in einem Leben ballten. Ein häßliches Leben, eines, das erlebte, wie Menschen von der Macht einfach zerquetscht wurden, und Waldemar fühlte ein merkwürdiges, nicht zu adressierendes Gefühl der Dankbarkeit aufkommen dafür, unter milderen Machthabern gelebt zu haben.

Dann kam Daniel, in letzter Minute: Die Klingeln läuteten das dritte Mal; sie kamen gerade noch hinein.

Das Stück spielte in Berlin. Es ging um einen Schwachen, um einen, der ein Mann von Wuchs und ein Kind im Kopf ist. Er ist unfähig, Böses zu tun, doch zu hilflos, sich zu wehren. Seine Wünsche sind so simpel wie sein Geist. Imponierend nur sein Starrsinn – falls Starrsinn imponierend sein kann. Er ist Opfer eines strengen Vaters und eines sadistischen Bruders. Der Vater ist bei der Stasi, der Bruder bei der Volkspolizei. Nur die Mutter, weich und sanft, kann ihm Trost spenden in dem Alptraum, der sein Leben ist.

So leicht war es, verboten zu werden, dachte Waldemar. Doch nun war das Theater leer. Sechzehn Zuschauer auf sechshundert Sitzplätzen. »Solange mehr Leute vor der Bühne sind als auf ihr, spielen wir«, war der fatalistische Kommentar der Platzanweiserin.

Merkwürdig, dachte Waldemar, da haben wir eine ganze Nacht lang über den Schluß diskutiert, haben gerätselt und gestritten – in jener Nacht sind sogar Freundschaften zerbrochen –, und jetzt, wo wir ihn vorgespielt bekommen, langweilt es mich. Mitten im Stück stand er auf. Der Stuhl klappte hoch, mit einem Geräusch, das auch die Schauspieler auf der Bühne hörten. Waldemar fragte Daniel mit einem Blick, ob er mitkomme – und Daniel schloß sich an.

Draußen sagte Daniel: »Hättst doch bis zur Pause warten können.«

»Ja«, sagte Waldemar. »Aber wenn ich unruhig werde, wollen meine Füße gehen, wollen einfach losgehen, sich bewegen – und dann muß ich mitkommen. Hab aktive Füße. Einmal, als ich mich gefreut habe, sind meine Füße auch losgelaufen, vor die Tür und sind dreimal auf den Boden gesprungen, daß das ganze Haus gezittert hat. Meine Füße sind schlecht erzogene Gesellen.«

Auch Daniel fand den Abend im Theater merkwürdig fad, und lud Waldemar auf einen Tee zu sich ein.

»Ich habe Pläne«, sagte Daniel unterwegs, und es gefiel ihm, wie entschlossen das klang. »Ich werde auf der Abendschule das Abitur nachholen. Drei Jahre, viermal die Woche von siebzehn bis einundzwanzig Uhr.«

»Drei Jahre? Wenn du das Abitur hast, bist du …«

»Fünfundzwanzig. Frühestens mit fünfundzwanzig kann ich das Studium anfangen.«

»Da sind andere schon längst fertig«, sagte Waldemar.

»Mich schreckt das nicht«, sagte Daniel. »Bis jetzt konnte ich den Umständen die Schuld daran geben, daß ich kein Abi habe, nicht studieren kann. Doch jetzt gibt es keine Ausreden mehr. Jetzt bin ich für mein Leben selbst verantwortlich.«

Sie gingen eine Weile schweigend nebeneinander her. Dann sagte Daniel: »Ich werde auch meinen Namen ändern.«

»Du willst deinen Namen ändern?« fragte Waldemar erstaunt. »Wie willst du denn heißen?«

»Ich will meinen Namen entdeutschen. Oder reromanisieren. Ich gehe aufs Standesamt und lasse die Schreibweise meines Namens ändern. Ich habe es satt, meinen Namen immer wieder deutsch gesprochen zu hören: Detjen« – er betonte die erste Silbe. »Aber Detienne« – diesmal betonte er die zweite Silbe – »hat hugenottische Ursprünge. D, E, T, I, E, Doppel-N, E«, buchstabierte Daniel, »*Detienne.*«

»Und das geht so einfach?« fragte Waldemar. »Ich heiße *Bude.* Kann ich auch aufs Standesamt gehen und mich aufmotzen? Kann ich mich in *Versailles* umbenennen?«

»Bei mir geht das«, sagte Daniel, ohne auf den Kalauer einzugehen. »Mein Urgroßvater kam noch als Sebastian Detienne zur Welt, in der französischen Schreibweise. Er heiratete, kurz nachdem die Franzosen das Rheinland besetzt hatten. Auf dem Standesamt sind sich Standesbeamter, Braut und Bräutigam einig, daß keine deutsche Frau gezwungen werden kann, einen Namen anzunehmen, der dem Mißverständnis Raum läßt, sie hätte sich mit dem Erbfeind vermählt. Und so wurde der Name Detjen in deutscher Schreibweise auf dem Standesamt von Berlin-Charlottenburg amtlich gemacht.«

»Ich staune immer wieder darüber, wie lange Sätze du um die Ecke bringst, ohne anzustoßen«, sagte Waldemar.

»Das macht deine inspirierende Gegenwart«, gab Daniel retour. »Aber mal ernsthaft: Ich versprech mir einiges von dieser Namensänderung. Es ist doch nur die halbe Wahrheit, daß es mir auf den Keks geht, Detjen genannt zu werden. Mit Detienne macht man im Westen mehr her. Ist dir das schon aufgefallen? Die haben ein ganz anderes Traditionsbewußtsein, da läßt sich Herkunft ganz anders ausspielen. Da macht es was aus, *Detienne* zu heißen und nicht *Detjen.*«

»Ich war früher der Polacke und bins jetzt wieder«, sagte Waldemar.

»Du arbeitest aber nicht mehr im Hotel, oder?« fragte Daniel.

»Ich hab angefangen, Soziologie zu studieren«, sagte Waldemar. »An der Freien Universität.«

»Und wie ist das so?« fragte Daniel interessiert und mit einer Spur von Neid.

»Interessant. Ich kriege Antworten auf Fragen, von denen ich dachte, ich wäre der einzige, der sie stellt.«

»Welche zum Beispiel?«

»Zum Beispiel, wieso sich der Wecker durchsetzen konnte. Jeder haßt dieses Ding, und trotzdem hat ihn jeder. Wie kam es, daß der Großteil der Menschheit jeden Tag mit Widerwillen beginnt? Wie kann sich etwas durchsetzen, was keiner will?«

»Und das fragst du beim *Wecker*?« sagte Daniel und lachte. »Warum fragst du das nicht – bei der Umweltzerstörung?«

»Wecker ist schlimmer«, sagte Waldemar.

Daniel mußte wieder lachen, weil Waldemar das so ernst und traurig sagte. »Weißt du, was Wiebke – kennst du noch Wiebke?«

»Klar.«

»Was Wiebke über dich gesagt hat? – Der hat Blumen im Kopf.«

Zu Hause machte Daniel einen Tee, in derselben Kanne, die er immer benutzte, seitdem sie sich kannten. Waldemar wußte, daß Daniel die Teekanne von den mikroskopisch dünnen Rückständen über Jahre hinweg schließen lassen wollte, Schicht um Schicht. *Wenn die ganze Kanne zu Stein geworden ist, dann ist die erste Silbe der Welträtsel überhaupt erst gestellt* hatte Daniel immer gesagt.

Doch nun war die Kanne sauber. Blankes Jenaer Glas, wunderbar durchsichtig.

»Ich wußte, daß du das merkst«, sagte Daniel. »Aber wir fangen wieder von vorn an. Ich kann nicht so tun, als ob es heute noch um dasselbe geht wie damals.«

Waldemar betrachtete die Kanne. »Ich hab gehofft, daß es ein Mißverständnis war. Irgendeine übereifrige Reinliche, die nicht Bescheid wußte.«

»Nee, nee«, sagte Daniel. »Das war ich selbst.«

Es gab eine Pause. Es war ein ungewohntes Gefühl für Waldemar: Er saß in der Wohnung von Daniel Detjen, der bald *Detienne* heißen würde, und anstatt, wie er es von früher kannte, von einem Stimmengewirr umgeben zu sein, war er von Ruhe, von Schweigen und langen Pausen umgeben.

»Diese Kanne werden wir niemals in einen Stein verwandeln«, sagte Waldemar schließlich.

»Wenn du jetzt Soziologie studierst«, sagte Daniel, »was willst du eigentlich werden?«

»Schriftsteller.«

»Aha«, sagte Daniel, und es klang nicht so, als ob er es Waldemar zutraut. Ein Schriftsteller, das war der kleine unrasierte Dichter, nicht einer mit Blumen im Kopf.

Es war das erste Mal, daß es Waldemar auch ausgesprochen hatte. Schriftsteller werden. Es war ein Bekenntnis, der Teekanne würdig. Aber Waldemar klang nicht überzeugt. Was er fühlte, seit Wochen schon, war Angst. Er war kein ängstlicher Mensch, und so verwirrte es ihn selbst am meisten, daß er Angst fühlte. Als er bei den Soziologen eine Toilette suchte, betrat er einen Seminarraum, um danach zu fragen. Was er übersehen hatte, war ein violettes Symbol an der Tür – ein Kreis mit einem kopfstehenden Kreuz auf dem Südpol. Anstatt einer Antwort wurde er vertrieben, mit einhelligem Haß: Typ raus hier / Verpiß dich / Schwanz ab! Daß er gehaßt wurde, weil er ein Mann war, so wie früher die Juden gehaßt wurden – schuldig durch Geburt –, machte ihm angst. Daß auf der Wahlparty der Konservativen ein Arm gereckt wurde, machte ihm angst. Die Masse der Bücher in der größten Buchhandlung Westberlins, bei Kiepert am Ernst-Reuter-Platz, machte ihm angst: Wieso sollten die Leute ausgerechnet nach seinem Buch greifen? Woher sollte er die Zuversicht nehmen, Schriftsteller zu werden? Wenn nur noch sechzehn Leute ins Theater gehen, bei einem Stück, über das in Daniel Detjens Wohnung vor drei Jahren eine ganze Nacht lang diskutiert wurde, dann machte das Waldemar ebenfalls angst. Er kannte die Menschen nicht mehr. Lena war begeistert, als sie hörte, daß er ein Buch geschrieben hat, das sogar erscheinen wird – aber seitdem sie sein Manuskript hatte, meldete sie sich nicht mehr. Ihm fiel niemand in seiner Umgebung ein, der sich für sein Buch interessieren könnte. Wie sollen sich dann Fremde interessieren? Der Absturz war doch programmiert.

Waldemar fühlte sich bei diesen Gedanken nicht wohl. Um das Gefühl loszuwerden, machte er, der ehemalige Stabhochspringer, im Zimmer von Daniel Detjen einen Handstand. Mit etwas Konzentration ging er über in den einarmigen Handstand. Seit fast einem Jahr hatte er den nicht mehr gemacht. Er versuchte zu sprechen. »Ich hab ein Buch geschrieben. Das kommt beim Aufbau-Verlag, in einem guten halben Jahr.« Er keuchte und preßte die Worte stoßweise hervor. Es war anstrengend, auf einer Hand zu stehen und gleichzeitig zu sprechen. »Die Bücher kommen immer zweimal im Jahr, im Frühjahr und im Herbst. Und das wichtigste Buch heißt immer Spitzentitel. Mein Buch ist Spitzentitel.« Er stellte sich wieder auf beide Arme, ließ sich hintenüberfallen, lag auf dem Teppich, atmete tief und wartete, was Daniel wohl sagen würde.

»Toll«, sagte Daniel.

Als Waldemar nach Hause kam, fand er einen Zettel an der Tür. *Hallo Waldemar! Ich brauch noch mal mein eigen. Kannst du morgen um vier kommen – oder übermorgen oder sonst irgendwann auf gut Glück? Schönen Gruß, Lena.*

15

Verena Lange buchte mit dem neuen Geld Venedig. Dr. Matthies kaufte sich vom neuen Geld ein Erdbeerkörbchen, neun Jahre alt. Lenas fundamentale Anschaffung waren Jalousien. Lena fand Jalousien edel. Die waren was ganz anderes als Muttis Gardinen. Jalousien waren modernes Wohnen, nobel und schlicht. Ihren unverwechselbaren Anblick verdankten sie einer verblüffend simplen, klaren Konstruktionsidee und einem reibungslosen Zusammenspiel von Details. Lena mochte die Muster, die Jalousien im Licht- und Schattenspiel auf den Boden legten oder über die Wand streckten. Überzeugend deren Vielseitigkeit: Mittels eines zwischen den Lamellen aufgestellten Stabes oder durch ungleich heruntergelassene Seiten wurden Jalousien zu kleinen Wundern der Raumgestaltung. Lena zweifelte nicht an der Behauptung der Produzenten, daß sich durch Jalousien auch das Raumklima regulieren ließe – indem die Lamellen das Sonnenlicht entweder zurückwerfen oder, durch einfaches Drehen an einem unauffälligen Stab, die warme, aufsteigende Luft in den Raum lenken.

Geradezu abenteuerlich fand sie es, die Lamellen auf Augenhöhe mit zwei Fingern auseinanderzuschieben und auf die Straße zu schauen; in vielen Krimis hatte sie das gesehen. Auf der anderen Straßenseite hatte dann einer zu stehen, der sich gerade ein Streichholz am Fingernagel anriß, so daß ein Lichtschein für einen Moment auf ein Gesicht fiel, das ansonsten ein tief heruntergezogener Hut verbarg. Als sie das erste Mal so durch die Lamellen schaute, war sie davon überzeugt, daß Bogart noch lebt. Daß all ihre sechs Fenster zum Hof gingen und sie immer nur Mülltonnen sehen würde und niemals Humphrey Bogart, machte kaum einen Unterschied.

Sie wollte an allen Fenstern Jalousien haben. Dazu mußten Löcher gebohrt werden. Waldemar kam einen Tag nachdem er den Zettel an seiner Tür gefunden hatte. Nach getaner Arbeit ging Lena in die Küche, um einen Erdbeermilchshake zu mixen. »Kannst ja ne Platte auflegen«, sagte sie beim Hinausgehen.

Waldemar schaute sich Lenas Platten an, meist Lizenzausgaben von AMIGA, so wahllos gekauft, daß weder Vorlieben noch Abneigungen von Lenas Geschmack erkennbar waren: BAP, Queen, Joan Baez, Genesis, Foreigner …

»Ich sehe, du hattest Beziehungen in die Plattenabteilung«, rief Waldemar, und als Antwort hörte er aus der Küche nur ein Lachen.

Dann fand Waldemar die Kleeblatt-LP *Experimente!* Vier Bands, die als Avantgarde galten, in bezug auf Technik, Sound, Komposition und ihr Musikverständnis überhaupt. Der letzte Titel der zweiten Seite hieß *Warum können wir keine Freunde sein.* Es hatte sich bis zu Waldemar herumgesprochen, daß Lena die Sängerin jenes seltsamen Liedes war, das so plötzlich da war, und das Zehn- oder Hunderttausende Demonstranten gesungen hatten. Seit einigen Wochen war das Lied endlich auf einer Platte erhältlich, doch war es auch auf dieser Platte ein Kuckucksei: Es klang viel zu konventionell, um als Experiment zu gelten, wie es das Cover mit einem Foto des Wahlplakates *Keine Experimente!* suggerierte, auf dem das Negativpronomen Buchstabe für Buchstabe weggekratzt worden war.

Waldemar legte die zweite Seite auf und hob die Nadel behutsam auf den dünnen Ring, der den letzten vom vorletzten Titel trennte. Noch ehe der Gesang einsetzte, war Lena im Zimmer. »Mach aus, mach aus! Ich wills nicht hören!«

»Wieso?« fragte Waldemar. »Was ist denn los?«

Lena hatte den Tonarm gehoben, in einer Eile, die jegliche Behutsamkeit gegenüber dem empfindlichen Gegenstand vermissen ließ. Dann war Stille. Waldemar war erschrocken. Es war nicht seine Absicht gewesen, Lena zu provozieren. Lena nahm die Platte und schob sie zurück in die Hülle.

Zu viel war mit diesem Lied passiert, und die Erinnerungen schlugen auf Lena ein, wenn sie es hörte. Sie hatte ihre Wut in einen Text gepackt, und sich, Frechheit siegt, als Sängerin einer Band ausgegeben, die es nicht mehr gab. Als sie anfing zu singen, wurde sie entgegen ihrer Erwartung nicht an Ort und Stelle verhaftet – nein, sie erlebte, wie der Funken überspringt. Das Lied ist geradezu vor ihren Augen *explodiert*, und es war vielleicht der schönste, der intensivste, der leidenschaftlichste Moment ihres Lebens, als diese Leute, die sie nicht kannte, die aber interessant aussahen und witzig waren, wie diese Leute ihr Lied ins Mikrophon johlten, und sie lachten dabei, sie verloren ihre Angst, indem sie sangen, sie wurden frei mit diesem Lied, und sie waren glücklich ... Nur zwei Wochen später war das Lied im Radio zu hören, und von da an wurde es all denen vorgesungen, die abgesetzt werden sollten. *Warum können wir keine Freunde sein.* Ein Satz, klar und tödlich, und sie hatte ihn in die Welt gesetzt. Wem dieses Lied vorgesungen wurde, der konnte einpacken. Dieses Lied hatte Macht: Die Wut, die Lena hatte, als sie es schrieb, kam genau so an. All ihre Verwünschungen traten ein. Welch ein Triumph! Diese Mischung aus Wut und Lässigkeit: In zwanzig Minuten geschrieben, auf Rollschuhen gesungen. Lena war weder Dichterin noch Sängerin. Sie war einfach nur im richtigen Moment da.

Als der letzte Bonze aus dem Amt gesungen war, hätte die Geschichte ihres Liedes enden sollen – doch sie ging weiter. Die Redakteurin Inessa sendete ein halbstündiges Feature, in dem sie ihre eigene Lebensgeschichte zum Gegenstand machte: Herkunft, Verstrickung, Versagen, Erkennen, Reue. Nach der Sendung war diese Redakteurin die *Stasi-Redakteurin*, die *Stasi-Inessa.* Und Lenas Lied galt plötzlich als *Stasi-Hit.*

Andere hatten nun *ihren* Auftritt: Die Colabüchsenverteiler und die Deutschlandfahnenschwenker. Das Lied der Stunde war *Einigkeit und Recht und Frahahajeit für das doheutsche Vataherland.* Sie sangen *Deutschland* und meinten die D-Mark. Und so kam es, daß Lena ein gestörtes Verhältnis zum Geld entwickelte. Leo Lattke und seine Hin- und Rücktauschakrobatik war wie vom Teufel persönlich geschickt. Lena brauchte Zeit, um zu begreifen, daß *dem Geld nicht nachrennen* nicht dasselbe ist wie *vor dem Geld wegrennen.*

Lena beschloß, sich an der großen Umtauschaktion von Leo Lattke zu beteiligen. Von dem Geld, das da kommen sollte, ließen sich Jalousien kaufen. Ein paar ihrer alten Freunde fanden es seltsam, Lena, daß jetzt ausgerechnet du – also das hätten wir nicht von dir gedacht, und so weiter, das Wort *Verrat* fiel und ließ sie doch kalt. Die so redeten, wollten sie weltfremd und rein.

Am Tag vor der Währungsunion hatte sie auf ihrem Konto vierzigtausendvierhundert Mark – vierzigtausend waren von Leo

Lattke, der spärliche Rest von ihr. Wie sollte das gutgehen? Lena hat sich zwei Wochen lang nicht getraut, ihren Kontoauszug abzuholen. Dann ging sie endlich zur Bank – und erfuhr, daß sich ihr Kontostand nicht halbiert, sondern verdoppelt hatte. Das kann nicht sein, dachte sie, wie sind aus vierzigtausend Ostmark achtzigtausend Westmark geworden? Es sollte doch für zwei Ostmark eine Westmark geben, und nicht umgekehrt. Was war da los? – Die Tantiemen! Lena hatte nie Tantiemen gekriegt, hatte auch nie daran gedacht – für GEMA und AWA hatte sie sich nie interessiert. Lena war plötzlich reich. Selbst dann noch, als sie die neunzehntausend D-Mark abzog, die Leo Lattke zustanden.

Inzwischen war die Platte in den Läden, noch in planwirtschaftlicher Tradition: geplantes Erscheinen – II / 1990, wobei II für »zweites Quartal« stand. Kein Mensch interessierte sich dafür, so kurz vor der Währungsunion. Die Platte wurde im Preis herabgesetzt, und nach dem 1. Juli fast verschenkt. Wer kauft von Westgeld schon Ostmusik?

Doch an dem Tag, an dem Waldemar für Lenas Jalousien Löcher bohrte, war Post von einem Rechtsanwalt aus München gekommen: Der Trickbeatle dünner Jakob hatte Anzeige erstattet, weil er weder bei den Tantiemen berücksichtigt noch als Co-Komponist genannt wurde. An dem Tag, als das Lied aufgenommen wurde, als Lena von einem Hochgefühl, einer Euphorie erfaßt war, als das halbe Rundfunkstudio ihr Lied im Chor sang, laut und selig, als das Studio im Trubel der Begeisterung unterging, wurde Lena von der Redakteurin Inessa gefragt, ob sie das Lied geschrieben hat. Lena sagte stolz *klar!* – und das war Lenas Fehler. Sie hatte den Text geschrieben, sie war verantwortlich für die einmalige Stimmung im Studio – aber die Musik war nicht von ihr. Als ihr die Redakteurin etwas zum Unterschreiben hinlegte, »für die Abrechnung«, unterschrieb Lena, ohne die AWA-Meldung zu lesen. Sie unterschrieb, daß Text und Melodie aus ihrer Feder stammten.

Das Lied, das Waldemar auflegte und Lena nicht mehr hören

konnte, war mal ein Revolutionslied, es war Nummer Eins der Hitparade. Dann war es der Stasi-Hit, dann Ramschware, und nun war es eine Verletzung des Urheberrechtes, ein Rechtsfall – und es ging um Geld. Als Lena mit diesem Lied ins Studio ging, wußte sie, eine Anzeige wegen staatsfeindlicher Hetze zu riskieren. Daß ihr dieses Lied eine Anzeige der alten Freunde einbringt und daß es dabei um Geld geht, hätte Lena nie für möglich gehalten. Zweihundertfünfzigtausend D-Mark verlangt der Anwalt aus München im Namen seines Mandanten, des Trickbeatle dünner Jakob. Lena hatte sechzigtausend. Wo sollte sie die restlichen einhundertneunzigtausend D-Mark hernehmen?

Als Lena den Brief von diesem Anwalt aus München gelesen hatte und auf den Küchentisch legte, da wünschte sie, dieses Lied nie geschrieben zu haben. Und als Waldemar es auflegte, da wollte, da konnte sie es nicht mehr hören. Sie nahm die Platte wieder herunter, machte die Erdbeermilchshakes zu Ende, doch die Sache mit dem Lied hatte sie wieder eingeholt; der Brief aus München lag noch auf dem Küchentisch.

Waldemar fragte, ob sie sein Manuskript gelesen habe.

»Bin noch nicht dazu gekommen.«

Das Desinteresse verletzte Waldemar. Er begann wieder, wie schon am Abend zuvor bei Daniel Detjen, von seiner Angst in so vielen Facetten zu reden. Lena, die nicht wußte, wo sie einhundertneunzigtausend D-Mark hernehmen sollte, fand Waldemar lästig und weinerlich. *Es interessiert keinen, was ich geschrieben habe.* – Na und? dachte Lena, und sie sagte ungeduldig: »Spring doch einfach! Schwimmen lernst du, wenn du ins tiefe Wasser springst. Also spring!«

Daß sie sich ärgerte, daß sie sich Sorgen machte, daß mit ihr selbst etwas nicht stimmte an diesem Tag, daß sie selbst einen Rat brauchte, entging Waldemar. *Also spring!* das behielt er.

16

Ein »Unternehmen des Schaustellergewerbes«, wie es, ganz amtlich, genannt wurde, suchte einen prominenten Ort für ein sommerliches Berlin-Gastspiel. Sie fanden ihn im Todesstreifen, der keiner mehr sein sollte, zwischen dem Brandenburger Tor und der Einöde, die *Potsdamer Platz* genannt wurde, nahe der Magnetschwebebahn. Sie kamen mit einem Autokran, dessen Ausleger eine Höhe von neununddreißig Metern erreichte. An den hängten sie eine Gondel, für bis zu vier Menschen. Die Gondel wurde hochgezogen, dann wurde das Türchen der Gondel geöffnet, und der zahlende Kunde sprang in die Tiefe. Es war ein Selbstmord ohne Folgen: Ein dickes Gummiseil von fünfundzwanzig Metern Länge, mit einer Ledermanschette sicher an den Fußgelenken befestigt, fing den Springer nach fünfundzwanzig Metern freiem Fall und – entsprechend der Formel, daß der zurückgelegte Weg gleich dem Quadrat der Zeit, multipliziert mit der Fallbeschleunigung ist – nach etwa eineinhalb Sekunden Todesangst ab, riß ihn wieder hoch, von wo aus er wieder fiel – bis er in immer schwächeren Amplituden nachfederte, zwischen Himmel und Erde schließlich zur Ruhe kam und, kopfstehend, wieder zur Erde gelassen werden konnte. Ein Sprung kostete hundert Mark, die Schlange der Wagemutigen war lang, noch größer die Menge der Schaulustigen.

Waldemar wußte, daß er springen muß. Nicht etwa, weil in seinem Buch über ein ganzes Kapitel lang der Moment eines Falls beschrieben wird. Waldemar mußte springen, weil es eine Metapher war für das Leben, das ihn erwartete. Lena hatte recht: Spring einfach!

Waldemar mußte springen, er mußte die Erfahrung machen, daß ein Sprung ins Bodenlose – nichts anderes war eine Schriftstellerexistenz, für die er sich entschieden hatte – eben nicht Selbstmord ist. Er mußte die Erfahrung machen, daß nach einem freien Fall, der lang dauern kann und ängstigt, die Rettung kommt. Er wird nicht umkommen, sondern gehalten. Diese Erfahrung war ihm einhundert Einheiten des neuen, harten Geldes und über eine Stunde Anstehen wert.

Als Waldemar endlich in der Gondel nach oben gezogen wurde, legte ihm der Betreuer die Ledermanschette um die Fußgelenke. Das Seil sei sicher, sagte er, oft und streng geprüft. Wenn die Gondel oben angelangt ist, riet er Waldemar, soll er sofort springen – je länger er wartet, desto höher kommt es ihm vor. Der Sprung sei was sehr Intensives, er werde ihn nie vergessen. Waldemar hörte kaum zu. Sein Herz klopfte heftig, das Blut rauschte in den Ohren. Er sah die Menschen und Autos immer kleiner werden, er war längst über den Bäumen, über den fernen Dächern, der Wind wehte, so daß er die Gondel schaukeln spürte. Springen, springen, gleich springen. Das andere Ende des Gummiseils war am Kranhaken, der auch die Gondel hielt, sicher eingehängt.

Springen, springen, gleich springen ...

Wenn Waldemar aufgeregt war, dann wurde er zappelig, dann war ihm nach Bewegung. *Meine Füße sind schlecht erzogene Gesellen.* Seine Füße standen im Theater auf und gingen mit ihm hinaus, und daß der Sitz geräuschvoll hochklappte und die Schauspieler störte, interessierte die Füße nicht. Als ihm der Direktor des Aufbau-Verlages versprach, sein Buch zu machen, da liefen Waldemars Füße aus dem Zimmer und sprangen draußen vor Freude dreimal mit Kraft auf den Boden, und die Kaffeetassen drinnen zitterten und klirrten leise. Nach Losrennen war seinen Füßen, wegen Lenas Antwort auf die Frage, ob ein Buch die Welt verändern kann – da rannten sie die Treppen hinunter, nahmen zwei, drei Stufen auf einmal. Auch in der Gondel war Waldemar erregt, aber seine Füße waren gefesselt. Als der Betreuer das sorgfältig verriegelte Türchen der Gondel öffnete und Waldemar für einen Moment den Rücken zuwandte, zog Waldemar geistesabwesend an den Riemchen der Schnallen, die seine Füße fesselten. Er trat aus der Manschette, das Türchen war offen, er konnte springen. *Sofort* sollte er springen, *bloß nicht warten.*

Spring! hatte Lena gesagt, und seine Füße machten einen schnellen Schritt zum Abgrund, und als er fiel und die Beine in der Luft strampelten, da dachte Waldemar verwundert, irgend etwas stimmt hier nicht.

17

Leo Lattke verbrachte das Wochenende mit Lena in Hamburg. Achtundzwanzig Grad waren vorhergesagt, wolkenloser Himmel und ein leichter Westwind. Hamburgs schönstes Wochenende des Jahres. Die beiden wohnten im *Louis C. Jakob*, einem ruhigen, familiären und zugleich exklusiven Hotel. Für Verliebte ohne Geldsorgen ein idealer Ort. Das Hotel stand auf dem Kopf einer hohen, steilen Böschung über der Elbe. Von ihrem Bett aus konnten Lena und Leo auf den Fluß schauen und die großen Schiffe beobachten, die den Hamburger Hafen anliefen. Ihr Zimmer war mit einem Fernglas ausgestattet, und die Dielen waren dunkel und weich. Lena mochte es, barfuß auf ihnen zu gehen, und am Sonntagmorgen fragte sie Leo Lattke: »Könntest du dir vorstellen, daß wirs auf diesem Fußboden treiben?« Ohne seine Antwort abzuwarten, zog sie ihn zu Boden. So waren die Machtverhältnisse verteilt, und sie genoß es.

Leo Lattke war von Herausgeber und Chefredakteur zum Gespräch gebeten worden. Das überraschte ihn nicht. Seine Reportage war noch nicht gedruckt, und dafür waren ihm die Chefs eine Erklärung schuldig. Ihn wochenlang auf Halde zu legen war einfach keine Art. Er war schließlich Leo Lattke.

Er wußte, was ihn erwartet. Zuerst werden sie seine Reportage in hohen, in höchsten Tönen loben. Sie werden ihn bauchpinseln, beweihräuchern, ihm die Füße küssen, sich vor ihm im Staub wälzen – und schließlich verraten, warum sie ihn noch nicht gedruckt haben: Weil sie warten. Ein Jubiläumsheft oder eine Nummer, die dank des

Titels ein Reißer wird, wäre eine würdige Verpackung. So unabhängig gegenüber dem eigenen Zeug war Leo Lattke durchaus, daß er wußte, seine Reportage tauge nicht als Titelstory – so glänzend sie auch war. Eine Enthüllung hingegen, mochte sie noch so liederlich hingeschmiert sein, eignete sich immer; so war die Welt nun mal. Seine Reportage sah er als ein Prunkstück des *new journalism*, der literarische Techniken nutzte und sich zu seinen literarischen Ambitionen bekannte. Wobei im *new journalism* immer nur Reporter vorkommen, die in der Ich-Form die Reportagen erzählen. Dieses eitle *Papa erzählt euch ahnungslosen Lesern mal was* hatte er mit seiner neuen Reportage hinter sich gelassen – aber welche Einflüsse, Stile, Vorbilder hier verschmolzen wurden, sollen Publizistikstudenten in ihren Magisterarbeiten herausklamüsern. Er nicht. Er war schließlich Leo Lattke.

Vielleicht hatten sie ihn nach Hamburg bestellt, um ihm einen Posten anzubieten. Aber da kannten sie ihn schlecht. Er war Reporter und wollte es bleiben. Er war nichts für die Redaktion oder die Chefredaktion, wo sich ein jeder in streng abgezirkelten Kompetenzfeldern bewegen mußte. Er war Leo Lattke, eine Klasse für sich.

Leo Lattke fuhr hochgestimmt, und auch Lena fühlte sich unbeschwert; die Angelegenheit mit dem Anwalt aus München hatte sich so gut wie erledigt. Sie hatte sich Leo Lattke anvertraut. Der rief einen Bekannten an, der sich mit Urheberrecht in der Musik auskannte. Ein zehnminütiges Telefonat brachte Klarheit: Die Forderung des dünnen Jakob war *in der Sache* möglicherweise berechtigt, in der Höhe jedoch völlig überzogen. Sie wurde vermutlich in dieser Höhe erhoben, weil sich das Anwaltshonorar nach dem *Streitwert* richtet. Das war ein neues Wort für Lena; daß ein Streit einen bezifferbaren Wert hat, ja, haben *muß*, war typisch westdeutsch. Ein höherer Streitwert, so erklärte Leo Lattkes Bekannter, erlaubt dem Anwalt, höhere Rechnungen auszustellen. Wenn der Trickbeatle dünner Jakob beweisen kann, daß er an der Komposition mitgewirkt hat, stehen ihm Tantiemen zu. Doch wenn die gesamten Tantiemen sechzigtausend DM betrugen, dann wird er nur einen Bruchteil jener sechzigtausend bekommen, keinesfalls mehr. Die Anwaltsrechnung wird dennoch auf einem Streitwert von zweihundertfünfzigtausend DM gründen, und Leo Lattkes Bekannter vermutete, daß die Anwaltsrechnung für den dünnen Jakob höher sein wird als die Tantiemen, die ihm zustehen.

Lena wollte den dünnen Jakob weder sehen noch sprechen. Vor einem Jahr noch waren sie *ganz eng*, sie waren Freunde, sie hatte in seiner Wohnung gewohnt, nachdem er rübermachte – doch nun wollte sie nicht wissen, wie es ihm geht oder ergangen ist. Er war ihr nichts als peinlich. Sie war froh, daß sie Leo Lattke hatte. Sie kannte sich nicht aus. Leo Lattke kannte sich aus, und an seiner Seite fühlte sie sich sicher vor dem Schlimmsten.

Lena hatte noch vor dem Hamburger Wochenende Waldemars Manuskript gelesen und eine Nachricht an seiner Tür hinterlassen. Doch der hatte sich nicht gemeldet. Also auch einer von denen, die neuerdings so komisch sind. Ist beleidigt, weil sie sein Manuskript nicht sofort gelesen hat. In einem Jahr wird der sie auch wegen irgendwas verklagen. Soll er. Die gute Laune ließ sie sich nicht vermiesen. Lena fuhr unbeschwert nach Hamburg.

Leo Lattke wollte Lena zu den Chefs mitnehmen. Sollten die ruhig mal sehen, in welcher Altersklasse er noch abräumt, und Lena könnte gleich erleben, wie ehrfürchtig die Gewaltigen des Blattes ihn behandeln. Er machte gern Menschen miteinander bekannt, die ihn bewunderten. Die hatten gleich eine gemeinsame Basis.

Doch am Sonntagvormittag, als er mit Lena an der Elbe spazierenging, kam ein Anruf ins Hotel: Leo Lattke möge bitte allein kommen, er möge unbedingt allein kommen. Die Nachricht erreichte Leo Lattke und Lena, als sie ihr Gepäck abholten. Sie nahmen ein Taxi; er setzte sie am Jungfernstieg ab und fuhr weiter zum Sitz seines Blattes.

Lena schlenderte am Wasser entlang. Die Sonne schien, ein leichter, angenehmer Wind wehte. Lena erinnerte sich, daß es in Hamburg eine Straße geben soll, die *Große Freiheit* heißt. Sie kannte einen Filmtitel, *Große Freiheit Nummer 7.* Ein schöner Titel, aber ein merkwürdiger Name für eine Straße: *Große Freiheit.* Als ob sie dort und nirgends sonst wäre, die *Große Freiheit.* Vielleicht stoße ich ja heute auf die *Große Freiheit.*

Sie setzte sich auf eine Bank und wollte die Menschen betrachten, doch dann bemerkte sie, daß vereinzelte Luftballone langsam in den Himmel entschwebten. Noch nie hatte sie das gesehen; die Luftballone, die Lena aus ihrer Kindheit kannte, mußten mit einem Draht hochgehalten werden. Sie legte den Kopf in den Nacken und schaute ihnen hinterher, bis sie die Zeit vergaß. Immer stieg irgendwo über der Stadt ein neuer Luftballon auf, nie war der Himmel leer.

Lena schlenderte weiter. Sie sah eine Menschentraube und hörte Musik, zuerst dumpfe Bässe bei ihrer schweren Arbeit, dann ein Klirren aus hohen Tönen. Erst als sie ganz nahe war, fügten sich Bässe und hohe Töne zu einem harmonischen Ganzen.

Das erste, was Lena sah, als sie einen guten Platz in der Menschentraube gefunden hatte, war etwas, das sie an ein kreiselndes Insekt, dem ein Flügel ausgerissen wurde, erinnerte. Sie brauchte eine Sekunde, um zu erkennen, daß sich da am Boden ein Mensch in schnellen Hüpfern drehte. Er war auf dem Bauch, und er stützte sich nur auf seine Linke, die er sich vor den Leib stemmte. Mit der Rechten schlug er gegen den Boden, so daß er in ein schnelles Kreiseln kam, und mit leichten Korrekturen der Unterschenkel hielt er sich in der Balance. Immer schneller drehte er sich – bis er plötzlich, mit einer halben Drehung um die eigene Achse, auf den Hacken landete – und die Mitte verließ, um Platz zu machen für den nächsten.

Solche Tänzer hatte Lena noch nie gesehen. Es tanzte immer nur einer, für eine halbe oder eine Minute, die anderen schauten aufmerksam zu, nickten anerkennend oder klatschten im Takt. Die Tänzer, durchweg Jungs, schienen aus südlichen Ländern zu kommen, türkisch und nordafrikanisch sahen sie aus. Sie trugen Hosen, die die Beine weit umschlossen oder Jeans, deren Hintern fast in den Knien saß. Es war eine farbenfrohe Truppe. Einer trug ein rot-weißes Trikot mit einer großen Fünf, einer trug Gelb und Grün, zwei trugen Wollmützen, trotz des Hochsommers. Immer wirkten die Sachen zu groß, und immer wurde eine gewisse Nachlässigkeit inszeniert – Ärmel waren hochgeschoben, eine Schulternaht lief fast über die Brust, ein Tänzer trug sein T-Shirt linksrum und mehrere der Jungs hatten ihre knöchelhohen Basketballschuhe nicht zugeschnürt.

Der nächste Tänzer kam in die Mitte und machte einen Kopfstand, einen Kopfstand jedoch, der bei Lenas Sportlehrern für eine schlechte Benotung gesorgt hätte. Die Beine waren weit geöffnet und angewinkelt in die Luft gehoben, die Zehen waren nicht gestreckt. Doch plötzlich drehte sich der Junge im Kopfstand, indem die Arme Schwung holten und für einen Moment den Bodenkontakt aufgaben, so daß sein gesamtes Gewicht auf dem Schädeldach lag. Eine rasche Drehung vollführte er, dann stützte er sich mit den Armen ab. Das wiederholte er, mehrmals, doch die Pausen zwischen den Drehungen wurden immer kürzer – bis er schließlich wie von selbst kreiselte, so schnell, daß es unmöglich war, den Ausdruck seines Gesichts zu erkennen. Zeigte es Glücksrausch, zeigte es Schmerz, Konzentration oder stoisches Ertragen? Der Tänzer verwandelte sich von einem Menschen in eine Puppe, in ein Ding, das sich bewegte, in einen *Luftquirl*, fand Lena. Er hatte die Form eines Drehkreisels: Er stand auf einem Punkt seines Kopfes, verbreiterte sich am Oberkörper, und seine Beine, die er in die Luft hielt, als wollte er breitbeinig sitzen, drehten sich raumgreifender als alles übrige und quirlten die Luft.

Der nächste Tänzer verwandelte sich erst gar nicht in ein Ding, er *kam* als Ding: Als ein Maschinenmensch, offenbar der ersten Generation, denn seine Bewegungen waren ruckhaft und abgehackt, von kantiger Mechanik. Die Gliedmaßen standen eckig vom Zentrum des Körpers ab. Alles an ihm schien zu scheppern, wenn er sich bewegte. Und plötzlich, von einem Moment auf den nächsten, verwandelte er sich in einen Maschinenmenschen der zweiten Generation, mit weicher, fließender Mechanik. Eine Wellenbewegung, ausgelöst in der linken Hand, lief durch den Arm, den Leib hinunter ins linke Bein und wurde durch den linken Fuß in die Erde geleitet, tauchte aber am rechten Fuß wieder auf, lief das rechte Bein hinauf, weiter durch den Bauch bis zu Hals und Kopf, von wo aus sie wieder hinablief, in den rechten Arm hinein. Als die Welle die rechte Hand erreichte, schien sie anzuschlagen und den gesamten Weg wieder zurückzulaufen. Einige Male lief die Welle hin und her, doch dann gab es eine Störung, etwas behinderte die Welle, und die Störung addierte sich schnell und machte aus dem eben noch so weichen Maschinenmenschen einen zuckenden, hackenden, unberechenbaren Apparat. Einer aus der Gruppe der zuschauenden Tänzer stellte allein über Gesten und Bewegungen die Illusion her, er ließe sich ein Maschinengewehr reichen, er lud es, legte an und feuerte auf den außer Kontrolle geratenen Maschinenmenschen. Der zuckte und tanzte im Maschinengewehrfeuer, auf jeden einzelnen Treffer reagierte der Körper, jeder Schuß wurde mit einer ruckartigen Bewegung abgebildet, eingebettet jedoch in eine große Bewegung, die sich über die Dauer einer langen Salve von etwa zwanzig Schüssen abspielte, und die ein einziger Niedergang, eine Vernichtung, ein Erlöschen war. Am Ende lag der Maschinenmensch bewegungslos am Boden, nur eine letzte Kugel ließ ihn zucken, als hätte jemand kurz und hart in ihn hineingestochert.

Der ihn vernichtet hatte, übergab seine Waffe und sprang in die Mitte, ging einen, zwei, drei Schritte vorwärts und genauso wieder zurück, als würde die Zeit rückwärts laufen. Diesen Vorwärts-Rückwärts-Effekt zeigte er nochmals, um plötzlich aus der drohenden Zeitschleife mit einem wilden Tanz, einem Kriegstanz, auszubrechen. Es war ein Wirbeln, Hüpfen, Kreiseln und Springen – er fiel auf die Handflächen, der Körper sprang den Händen hinterher, um auf genau derselben Bahn wieder zurückzufliegen und auf den Füßen zu landen. Dann hielt er sich, nur auf die Handflächen gestützt, in einer Sitzposition, in der er schaukelte und wankte, unter den Händen hindurch, die mehrmals umgreifen mußten. Plötzlich lag der Tänzer auf dem Rücken, nein, er lag nicht auf ihm, er kreiselte. Den Rücken hatte er rund gemacht, als würde eine Schildkröte auf dem Panzer zum Drehen gebracht. Mit einem Sprung stand er wieder auf den Beinen, tanzte und sprang, indem er mit weiten, raumgreifenden Schritten auf der Stelle tanzte. Er sah Lena an – und sie dachte *Ja! Ja, das ist die Große Freiheit.* Mehr wollte sie nicht, als unter Menschen zu leben, die das Beste, das sie geben können, das Einzigartige, das sie haben, das Andere, das sie sind, auch zeigen dürfen.

Der Tänzer riß seine Mütze herunter und ging im Rhythmus der Musik, in witzigen, herausfordernden Schritten, am Rand der Menschentraube entlang; die Mütze trug er vor sich her. Lena bedauerte es, so spät gekommen zu sein. Die anderen hätte sie auch gern gesehen. Dies benutzte sie als Ausrede dafür, nichts in den Hut zu tun.

Lena hatte gespürt, wie stolz Leo Lattke auf seine Reportage war, und sein lässiges *Kannste ja mal lesen, wenns dich interessiert* meinte eine unbedingte Order: *Lesen, und zwar sofort!*

Sie wollte bei Leo Lattke nicht denselben Fehler machen wie mit Waldemars Manuskript, setzte sich in ein Café und bestellte ein *Alsterwasser.* Es stand unter den Kalten Getränken, und ihr war nach einer Erfrischung zumute. Als die Kellnerin das Getränk brachte, kostete Lena. Wie süßes Bier, fand sie, und beim zweiten Schluck merkte sie, daß es Bier, vermischt mit Limonade war. Na ja, dachte sie, ein Getränk ist das nicht. Höchstens eine Methode, schlechtes Bier trinkbar zu machen.

Sie nahm die Reportage aus dem Umschlag, etwa zwanzig Schreibmaschinenseiten. An manchen Stellen gab es Korrekturen mit dem Kugelschreiber; Lena erkannte Leo Lattkes Handschrift.

Der glücklichste Mensch der Welt

Eine Blinde aus Ostberlin, ein Arzt aus Münster und das größte denkbare Glück: Die Befreiung aus der ewigen Nacht.

Sabine Busse kennt nicht die Farbe Rot. Sie weiß nicht, wie erhaben ein Gebirge steht. Ihr Spiegelbild hat sie nie gesehen. In ihren Träumen verflechten sich Geräusche mit Berührungen und Gleichgewichtsempfindungen. Niemals mit Bildern. Bilder kommen in ihren Träumen nicht vor. Sie kennt keine Bilder. Sie kennt nicht einmal die Finsternis; »hell« und »dunkel« kann sie nicht unterscheiden. Ihre Augen erleben ein einziges gleichgültiges Nichts. Es war nie anders. Seit ihrer Geburt, seit einunddreißig Jahren.

Doch sie weiß, was Jahreszeiten sind. Das Frühjahr riecht nach aufgetautem Hundedreck. Der Mai verströmt den strengen, fruchtbaren Geruch des Blühens. Das Sommerblühen riecht blumiger und reicher, die stehende Luft versammelt eine Vielfalt von Düften. Im Spätsommer erschöpfen sie sich und gehen in ein herbstliches Modern über. Der Winter in der Stadt riecht säuerlich bis beißend, vom Qualm der Briketts. Der Winter auf dem Land hingegen ist klar und leer. Einen Schweinestall, den sie im Herbst erst auf zweihundert Meter riecht, erkennt sie im Winter auf drei Kilometer. Der Sommer ist das Konzert der Düfte, der Winter ihre Stille.

Ihre Ohren hören Unterschiede, von denen kein Augenmensch glaubt, daß sie hörbar sind. An Stimmen erkennt sie das Alter, an der Atmung, ob jemand schläft. Und da sie in der Nähe der »Alten Försterei« wohnt, der Spielstätte des 1. FC Union Berlin, hat sie es gelernt, das Geschehen mit geradezu gespenstischer Präzision zu rekonstruieren: Sie hört nicht nur, ob ein Tor gefallen ist, sie hört nicht nur, ob es der FC Union oder das Gästeteam geschossen hat. Nein, sie erkennt Abseitstore, Elfmeter, gelbe oder rote Karten. Sie vermag das alles aus dem Aufschrei der Zuschauer herauszulesen, aus der Gestalt der Lärmschwaden, die vom Stadion herüberwehen.

Drei Fenster ihrer Wohnung weisen zum Stadion, das nur einhundertfünfzig Meter entfernt ist und das sich in der Fußballsaison alle zwei Wochen belebt. Im dritten Stock lebt Sabine Busse, allein in einer kleinen Zweiraumwohnung. Wenn es dunkel wird, schaltet sie das Licht ein; die richtigen Zeiten hat sie gelernt. »Gibt ja Blinde, die sind auf ihre kleine Stromrechnung stolz«, sagt sie. »Aber was soll das, abends im Dustern sitzen – da denken doch die Nachbarn, da wohnt keener.« Sabine Busse hat Gardinen vor den Fenstern und einen Spiegel überm Waschbecken. An den Wänden hängen Bilder. Sie sagt: »In den Boutiquen gefällt mir ausgerechnet immer nur das Teuerste.« Es gelingt ihr nicht, verärgert zu klingen, zu stolz ist sie darauf, daß sie die Augen nicht braucht, um Qualität und Extravaganz zu erkennen.

Der 20. Januar 1990 ist ein besonderer Tag für Sabine Busse. Sie wartet auf einen Anruf des Neurochirurgen Dr. Stefan Sternhagen aus Münster, der sie vor einer Woche untersuchte und der etwas Unglaubliches nicht von vornherein ausschloß: daß sie ihr Sehvermögen erlangen kann.

Die Ursache ihrer Blindheit war lange unklar. »Meine Augen waren immer gesund, die Reflexe tadellos.« Neurologische Ursachen wurden immer vermutet. »Das Sehzentrum im Gehirn, hieß es mal, war geschädigt. Und vor einer Woche habe ich es von Dr. Sternhagen das erste Mal offiziell gehört«, sagt sie und zitiert die Diagnose: »Blindheit durch eine Schädigung im primären visuellen Kortex durch eine angeborene Gefäßanomalie.« Zitat Ende. »Das Sehzentrum ist vom Blutkreislauf abgeklemmt, und deshalb bin ich blind«, erklärt Sabine Busse. »Da hab ich natürlich gleich gefragt, ob es sich nicht anklemmen läßt. Um das zu entscheiden, wollte der Doktor eine Woche Zeit. Um vier wollte er anrufen.« Es ist 17.15 Uhr. »Ich will endlich wissen, ob meine Blindheit heilbar ist«, ruft sie.

Sabine, ist Blindheit eine Krankheit?

»Ja«, sagt sie, »seit dem 10. November ist es eine Krankheit.«

Und weil das Telefon nicht klingelt und sich mit Reden die unerträgliche Erwartung überspielen läßt, redet sie. Sie redet darüber, daß sie, wann immer sie wollte, in den Westen fahren konnte. Seine Invaliden sperrte der Staat nicht ein. Der Westen war anders, das spürte sie wohl. »Ich hab immer gleich gemerkt, daß ich im Westen war – da rollte der Zug viel weicher dahin.« Die Gehsteige waren weniger holprig, die Straßen meist asphaltiert und nicht gepflastert, »da knallen die Reifen nicht so«. Überhaupt, die Autos: Es gab viel mehr, aber sie klangen tiefer und ruhiger und stanken nicht so. Ja, die Gerüche – ob in Bussen, in Kaufhäusern, Aufzügen und Toiletten, auf Bahnhöfen oder sogar auf den Straßen: »Im Westen war ein ganz anderes Fluidum!«

Sabine Busse hatte keinen Grund, sich blind zu fühlen: Sie verdient sich ihren Lebensunterhalt als Telefonistin der Berliner Stadtbibliothek. Sie kann anhand von Stimmen das Alter ihres Gesprächspartners verblüffend genau schätzen. Wer eine Folge von »Dallas« verpaßte, ließ sie sich von ihr erzählen. Sie konnte den Westen für die beschreiben, die nicht reisen durften. Sie machte in einer Mischung aus Trotz und Stolz ausgerechnet einen Maler zu ihrem Hobby: Max Liebermann. Über den weiß sie so viel, daß sie sich immerhin eine Bewerbung für Wim Thoelkes Quiz »Der große Preis« zutraute. Und sie geht gern ins Kino – was niemanden wundert, der den Sound moderner Filme kennt. Sabine Busse hatte keinen Grund, sich blind zu fühlen.

Bis zum 10. November 1989.

Da war sie von einem Freudenfest umgeben, das ihr unbegreiflich war: Gewiß, die Mauer war gefallen – aber warum dieses Glück, diese Euphorie? Sie kannte den Westen, sie kam gern in seine weichen, süßlichen Gefilde. »Aber ich bin doch nie auf die Idee gekommen, deshalb *Wahnsinn!* zu rufen oder *So ein Tag, so wunderschön wie heute* zu singen!« Wo sie sich einfach nur wohl fühlte, erlebten andere Überschwemmungen des Glücks. Warum nur? Was war da? »Und dann steh ich auf der Tauentzien und hör immer nur *Guck mal!* oder *Oh, siehst du das?* und *Hast du gesehen?*« Sie konnte weder *gucken* noch *sehen*. Sie konnte nicht mitreden, konnte sich nicht mitfreuen. Die ganze Welt schien ihr zuzurufen *Ich sehe was, was du nicht siehst!*

Sabine Busse fühlte sich das erste Mal in ihrem Leben blind. »Und jetzt soll mich der Doktor anrufen und sagen, ob das heilbar ist. Ich weiß nicht, was daran so lange dauert!«

In Münster gehen die Dinge ihren Gang wie eh und je. Hof und Gießen sind in aller Munde, Berlin sowieso, sogar Hamburg. Münster jedoch liegt weitab vom Schuß. Besucher aus dem Osten, hier? Kaum.

Sabine Busse war in Münster. Das Universitätsklinikum betreibt den modernsten Computertomographen Europas. Ein sechzehn Millionen Mark teures Meisterwerk des medizinischen Gerätebaus. Es liefert Bilder von atemberaubender Plastizität. Und seitdem der Neurochirurg Dr. Stefan Sternhagen weiß, daß Sabine Busse blind ist, weil ihr Sehzentrum kaum durchblutet ist, sitzt er über den Aufnahmen aus dem Computertomographen, befragt Kollegen, liest englischsprachige Journale, überlegt.

Dr. Sternhagen will sich seiner teuren Technik würdig erweisen. Die Hirnchirurgie entwickelt sich rasant. Vor wenigen Jahren war es undenkbar, Blutgefäße, Kapillaren im Gehirn zu flicken. Doch im Januar 1990 gibt es keinen Grund, diese Operation nicht zu wagen – außer den, daß sie noch nie gemacht wurde. Dr. Sternhagen weiß, daß er sich gewiß auch von der Stimmung anschubsen läßt. Daß er teilhaben möchte an der allgemeinen Erregung, der Zuversicht. Alle ziehen am Himmel, der auf die Erde kommen soll. Alle riskieren etwas. In der Heimatstadt seiner Patientin haben vor wenigen Tagen wagemutige Demonstranten die Stasi-Zentrale gestürmt. Auch Dr. Sternhagen will aufbrechen, an seinem Ort, auf seine Weise. Will sich nicht als Bedenkenträger hervortun, nicht in diesen Tagen. Er will mit überlegener Technik und einer Portion Pioniergeist einer Blinden aus dem Osten das Augenlicht schenken. Die Entscheidung will er Sabine Busse am Telefon mitteilen. Doch er kann sie nicht, wie verabredet, am 20. Januar um 16 Uhr anrufen; so weit ist das deutsch-deutsche Telefonnetz noch nicht. Es dauert über drei Stunden, bis er nach Ostberlin durchkommt.

In den folgenden Wochen bereitet Dr. Sternhagen die Operation vor. Eile ist geboten, die Tage werden länger und heller. Aufschub verstärkt den Lichtschock nach der Operation. Dr. Sternhagen möchte bald operieren.

Der Arzt aus Münster wirkt nicht wie ein Halbgott in Weiß. Eher wie ein Marathon-Mann, der zäh und stetig sein an Höhepunkten armes Pensum hinter sich bringt. Ein sehniger Mann, an dem die Kleidung immer zu weit und dessen Stimme immer zu leise erscheint. Er ist nicht der Typ, dem Erfolg und Aufmerksamkeit zufliegen. Er brennt darauf, zu zeigen, was in ihm steckt.

Am 1. März ist es soweit. Ein neunköpfiges Team ist an dem einmaligen Eingriff beteiligt. Die Operation dauert über achtzehn Stunden. Sie stellt allerhöchste Anforderungen. Die Adern und Äderchen des Gehirns zu operieren, ohne sie direkt vor sich zu sehen, ist, als würde man mit Boxhandschuhen im Discolicht Mikado spielen. Dr. Sternhagen operiert so lange, bis weiteres Perfektionieren das Risiko einer längeren Operation nicht mehr rechtfertigt. Erschöpft, aber optimistisch kommt er tief in der Nacht aus dem OP. »Es müßte klappen.«

Sabine Busse wird zum Aufwachen in einen speziell abgedunkelten Raum gebracht. Nur Anzeigen medizinischer Apparate emittieren Licht. Die Lichtarchitektur der ersten Stunden und Tage ist von Dr. Sternhagen akkurat ausgetüftelt worden. Der Eintritt in die Welt des Sehens soll nicht mit einer Frustration beginnen. Das Bett der schlafenden Patientin ist von Ärzten und Krankenhauspersonal umstellt – den Moment ihres ersten Augenaufschlags will niemand verpassen.

Um 5 Uhr 06 ist es soweit – Sabine Busse reagiert auf die Worte der Anästhesistin: Sie öffnet die Augen – und lacht. Es ist ein ungläubiges, ein staunendes Lachen, das niemand vergessen wird, der dabei war.

Die neuen Eindrücke rufen in Sabine Busse eine Euphorie hervor, die stärker ist als die Benommenheit der nachklingenden Anästhesie, stärker als die Nebenwirkungen der frischen Hirnoperation. Ihr Arzt kann sich ihrem sehnlichen Wunsch nach Licht und Farben nicht widersetzen – und dreht behutsam, in winzigen Schritten, am Dimmer. Aus dem Dunkel wird Schummerlicht. Farben treten hervor, Details und Schatten. Was im Dunkeln flächig war, wird räumlich, plastisch. Es ist noch längst nicht so hell, daß man sich beim Lesen nicht die Augen verderben würde. Aber Sabine Busse ist glücklich. Sie lacht und sagt *Wahnsinn!* Eine halbe Stunde später singt sie, wenn auch nur leise und allein, *So ein Tag, so wunderschön wie heute.* Sie ist der glücklichste Mensch der Welt.

Die folgenden Wochen sind für Sabine Busse eine einzige große Entdeckungsreise, *das* Abenteuer ihres Lebens. Sie kann sich an Farben über die Maßen ergötzen. Sie will einen schönen Sonnenuntergang sehen. Sie will bunte Blumensträuße sehen, den Frühling, die Bilder Max Liebermanns. Sie berauscht sich an der Welt, die aus Farben zusammengesetzt ist.

Zwei Wochen nach der Operation will Sabine Busse zum ersten Mal dorthin gehen, wo sie immer am liebsten war: ins Kino. Ein Actionfilm. Sie kommt auf ihre Kosten. Sabine Busse sieht Weiß, das ruckartig zu einer orange leuchtenden Fläche wächst, die sich wiederum in wenigen Momenten in etwas Schwarzes verwandelt, das sogar noch größer wird als das Orange. Am Geräusch hat sie erkannt: Das eben war die Explosion eines Autos. – Minuten später ballen sich große gelbe Farbfelder zu einem Punkt zusammen – und dehnen sich im nächsten Moment schon wieder aus. Ein Rhythmus hackt etwas Himmelblaues vor ihre Augen. Im Kino gibt es alle Farben auf einmal, und sie treiben ein verrücktes Spiel: Tauchen auf und verschwinden, verändern ihre Gestalt, gehen ineinander über – manchmal lösen sich auch, von einem Moment auf den anderen, völlig andere Farbstimmungen ab.

»Wie wars?« fragt Dr. Sternhagen, als seine Patientin aus dem Kino kommt.

Sabine Busse öffnet den Mund – und merkt, daß sie den Film nicht nacherzählen kann. Das ist ihr noch nie passiert. So paradox es klingt: Als sie blind war, wußte sie immer, was sie sieht. »Es war einfach zu viel los in diesem Film.« Die Bilder haben sie vom Film nur abgelenkt.

Höchstes Entzücken empfindet Sabine Busse im Fußballstadion. Der Faszination Fußball erliegt sie auf ihre Weise: das Grün des Rasens, auf dem zwei Gruppierungen beweglicher Farbtupfer verteilt sind. Ständig entstehen schöne Ordnungen. Das Spiel bringt es mit sich, daß die Farbtupfer einer geheimen Bewegungsordnung zu folgen scheinen, die in einer unentschlüsselbaren Beziehung zum Ball steht, der ebenfalls lebhaft und ununterbrochen bewegt wird. Was der Trainer *Taktik*, der Reporter *Stellungsspiel* nennt, ist für Sabine Busse Ästhetik. Die Farbtupfer irren und schwärmen über das Grün, ballen sich bald an diesem Ende, fächern sich auf, um sich bald darauf am anderen Ende erneut zu ballen. Den größten Reiz üben Freistöße in Strafraumnähe aus. Wenn sich die Spieler zu einer Mauer zusammenstellen und damit eine Ordnung fügen, die sich sofort nach Ausführung des Freistoßes auflöst – das liebt sie. Wenn ein Tor fällt, mühelos am Geschrei erkennbar, kommen die Farbtupfer der erfolgreichen Mannschaft aus allen Richtungen zusammen. Kurz danach sind für wenige Augenblicke die Farbtupfer in ihren Spielhälften, ganz sauber getrennt.

Ein Fußballspiel ist für Sabine Busse kein spannender sportlicher Wettkampf, sondern ein folgenloser, doch frappierender Wechsel optischer Arrangements. Spieler zu sein bedeutet, Farben über das Spielfeld zu bewegen. Die Bewegungen der Farben, ihre Richtung und ihre Geschwindigkeiten bieten nur in der Tendenz eine Ordnung. Nie ist die Ordnung perfekt, wie bei einer Parade oder einem Cancan. Ein Fußballspiel ist wie etwas Lebendes, ein atmender Organismus; eine Parade ist etwas Maschinelles. »Sabine Busse schaut auf ein Fußballspiel wie andere in ein Kaleidoskop«, sagt Dr. Sternhagen, und er ist nicht glücklich darüber.

Denn Sabine Busse schaut auf alles, wie andere in ein Kaleidoskop. Ihre Augen wollen nicht arbeiten. Etwas geboten bekommen wollen sie, genießen, mitnehmen, spielen. So lange mußten sie warten, um Farben sehen zu dürfen, Bewegungen, Muster, Wandlungen. Ihre Augen machen ihn nicht mit, den zweckmäßigen Blick. Sabine Busses Augen sehen alles. Aber sie erkennen nichts.

Dr. Sternhagen überweist seine Patientin an den Neuropsychologen Hans-Werner Kiehn, eine Frankfurter Kapazität. Stanford und die Sorbonne zählten zu den Stätten seines Wirkens, jetzt ist er Leiter des von ihm gegründeten »Institut für Neues Lernen«. Großkonzerne und Geheimdienste lassen sich von ihm beraten, und aus dem Rattenrennen um Fachveröffentlichungen konnte er aussteigen, seitdem sein Institut eine eigene Vierteljahresschrift von Rang herausbringt. Steht man vor ihm, glaubt man einen riesigen Kopf wahrzunehmen – vielleicht weil die Nahsichtbrille mit ihren halben Gläsern in seinem Gesicht so klein erscheint. Der Professor wirkt, als lebe er im Rampenlicht. Er ist darin geübt, sich zitierfähig auszudrücken.

»Sabine Busse hat es gelernt, mit dem Verzicht auf Visuelles zu leben. Solange sie den Nutzen der Augen nicht kennt, wird sie mit ihnen nicht umgehen können. Das Sehen steht noch völlig außerhalb des Koordinatensystems ihrer Wahrnehmung.«

In den Wochen und Monaten, in denen Sabine Busse seine Patientin ist, leitet er mehrmals, mit großer Bestimmtheit, unter Angabe guter Gründe Maßnahmen ein, die zum Erfolg führen müssen.

Das Auge besteht aus einer Linse, die das einfallende Licht als kopfstehendes Bild auf die Netzhaut projiziert. Weil aber die Sinnesorgane dem Menschen die Welt nicht abbilden, sondern sein Zurechtfinden in der Welt erleichtern und, ganz pragmatisch, sein Überleben sichern sollen, sieht niemand die Welt kopfstehend. Sehr bald nach der Geburt wird im Gehirn die Welt vom Kopf auf die Füße gestellt. Bei Sabine Busse tut sich nichts dergleichen. Drei Wochen nach der Operation bleibt die Welt noch immer kopfstehend. Der Zusatznutzen durch das Sehen ist so gering, daß sich für ihr Sehzentrum der Aufwand einer Bildumstellung nicht lohnt.

Professor Kiehn verpaßte ihr deshalb eine Spezialbrille, die kopfstehende Bilder erzeugt. »Das ist Maßnahme Eins.« Da Sabine Busse alles kopfstehend sieht, wird ihr damit die Welt auf die Füße gestellt, zunächst. Wenn sie Bilder sieht, mit denen sie etwas anfangen kann, kalkuliert der Frankfurter Professor, wird sie die Augen nutzen und gebrauchen. Dann soll ihr die Brille wieder abgenommen werden. »Ihr Gehirn wird dann, um den Zustand halten zu können, das Bild endlich von selbst auf die Füße stellen.«

Die erhoffte Wirkung stellt sich nicht ein. Zwar ist das Oben der anderen nun auch bei Sabine Busse oben, und unten ist unten – aber sie benutzt die Augen nicht, um sich zurechtzufinden. »Sie sieht alles, aber sie erkennt nichts.« Das sagte bereits Dr. Sternhagen. Wenn sie die Brille abnimmt, sieht sie die Welt wieder kopfstehend. Sie bleibe gleichgültig, »habe nichts zu verteidigen«, gibt Professor Kiehn zu. »Sie wird von Bildern umtost, die sie nicht braucht. Das Visuelle muß in ihre Welt integriert werden. Sie muß den Nutzen des Visuellen erleben, um sich ans Visuelle zu klammern.«

Professor Kiehn geht zu »Maßnahme Zwo« über: Er will ihre Augen mit mehr Verbindlichkeit herausfordern, will ihre Augen zwingen, Verantwortung zu übernehmen.

Am 4. April 1990 läuft ein Übungselement aus »Maßnahme Zwo«: Sabine Busse steht auf dem Hof des Frankfurter »Institut für

Neues Lernen«, Professor Kiehn ihr gegenüber, in sechs Metern Entfernung. Sabine Busse soll einen Wasserball fangen. Er ist groß und leuchtend gelb. Langsam, im hohen Bogen, fliegt er auf sie zu. Sie fängt ihn und wirft ihn zurück. So geht das ein paarmal. Ein gutes, ein hoffnungsfrohes Ergebnis? Nein, Professor Kiehn ist nicht zufrieden. Er hat etwas entdeckt, was ihm nicht gefällt: Als Rechtshänderin streckt sie dem Wasserball zuerst ihre Rechte entgegen, und wenn sie ihn berührt, lenkt sie ihn so, daß sie auch mit der Linken zugreifen kann. Sie hat die Aufgabe mit dem Tastsinn gelöst, nicht mit den Augen. Ihr hochentwickelter, geübter Tastsinn erkennt blitzschnell Flugrichtung, Geschwindigkeit und Lage des Balles. Mit verbundenen Augen wäre sie kaum schlechter. Und je länger die Übung dauert, desto mehr perfektioniert Sabine Busse das Zusammenspiel von rechter und linker Hand. Professor Kiehn wollte die Augen von Sabine Busse in die Verantwortung zwingen, doch die entwischt ihm wie ein Stück nasse Seife.

Am enttäuschendsten war die Stagnation bei der Gesichtererkennung: Ob Fotos, Plastiken, Zeichnungen, Filmbilder oder reale Gesichter – Sabine Busse konnte keine Unterschiede in den Gesichtern wahrnehmen. Sie blieb blind für die Individualität, für die Einzigartigkeit eines Anblicks, und ihre Unfähigkeit hatte frustrierende Ausmaße: Zeigte man ihr die Fotografie eines Totenschädels, dann hielt sie auch den für ein Gesicht. Selbst mit dem eigenen Spiegelbild konnte sie nichts anfangen. Da kann ein vier Wochen alter Säugling mehr, oder ein Schimpanse. Da kann sogar ein Wellensittich mehr.

Nach sechswöchiger Behandlung mußte Professor Kiehn miterleben, daß es Sabine Busse nicht sah, wenn er Löffel und Gabel vertauschte, sondern ertastete. »Das Decodieren des Visuellen ist zu anstrengend. Und die übrigen Sinnesorgane hatten es hervorragend gelernt, die Blindheit zu kompensieren. Die Kognitionslücke, die die Augen zur Arbeitsaufnahme herausfordern müßte, ist zu klein«, sagt der Professor. »Also muß sie vergrößert werden.«

Daraus folgte »Maßnahme Drei«: Professor Kiehn entschied sich zu einer »radikalen Maßnahme«: Er behinderte die Sinnesorgane von Sabine Busse. Er setzte ihr eine Nasenklammer auf, ließ sie Fausthandschuhe anziehen und Ohrstöpsel benutzen.

Die Augen sollten endlich beginnen, sich für die Aufgaben zuständig zu fühlen, die während der Blindheit die anderen Sinne übernommen hatten. Doch das taten sie nicht. Professor Kiehn spürt, daß er hier an jene Grenze stößt, von der Dr. Sternhagen, der den Fall Sabine Busse genau verfolgt, bereits gesprochen hat.

Der Frankfurter Professor redet mit Sabine Busse. Er will die Ursache ihrer Weigerung, ihrer Blockierung erfahren. Er vermutet, daß sich Sabine Busse als Versuchskaninchen fühlt, und so, wie sie vor ihm sitzt, mit einer Spezialbrille, Ohrstöpseln, Nasenklammer und in Fäustlingen, ist sie der Inbegriff eines menschlichen Versuchskaninchens. Wie aus einem Woody-Allen-Film entlaufen. Doch sie beklagt sich nicht. Nein, sie fühlt sich nicht als Versuchskaninchen. Sie versteht alle Maßnahmen des Neuropsychologen und unterwirft sich ihnen mit dem Eifer eines selbstzahlenden Kurgastes – doch »es geht nicht«, sagt sie.

Sie stimmt einer Verschärfung von »Maßnahme Drei« zu: Es wird nur noch per Schrift kommuniziert. Ihre Anliegen, Fragen und Wünsche muß sie vortragen, indem sie auf eine Buchstabentafel tippt, und ebenso wird ihr geantwortet. Die Buchstabenerkennung ist etwas, das ihre Augen gerade so beherrschen.

Sabine Busse und Professor Kiehn wissen, daß diese Verschärfung von »Maßnahme Drei« praktisch bedeutet, daß sich Sabine Busse freiwillig in die Dunkelzelle begibt. Nur noch die Augen erlauben ihr, am Leben teilzunehmen – doch »ihre Augen springen nicht an«. So benennt Professor Kiehn das Dilemma, seitdem Sabine Busse in Frankfurt ist.

Drei Tage hielt Sabine Busse die Verschärfung von »Maßnahme Drei« aus. Am vierten Tag benutzte sie zwar weiterhin Buchstabentafel und Zeigestock, doch sie sagte auch, was sie zu sagen hatte – obwohl die Absprache war, daß nur die Buchstaben Geltung in der Kommunikation erlangen. Am fünften Tag artikulierte sie nur Unverständliches, und ihr Stock huschte fahrig über die Buchstabentafel, er *zeigte* Unverständliches. Professor Kiehn brach »Maßnahme Drei« komplett ab. »Wenn die Augen jetzt nicht anspringen, rasseln wir direkt in die Depression.« Sabine Busse wurde von Fäustlingen, Nasenklammer und Ohrstöpseln befreit. »Solange sich das Sehen nicht die reservierten Wahrnehmungsbezirke erobert, bedeutet die Verstopfung der gewohnten Sinneskanäle nur eine Verödung der Seele.«

Nur die Spezialbrille sollte Sabine Busse weiter tragen. Sie wurde für eine Woche nach Hause, nach Berlin geschickt. Es war ein Urlaub, in dem sie es sich gutgehen lassen sollte, schon, um der drohenden Depression Herr zu werden. In dieser Woche wollte Professor Kiehn überlegen, wie sich die Augen, wenn sie sich schon nicht zwingen, doch zumindest locken lassen.

Erst zehn Wochen war es her, seit sie die Augen aufgeschlagen und so herrlich gelacht hatte.

»Die Wende ereignete sich nach zehn Wochen funktionslosen Sehens. Sie hätte so oder auch anders eintreten können.« So nüchtern konstatiert es Stephan Sternhagen, der Neurochirurg aus Münster. Es war keine Wende zum Guten – im Gegenteil: Es war der Beginn der Katastrophe.

Sabine Busse saß auf den unteren Rängen in der »Alten Försterei«, ungefähr auf Höhe der Mittellinie. Solche Plätze mochte sie – auch im Kino saß sie, seitdem sie mit den Augen etwas wahrnehmen konnte, am liebsten in der ersten Reihe. Sie ließ sich mit optischen Reizen bombardieren wie Jugendliche mit lauter Musik. Sie sollte es sich ausdrücklich gutgehen lassen. Bei diesem Fußballspiel nun wurde sie vom Ball getroffen. Ein Ball, der als Diagonalpaß geschlagen werden sollte, wurde fast im Stile eines Preßschlages abgewehrt und flog scharf auf sie zu. Sie sah ihn kommen. Es war ein optisches Phänomen, auf das sie nicht reagieren konnte. Da kam etwas, es wurde schnell größer. Was jedes Kind kann – die Flugbahn eines Balles abschätzen –, konnte sie nicht. Sie fand den Augenblick, an dem der Ball auf sie zuflog, sogar schön. Sie erlebte einen höchst ästhetischen Moment. Im nächsten Moment jedoch traf der Ball sie genau im Gesicht, zerstörte ihre Spezialbrille und drückte eine Scherbe unterhalb des Auges ins Fleisch. Die Wunde mußte mit drei Stichen genäht werden.

Der Treffer mit dem Ball war ein unbeschreiblicher Schock für Sabine Busse. Daß spektakuläre optische Phänomene Gefahr und Schmerz ankündigen, war neu. Ihre Augen, lernte sie, waren nicht in der Lage, sie vor den einfachsten Bedrohungen zu bewahren. Im Gegenteil: Es war ihre Schaulust, von der sie an diesen gefährlichen Ort gelockt wurde.

An diesem Tag resignierte Sabine Busse, wendete sich ab vom Sehen. Ihre Euphorie, ihre Zuversicht, sogar ihr Interesse für das Sehen erlosch rasch – so, wie man sich nach einem ersten Unfall von einem gefahrvollen Sport verabschiedet, ohne es weit gebracht zu haben. Sie wollte es wieder so haben wie früher. Nase, Tastsinn und Gehör reichten.

Doch der alte Zustand war dahin. Das fein abgestimmte Instrumentarium ihrer Wahrnehmung hatte Schaden genommen, war in Unordnung geraten. Die Operation, bei der ihr Schädel in der Nähe des Ohrs geöffnet wurde, aber auch die Fleischwunde unterhalb ihres Auges hatten die hochempfindliche akustische Landschaft ihres Gesichts zerstört. Mit den Ohren hörte sie zwar – doch früher horchte sie. Die monatelangen Sanatoriumsgerüche hatten obendrein ihren Geruchssinn stumpfer werden lassen. Sie tastete schlampiger. Ein allgemeines Desinteresse am Fühlen machte sich breit, eine Niveauabsenkung der Wahrnehmung, eine neue Skepsis gegenüber den Sinnen. Was vor der Operation am 1. März Präzisionsarbeit war, war jetzt Pfusch. Dazu kam die Isolation.

Die Geschichte von Sabine Busse ist, in einem Satz erzählt, eine Glücksgeschichte, es ist *die* Glücksgeschichte: »Sie kam blind zur Welt und bekam nach einunddreißig Jahren das Augenlicht geschenkt.« Wer die Geschichte hört, freut sich für sie. Niemand will ihre Geschichte als Unglücksgeschichte hören, ohne Chance auf ein Happy-End. Gewiß, sie hat es gewollt. Doch was damals noch niemand wußte, am wenigsten sie selber: Sie wollte sehen und zugleich blind sein. Jetzt ist sie weder das eine noch das andere. Das Sehen bereitet ihr keine Freude, und die Blindheit beherrscht sie nicht mehr. Sie ist blinder als sie es je war. Und ihr Versuch, die Blindheit loszuwerden, wird ihr von den Blinden nicht verziehen. »Sie war schon früher so komisch«, erzählen sich die Blinden, die *echten* Blinden. »Ich sag nur *Max Liebermann.*« Sie wollte sich aus dem Drama stehlen, das alle Blinden gemeinsam durchzustehen haben. Da braucht sie jetzt nicht wiederzukommen. Außerdem: Sie kann ja sehen. Ihre Augen funktionieren. Sie kann sogar Zeitung lesen. Was, bitte sehr, ist daran blind? Nein, finden die Blinden, Sabine Busse ist keine von uns.

Im Badezimmer von Sabine Busse hängt über dem Waschbecken kein Spiegel mehr, und jeden Abend sitzt sie jetzt in einer dunklen Wohnung. Sie will sich nicht erinnern, daß sie ihr eigenes Gesicht nicht erkennen kann, und sie will sich nicht länger einer Herausforderung stellen, der sie nicht gewachsen ist.

Ist sie unglücklich? – Sabine Busse schweigt einen langen Moment, versucht das Ausmaß der Worte zu erfassen – und nickt. Und wer hat schuld? Sie holt tief Luft und atmet mit einem schweren Seufzer aus. »Ich wußte nicht, was auf mich zukommt«, sagt sie schließlich zu ihrer Verteidigung, als hätte der Fragende schon beschlossen, ihr die Schuld zu geben. Und: »Mir blieb doch gar nichts anderes übrig, als mir zu wünschen, sehen zu können.«

Dr. Sternhagen macht der Ausgang der Behandlung sichtlich zu schaffen. Wenn er darüber spricht, nur unter vier Augen, wirkt sein Unterkiefer wie gelähmt. Die Zunge schiebt langsam die Wörter aus seinem Mund. Hat er sich verboten, darüber zu sprechen? »Es tut mir weh, die Behandlung als Mißerfolg werten zu müssen. Um das vorauszusehen, fehlte es mir an Phantasie. Unsere Operation war eine Pioniertat, weltweit!« War es die falsche Patientin? Gibt es nicht auch Blinde, die erst in der Pubertät ihr Augenlicht verloren haben? »Sicher. Aber es war ihr leidenschaftlicher Wunsch, zu sehen. Und selbst wenn ich so tue, als hätte es keinen beruflichen Ehrgeiz gegeben – ich bin mir nicht sicher, ob ich die Operation verweigert hätte. Wo alle die Risiken dieser Operation gesehen haben, da waren wir bravourös. Unser Fehler war vielleicht, daß wir sie auch dann noch in eine Sehende verwandeln wollten, als sie die Augen auf ihre Art benutzte.«

Bei Professor Kiehn aus Frankfurt geht die Nachdenklichkeit auch ins Philosophische. Er sagt: »Der Mensch, heißt es, ist doch keine Straßenbahn, die auf eingefahrenen Spuren fährt. Aber Sabine Busse ist es nicht gelungen, aus der Spur zu springen. Sie war die perfekte Blinde – aber sie wollte sehen.«

Herr Professor, produzieren wir Unglück, wenn wir allen geben, was fast alle haben?

Das ist die Frage, sagt er.

Als Lena die Lektüre beendet hatte, war es zehn vor fünf; in zehn Minuten war sie mit Leo Lattke verabredet. Sie steckte die Blätter zurück in den Umschlag und machte sich auf den Weg. Dabei fiel ihr Blick nochmals auf die Überschrift: *Der glücklichste Mensch der Welt*

Sie mußte sich beeilen. Sie wußte, daß sie sich verspäten wird, und wenn Leo Lattke sie mit den Gewaltigen seines Blattes im *Café Loft* erwartete, dann macht es einen launenhaften, unzuverlässigen Eindruck, wenn sie sich allzusehr verspätet. Sie durfte als letzte kommen, das ja, aber nicht mit einer halben Stunde Verspätung.

Leo Lattke saß im *Café Loft* und rührte in seinem Cappuccino. Was war das denn? Es war ein merkwürdiges Gespräch mit den beiden Gewaltigen. Es begann wie erwartet: Sie wanden sich. Sie wollten beide nicht so recht raus mit der Sprache. Was für ein großartiger, einmaliger Reporter er doch sei, hochdekoriert, umworben, gepriesen. Und nun dieses Palasthotel-Kapitel, was so gar nicht zu ihm paßt. Wir haben uns ernsthaft Sorgen um Sie gemacht, Leo. Das waren einfach nicht Sie. Da hat er noch gestrahlt, weil er zu merken glaubte, wie sie Anlauf nehmen für das ganz große Lob. Und dann: Wir finden, Sie sollten nach New York. Um dieses Palasthotel mal hinter sich zu lassen. Sie sehen, daß wir Ihnen vertrauen, mehr als zuvor. So eine Schreibhemmung, das kommt auch bei den Besten mal vor. Gerade bei denen.

Da war er das erste Mal ernsthaft verwirrt. Sie wollten ihn nach New York schicken. Das New Yorker Büro, das war so etwas wie der Thron. Nur wenige durften überhaupt aussprechen, daß sie ihn gern mal einnehmen würden. Er hatte es nie gesagt. Er wollte sich bitten lassen, ja, er wollte den Thron nur widerstrebend einnehmen. Schließlich war er Leo Lattke.

Aber wieso sagten die was von *Schreibhemmung*? Wieso sagten sie, daß sie ihm *trotzdem* vertrauen? Hatten die denn seine letzte Reportage nicht gelesen? Wieso sagten die nicht: *Leo, der Bock ist fett, jetzt gehts nach New York, marsch, marsch, auf den Thron, und keine Widerrede!*

Wann gehts denn nach New York, hatte er gefragt. – Zum ersten September oder zum ersten Oktober, wie Sie wollen. – Und wann drucken Sie mein Zeug? – Wenn Sie liefern. – Nein, ich habe gemeint: Wann wird meine Reportage gedruckt, für die ich sieben Monate im Palasthotel gesessen habe?

Da war ein Schweigen, das Leo Lattke irritierte. Die kennen das gar nicht, dachte er. Dann bemerkte er einen Blickwechsel, der bedeutete: Jetzt müssen wir es ihm sagen. Das tat der Herausgeber. *So was kommt mir nicht ins Blatt.*

Leo Lattke fühlte sich wie geohrfeigt, er fühlte den Boden unter den Füßen schwinden. Er griff nach dem Wasserglas, das auf dem Tisch stand, und nahm einen großen Schluck, panisch, mit einem lauten Glucksen im Hals.

Leo, verstehen Sie uns nicht falsch, sagte der Chefredakteur, wir wollen Sie doch, wir halten Sie für den besten Reporter des Blattes, aber was Sie da geschrieben haben – es paßt einfach nicht in die Zeit; Deutschland ist Fußballweltmeister, die Wiedervereinigung kommt noch in diesem Jahr, das Land brummt vor Stärke – und Sie kommen da mit so einer, ich sags mal etwas zugespitzt …

Waschlappenreportage, sagte der Herausgeber.

Hat Ihnen die Zeit im Palasthotel so zu schaffen gemacht? fragte der Chefredakteur. *Deshalb denken wir uns, daß New York jetzt genau das richtige für Sie ist.*

Der Chefredakteur würde noch ewig die Grobheiten des Herausgebers ausbügeln wollen. Leo Lattke empfand die Situation als unwürdig. Sie hatten ihn überfahren, aus einer Richtung, an die er überhaupt nicht gedacht hat.

In meinem Arbeitsvertrag steht, unterbrach Leo Lattke seinen Chefredakteur, *daß ich Fremdveröffentlichungen genehmigen lassen muß. Ich gebe Ihnen hiermit bekannt, daß ich meine Reportage* Der glücklichste Mensch der Welt *woanders veröffentliche.*

Jetzt war wieder Stille, dieselbe Stille wie vor wenigen Minuten. Dann sagte der Chefredakteur zum Herausgeber: Wir können einem Leo Lattke nicht das Veröffentlichen verbieten.

Der Herausgeber, Gründer des Blattes und dessen Mehrheitseigentümer, eine Symbolfigur der Pressefreiheit und eine Galionsfigur des deutschen Journalismus, hielt es auf seinem Platz nicht mehr aus. Er war an seinem schwachen Punkt, der in Wirklichkeit seine Stärke war, erwischt worden: Er konnte tatsächlich einem Leo Lattke das Veröffentlichen nicht verbieten. Er konnte es *niemandem* verbieten. Das Verbieten widerte ihn an. Er war ein großer Journalist und wußte, daß eine falsche Entscheidung auf immer, über seinen Tod hinaus, sein Ansehen beschädigen würde.

Er ging zum Fenster und schaute hinaus. *Mir dreht sich der Magen um*, sagte er mit einer Stimme, die all die Qualen seiner Entscheidung auch zeigte. *Ich habe eine Hotelrechnung über fünfzigtausend Mark bezahlt. Und wenn ich das, was ich dafür bekommen habe, nicht drucke, und zwar, weil ich ein Patriot bin, dann rennen Sie damit zum nächsten und verkaufen es teuer an den.*

Ich kann mein Honorar ja spenden, sagte Leo Lattke, und als sein Blick auf die vielen Schnapsflaschen auf dem Servierwagen fiel, bei denen gerade der Boden noch bedeckt war, setzte er hinzu – ihm war nach einer Unverschämtheit: *An die Anonymen Alkoholiker.*

Daß ihr so gar kein patriotisches Empfinden habt, sagte der Herausgeber. *Ihr glaubt, mit dem Grundgesetz, dem Wohlstand und der Westbindung ist es getan.*

Amerika ist jetzt genau das richtige für Sie, sagte der Chefredakteur, um dem Herausgeber das Wort abzuschneiden, der es an Leo Lattke in einem Tonfall richtete, der unweigerlich in Beleidigungen münden würde.

Leo Lattke mußte plötzlich lachen. Schickten die ihn nach New York, damit er lernt, was Patriotismus ist? War das eine pädagogische Maßnahme? Glaubten die, er wäre durch das Palasthotel antigesamtdeutsch vergiftet und müßte jetzt mit einer Patriotismus-Intensivkur gereinigt werden? Wollten die ihn um seiner sittlichen Reife willen schurigeln wie den Zögling Törleß oder den jungen Friedrich II.? Muß er nach New York wie die zu den Kadetten? Damit er lernt, sein Land so zu lieben, wie es die Amerikaner, auch die Intellektuellen unter ihnen, tun? Deren Nationalgefühl retardiert ungefähr auf dem Entwicklungsniveau, das es beim Verlust der Milchzähne hat; der Rest der Persönlichkeit entwickelt sich, davon unbeeindruckt, normal weiter und durchaus bemerkenswert, ja vorbildlich. Amerikaner sind ja keine schlechten Menschen, das gewiß nicht. Nur wenn sie sich patriotisch versammeln, werden sie lächerlich bis unausstehlich.

Lena kam mit zwanzig Minuten Verspätung ins *Café Loft.* Sie hatte sich beeilt, unübersehbar; ihr Gesicht hatte kräftig Farbe, und ihr Busen hob und senkte sich mit jedem Atemzug.

»Doch allein?« sagte sie und setzte sich. »Wie wars?«

Leo Lattke winkte ab. »New York«, sagte er. »Ich soll nach New York.«

»Wann denn?« fragte Lena. »Und wie lange?«

»Nach dem Sommer«, sagte Leo Lattke. »Für mindestens zwei Jahre.«

»Oh«, sagte Lena. Sie wußte nicht, was das bedeuten soll. War das Leo Lattkes Art zu sagen *Es wird nichts mit uns,* war das sein *Zigaretten holen*?

»Na ja«, sagte sie. »Ich hab das gelesen.« Sie legte das Kuvert mit der Reportage auf den Tisch.

»Und?« fragte Leo Lattke lustlos. Sag, daß es Scheiße ist, dachte er. Dann tuts nicht so weh, daß die es nicht wollten. Und vielleicht glaub ich es auch irgendwann.

»Wie soll ich sagen«, begann Lena. »Da steht einiges drin, was ich auch fühle.«

»Ach ja?« fragte Leo Lattke. Das war ein Einstieg, der ihn munter machte. Mal was anderes als das ewiggleiche Toll!Suppa!Großartig!

»Ja«, sagte Lena. »Das Glück schmeckt fad inzwischen. Und wenn man das einem von euch erzählt, das wollen die nicht hören. Immer nur, wie schlimm es damals war und wie phantastisch jetzt. Aber so einfach ist es nicht. *Ich werde nie dazugehören*, das habe ich noch nie so deutlich sagen können. Erst jetzt, durch diese Reportage.«

»Woran wirst du dich nie gewöhnen können?«

»Mann, das ist doch ne total egoistische Frage«, sagte Lena. »Du willst mich doch bloß aushorchen. – Der *Streitwert* ist so was. Die Preise – immer kostet alles eine Mark neunundneunzig oder neunundsiebzig Mark neunzig, und an Tankstellen gehts sogar nach Zehntelpfennigen, aber die tun bloß so, denn hinten steht *immer* ne Neun.«

»Das ist ein Spiel«, sagte Leo Lattke. »Die wissen, daß du es weißt, und du weißt, daß die es wissen ...«

»Willst du mir jetzt den Westen erklären, oder willst du hören, woran ich mich nie gewöhnen werde?« fragte Lena, und ihre Augen funkelten angriffslustig. Leo Lattke schwieg nachdrücklich, um zu erkennen zu geben, daß er nicht mehr unaufgefordert das Wort an sich reißen werde. »Im übrigen ist es *kein* Spiel, denn es geht ums Geld. Und Geld ist das wichtigste bei euch. Hast du das gewußt? Ihr habt die härteste Währung der Welt, und ihr seid da auch noch stolz drauf. In Wirklichkeit macht euer Geld hart. Ihr seid es schon, und wir werden es noch. Seit der Währungsunion, seitdem ich Westgeld im Portemonnaie habe, weiß ich immer, wieviel Geld ich dabei habe.«

Sie hielt inne. Daß sie dem Tänzer, der mit der Mütze rumging, nichts gegeben hatte, behielt sie für sich. Alles wollte sie Leo Lattke nicht sagen über sich und das Geld, wo doch Geld das wichtigste war. Lena hatte viel über Geld nachgedacht und dabei betrübt erkannt, was ihre Komplizenschaft bei Leo Lattkes Vermögensverdopplungsaktion bewirkte: Sie konnte besser Kopfrechnen als ihr lieb war. Weil es ihr nicht mehr schwerfiel, rechnete sie unwillkürlich. Nicht unablässig, aber viel öfter. Einmal für das Thema Geld sensibilisiert, fand sie nicht mehr zur alten Unbekümmertheit.

Bei ihr hatte sich schleichend eine Verwandlung vollzogen. Irgend etwas in ihr war gewöhnlich geworden. Doch darüber wollte sie jetzt nicht reden.

»Im übrigen finde ich es total unfair, daß ich jetzt, so ohne Vorwarnung, sagen muß, woran ich mich nie gewöhne«, sagte sie. »Denn eigentlich wollte ich mit dir über deine Reportage reden.« Sie verschränkte die Arme trotzig vor der Brust.

Leo Lattke fand, daß sie ein völlig anderer Mensch war als er. Nicht nur jünger, auch frischer, unverbrauchter und – er scheute sich, dieses Wort zu denken – *unverdorbener.* Sie war inspirierend anders. Sie verstand auf ihre Art, was er schrieb. Er bekam eine Resonanz, die war originell und echt. Und sie hatten, wenn er denn stattfand, irrsinnig guten Sex. Wenn er sie mal vermißte, würde er eine ihrer Nummern aufschreiben und einem Pornomagazin anbieten, selbstverständlich unter Pseudonym. Er war fünfunddreißig, hatte weder Frau noch Kinder, flog um die Welt, trank ein bißchen zuviel und zu regelmäßig und hatte niemanden, der sich deswegen Sorgen machte. Leo Lattke hatte nicht mal einen Arzt – höchstens Behandlungen. Meist ging er in eine Apotheke, schilderte sein Problem und ließ sich was Rezeptfreies geben.

Er hatte schweigen wollen, aber jetzt wollte er doch etwas sagen. Nur eine Frage. Er haßte es, sich so auszuliefern – aber was sollte er tun? Er hatte es satt, so entwurzelt zu leben. Also fragte er: »Willst du mitkommen nach New York?«

Siebtes Buch

EINE WELT, EINE WOLKE

1. American Wilderness
2. Das Menschliche
3. Fahrstuhl fahren wie der Führer
4. Mallorca!
5. Manhattan Cathedral
6. Mit den Löwen im Dschungel
7. Die einsame Insel
8. Auf dem Wasser
9. Der Flieger
10. Start des Schmetterlings

1

Als es am schönsten war, sagte Thilo das falsche Wort. Sie waren aus dem Wald gekommen, als sich die Welt vor ihnen auftat: Der Himmel von so übermächtiger Weite wie die Ebene unter ihnen. In großer Entfernung zog eine Herde Büffel durch die Prärie, so träge wie die Wolken am Himmel. Thilo breitete die Arme aus, ihm war nach einem elegischen Ausspruch. Er dachte an die letzte Zeile des *Osterspazierganges*, aber der war ihm zu deutsch. Also sagte er: »Welcome to the American Wilderness!«

»Heißt das Wildnis?« fragte Carola Schreiter ängstlich. »Schleppst du mich in die *Wildnis*?«

Am Jahrestag ihrer Flucht hatte Thilo einen Tagesausflug in den Yellowstone National Park gebucht. Ihr Guide, Jeff, hatte ihnen am Vormittag heiße Quellen gezeigt, Geysire und kochende Schlammlöcher. Sie hatten aber auch die endlosen Wälder aus verkohlten Baumruinen gesehen – das, was nach dem großen Feuer vor zwei Jahren noch übrigblieb. Auf der aschgrauen, verbrannten Erde, zwischen den schwarzen, pfahlähnlichen Stämmen zeigten sich erste Pflanzen. Das Grün der Moose und Gräser und das Weiß und Gelb und Rosa der Blumen schienen eine Geschichte erzählen zu wollen – die Geschichte von der Entstehung der Farben.

Jeff hatte sie an einem Parkplatz abgesetzt und mit einer schriftlichen Wegbeschreibung auf den *most beautiful trail in Yellowstone* geschickt. Fünf oder sechs Stunden würden sie brauchen. Am Ende des Weges wollte Jeff sie erwarten und zum Hotel zurückfahren. Es war perfekt geplant, aber Carola hatte etwas gegen Wildnis. Sie schwieg ein feindseliges Schweigen.

»Ich dachte, du magst Tiere«, sagte Thilo.

»Ja, aber keine Wildnis!« Carola schrie fast vor Angst. »Wir dürfen nicht so laut sein, sonst locken wir die Bären an«, sagte sie. »Hier gibt's doch Bären.«

»Ja, schon ...«, sagte Thilo. »Hin und wieder ... wurde mal einer von weitem gesehen.« Und weil Carola schon wieder so feindselig schwieg, wies er mit einer gravitätischen Bewegung auf das Panorama und sagte mit ausgestellter Munterkeit: »He, wir sind in der Freiheit! Ich wollte dir die Freiheit schenken!«

»Aber ich habe Angst!« sagte Carola. »Hast du auf dem Parkplatz die Papierkörbe gesehen, mit den Spezialkonstruktionen, damit Bären nicht reingreifen können. Und daß wir uns in dieses Buch eintragen mußten!« Sie hatten sich am Beginn des Wanderweges, wie alle Wanderer im Nationalpark, in ein Buch eingeschrieben.

»Das ist doch eine reine Vorsichtsmaßnahme«, sagte Thilo.

»Eben!« rief Carola, erinnerte sich aber daran, daß sie nicht laut werden wollte. »Wenns ungefährlich wäre, müßte sich niemand eintragen.«

Die weitere Route führte in den Wald, an einem Bach entlang. Der Guide hatte nicht untertrieben. Thilo war noch nie an einem Ort, der ihm so schön vorkam. Der Bach war breit und flach, das Wasser war klar, es funkelte und perlte im Sonnenlicht und rauschte sacht. Thilo öffnete das Hemd. Er atmete durch die Nase und schloß dabei die Augen. Ein Specht klopfte, es klang wie das Knarren einer alten schweren Holztür. Eine Libelle stand über dem Wasser und schien Thilo zu betrachten. In einem Moment wechselte sie den Ort – um dort genauso reglos in der Luft zu stehen. Thilo streckte langsam die Hand nach ihr aus, und schon war sie wieder woanders, von wo aus sie ihn weiterhin zu beobachten schien.

»Machst du jetzt hier irgendwelche Spielchen? Willst du jetzt noch rumtrödeln?« fragte Carola erregt. Sie sächselte plötzlich, ohne es zu merken. »Weißt du, was es bedeutet, in der *Wildnis* zu sein?«

»Wieso?«

»Warst du jemals in der Wildnis?«

»Nein«, erwiderte Thilo.

»Na, dann kann ich dir nur sagen, daß wir uns ranhalten müssen.«

Thilo verstand nicht, was mit Carola war. Warum hatte sie solche Angst? Wegen der Papierkörbe, wegen der Bücher, in die sich Wanderer ein- und austragen sollten? Was war so schlimm daran, in der Wildnis zu sein?

Am Wegrand war eine Tafel mit zehn Regeln für das Verhalten im Bärengebiet. Thilo mußte übersetzen, und je mehr er übersetzte, desto mehr wuchs Carolas Angst – und desto mehr haßte sie ihn. Lärm solle man verbreiten, hieß es da, mit Glöckchen oder Trillerpfeifen ließen sich Bären verscheuchen. Wer im Freien nächtigt, muß seine Lebensmittel absolut geruchssicher deponieren. Auch die Ausdünstungen menstruierender Frauen stellen ein Risiko dar. Wenn der Bär auf einen zulaufe, dürfe man keinesfalls die Flucht ergreifen, sondern müsste ruhig stehenbleiben.

»Wie soll ich das denn machen!« stieß Carola hervor, in einer Mischung aus Flüstern und Schreien, in einem geflüsterten Schreien. »Ich kann da nicht ruhig stehenbleiben! Ich schreie! Ich schreie dann nur noch!«

Und plötzlich fing sie an zu weinen, vor Angst, vor Anspannung. »Und wir haben auch keine Trillerpfeife und kein Glöckchen. Und ich hab … meine Tage.«

Thilo sollte sich mit einem Knüppel bewaffnen und hinter Carola hergehen, den Rückraum sichernd. Sie griff nach seiner freien Hand und ging nur zaghaft voran. Er sollte auf zwei Fingern pfeifen, aber das konnte er nicht, wenn er gleichzeitig den Knüppel *und* ihre Hand festhielt. Sie rief ein paarmal »Ha!« und »Hu!« – »Hallo!« traute sie sich nicht, das war eine Begrüßung. Sie fürchtete, kaum hatte sie in den Wald gerufen, die Bären neugierig zu machen und anzulocken, doch wenn sie sich still verhielt, dann war ihr das noch unheimlicher. Sie arbeitete sich langsam und sorgfältig horchend vorwärts, und Thilo ging rückwärts hinter ihr her. Sie kamen mit der Zeit in Verzug, und merkten, daß sie die Wanderung nicht vor Einbruch der Dunkelheit beenden würden.

»Ich bin nachtblind«, sagte Carola, und als Thilo schwieg, wußte sie, daß er es auch ist.

Schweigend gingen sie den Weg, der nun durch einen Sumpf führte. Es gab Mücken. Carola erschlug sie oder fächelte sie mit ihrer freien Hand weg. Thilo hatte keine Hand frei – und er war derjenige, den die Mücken liebten. Carola hatte kein Mitleid.

Mittlerweile war die Sonne untergegangen, der Wald war von der Dämmerung erfaßt, die Augen wurden von Minute zu Minute hilfloser. Dafür hörten die Ohren grausam genau. Carola hörte ein Knacken. Es kam von etwas, das lebte. Einem Tier, einem größeren Tier. Carola, sofort, verharrte. Thilo spürte ihre Angst, sie fürchtete verräterische Geräusche ihres klopfenden Herzens. Er wußte, daß er jetzt mit ihr nicht sprechen darf, nicht mal flüstern, und daß er genau das richtige tun müsse – gleichzeitig nachschauen *und* bei ihr bleiben.

Langsam, mit begütigenden Gesten in Richtung Carola, arbeitete sich Thilo voran, als würde er sich auf ein dünnes Eis wagen und ihr, der am Ufer Stehenden, Zeichen machen, daß das Eis ihn noch trägt. Als er sich fünfzehn Meter von ihr entfernt hatte, sah er ein verletztes Reh. Es zitterte. Es hatte Angst, mehr Angst als Carola. Es tat ihm leid um das Tier, aber er mußte es verscheuchen. Nie und nimmer würde er Carola dazu bringen, einfach am Knacken vorbeizugehen.

Thilo ging noch zwei, drei Schritte auf das Tier zu – bis es aufsprang. Innerhalb weniger Augenblicke wurde aus dem Zittern des Rehs ein Beben, das den ganzen Körper erfaßte und in ein Aufspringen mündete. Es war eine geschmeidige Kraft, die sich da versammelte. Doch das dumme Tier verschwand nicht einfach im Wald, nein, es sprang, es taumelte auf Carola zu. Carola schrie auf, Thilo rief: »Das istn Reh!« – und dann war das Tier weg. Dieser Moment hatte etwas Entblößendes: Weder Thilo noch Carola hatten je gedacht, sich so zu begegnen.

Sie erreichten den Parkplatz lange nach Einbruch der Dunkelheit. Jeff bekam schnell mit, daß dicke Luft war. Er sagte nur »All right«, als die beiden auftauchten, schob die Wagentür auf und, nachdem sich Thilo und Carola in den Van gesetzt hatten, wieder zu. Eine halbe Stunde später waren sie in ihrem Hotel, einem zweistöckigen Holzhaus.

Carola warf sich aufs Bett und sagte leise, jedes einzelne Wort betonend: »Mach so was mit mir nie wieder.«

»Was habe ich denn gemacht«, rief Thilo und schlug mit der Hand auf ein Vertiko. »Wir wollten beide in die USA, wir haben vor einem Jahr am Balaton davon geträumt. Dann bist du tatsächlich in den Westen, und als wir damals über die Grenze sind, da war es auch fast dunkel, und du hast gelacht. Der Dollar stand günstig, und da haben wir uns gesagt: Jetzt oder nie. Wir haben die Reiseführer gelesen und wußten, daß wir Natur sehen wollen. Was soll das heißen, mach so was nie wieder? Was hab ich denn gemacht?«

»Du hast mich in die Wildnis geschleppt«, sagte Carola finster.

»Was ist daran so schlimm?« sagte Thilo noch lauter. »Wir wollten Natur sehen!«

»Natur – und nicht Wildnis«, sagte Carola noch finsterer.

»Was hast du denn ständig mit deiner Wildnis! Was ist denn so schlimm an Wildnis?«

»Ich hatte mal ne Klassenfahrt, mit zehn. Wir waren in der Schorfheide. Das ist in der Nähe von Berlin. Und der Förster, der mit uns eine Führung gemacht hat, hat gesagt: Wie in der Wildnis.«

»Na und?«

»Da gab es Unmengen von Tieren: Rehe, Hirsche, Hasen, Wildschweine. Wo du hingeguckt hast – Tiere. Der Förster hat gesagt *Wie in der Wildnis.*«

»Das glaub ich nicht«, sagte Thilo.

»Doch«, sagte Carola. »Das war ...«

Sie stockte.

»Ja?« fragte Thilo.

»Das war das Jagdreservat«, sagte Carola verwundert und mußte mit einemmal lachen.

Thilo sah Carola erstaunt an – und lachte gleichfalls, länger, als es Carola je bei ihm erlebt hatte. »Ich lach mich schlapp! Wildnis ... Jagdreservat ... Eure alten Bonzen ... Wie wollten die denn noch was treffen, die alten Säcke. Denen mußte man doch einen Wald voller Tiere hinstellen, dann ballern die nur noch in den Wald – und irgendwas treffen sie schon. Und Klein Carola läßt sich vom Förster erzählen, das ist Wildnis!«

Erschöpft warf er sich in einen Sessel.

Als sich Thilo die Zähne putzte, kam Carola ins Badezimmer und setzte sich auf den Rand der Badewanne. Der Raum gefiel ihr, das Waschbecken, die Wasserhähne, die schwarz-weißen Fliesen – das alles schien noch aus den dreißiger Jahren zu sein. Carola nannte den Stil modernistisch – das Auge wurde durch Weglassen überzeugt, die Handhabung war oft unpraktisch. Sie schaute Thilo gern beim Zähneputzen zu, er konnte die Zahnbürste schneller kreiseln lassen als irgend jemand sonst.

Thilo spuckte die Zahnpasta aus.

»Wie sollen wir uns verstehen? Im Osten habt ihr für Brathähnchen *Broiler* gesagt, und der Weihnachtsengel hieß ...«

»Jahresendflügelfigur«, unterbrach Carola, »hat kein Mensch gesagt. Der Weihnachtsengel hieß Weihnachtsengel.«

»Na, meinetwegen. Aber daß die Ossis alle glauben, die Wildnis wäre ein ... Tierghetto.«

»Wieso die Ossis?« fragte Carola. »Meine abgefahrenen Vorstellungen von Wildnis sind meine ganz persönliche Note.« Sie schlang ihre Arme eng um seinen Bauch und schnurrte. »Ich bin nicht wie jede. Und wenn du das verstanden hast, dann geht auch der Rest.«

2

Kurz nachdem Verena auf die Klingel drückte, hörte sie drinnen den Staubsauger ausgehen. »Moment!« rief eine Frauenstimme. Wenig später ging die Wohnungstür auf.

»Sind Sie Frau Hauschke?« fragte Verena. »Die Mutter von Wieland Hauschke?«

Die Dame, die fast einen halben Kopf kleiner war, nickte, und überlegte fieberhaft, wer die Person sein könnte, die vor der Tür stand.

»Ich glaube, ich bin die letzte, die ihn noch lebend gesehen hat«, sagte Verena.

»Kommen Sie rein«, sagte Frau Hauschke schnell, und an ihrem Blick, der jäh aufriß, merkte Verena, wie sehr Frau Hauschke auf diesen Moment gewartet und gehofft hatte. Frau Hauschke ging durch den engen dunklen Flur voran. »Aber in die Stube können wir nicht ...« Sie zog rasch die Tür zu, damit Verena nicht die kopfstehenden Polstermöbel sah. Sie kamen in die Küche. Frau Hauschke stieß an einen Stuhl und riß mit einem Klirren eine Schublade auf. »Setzen Sie sich ... Wenn ich gewußt hätte ... Möchten Sie Kaffee ...« Eine Schranktür knallte.

»Ich bin auch aufgeregt«, sagte Verena.

»Ja«, sagte Frau Hauschke, »das versteh ich. Möchten Sie Kaffee?«

»Gerne«, sagte Verena, und Frau Hauschke redete, obwohl doch Verena zum Reden gekommen war. Eine einfache Frau war sie, Küchenhilfe, schätzte Verena, fünfzehn, zwanzig Jahre müßten zwischen ihnen liegen, aber der Kummer hatte sie älter gemacht. Sie war kleiner, als Verena erwartet hatte, die nicht umhinkam, sich die Qualen vorzustellen, unter denen diese kleine Person das Kind zur Welt brachte, das ein so großer Mann wurde.

»Wollen Sie den Kaffee stark?« fragte Frau Hauschke. »Milch, Zucker? Haben Sie überhaupt gut hergefunden? Haben sie ja jetzt umbenannt, in Barbarossastraße, wie früher. Chemnitz, ist ja auch wie früher, und kürzer, wenn man Adresse auf den Brief schreibt, Karl-Marx-Stadt, das war doch viel zu lang, aber bei Barbarossastraße haben wir nichts eingespart, im Vergleich zu Rudolf-Harlaß-Straße ...«

»Frau Hauschke«, unterbrach Verena behutsam.

»Ja«, sagte Frau Hauschke und redete weiter. »Schädeldachfraktur und innere Blutungen hats geheißen, aber wie es passiert ist, das wußte keiner. Da ist doch dieses Gerüst eingestürzt, aber wo sie ihn gefunden haben, das war ganz woanders, und ich kanns mir auch nicht vorstellen, daß der so einen Quatsch gemacht hat, der Wieland war Krankenwagenfahrer, der hat doch jeden Tag gesehen, was passiert – Zucker?«

»Krankenwagenfahrer?«

»Nu. Vielleicht ne Schlägerei, hats geheißen, aber so was hat er nicht gemacht, noch nie hat der sich geschlagen. Ja, Krankenwagen isser gefahren, der wilde Willi hieß er ...«

»Der wilde Willi«, wiederholte Verena.

»Ja, er ist gefahren wie ein Henker, und am Krankenhaus hieß es immer, der Wieland ist der erste Krankenwagenfahrer, der im Krankenwagen ...« Sie mußte schluchzen. »Wissen Sie, er ist wirklich im Krankenwagen gestorben. Als sie ihn eingeladen haben, da hat er wohl noch gelebt, aber auf der Rettungsstelle wars vorbei. Und da warn Sie mit dabei?«

»Nein«, sagte Verena. »Ich war dabei, als es passiert ist.«

»Zucker?« fragte Frau Hauschke und goß den Kaffee ein.

»Nein, danke«, sagte Verena.

»Ich mach mir auch nie Zucker rein«, sagte Frau Hauschke und wischte sich eine Träne von der Wange. Dann ging sie aus der Küche und kam wenige Augenblicke später mit einer Schachtel zurück. In der Schachtel waren Fotos, und Verena kramte zwischen den Bildern, und der Fremde, der sie geküßt, ihr seine Zunge gezeigt und schließlich stehengelassen hatte, bekam, nachdem er schon einen Namen, einen Beruf und einen Spitznamen hatte, auch eine Kindheit, bekam Familie, Mitschüler, Plätze, Feiern, Freunde, bekam Motorrad, Badehose, Strohhut. Bekam ein Leben. Aber Geschwister bekam er durch die Fotos nicht. Auch keinen Vater.

Frau Hauschke ließ Verena die Bilder betrachten und schwieg. Verena fürchtete, daß Frau Hauschke wieder zu reden beginnt, wenn sie zu reden anhebt.

Verena schloß die Schachtel und legte sie auf den Tisch.

»Sie waren dabei, als es passiert ist?« fragte Frau Hauschke. Verena nickte.

»Wie ist es denn passiert?«

»Er hat eine Flasche auf den Kopf gekriegt. Eine Sektflasche.«

Frau Hauschke nickte stumm, und ihre Augen füllten sich mit Tränen. Etwas würgte in ihrem Hals, sie war unfähig zu sprechen.

»Er stand neben mir. Ich kannte ihn nicht. Und plötzlich kam diese Flasche. Die muß jemand runtergeschmissen haben, wir standen ja nicht direkt unterm Brandenburger Tor, sondern ein Stück weg. Die ist nicht einfach runtergefallen. Ich glaube, die wurde sogar in hohem Bogen weggeschmissen.«

Da brach der Schmerz aus Frau Hauschke, sie weinte wie ein Kind. Auch Verena konnte sich nicht gegen ihre Tränen wehren. Der Tod des wilden Willi war ihr noch nie so ungerecht und so tragisch vorgekommen wie am Küchentisch seiner Mutter.

»Ich hab geschrien, Achtung! – aber es war zu spät. Er war für einen Moment ohnmächtig, aber wir standen so eng, daß er nicht umfallen konnte. Blut hab ich nicht gesehen. Dann, als er wieder zu sich kam, hab ich ihn gefragt, ob alles in Ordnung ist ...«

»... und er hat gesagt, alles in Ordnung«, sagte Frau Hauschke.

»Ja«, sagte Verena.

»Ja, ja«, sagte Frau Hauschke. »Ehe der mal zugab, daß mit ihm was ist ...«

»Ich hab ihn zweimal gefragt, denn ich hab ja gesehen, was er da abgekriegt hatte. Aber er hat gesagt, daß alles in Ordnung ist und daß er immer so spricht ...«

»... weil er so ne große Zunge hat. Und dann hat er Ihnen die Zunge wahrscheinlich auch gezeigt«, sagte Frau Hauschke. »Ich hab ihm so oft gesagt, daß er nicht immer seine Zunge zeigen soll, und er hats trotzdem immer gemacht.«

»Er ist dann gleich gegangen, hat sich durchgedrängelt durch die Leute. Ich hatte natürlich auch Angst – wenn die jetzt anfangen, von oben Sektflaschen runterzuschmeißen, da ist man ja seines Lebens nicht mehr sicher. Es war so eng, wir konnten nicht mal die Arme hochnehmen, um uns zu schützen ... Ich war mit meinem Mann da«, sagte Verena, die sich so hilflos fühlte, weil sie nur von so einem überflüssigen, sinnlosen Tod berichten konnte. Sie wünschte sich, besser vorbereitet gewesen zu sein, eine erfundene Geschichte mitgebracht zu haben, die diesem Tod einen heroischen Anstrich verleiht oder ihm zumindest das Blöde, Stumpfe nimmt. Um irgend etwas Schönes zu hinterlassen, sagte sie: »Er hat mich geküßt. Ihr Sohn hat mir den Neujahrskuß gegeben. Es war Mitternacht, ich hab die Augen zugemacht und dachte, jetzt küßt mich mein Mann, aber es war so eng, daß mich ... der wilde Willi geküßt hat.«

»Das sieht ihm ähnlich«, sagte Frau Hauschke mit tränenerstickter Stimme, und Verena konnte nicht erkennen, ob es lakonisch, vorwurfsvoll oder stolz gemeint war. Frau Hauschke holte eine große runde Keksdose aus dem Küchenschrank.

»Hat er mir noch zu Weihnachten geschenkt«, sagte sie. »Acht Tage später war er tot. Da wollt ich die nicht essen. Aber jetzt – schmecken vielleicht schon etwas alt.«

Sie hatte die Dose auf den Tisch gestellt, Verena mit einer Geste gebeten, sich zu bedienen, und selbst zugegriffen. »Wie haben Sie mich eigentlich gefunden?« fragte Frau Hauschke, nahm einen weiteren Keks und legte Verena ein paar auf den Tellerrand.

»Übers Krankenhaus. Ich hab in der Charité gefragt, ob sie diesen Toten aus der Silvesternacht hatten.«

»Und die haben Ihnen die Adresse gegeben?«

»Nicht gleich«, sagte Verena. »Ich mußte lange mit einem Arzt sprechen, bis der endlich eingesehen hat, daß es einfach keine Lösung ist, das über die Polizei laufen zu lassen. Ich wollte ja, daß Sie es erfahren.«

»Gibt noch nette Menschen«, sagte Frau Hauschke und schob einen weiteren Keks in den Mund. »Schmecken gar nicht so alt.«

»Nee«, sagte Verena. »Schmecken gut, die Kekse vom wilden Willi. Die machen wir jetzt nieder.«

Sie griffen gleichzeitig zu und wollten sich gegenseitig den Vortritt lassen. Dabei trafen sich ihre Blicke.

»In was für Zeiten leben wir«, sagte Frau Hauschke. »Da schmeißen die Leute Sektflaschen vom Brandenburger Tor, und du kannst nichts machen, kannst nur hoffen, daß sie dich nicht trifft. Das ist doch so was von ...«

»... verantwortungslos«, sagte Verena. Das war ein Wort, dessen Vorwurf sie lange nicht als hart empfand. Doch je länger sie sich mit dieser Flasche und diesem Tod beschäftigte, desto mehr konnte es von ihrem Entsetzen aufnehmen. Eines Morgens hatte groß an der Mauer gegenüber ihrem Hauseingang *Das Menschliche rettet!* gestanden. Den ganzen Tag dachte Verena über den merkwürdigen Satz nach, besonders über das Ausrufungszeichen. Wozu arbeitet sie in einem Museum, widmet sich den Kunstschätzen der Vergangenheit, warum will sie im Urlaub nach Venedig? Zum Feierabend jenes Tages fuhr sie in die Charité, mit dem festen Vorsatz, etwas über den Toten von Silvester herauszubekommen.

Die beiden Frauen saßen zusammen in der Küche und aßen die ganze Keksdose leer. »Wenn man ißt, geht das Leben weiter«, sagte Frau Hauschke, und als sie einmal sagte, wie oft ihr durch den Kopf geht, daß der Willi die neue Zeit gar nicht mehr miterlebt, da war sie nur noch sehr traurig – aber weinen mußte sie nicht mehr.

»Würden Sie mit mir auf den Friedhof gehen?« fragte Verena. »Oder mir zumindest sagen, wo er liegt?«

»Nein ... natürlich ... Ich komme mit«, sagte Frau Hauschke. »Es kommt nur so selten vor, daß jemand nach seinem Grab fragt.«

In der einsetzenden Abendsonne standen Verena und Frau Hauschke vor dem Grab des wilden Willi. Der nächste Tag wäre sein achtundzwanzigster Geburtstag gewesen. Mit siebenundzwanzig gestorben, an Neujahr – dies war ein Grabstein, vor dem die Leute stehenblieben und rätselten.

»Auf Friedhöfen ... ist es immer so still«, sagte Frau Hauschke leise. Verena nickte, aber sie dachte: Fahren Sie niemals nach Venedig. Wenn Sie zurückkommen, werden Sie merken, wie laut sogar Friedhöfe sind.

3

Valentin Eich hörte von der Toilette aus, wie Lydia den Wagen startete und wendete, ein kurzes, heftiges Manöver.

»An dir ist ein Testfahrer verlorengegangen«, sagte er, nachdem er eingestiegen war.

»Danke!« Lydia freute sich und legte den Gang ein.

Noch bevor sie Berchtesgaden verlassen hatten, meldete sich das Telefon auf der Mittelkonsole mit einem gurrenden Ton.

»Valentin!« mahnte Lydia. Valentin Eich nahm den Hörer.

»Ja ... Am Apparat.«

Eine Weile mußte er gar nichts sagen, er hörte nur zu. Er beobachtete seine Frau beim Fahren. Sie trug nicht nur bayerische Tracht, sie stieß sogar schon bayerische Flüche aus, im Dialekt. Sie rief »Sakra!«, mit Zungen-R, wenn sie zum Überholen angesetzt hatte, aber abbrechen mußte, weil sie Gegenverkehr hatte, oder sie sagte »Ras nur, Aff, gselchter!«, als sie einmal überholt wurde. Lydia fuhr nahe am Limit. Zum Überholen schaltete sie runter und fuhr in die hohen Drehzahlen hinein. Sie fuhr lieber dicht auf, als zu bremsen. In manchen Kurven begannen die Reifen leise zu singen. Sie hatte keinen Grund, so schnell zu fahren – es war die Geschwindigkeit ihres neuen Lebens, die sich in diesem Fahrstil abbildete.

»Na ja ... Und wie denken Sie sich das?« fragte Valentin, nachdem er dem Anrufer zugehört hatte. Er saß auf seinem Sitz wie ein Buddha, schwer und sehr versammelt. Er war wieder Chef. Er war unverkennbar der, von dem andere etwas wollten. »Sicher, sicher«, sagte er, und »Aber Sie wissen Bescheid«, was eine Umschreibung für *kostet was, und zwar nicht wenig* war. »Wenn Sie Dienstag – geht Dienstagvormittag? – Neun Uhr dreißig?– Gut. Und Ihr Name war? – Ist klar ... Ist klar ... Ist klar ... Wiederhörn!« Er legte das Telefon zurück auf die Mittelkonsole und sagte wie zu sich selbst: »In Bayern läuft das.«

»Es wird jetzt bald noch kleinere Funktelefone geben«, sagte Lydia. »Ohne diesen Kasten. Die kann man sich ins Handtäschchen stecken.«

Valentin schaute auf das Autotelefon, das im Begriff war, zu veralten. »Gut, daß es nur geleast ist«, sagte er.

»Was sind das eigentlich für Leute, die nachher kommen?« fragte Lydia.

»Ach.« Valentin winkte ab. »Einer von früher. War Direktor vom Palasthotel. Mit dem hab ich mich ein paarmal getroffen, der hat immer Kartoffelpuffer gemacht. Die konnt er wirklich gut, der war ja mal Koch. Keine Ahnung, was er will.«

»Von den Kartoffelpuffern hat sie auch am Telefon erzählt«, sagte Lydia.

»Was denn noch?« fragte Valentin.

»Nur Andeutungen«, sagte Lydia. »Er ist nicht mehr Hoteldirektor, wenn ich das richtig verstanden habe. Und jetzt sind sie hier in einem Sanatorium.«

»In einem Sanatorium?«

»Klang so, als ob er sich das Leben nehmen wollte und mit den Nerven völlig am Ende ist.«

Valentin Eich dachte an die Verzweiflung während der Stunden seiner Flucht. Hatte dieser Alfred Bunzuweit ähnliches durchgemacht? »Das Leben nehmen«, wiederholte er mechanisch.

»Klang so«, sagte Lydia. »Sie hat ihn mit dem Strick auf dem Dachboden erwischt. Ob das wörtlich gemeint war – keine Ahnung. Glaubst du das?«

»Ja«, sagte Valentin. »Erst recht, wenn er jetzt im Sanatorium ist, auf eigene Rechnung, was ja wohl der Fall ist, wenn er hier in der Gegend kurt. Ein Gemütsmensch.«

Sie erreichten das Büro der Maklerin. Lydia stieg aus und kam nach einer Minute wieder zurück, in der Hand einen großen Umschlag.

Auf der Rückfahrt überflog Valentin die Angebote. Keines der Häuser, repräsentative Landhäuser, kostete weniger als eineinhalb Millionen DM. Noch wohnten sie in der kleinen Einliegerwohnung jenes Wurstfabrikanten, der auch ihren Kühlschrank bestückte. Der Wurstfabrikant hatte eine Hausbank. Die Hausbank wollte nach Osten expandieren. Sie brauchten Beratung. Valentin brauchte einen hohen Kredit, der nur unter Umgehung der allgemeinen Vergaberichtlinien gewährt werden könnte. »In Bayern läuft das«, sagte der Wurstfabrikant lapidar bei Problemen wie diesen.

»Eigentlich ganz gut, daß wir das Haus noch nicht haben«, sagte Valentin. »Sonst würde sich dieser Bunzuweit sonstwas erwarten.«

Alfred Bunzuweit wartete auf Valentin Eich. Er saß in seinem neuen Auto, einem Opel Senator, einem Jahreswagen mit wenigen gefahrenen Kilometern.

»Alfred, steig doch aus!« sagte Sybille. »So ein schöner Tag.«

Alfred Bunzuweit stieg nicht aus. Aber er ließ das Fenster runter, um seine Bereitschaft anzuzeigen, sich auf den schönen Tag einzulassen. »Hast du gesagt, daß wir um eins kommen?« fragte er.

»Ich hab gesagt, zwischen eins und zwei.«

»Hoffentlich ist nichts passiert.«

»Was soll denn passiert sein?« fragte Sybille. »Du hast manchmal Ideen.«

»Als wir das letzte Mal verabredet waren …« Er brach unvermittelt ab. Als sie das letzte Mal verabredet waren, kam Valentin nicht, weil er geflohen war. An jenem Abend holte er Sybille ab. Auch damals saß er im Auto und wartete. Im Radio hörte er den Satz *Wir brauchen Manager.* Mußte er es sich gefallen lassen, daß ihn alles auf der Welt an seine Schande erinnert? Valentin wäre niemals auf einen wie Schniedel reingefallen.

Valentin kam zu Fuß die Anfahrt hinauf, Alfred Bunzuweit sah ihn, nachdem ihm Sybille ein Zeichen gegeben hatte. Sofort stieg er aus dem Wagen und lief Valentin entgegen. »Ist was passiert?« fragte er, als er nahe genug war.

»Nee, was soll passiert sein«, erwiderte Valentin und gab ihm die Hand. Er sah gesünder aus, die bayerische Sonne hatte seiner Haut einen dunkleren Ton gegeben und sein teigiges Gesicht gespannt. Nur die krasse Visage war er nicht losgeworden.

»Siehst gut aus!« sagte Alfred Bunzuweit. Valentin Eich brummte etwas, das *Danke* heißen könnte, warf einen kurzen Blick auf Alfred Bunzuweit und dachte *Du nicht.*

»Lydia ist nur ...«, aber da hörten sie bereits die Reifen auf dem Kies der Anfahrt knirschen – und dann sah er den Wagen: einen dunkelblauen Citroën CX. Alfred Bunzuweit glaubte seinen Augen nicht zu trauen. Es war haargenau der gleiche Wagen, mit dem Valentin und andere Funktionäre schon damals herumfuhren. Und während er seinen Opel Senator durchgesetzt hatte, gegen den von Sybille favorisierten Volvo, den er mit einer Bonzenkutsche assoziierte, legte sich Valentin Eich sein früheres Auto erst recht wieder zu. Als wollte er sagen: Was wollt ihr alle von mir. Ich mach genauso weiter. Alfred Bunzuweit war über das bekannte Auto so erschrokken, daß er den sorgsam zurechtgelegten Schlüsselsatz der Begrüßungsszene schlicht vergaß. Ich schulde dir noch einmal Kartoffelpuffer.

»Lydia hat zu tun«, sagte Valentin nach der allgemeinen Begrüßung. »Wir müssen uns irgendwie rumtreiben.«

»Ja, bitte!« sagte Lydia.

»Ich hab mir gedacht, ich zeig euch mal was Richtiges«, sagte Valentin Eich. »Schon mal vom Kehlsteinhaus gehört?«

»Kehlsteinhaus?« fragte Alfred Bunzuweit.

»Ist vom Adolf, aber nicht so bekannt«, sagte Valentin. »Den Berghof kennt jeder, das sind diese Farbfilme mit dem Alpenpanorama, der Führer, Eva Braun im Liegestuhl, die Blondie streichelt ... Aber das haben die Amis fünfundvierzig alles kaputtgebombt. Da ist nicht mehr viel übrig.«

Alfred Bunzuweit glaubte, er hört nicht richtig. Bestimmte Dämme, glaubte er immer, halten.

»Es ist traumhaft da oben«, sagte Lydia. »Die Aussicht ist herrlich!«

»Ich dachte, ich mach Kartoffelpuffer«, sagte Alfred Bunzuweit.

»Kartoffelpuffer«, sagte Valentin und überlegte, was das bedeutet. »Um so besser. Was brauchstn dafür? Müssen wir einkaufen fahren. Wir essen ja kaum noch zu Hause, höchstens Frühstück. – Wir nehmen meinen Wagen.«

Von wegen Bayern, von wegen Kuhglocken, Lederhosen und Alm, dachte Sybille Bunzuweit. Binnen weniger Monate hatte sich Valentins Frührentnerdasein wieder in eine Achtzigstundenwoche verwandelt, und auch Lydia arbeitete mit Volldampf. Das Autotelefon zwischen den Sitzen war weder Attrappe noch Equipment eines Angebers – es war pure Notwendigkeit.

Es fuhren Busse mit abgezählten Sitzplätzen zum Kehlsteinhaus. Die Wartezeiten waren Ausdruck des allgemeinen Begehrens, hinaufzugelangen. Valentin hatte schon vor Stunden für drei Uhr Karten bestellt. Er spielte für die Bunzuweits ein bißchen den Fremdenführer, sprach leise, diskret – wie immer, wenn man bewundernd von den Nazis spricht. »Das Kehlsteinhaus liegt ganz oben, wie ein Adlerhorst, und du hast Blick nach Österreich und nach Deutschland, auf den Königssee. Das war ein Geschenk von Martin Bormann, zum Fünfzigsten. Und die haben für das alles nicht mal zwei

Jahre gebraucht, mit der Straße. So eine Straße hast du noch nicht gesehen. Die haben damals schon solche Straßen gebaut, in nem Jahr oder so. Ein Meisterwerk der Ingenieurskunst!«

Alfred Bunzuweit mochte Valentin gar nicht anschauen. Diese Faszination für die Nazis widerte ihn einfach nur an.

»Und oben – na ja, man merkt schon, daß er mit Architektur und so … Also diese Panoramascheiben, du ganz oben – das ist schon was anderes. Aber es hat dem Adolf wohl nicht recht gefallen. Zwei-, dreimal war er oben, öfter nicht.«

Auch im Bus überwog Bewunderung; es war nicht anrüchig, die Straße zu bestaunen, die zu einem Geburtstagsgeschenk für Adolf Hitler führte. Zwanzig Minuten dauerte die Busfahrt, die Route war steil ansteigend, das Panorama an einigen Stellen atemberaubend, und die schmale Straße war in der Tat ungewöhnlich: Sie war, sich über alle ökonomischen Überlegungen hinwegsetzend, an einem schluchtengleichen Hang gebaut worden.

Auf einem Parkplatz unterhalb des Kehlsteinhauses stiegen sie aus und gingen in einen Tunnel, der in den Fels gehauen war und zu einem Fahrstuhl führte. Der Tunnel war von der grausamen Härte, die gewöhnlich von der Nazi-Architektur ausging: Wuchtig und kalt zugleich war der Gang, das elektrische Licht brannte mit spärlichen Watt; die Lampen saßen auf geschmiedeten, grünspanbesetzten Fackelhalterungen. Es war ein Tunnel, der ins böse Mittelalter führte, in einen düsteren Alptraum, mit gespaltenen Schädeln, abgeschlagenen Köpfen und entleibten Kriegern auf nebligen Feldern …

Der Fahrstuhl war ein messingglänzendes, spiegelndes Prunkstück von ungewöhnlicher Dimension: Ein Zimmer, das sich vertikal bewegte. Die Ehrfurcht der Besucher war groß. Fahrstuhl fahren wie der Führer … Mehr als die Hälfte der Besucher waren aus dem Osten. Die Alten waren an ihren billigen Windjacken als Ostler zu identifizieren, die Jungen an ihrer männerbündischen Verklemmtheit, die Familien an ihren gefleckten Jeans und den Kindern, die

Mandy oder Steve gerufen wurden, meist mit sächsischem Zungenschlag. Alfred Bunzuweit glaubte, daß denen Hitler der populärste Deutsche nach Helmut Kohl war. Und das war der Ort, an dem sie es, wenn auch verstohlen, zeigen konnten. Das war der Ort, an dem man sich – nicht mehr heimlich – einig sein durfte: Der Führer war ein großer Mann. Der Sommer neunzig war gewiß ein Rekordjahr für das Kehlsteinhaus.

Oben angelangt, lief Alfred Bunzuweit zwischen Stühlen, Tischen und Sesseln umher, ging in verschiedene Zimmer, und es war unmöglich, nicht daran zu denken: Auf diesem Stühlchen hat Hitler gesessen, von diesem Tellerchen gegessen, aus diesem Becherchen getrunken und in diesem Bettchen geschlafen ... Hier wurde Hitler zum Star – und dabei war ihm Hitler nichts als ekelhaft. Dieser Ekel vergällte jeden Anflug von Faszination. Hitler war einfach nicht normal. Er aber, Alfred Bunzuweit, war normal. Er wollte Bier trinken, Freunde haben, seiner Arbeit nachgehen, die Sprossen der Karriereleiter erklimmen, sich außerehelich einen blasen lassen und im Urlaub von einem hohen Berg in eine tiefe Schlucht blicken.

Valentin geleitete seine Besucher stolz vor das Panoramafenster, das einen prachtvollen Blick auf die Alpen bot: »Und?«

»Wieso *Und*?« sagte Alfred Bunzuweit mißmutig. »Was soll daran *Und* sein? Hitler war so gut wie nie hier oben, das hat ihm überhaupt nicht gefallen! Das hat ihn alles kaltgelassen. Der hatte überhaupt keinen Geschmack, der ... Banause!« Bei uns hätte man das Ding gesprengt, dachte er.

»Du bist aber komisch heute«, sagte Valentin. »Tust ja geradezu so, als ob ich ...« Er brach ab. Er wußte im Moment keine Unterstellung zu formulieren, die nicht zutreffend war.

Sybille Bunzuweit hatte sich vorgenommen, mit Valentin darüber zu sprechen, wie der sein Tief überwunden hatte, rausfinden konnte aus der Krise. Aber nun wollte sie nicht mehr. Nicht mit dem. Der war ihr einfach zu tatendurstig.

Am frühen Abend stand Alfred Bunzuweit mit einer Schürze in der kleinen Küche der kleinen Einliegerwohnung, schälte Kartoffeln und versuchte, den mißratenen Nachmittag zu vergessen, doch als Lydia Eich von einem Treffen mit der Maklerin nach Hause kam und Schwaden von verbranntem Öl durch den Flur zogen, zeigte die sich verärgert, jegliche Höflichkeit mißachtend. Eine Schweinerei sei das, noch nach Tagen wird es hier stinken, man hätte doch essen gehen können, und so viel geriebene Kartoffeln, damit könne man ja den halben Freistaat versorgen ... Das alles bekam Alfred Bunzuweit zu hören. Er hoffte auf Valentins Beistand, doch der tat nichts dergleichen. Statt dessen sagte er nach einem Blick in den Trog mit den geriebenen Kartoffeln: »Ist wirklich viel. Ich hab nicht so nen großen Hunger.«

Alfred Bunzuweit servierte für das Abendessen zu viert einen Teller voller Puffer, die längst nicht so hoch lagen wie jene, die sie zu zweit im Palasthotel vertilgten. »Mußt du nicht so hoch stapeln«, sagte Valentin. Muß ich mir gefallen lassen, daß mich alles auf der Welt an meine Schande erinnert? dachte Alfred Bunzuweit.

Valentin Eich geizte mit Lob, er beließ es bei einigen anerkennenden Grunzern und einem »Nicht schlecht« bei vollem Mund. Lydia Eich zog ein Gesicht, als sollte sie vergiftet werden. Sybille Bunzuweit litt mit ihrem Mann.

Nachdem Valentin Eich vier Kartoffelpuffer gegessen hatte, legte er das Besteck auf den Teller und wischte sich den Mund mit der Serviette ab. Er hatte noch nicht mal begonnen, zu schwitzen. »Reicht«, sagte er. »Machen wirklich satt, die Dinger.«

Alfred Bunzuweit verstand nichts mehr. Was war bloß geschehen? Wußte Valentin nicht mehr, was die beiden verband?

»Hast du einen Zwillingsbruder?« fragte er Valentin, einer Eingebung folgend, während des schweigsamen Abendessens. »Wie kommst du darauf?« Die Frage war Valentin Eich zu absurd, um darauf zu antworten.

Auch beim Abschied kam keine Herzlichkeit auf – es war ein zügiges Hinauskomplimentieren an der Grenze zur Unhöflichkeit. Das Ehepaar Bunzuweit ging allein zum Wagen, der am Rande des Kiesweges stand, und weder Valentin noch Lydia winkten von der Tür ihrer kleinen Einliegerwohnung.

Alfred Bunzuweit hatte das Gefühl, zwei Freunde verloren zu haben: Den Valentin, der nicht mehr sein Freund war, und den Valentin, der wohl nie sein Freund gewesen ist.

4

Kathleen Bräunlich versuchte, ihr Strandtuch auszubreiten, doch der Wind, der vom Meer her wehte, machte ihr Bemühen zunichte. Nach drei erfolglosen Versuchen stellte sie sich mit dem Rücken zum Meer – und siehe da: Es ging wie von allein. Der landwärtige Blick bot Sand, Palmen und Hotels. Jedes Hotelzimmer hatte eine eigene Terrasse. So schön hatte sie es nicht erwartet.

Es war ihr erster Nachmittag auf Mallorca, und ihre Haut war noch blaß. Das zu ändern war ihr Vorhaben für den ersten Tag, an dem sie sich in der Sonne brutzeln lassen wollte. Morgen wollte sie sich nicht mehr unterscheiden von all den anderen, die da am Strand lagen, den geölten Körpern, den Frauen in den knappen Bikinis, auf dem Rücken, ein Bein angewinkelt, die Arme abgestreckt. Wie totgeschossen lagen sie da, neben sich den braungebrannten Lover, der sich, auf dem Bauch liegend, aufgestützt hatte und in einer Zeitschrift blätterte, und dessen Haare auf den Oberschenkeln immer in eine Richtung wiesen, wie ein Fischschwarm formiert. Nur einen Nachmittag, dann würde Kathleen so aussehen, wie sie hieß: Bräunlich.

Sie hatte wieder in einem Zwickauer Büro gesessen und kaum Sonne gesehen. Ihre Freundin Julia half im neu eröffneten Reisebüro der Mutter, und Kathleen war Angestellte des kleinen Familienbetriebes. Das Geschäft lief prächtig. Julia lachte die Leute an, erzählte ihnen, welch schöne Reisen sie im Angebot hat, zählte die Ziele auf, die gern gebucht werden: Die Alpen zum Beispiel, oder Mallorca, und vergaß nicht, auf die vielen zufriedenen, begeisterten Kunden hinzuweisen. »Wir machen alle Kunden glücklich!« sagte sie des öfteren zu unsicheren oder mißtrauischen Kunden – und brach in ein fröhliches, fast albernes Lachen aus. Das war Julias Stil, und er war erfolgreich. Kathleen war nicht in der Lage, Julia zu imitieren. Wenn sie einen Kunden bedienen sollte – was nur vorkam, wenn Julia in einer Beratung steckte, deren Ende nicht abzusehen war –, blätterte sie unentschlossen in den Katalogen und sagte melancholisch »Ja, das ist doch auch schön ...«. Sie fand tatsächlich alles schön, was in den Katalogen präsentiert wurde. Schließlich kam die Erlösung durch Julia, laut und lebhaft, und binnen weniger Minuten steuerte die Beratung auf einen Abschluß zu.

Julias Mutter war es, die Kathleen nach Mallorca schickte. »Du siehst aus wie ein Weißkäse!« sagte sie. »Aber die Leute sollen auf den Urlaub eingestimmt werden!« Als Reisevertriebsagentin, wie es offiziell hieß, bekam Julias Mutter und damit auch Kathleen Agentenrabatt. Die Reise nach Mallorca kostete ein Spottgeld. »Und wenn du wiederkommst, zeigst du den Kunden deinen Unterarm und sagst nur een Wort: *Mallorca!* – Wirst sehen, wie das läuft!«

Julia hatte eine Radpartie an einem sonnigen Wochenende genügt, um sommerlich braun zu werden. Aber Kathleen wollte Mutter und Tochter bei ihrer Rückkehr aus Mallorca überraschen. Obwohl sie nur eine Woche hatte, wollte sie stärker bräunen, als Julia ihr je zutraute. Den Mund sollte sie aufreißen vor Staunen, wenn sie den kleinen Laden betritt, nicht wiedererkannt werden wollte sie. Deshalb hatte Kathleen schon zehn Tage vor der Reise angefangen, jeden Tag einen Liter Mohrrübensaft zu trinken, wegen dem Karotin, das gut sein soll für die Pigmente.

Jetzt lag sie in der Sonne. Zehn Minuten auf dem Rücken, dann zehn Minuten auf dem Bauch. Dann wieder zehn Minuten auf dem

Rücken. Und so weiter. Die Sonne würde das Karotin, das sich in ihrem Körper angesammelt hatte, unter die Hautoberfläche locken. Soll die Sonne ruhig knallen – je mehr sie brennt, desto mehr Karotin würde mobilisiert werden.

Manche Strandgäste lagen unter Sonnenschirmen im Schatten, aber das war nichts für Kathleen. Im Schatten wird man nicht braun. Sie schmierten sich auch mit Sonnenschutz ein. Kathleen wollte sich nicht vor der Sonne schützen, sie wollte sich ihr aussetzen. Nach einer Stunde begann es auf der Haut zu brennen. Das ist gut, dachte Kathleen, jetzt macht es einen Effekt. Wenn die Sonne auf dem Rücken und den Schultern brannte und sie sich nach zehn Minuten drehte, blieb ein leichtes Brennen, das sich während des nächsten Zyklus noch verstärkte. Als die Sonne schwächer wurde und am Horizont niederging, tat es richtig weh.

Kathleen ließ sich an der Rezeption ihres Hotels den Schlüssel geben, und die Rezeptionistin sah sie mit hemmungslosem Entsetzen an. Im Spiegel des Aufzugs sah Kathleen, wie rot sie war – wie angemalt. Doch sie vertraute dem Karotin, das sie sich wie winzig gehäckselte Karotten vorstellte – deshalb hieß es ja wohl auch Karotin: Möhrensalat ist ja auch erst rot, dunkelt allmählich und wird braun. So wird es mit ihrer Haut auch sein. Erst mal Zähne zusammenbeißen, dachte Kathleen. Morgen werde ich mich von den anderen Strandmenschen nicht mehr unterscheiden.

Auch beim Abendessen wurde sie erschrocken angeschaut. Als sie, ganz leicht nur, am Büfett angestoßen wurde, tat es fürchterlich weh. Hinsetzen tat weh – sie suchte eine Stelle, die dank der Bikinihose nicht verbrannt war. Eine Nachbarin vom Nebentisch fragte erschrocken, ob sie sich denn schon eingeschmiert hätte. »Nehmens dos, sonst leidens Höllenqualen!« sagte sie mit Wiener Akzent und stellte ihr eine Flasche mit Sonnenbalsam hin.

Auf dem Zimmer versuchte sie, sich damit einzuschmieren. Doch wenn sie mit ihren Fingern die Lotion verteilen wollte, brannte die bloße Berührung wie Jod in einer offenen Wunde. Sie zog sich aus, weil die Berührung mit der Kleidung Schmerzen zu verursachen schien. Sie konnte sich nicht aufs Bett legen – der Druck bereitete ihr unerträgliche Schmerzen. Sie stellte sich unter die kalte Dusche, doch auch die fallenden Tropfen taten weh. Sie richtete die Brause auf ihren Kopf, daß das Wasser als Film an ihrer Haut herunterfloß – so waren die Schmerzen am geringsten. Sie konnte sich nicht abtrocknen. Sie konnte nicht sitzen und nicht liegen. Schon der Gedanke, ins Meer zu gehen, tat ihr weh, denn das Salzwasser würde die wunde Haut quälen. Was sollte sie tun? Sie sah spanische Fernsehprogramme, im Stehen, und ging alle zehn Minuten unter die Dusche. Die Haut wurde nicht braun, sie blieb rot. Auf der Nasenspitze und an den Ohren bildeten sich Brandblasen. Kathleen wurde müde, sie hätte gern geschlafen – aber sie konnte sich nicht hinlegen. Sie stellte sich unter die Dusche und weinte. Sie weinte immer lauter, trotzig und hemmungslos. Sie fühlte sich ähnlich unglücklich wie an ihrem letzten und schlimmsten Arbeitstag in den Sachsenring-Werken. Das kleine Badezimmer erzeugte ihrem Gewimmer merkwürdige Resonanzen, und Kathleen nährte ihre Verzweiflung, um diesen Effekt zu untersuchen. Sie überließ sich den Schmerzen, die, wie von einem auf Gründlichkeit bedachten Foltermeister inszeniert, langsam und willkürlich über den ganzen Körper zogen. Warum hat immer sie so ein Pech? Warum tut das so weh – sie wollte doch nur braun werden, sie hat ganze sechs Stunden in Spaniens Sonne gelegen! *Früher*, dachte sie, konnte so was nicht passieren, da waren die Grenzen dicht, da war man vor den Grausamkeiten der südlichen Sonne geschützt. Da konnte einen der Chef nicht einfach nach Mallorca schicken. Aber diese neue Zeit, sie ist einfach schrecklich.

Es war mitten in der Nacht, und Kathleen heulte in allen Lagen. Es klang gespenstisch. Ihr Zimmernachbar erwachte und verständigte die Rezeption. Kathleens Telefon klingelte, doch sie ging nicht ran. Drei Minuten später klopfte es an die Tür. Sie hüllte sich in ein Handtuch und öffnete. Es war der Nachtportier. Er beruhigte Kathleen und rief einen Arzt. Kathleen kannte das alles schon: Zuerst ist großes Unglück. Darüber weint sie. Und dann erscheint immer ein Fremder, der ihr weiterhilft.

5

Leo Lattke war wieder einmal laut geworden. »Für die Dame war 4A reserviert, und nicht 1F!« sagte er ungehalten. Es war Lena peinlich, wenn Leo Lattke sich auffällig benahm. 1F fand sie auch in Ordnung. Fenster ist Fenster. Doch Leo Lattke zermürbte mit rhetorischen Salven, unablässig. »Ich habe nicht *Fensterplatz* gesagt, sondern *Fenster auf A, bitte.* Und der ist mir bestätigt worden! Also, bitte!« Irgendwann würde die Schalterdame die weiße Fahne schwenken. Tatsächlich: Nach einigen Versuchen am Computer fragte sie zaghaft »3A in Ordnung?« Leo Lattkes Laune exerzierte eine zackige Kehrtwendung: »3A ist großartig!«

Lena war ein bißchen enttäuscht, daß der Flug nicht nach New York ging. Der Flughafen Newark sollte zwar so nah an Manhattan sein wie der Flughafen von New York, doch das tröstete Lena kaum. Niemand kannte Newark. Leo Lattke hatte ihr eine erstklassige New York-Reise versprochen. Der Auftakt klang zweitklassig.

Erst als das Flugzeug im Landeanflug war, verstand Lena, daß sie einen Kenner an ihrer Seite hatte. Das Flugzeug flog einen weiten Bogen um Manhattan. Der Stadtkörper gab sich um so deutlicher zu erkennen, je tiefer das Flugzeug kam. Was von fern wie eine Fata Morgana wirkte, eine gaukelnde Ahnung, erwies sich beim Näherkommen als ein Ungetüm von Stadt, alle Dimensionen sprengend. Nirgends auf der Welt gab es einen Ort, an dem solche Mengen Stein zu Häusern geschichtet wurden. Wie ein riesiges Gürteltier lag die Stadt da, mit einem eigenen Relief aus Dächern: Es gab Areale, in denen die Häuser von recht gleichmäßiger Höhe waren, nicht flach, doch auch nicht erbaut mit dem Ehrgeiz, an den Wolken zu kratzen, es gab den großen Central Park, der ohne Bebauung war – und es gab jene Distrikte, in denen die Stadt sich ballte und in die Höhe wucherte, die einzige Richtung, in der sie sich ungehindert auswachsen konnte. In der letzten Minute des Fluges, als die Maschine parallel zu Manhattan flog, konnte Lena Straßenschlucht um Straßenschlucht einsehen, rasende Durchblicke zur anderen Seite der Insel, schnell wie fallende Dominos, und so intensiv wie der Anblick einer klaffenden Wunde.

Jetzt verstand sie Leo Lattkes cholerischen Ausbruch: Nur beim Anflug auf Newark, auf einem Sitzplatz A bietet sich dieser Blick. Leo Lattke wußte, daß auch Glück vonnöten ist: Der Wind muß von der Küste her wehen – sonst setzt die Maschine von der anderen Seite zur Landung an, und die Annäherung an New York ist ihrer effektvollen Dramaturgie beraubt.

Auch, daß sie den Flughafenbus nahmen und kein Taxi, war Teil von Leo Lattkes Plan. Er wies ihr einen Platz im Bus. Sie vertraute ihm. Er setzte sich hinter sie, und in besonderen Momenten – wenn der Blick auf Manhattan unverstellt war, wenn der Bus in das weite Maul des Lincoln-Tunnels fuhr, wenn er durch den Tunnel fuhr oder auf der anderen Seite, in der vierunddreißigsten Straße, wieder auftauchte, dann deklamierte er Strophen, Fetzen einer Ode von Allen Ginsberg, mal lodernd, mal wie spuckend.

Moloch dessen Geist reine Maschinerie ist!

Moloch dessen Blut als Geld fließt!

Moloch dessen Brust ein menschenfressender Motor ist!

Moloch dessen Ohr ein rauchendes Grab ist!

Moloch mit tausend blinden Fenstern als Augen!

»Hier ist der Wahnsinn Maßstab«, sagte er mal. »In dieser Stadt kannst du nur berühmt oder verrückt werden.«

Lena sah die Stadt anders. Es war der Überfluß, das Überdimensionierte, das ins Auge sprang. Es waren die U-Bahnen, dreimal so lang und fast doppelt so breit wie die U-Bahn in Berlin, die Colabecher, so groß, daß man beide Hände brauchte, sie zu halten. Es waren die Supermärkte, in denen Zucker säckeweise, Milch und Saft kanisterweise verkauft wurden; Mundwasser in Zwei-Liter-Flaschen. Das Bett im Hotel, die Papierkörbe an den Laternen, die Höhe der Bordsteine, die Portionen im Restaurant – alles war größer, sprengte die gängigen Maßstäbe, schien von der Abschaffung der Knappheit künden zu wollen. *Everything for sale!* Das war das Motto der Stadt. Sie sah Türme von Jeans und T-Shirts, ohne sich vorstellen zu können, wer diese Massen an Kleidung tragen sollte. In einem Feinkostgeschäft sah sie eine fast mannshohe Pyramide aus Kaperndöschen. Schuhe wurden fast immer nach dem Prinzip *Buy 2 pair, get 1 free!* angeboten. Nein, fand sie, *rausgehauen* wurden sie. An vielen Häusern hingen Pappschilder oder Stoffbahnen, und wer das Geld hatte, konnte Wohnungen, Etagen, ja, ganze Häuser kaufen. Lena hatte schon in Hamburg gesagt, *Geld ist das wichtigste bei euch.* Doch so unverhüllt und selbstverständlich wie in New York war es in Hamburg nicht. In New York war es keine provozierende Erkenntnis, *Geld ist das wichtigste bei euch.* Es wäre lächerlich, es zu übersehen.

Lena hatte geglaubt, daß Broadway und Wall Street ähnlich lange Straßen sind, da ihre Berühmtheit ähnlich ist. Doch der Broadway war zu lang, um ihn an einem Tag ganz abzulaufen, die Wall Street hingegen so kurz, daß selbst ein Millionär im Gehgips kein Taxi nehmen würde, um von ihrem einen Ende an ihr anderes zu gelangen. Das gab Lena zu denken. Der eigentlichen Straße stand der Ruhm nicht zu, sondern dem, was dort seinen Sitz hatte: die Börse, das Herz des Kapitalismus. Wenn eine so kurze Straße so berühmt ist, dann ist sie das nicht umsonst, dachte Lena.

Sie erlebte New York als einen Ort, an dem mit geradezu kurioser Schamlosigkeit dem Geld nachgejagt wird. So gab es einen Automaten, der Telefonkarten verkaufte, die zehn Dollar kosteten. Leo Lattke steckte einen Fünfdollarschein in den Schlitz – und merkte erst da, daß er keinen zweiten hatte. Einen Knopf für die Geldrückgabe gab es nicht, und auch nach einer ereignislosen, einigermaßen langen Weile gab der Automat das Geld nicht her – er wollte die zweite Fünfdollarnote. Leo Lattke ging Geld wechseln, Lena blieb beim Automaten und erinnerte sich an ihren *ersten Tag im Westen*, an dem sie wie jetzt, an ihrem ersten Tag in New York, ratlos vor einem Automaten stand. Damals kam ihr der Albino zu Hilfe, den sie später im Palasthotel wiedersah. So einen hätte sie auch jetzt gebrauchen können – einen, der sich mit Automaten auskennt. Doch da kam Leo Lattke zurück, steckte die zweite Fünfdollarnote in den Automaten – und hatte die Telefonkarte.

Amerika war in vielem unpraktisch und schäbig. Daß alle Geldscheine die gleiche Farbe und Größe hatten und sich dadurch nicht auf den ersten Blick unterscheiden ließen, war ein erstaunliches Manko für eine in Gelddingen so bewußte Gesellschaft. Im Hilton hörten sie jede Klospülung über und jeden Fernseher neben sich. Die Türen hatten einen billigen Klang. Es gab den Kodex, wonach es als verschwenderisch und gastlich galt, mit einem terrorisierend eisigen Raumklima aufzuwarten. Kälte sollte *Luxus* signalisieren.

Amerika war in vielem prächtig. Noch nie hatte sich Lena in so edlen Räumen bewegt – auf tiefen Teppichen, zwischen getäfelten Wänden und klassizistischen Marmorsäulen, unter Kristalleuchtern, an Messinggeländern. Die Public Library, die Grand Central Station, das Museum of Modern Arts, das Silver Center der New York University, wo Leo Lattke einen Vortrag halten sollte – alles Paläste.

New York wollte so betrachtet werden, es ließ nur Superlative gelten. Die Inszenierung New York lebte von der Kulisse, weniger von den Darstellern. Die New Yorker schienen in der Kulisse zu verschwinden, konnten sich kaum in ihr behaupten. Wenn Lena reiste, nahm sie immer Eindrücke von den Menschen mit. Doch der Stadtkörper New Yorks war so überwältigend, daß ihre Bewohner nicht annähernd so tiefe Eindrücke machen konnten, trotz der Unzahl an Exzentrikern, Verrückten und Genies. Jeder New Yorker war ein Original, aber das fiel nicht auf. Allen Ginsberg hatte recht: New York war ein Moloch, ein menschenverschlingendes Ungetüm.

Eine Woche wollten sie bleiben. Lena wollte *Fühlung aufnehmen*, wie sie es nannte, wollte New York sehen, bevor sie sich entscheidet, ob sie mit Leo Lattke mitgeht. Leo Lattke verfolgte ebenfalls ein egoistisches Ziel: Er wollte seine Reportage loswerden. Er hatte sie für amerikanische Leser umgeschrieben, indem er sie um ein paar Anspielungen erleichtert und die deutsch-deutschen Interna gestrichen hatte. Das Ganze ließ er übersetzen.

Leo Lattke hatte den Reisetermin so gewählt, daß er auf dem Empfang seines Blattes anläßlich des dreißigjährigen Bestehens des New Yorker Büros zugegen sein konnte. Geladen hatte der New York-Korrespondent, dessen Nachfolge Leo Lattke antreten sollte. So ergab sich die Gelegenheit, eine Susan, die *Senior Editor* beim *New Yorker* war, kennenzulernen. Es lief wie am Schnürchen. Susan war *very pleased*, Leo Lattke zu treffen. Er war sich nicht sicher, ob sie ihn kannte, denn das in diesen Fällen übliche *Oh, I've read all of your articles* unter Betonung des Wortes *all*, das mehr Zeit beanspruchen mußte als der Rest des Satzes, unterblieb. Trotzdem drückte er Susan seine Reportage in die Hand. Als Erklärung, warum das Blatt, in dessen Diensten er schrieb, sein Zeug nicht druckte, gab er an: Die wollen nur klare, kalte politische Geschichten, nicht so was. Das *so was* erklärte er genauer. Susan war begeistert. Etwas, das politisch ist, ohne Politik zu sein, ist genau die Art von Story, die wir suchen, sagte sie. Auf der Uni hatte sie einen Professor Kausch, der ihr den Unterschied zwischen Trivialliteratur und großer Literatur deutlich gemacht habe: Ein Paar, das auf einem Bahnhof steht und schmerzvoll

Abschied nimmt, weil sie sich wohl niemals wiedersehen, ist fast immer ein Fall für die Trivialliteratur. Wenn jedoch der Abschied im März 1918 stattfindet und er als Soldat an die Front muß, dann hat die Szene die Chance, einem großen Roman zu entstammen. Doch ein paar Tage möchte er ihr schon Zeit geben. Leo Lattke verabschiedete sich mit der Bemerkung, es habe ihn gefreut, eine Schülerin von Professor Kausch getroffen zu haben.

Es wird ihm eine unbeschreibliche Genugtuung bereiten, das spürte Leo Lattke in dem Moment, wenn der *New Yorker* sein Zeug druckt. *So was kommt mir nicht ins Blatt,* hatte der Herausgeber gesagt. Wenn der mich nicht in seiner Frittenbude an den Herd läßt, dann koch ich eben im Ritz. Und wie steht er dann da, sein Herausgeber? Es wird ihm hoffentlich eine Lehre sein. Er war schließlich Leo Lattke.

Für den letzten Tag hatte Leo Lattke geplant, die Kathedrale zu besuchen. So sagte er es Lena. Tatsächlich jedoch gingen sie auf das Dach des World Trade Center, vierhundert Meter hoch. Der Aufzug fuhr mit ehrfurchterweckender Geschwindigkeit, er raste, es entstand Fahrtwind; es war eine vertikale U-Bahn-Fahrt. Die Passagiere schwiegen beeindruckt, flüsterten allenfalls. Lena mußte an Ameisen denken, die von einem Trinkhalm aufgesogen werden. Sie stiegen aus in einer Etage, die unter dem Dach lag und einen Panoramablick erlaubte, durch getönte Scheiben. Lenas Höhenerlebnis, der Berliner Fernsehturm mit seiner Aussicht aus zweihundertsieben Metern, war hier fast um das Doppelte überboten. Die Stadt da unten war winzig – sie war praktisch nicht vorhanden. Einige Häuser schafften es in bemerkbare Höhen. Um so merkwürdiger der Anblick des eineiigen Zwillings: Der Himmel war so groß, doch das einzige Bauwerk, das in diese einsame Höhe vordringen konnte, war ganz nah. Riesig war dieser Turm, und hinter seinen silbrigen Lamellen sah sie, auf gleicher Höhe und ebenfalls hinter getönten Scheiben, Menschen in einer Kantine.

Sie gingen auf das Dach, auf dem ein umlaufendes Aussichtsgerüst aus Gitterrosten errichtet worden war. Bis hier hoch schaffte es der Lärm nicht, er war wie eine schwere, ferne Wolke. Es war ruhig wie nirgends in der Stadt. Sie sprachen mit gedämpfter Stimme – trotz der wenigen Besucher. Der Ort hatte etwas Respekteinflößendes. Ehrfurcht und Pracht, Stille und Religion. Und wenig Menschen.

»Die New Yorker Kathedrale«, sagte Lena.

»Klar!« sagte Leo Lattke. Er war stolz auf sich.

Der Wind intonierte sein eigenes Konzert an den Gitterrosten, ein metallisches Singen und Heulen und Klappern. Stacheldraht unterhalb des Aussichtsgerüstes sollte die Lebensmüden davon abhalten, sich vom Dach in die Tiefe zu stürzen.

»Was machen die eigentlich?« fragte Lena, nachdem Leo Lattke die Menschen in der Kantine des Nebengebäudes entdeckt hatte – und von derselben unerklärlichen Faszination gepackt wurde, die Lena schon empfand.

»Die essen«, sagte Leo Lattke.

»Das meine ich nicht«, sagte Lena.

»Keine Ahnung«, sagte Leo Lattke. »Die Wirtschaft ist mir ein Rätsel.«

Als Leo Lattke am Nachmittag aus dem Gebäude des *New Yorker* kam und auf die Straße trat, tat er einen Laut diabolischer Zufriedenheit und sagte laut, sehr laut: »Leo, jetzt bist du angekommen!« Niemand drehte sich um. *In New York wirst du verrückt oder berühmt.* Berühmter hat ihn der Besuch beim *New Yorker* nicht gemacht. Das war sein erster Schritt in die andere Richtung.

Susan wollte sein Zeug nicht drucken. *Very interesting* sei seine Geschichte, *marvellous* und *amazing*, *great* und *wonderful* und sie würden das sofort drucken *if this had happen to an American.* Leo Lattke glaubte, sich verhört zu haben. In Deutschland wurde eine Geschichte durch einen exotischen Schauplatz und fremdländische

Menschen aufgewertet. Die Geschichte, die Leo Lattke beschrieb, hätte nicht gelitten, wenn sie einer Italienerin, einer Amerikanerin oder einer Osterinsulanerin passiert wäre.

Leo Lattke ärgerte sich über die Maßen. Welche Frechheit, welche Arroganz! Um diesen *New Yorker* wurde einfach zuviel Kult gemacht. Ein Heftchen von hundert Seiten, das jede Woche erscheint und die Intellektuellen gleichschaltet, das ist der *New Yorker*, jawohl. Auf den Stehpartys würde er es noch beobachten, wie sie miteinander wetteifern, wortgetreu den *New Yorker* nachzusingen, und es gewinnen nicht die besten Argumente, sondern die Meinung, die dem *New Yorker* entnommen wurde. Nein, fand Leo Lattke, mit *Frittenbude* hatte er seinem Blatt unrecht getan. Und an seinem ersten Arbeitstag im New Yorker Büro wird er persönlich beim *New Yorker* anrufen und das Abo kündigen. Wird sich mit Namen und Funktion vorstellen und sagen *We can do without your stuff.* Mir kommen da zu wenige Deutsche vor. Das würde sich zwar nicht durchhalten lassen, ja, es wäre dumm, denn so wie man in Deutschland BILD lesen muß, um zu wissen, was die Menschen denken, muß man in New York den *New Yorker* lesen, um zu wissen, was die Intellektuellen denken. Er könnte ihn ja immer noch am Kiosk kaufen, zusammen mit einem Pornomagazin, damit der Verkäufer glaubt, der *New Yorker* wäre nur ein Alibi.

Hier kannte ihn kein Mensch. Ed Koch würde nicht am Flughafen stehen und ihn abholen, um einen Leo Lattke seiner Stadt gegenüber wohlgesonnen zu stimmen. Ein Nichts war er, ein Niemand. So fühlte er sich wohl. Ein Nichts und Niemand war er schon mal, und von ganz unten gab es nur eine Richtung: nach oben. Er war schließlich Leo Lattke.

6

Was Dr. Erler noch fehlte, war ein Tropenhelm. Dr. Erler zog mit den Löwen durch den Dschungel. Die Löwenweibchen scharten sich um ihn, die Löwen waren etwas voraus.

Doch so hatte sich Dr. Erler seinen Urlaub eigentlich nicht vorgestellt. *Auf Fontanes Spuren durch die Mark Brandenburg* wollte er wandern. Fontane im Westen zu popularisieren war sein Anliegen, und deshalb hatte er, der Fontanekenner des Ostens, seine Idee, seinen Plan bei den Fontanekennern des Westens schon zu Weihnachten vorgestellt. Fontane war schließlich *der* literarische Beobachter der deutschen Einheit, und ihm kam *per se* Aktualität zu; es stand ja wieder eine deutsche Einheit ins Haus. Den Fontaneliebhabern schlug eine große Stunde, die Geschichte machte ihnen ein Geschenk, das sie mit Stil annehmen sollten. Fontane sollte aus dem Muff der Archive und Studierstuben befreit werden – diese Formulierung stammte aus dem Entwurf der Gründungserklärung einer noch zu gründenden Fontane-Gesellschaft. Und da der Deutsche gern wandert, boten sich die Wege des Wanderers Fontane zur Wiederbegehung an. Wo er die Kutsche nahm, sollte nun das Auto zur Fortbewegung dienen. Das war Dr. Erlers Idee.

Leider hatten die Fontanekenner des Westens nach und nach abgesagt – deren Frauen hatten rebelliert. Wenn sich sonst alles um Fontane drehte, wollten sie nicht auch noch den Urlaub mit ihm verbringen. Daß Dr. Erler auf den harten Kern der Fontanekenner verzichten mußte, machte ihm Sorgen. Er konnte nicht einschätzen, ob sich ihm auch eine genügende Anzahl von Enthusiasten und Fontaneinteressierten – Dr. Erler nannte sie *Publikum* – anschließen würde, die für das Zustandekommen einer Gruppe einfach notwendig ist. Doch der Stamm derer, die Dr. Erler dem Publikum zurechnete, wuchs stetig und wurde nicht vom Bazillus der Absagen befallen. Das Publikum meldete sich immer paarweise an – Ehepaare, deren Kinder aus dem Haus waren. Fontane war auch nichts fürs ganz junge Volk, das hatte Dr. Erler in der eigenen Familie schmerzlich erfahren müssen, als seine Tochter, gegen den Vater rebellierend, ihren Fontane-Aufsatz auf das erbärmlichste vermasselte. Es fiel Dr. Erler schwer, nein, es war ihm unmöglich, an diese Jugend zu glauben.

Es waren durchweg Paare aus dem Westen – was Dr. Erler nicht wunderte. Kaum jemand aus dem Osten machte im Osten Urlaub, nicht in diesem Sommer. Ohne Fontane hätte auch Dr. Erler im Westen Urlaub gemacht.

Es waren stets die Frauen, die auf Fontanes Spuren durch die Mark Brandenburg wandern wollten. Die Männer fügten sich. Die Frauen mochten Fontane, hatten viel von ihm gelesen. Die Männer in seiner Wandergruppe hatten – da machte sich Dr. Erler nichts vor – keine Ahnung, mit einer Ausnahme, einem Architekten: Der war ein ganz Bewußter; hatte sich akkurat Anstreichungen gemacht. Nicht mal die Frauen konnten da mithalten.

Nur Dr. Erler war ohne seine Frau. Es war seit mehr als zwanzig Jahren der erste Urlaub, den die Eheleute nicht gemeinsam verbrachten. Ihr neues Haus, erst vor wenigen Wochen bezogen, war noch nicht mit neuer Sicherungstechnik ausgerüstet. Unbeaufsichtigt wäre es ein Kandidat für die Einbruchswelle, die mit der Währungsunion anrollte. Die Schlosser kamen mit dem Einbau sicherer Türen und Schlösser kaum hinterher; es gab mehrwöchige Wartezeiten. Und so entschied das Ehepaar Erler, daß es wohl am besten sei, wenn er sich auf die *Wanderungen* begibt und sie das Haus hütet.

Dr. Erler schritt munter voran, umgeben von den sieben Ehefrauen, die sich schon immer einen Mann gewünscht hatten, mit dem sich kultiviert und kenntnisreich über Fontane plaudern ließ. Dr. Erler war der Hahn im Korbe. Diese Frau Lörsch wich nie von seiner Seite, machte Konversation, als hätte sie einen Auftrag, hangelte sich durch Themen und Stichwörter. Von ihren endlosen Gesprächen war ihm kein einziges Wort es wert, behalten zu werden. Dabei waren auch die anderen Damen ein dankbares Publikum. Als sie vor der Klosterkirche von Neuruppin standen und Dr. Erler, das aufgeklappte Buch in seiner Rechten haltend, aus den fast hundertdreißigjährigen Aufzeichnungen vorlas, da lauschten sie andächtig seinem leuchtenden Vortrag. Die Männer hingegen stöberten ziellos, desinteressiert an Fontane, in der Gegend herum. *Wie das hier aussieht*, sagten sie manchmal jammervoll, oder im Tone des Fernwehs *Was man da draus machen könnte* oder, voller Verzückung, *die Baulücken*!

Am Abend des ersten Wandertages fragte ihn einer dieser Ehegatten, ob sich *-tane* so schriebe – und dann hielt er ihm einen Notizblock hin, auf dem stand

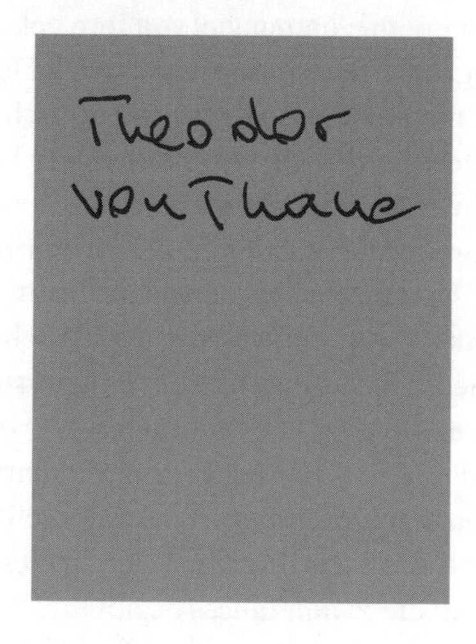

Daß sich jener Ehegatte am Vormittag mit volltönender Stimme als »Baulöwe von Mainz« vorgestellt hatte, machte Dr. Erler nicht stutzig – mutig hatte er die entgegengestreckte Pranke des Baulöwen ergriffen und an den müden Löwen gedacht, der vor manchen amerikanischen Filmen leinwandfüllend im Bild liegt und dazu ein Brüllen vernehmen läßt, das Dr. Erler immer an das Röcheln einer Klospülung bei Wassersperrung erinnerte.

Nein, weder der Baulöwe hatte ihn stutzig gemacht noch die drei Architekten, zwei Grundstücksmakler und der eine Immobilieninvestor. Merkwürdig fand er das schon, daß sich seine Wandergruppe beruflich recht monothematisch zusammensetzte – aber verdächtig fand er es nicht. Jenen Architekten mit den Anstreichungen hielt er sogar für einen Hobbyforscher, einen Jünger, einen Besessenen. Zum Beispiel, wenn der fragte, wie das Tramnitzer Herrenhaus von Seite 435 die Zeiten überdauert hat, oder ob sie auf der Wanderung auch zu jenem *von Birken und Obstbäumen überschatteten Haus* am Tornowsee geführt werden, das bei Fontane *still und glücklich daliegt, als strecke ihm der segenspendende Herbst seine vollste Hand entgegen.* Jawohl, für einen Fontanemaniker hielt er den – bis der Architekt fragte, ob es das *Objekt auf Seite 27 folgende* noch gibt, das *Karwer Herrenhaus mit zugehörigem Parkgrundstück.* Da kam Dr. Erler nicht um die Einsicht herum, daß der mit Fontane *Objekte* suchte. Inzwischen war Dr. Erler für diese Art der Landschaftsbetrachtung schon längst sensibilisiert: Einer der beiden Grundstücksmakler hatte es sich zur Angewohnheit gemacht, auf jedes einzeln stehende Haus zu zeigen und zu fragen: »Gibts bei Fontane was darüber?« Für den war Fontane wahlweise Gutachter oder Werbetexter. *Kl. Haus in herrlicher Alleinlage am Großen Stechlinsee, »Nur Grün und Blau und Sonne« (Fontane).* Da wollte Dr. Erler einen Tropenhelm, da fühlte er sich mit den Löwen im Dschungel: Die Löwen waren Baulöwen, und der Dschungel war die Mark Brandenburg.

Jener Grundstücksmakler wies schließlich im Dorfe Zermützel auf ein *Ferienlager in abfallender Hanglage* und fragte, ob es bei Fontane etwas darüber gäbe. Dr. Erler war ein gütiger und geduldiger Mensch, doch hier wählte er deutliche Worte: »Fontane hat *nichts* über dieses Ferienlager geschrieben. Er lebte von achtzehnhundertneunzehn bis achtzehnhundertachtundneunzig. Er hat auch nicht über den Militärflugplatz und über das Kernkraftwerk geschrieben.« Das saß. »Militärflugplatz? *Kernkraftwerk?!*« Keine andere Bemerkung Dr. Erlers sorgte für ähnlichen Sprengstoff. Am nächsten Tag reisten sechs der sieben Paare vorzeitig ab. Nur das Ehepaar Lörsch blieb. Frau Lörsch ermüdete Dr. Erler mit Konversation, bis der das Wort *bourgeois* aus tiefster Seele als Schimpfwort empfand und sich zugleich das Format eines Theodor Fontane wünschte, um von *diesen* Wanderungen durch die Mark Brandenburg Zeugnis abzulegen.

7

Der kleine Dichter war nicht mehr unrasiert. Er hatte Zeit, so viel Zeit wie noch nie. Er machte Urlaub auf einer einsamen Insel. Die Insel hieß Hiddensee.

Vor einem Jahr noch, dachte er, aber er wollte nicht weiterdenken. Natürlich war vor einem Jahr alles anders. Da war Hiddensee überfüllt – die Fähre war überfüllt, die Strände, und die Cafés auch. Die den Urlaub auf Hiddensee verbringen durften, konnten sich etwas darauf einbilden. Die gehörten zu einem Club, einer Loge. Wie man sich Zugang zu diesem Club verschafft, das wußte keiner – aber es waren wenige drin und viele draußen.

Der kleine Dichter konnte jedes Jahr auf Hiddensee Urlaub machen. Und auch dieses Jahr kam er nach Hiddensee, obwohl es jetzt keine Sache der Erwählten mehr war. Die im letzten Jahr an den Stränden lagen, durch die Straßen bummelten, in den Andenkenläden kramten, an den Eisdielen anstanden – die waren jetzt in Bayern. Oder auf Sylt. Oder in Österreich. Die Verwegensten von ihnen auf Mallorca.

Seine Frau würde Ende der Woche kommen. Sie sollte für einen Pharmakonzern »Osteuropa übernehmen«. Der kleine Dichter unterließ es, mit geistvollen Wortspielen, für die er bekannt war, an dieser Formulierung anzusetzen. Er mußte froh sein, ja. Seine Frau hatte einen Sinn fürs Praktische. Russischlehrerin hätte sie nicht mehr lange bleiben können, und von seinen Büchern würden sie auf Dauer auch nicht durchkommen. Jetzt waren andere Dichter angesagt. Die Preise, die Einladungen, die Ehrungen in den Feuilletons gingen an Gestalten, die dem kleinen Dichter fremd waren. Nicht, weil sie Legastheniker, Geisteskranke, Heimkinder, Knastbrüder und -schwestern, Ausländer, Alkoholiker, Homosexuelle, Zocker und künftige Selbstmörder waren. Im Gegenteil, damit imponierten sie dem kleinen Dichter, und welcher Poet hat schon alle Tassen im Schrank – er selbst wurde als Fünfjähriger bei der Bombardierung Dresdens verschüttet. Aber daß sie behaupteten, die Ideologie sei für sie »ein Witz« gewesen, das System war für sie »nicht existent«, der Auseinandersetzung »nicht würdig«. Ihr Schreiben sei die »stetige Außerkraftsetzung« dessen gewesen, was von Staats wegen Thema sein sollte. Der kleine Dichter befand deren Gedichte als ein einziges Ata-ata. Ganz recht, Babygeplapper war das. Und wie sie trotz Mauer, Wehrdienst, Knast und Zensur behaupten konnten, das System sei für sie nicht existent, auch das war dem kleinen Dichter ein Rätsel. Das fand er nicht ehrlich. Das war unter der Gürtellinie.

Der kleine Dichter ging den Strand entlang, einen menschenleeren Strand, einen Strand, den er nie so leer gesehen hatte, den er sich nicht mal so menschenleer hatte vorstellen können. Kein Mensch außer ihm, nur Sand, Steine und das Rauschen der Wellen. Da bin ich noch, dachte der kleine Dichter. Mein Land geht in den Westen.

Ohne die Menschen war die Insel etwas ganz anderes. Auf ihr ließ sich jetzt anders spazieren. Niemand, der einen überholte. Niemand, der einen erkannte. So war es vielleicht früher, vor hundert Jahren, dachte er. Als die Menschen nicht jedes Jahr ihre Koffer packten, um sich auf Reisen zu begeben.

Das gefiel dem kleinen Dichter. Vor hundert Jahren war auch der Kommunismus unbedeutend. Ein paar radikale, doch einsame Denker haben ihn ernst genommen, haben ihre Kraft investiert, um einer großen und edlen Idee auf die Welt zu helfen. Vielleicht ist es mit dem Kommunismus wie mit Hiddensee: Er ist so lange schön, wunderschön, wie er nicht von den Massen heimgesucht wird.

Am Abend hatte der kleine Dichter ein kleines Gedicht geschrieben.

Das Eigentum

Da bin ich noch: mein Land geht in den Westen.
KRIEG DEN HÜTTEN FRIEDE DEN PALÄSTEN.
Ich selber habe ihm den Tritt versetzt.
Es wirft sich weg und seine magre Zierde.
Dem Winter folgt der Sommer der Begierde.
Und ich kann *bleiben wo der Pfeffer wächst.*
Und unverständlich wird mein ganzer Text.
Was ich niemals besaß, wird mir entrissen.
Was ich nicht lebte, werd ich ewig missen.
Die Hoffnung lag im Weg wie eine Falle.
Mein Eigentum, jetzt habt ihrs auf der Kralle.
Wann sag ich wieder *mein* und meine alle.

Ich kanns noch, frohlockte er, ich kanns noch.

8

Werner Schniedel stand mit dem Pärchen aus den Niederlanden, dem Franzosen und den beiden Hamburgern auf dem Steg. Ihr Reiseleiter, Peer, war schon im Wasser und schlug die Haken in die Stämme. Einer mußte sich opfern, auch auf der anderen Seite die Stämme festzuziehen. Werner Schniedel sprang zuerst, nur die Schuhe und Strümpfe hatte er ausgezogen. Das Wasser war so kalt, daß die Zwerchfellmuskulatur in einem Reflex ihren Dienst verweigerte. Werner Schniedel bekam für ein paar Augenblicke keine Luft, erst mit einem röhrenden Geräusch kehrte die Atmung zurück. Peer lächelte. Er redete nicht viel. Peer lächelte – und arbeitete weiter. Auch Werner Schniedel fing an zu arbeiten. Er wußte nicht, wie er sich nützlich machen konnte. Es war mehr die Geste.

Bald darauf platschte es zweimal, kurz hintereinander. Das waren die beiden Hamburger. Auch sie wollten helfen. Selbst zu dritt waren sie nicht halb so schnell wie Peer. Der hatte schon hundertmal die Flöße vorbereitet.

Der Urlaub in Schweden war eine Idee von Werner Schniedels Großmutter. Sie hatte in der Zeitung gelesen, daß in Schweden Baumstämme, die flußabwärts gebracht werden müssen, zu Flößen zusammengebaut werden, auf denen sich Touristen für ein paar Tage durch menschenleere Gegenden treiben lassen können. Sie hatte den Artikel ausgeschnitten und auf den Kühlschrank gelegt, um ihn nicht zu vergessen. Ein paar Tage später war sie damit in ein Reisebüro gegangen. Sie dachte sich, daß es nützlich ist für Werner, etwas mit den Händen zu tun, sich in einer Gruppe zu bewähren und gemeinsam mit anderen Abenteuer zu bestehen. Sie erinnerte sich auch, daß er *Tom Sawyer und Huckleberry Finn* gelesen hatte, bis das Buch auseinanderfiel. Und im Fernsehen hatte sie Berichte gesehen von Sozialarbeitern, die mit kriminellen Jugendlichen Segelboot fahren – und keiner sei wieder rückfällig geworden. Schweden war doch dieses Land mit den anständigen Menschen ... So ahnte sie mit den letzten Kräften ihres schwachen, sich verdunkelnden Geistes, daß es gut für ihren Enkel ist, wenn er in Schweden Floß fährt. Werner Schniedel freute sich, mit einer großen, stillen, aber unübersehbaren Freude, und sie war stolz auf sich.

Am selben Tag, als sie die Reise buchte, las sie ebenfalls in der Zeitung etwas über Vergeßlichkeit. Wer seine Lebensmittel in Alufolie verpackt, wird eher als andere an Alzheimer erkranken. Sie ging an ihren Kühlschrank und öffnete ihn. Da war er, der Übeltäter: Überall Alufolie, für die Wurst, den Käse, und auch die Schälchen waren mit Alufolie abgedeckt. Sie hatte seit dreißig Jahren Alufolie verwendet. Sie hatte vor einigen Tagen – oder war es vor Jahrzehnten? – in einem alten, verlassenen Haus gestanden. Das Dach war undicht, die Wände waren schimmlig, die Fenster zerbrochen, die Dielen morsch. So fühlte sie sich in ihrem Kopf. Alles war alt und zerbrochen und nicht mehr zu reparieren.

Warum habe ich den Kühlschrank aufgemacht? überlegte sie. *Habe ich Hunger? Nein – die Alufolie. Die ist giftig, richtig.* Sie warf sofort alles weg, was mit Alufolie verpackt war. Vieles davon kannte sie gar nicht mehr. Sie warf auch die angebrochene Rolle Alufolie in den Müll. Den Zeitungsartikel schnitt sie aus, hängte ihn an die Kühlschranktür, als Erinnerungshilfe und staunte, wie radikal sie noch sein konnte.

Es dauerte drei Stunden, bis das Floß fertig war. Niemand außer Peer hatte Erfahrung mit Werkzeug. Der Franzose war ein Buchhalter, der sich nach Abenteuern sehnte, die Holländer waren ein Student und eine Sozialarbeiterin, die Hamburger ließen sich beruflich nicht so recht in die Karten schauen; erst später murmelte der eine was von »Ausländerbehörde«, der andere von »Marktforschung«.

Peer erklärte das Ruder, gab kistenweise Proviant auf das Floß, Zelte, Mückensalbe, Funkgeräte und Signalpatronen für den Notfall. Am Flußufer seien Landeplätze ausgewiesen, auf denen sie die Zelte aufschlagen und schlafen könnten. Sechs Tage und fünf Nächte sollte die Fahrt gehen. »Ihr müßt viel schweigen miteinander«, sagte Peer zum Abschied. Er stieg nicht auf das Floß.

Werner Schniedel fühlte sich wohl in der Gruppe. Er wurde respektiert. Er wurde sogar um Rat gefragt. Er sollte das Steuer führen, als das Floß am ersten Abend die Landungsstelle anlief. Und als ein Platz für die Feuerstelle gesucht wurde, schauten sie ihn an, als ob er die Verantwortung hätte.

Es wurde so viel geschwiegen, daß Werner Schniedel auffiel, mit wieviel Gerede er in den letzten Monaten umgeben war, welch permanenter Schallpegel an Worten herrschte. Doch auf dem Floß war es still.

Ihm gefiel die Stille, besonders dann, wenn sie links und rechts des Flusses von mächtigen, bewaldeten Hängen umfangen waren. Manchmal nur plätscherte es, wenn ein Fisch nach Luft schnappte, das war alles. Wenn sie an Häusern vorbeifuhren, wurden die Stimmen der Menschen bald kilometerweit über das flache Wasser getragen. Es blieb lange hell. Die meisten Rastplätze hatten Naturlehrpfade, die sich in einer halben Stunde abwandern ließen. In fünf Sprachen war zu lesen, welche Rinde für welches Medikament verwendet wird.

Werner Schniedel spürte, welch große und reinigende Wirkung die Elemente auf ihn hatten: das Wasser, die Stille, die lange Sonne und die klare Luft. Er erlebte, wie die anderen vergaßen, daß er ein Sonderling war. Die Stimmung dieser Tage war ihm neu. Er hatte eine Vision seines künftigen Lebens. Er wollte sich die Haare färben und Kontaktlinsen benutzen, wollte niemanden mehr mit seinem Aussehen erschrecken. Er wollte nicht für den Anwalt Ansgar von Jörgesfeld arbeiten, der ihm ein Praktikum angeboten hatte, oder das Abitur nachmachen. Er wollte Manager nach Schweden holen, auf die Flöße, weil hier ein Chef, ein Entscheider seine Mitte findet – was ihn stark macht und Selbstvertrauen gibt. Vielleicht darf es nicht so gemächlich ablaufen, vielleicht sollte er die Nachtruhe für kleine Attacken nutzen. Heimlich das Floß beschädigen oder Wolfsgeheul vom Recorder spielen und dazu gelbe Augen im Wald funkeln lassen. Aber auf so einer Floßfahrt findet der Mensch etwas, was zu ihm gehört und was es sonst nirgends gibt – da war sich Werner Schniedel sicher.

9

Lenas großer Bruder stand auf der Kuppe des Berges und blickte in die Schlucht. Tausend Meter tiefer lag das Tal. Zwanzig Minuten würde er fliegen. Sechs Schirme waren schon gestartet, der erste war bereits wieder am Boden. Die Gleitschirme schwebten in der Luft, wie hingetupft, und es war leicht auszumachen, in welcher Reihenfolge sie gestartet waren. Sie flogen in der Ordnung eines Formationsfluges, in langen Kehren und in großen Kreisen dem Landeplatz entgegen, einer großen ebenen Wiese, die sich über das gesamte Tal erstreckte.

Lenas großer Bruder hatte Herzklopfen, und sein Mund war trocken. Er war der nächste, und er wollte etwas Ungewöhnliches ausprobieren.

Zwei Wochen Flugschule lagen hinter ihm. Er hatte gelernt, den Schirm korrekt auszulegen. Er hatte gelernt, den Schirm beim Anlauf direkt über dem Kopf aufzustellen. Er lernte, die Steuerschnüre genau dann zu ziehen, wenn der Moment des Abhebens gekommen ist. Er lernte das Aufsetzen. Fast die gesamte erste Woche verbrachte er mit den anderen Flugschülern an einem Hang, an dem sie anliefen, abhoben und nach ein paar Metern wieder landeten. Mit Fliegen hatte das nichts zu tun – eher mit Weitsprung. Erst in der zweiten Woche begann etwas, das es verdiente, Fliegen genannt zu werden. Sie gingen an andere Hänge, machten sich mit den Steuerschnüren vertraut, lernten enge Kurven zu fliegen und weite.

Dieser Flug nun, mit eintausend Metern Höhenunterschied, war der Abschluß des Kurses, und Lenas großer Bruder sollte als letzter starten; nach ihm kam nur noch Oliver, der Fluglehrer, ein braungebrannter, sehniger Naturbursche aus der Steiermark, der im breitesten Dialekt Schauergeschichten über das Gleitschirmfliegen erzählte. »Naa, heut is zu windig, wennsd' heut startst, dann geht's da wia dem Johnny, der hat a bei so an Wind starten wollen, und dann hots eam den Schirm so sehr ins Woaggeln 'bracht, daß da Schirm glei unterm Johnny geweht wurd – und woas hat ean g'halten? Nix hat ean g'halten in der Sekund, wia a Stoa ist er reing'fallen in sein Schirm und glei weiter g'fallen is er, und glei neman Friedhof is er g'landet. Da hatten's die andern nicht mehr viel Arbeit mit ihm.«

Auch an diesem Tag hatte er eine Schauergeschichte parat. Als ein Flugschüler mit einem erwartungsvollen Blick um Starterlaubnis bat, sagte Oliver: »Naa! Loß die Karina amoi davonfliagn, a'n Abstand machen, sonst gibt's no a Unglick wia im letzten Joahr auf Teneriffa, wo zwoa Piloten, zwoa erfahrne Piloten in oaner Wolkn zusammeng'stoßen san. Die Schirm' von die Typen hoam se komplett verdrillt inanand, und da hat alle Erfahrung nix g'nutzt. Obi sans, alle zwoa, wia a Stoa, und die Rettungsschirme ham's a verdrillt mitanand, es war a hoffnungsloses G'strüpp. Die Knoten in den Schirmen waren noch lang nicht gelöst, da woan die zwoa Leichen längst weggag'ramt. – So, jetzt kannst starten.«

Für Oliver schien sich eine Geschichte überhaupt erst dann zu einer Geschichte zu fügen, wenn sie im Tod, im *Doohd*, kulminierte.

Es gab einige böse Unfälle während der zweiwöchigen Ausbildung. Ein zweiundvierzigjähriger Lehrer hatte beim Start ganz korrekt zum Schirm aufgeblickt, dabei aber das unebene Gelände zu seinen Füßen vernachlässigt. Er war fehlgetreten und zog sich einen Achillessehnenriß und mehrere Bänderrisse zu. Im Stolpern jedoch riß er reflexhaft die Steuerleinen – so daß er abhob und davonflog. Minutenlang war er mit höllischen Schmerzen unterwegs, ohne daß jemand etwas davon auch nur ahnte. – Eine Polizistin verschätzte sich beim Landeanflug – sie sank viel zu schnell und blieb trotz hoch angehockter Beine mit dem Steiß, ihrem tiefsten Punkt, am Dachfirst einer verwitterten Scheune hängen, über den sie sich hatte retten wollen. Der Luftstrom riß ab, der Schirm fiel in sich zusammen, sie fiel mit dem Schwung des Anflugs über den First und rutschte kopfüber das Dach hinunter. – Ein Medizinstudent wurde nur wenige Meter über dem Boden von einer plötzlichen Bö erfaßt, und sein Steuerungsversuch mißglückte völlig: Er flog entgegen seiner Absicht in den Wind hinein und wurde gegen den Stamm eines Tannenbaums geworfen. Die Äste waren zu seinem Gesicht wie Spieße, und die Kollision mit dem Baumstamm verursachte einen Oberschenkelhals- und einen Nasenbeinbruch. Von zwölf Flugschülern landeten drei im Krankenhaus; zwei waren noch nicht entlassen.

Lenas großer Bruder bekam Starterlaubnis. Er lief langsam an, spürte den Widerstand des Schirmes, der hinter ihm lag und sich nun aufbaute. Er versuchte, die gefährlichen Bodenwellen, Steine oder Vertiefungen, die sich auf den nächsten Metern des Anlaufs befanden, zu erfassen, um nicht, wie jener unglückliche Lehrer, fehlzutreten. Der Hang war voller tückischer Mulden und flacher, holziger Gewächse – perfekte Stolperfallen. Doch er fiel von Meter zu Meter stärker ab. Nur vier, fünf Schritte würde er noch laufen müssen ... Er blickte zum Schirm, ohne den Anlauf zu verlangsamen. Das Nylon hatte sich mit einem Rascheln entfaltet, die wulstigen Luftkammern waren fast gefüllt. Der Schirm stand jetzt über ihm. Er zog an den Steuerseilen – und spürte, wie er gepackt und in die Luft gehoben, gerissen wurde. Jetzt flog er, und im Nu waren zwanzig, dreißig, hundert Meter Höhenunterschied zwischen ihm und dem Hang unter ihm.

Lenas großer Bruder flog nicht den anderen Flugschülern hinterher. Er flog nach links, längs zum Hang. Es war nicht verboten, aber auch nicht abgesprochen. Er flog, um anzuwenden, was sie in den Theoriestunden der verregneten Vormittage über Thermik gelernt hatten. Über einem sonnenbeschienenen Geröllhang wehen Aufwinde. Das bedeutet, daß er langsamer sinkt und deshalb weiter und länger fliegen kann. Wer über den Wald fliegt, gar einen See überquert oder Kurs längs eines Baches nimmt, sinkt schneller und fliegt somit kürzer.

Einen ganzen Vormittag lang hatte Oliver Dias mit Landschaftsaufnahmen gezeigt, indem er mit einem Zeigestock auf eine Stelle des Bildes wies und dazu entweder sagte »Da gibt's Deermick« oder

»Da gibt's koa Deermick«. Auf welchen Prinzipien die Thermik gründete, erklärte Oliver nicht. Bevor er das Licht im Unterrichtsraum aus- und den Projektor einschaltete, sagte er nur: »Beim Fliagn ist ganz wichtig die Deermick.« Und dann ging's los: »Da gibt's Deermick.« Oder: »Da gibt's koa Deermick.«

Am Abend saß Lenas großer Bruder mit den anderen Flugschülern im Gemeinschaftsraum. Sie sahen fern, es gab einen neuen Krieg auf der Welt. Lenas großer Bruder jedoch blätterte in Flugbüchern und machte sich schlau über Auf- und Abwinde, über Wetterdiagnosen unter Berücksichtigung von Wolkenformen, über Geländeprofile, Landschaftsbeschaffenheiten und deren Konsequenzen für die Thermik. Das mit dem Irak und Kuwait interessierte ihn nicht. Nach dem Fall der Mauer, glaubte er, kann sich nichts Nennenswertes mehr ereignen.

Nun flog er, und er hatte tatsächlich das Gefühl, der Erde nicht näher zu kommen. Der Wind heulte, und Lenas Bruder hielt das Wunder des Fliegens für einen Irrtum. Was hielt ihn oben? Wie kann Luft einen Menschen tragen? Beim Blick in die Tiefe erschien ihm das Unternehmen riskant, geradezu selbstmörderisch. Erst der Blick zu den anderen Schirmen beruhigte ihn: So sicher wie die in der Luft schwebten, so sicher war auch er.

Er hatte die anderen Piloten in seinem Rücken gelassen. Jetzt wendete er. Er war bereits zwanzig Minuten geflogen – und tatsächlich: Es war nur noch ein Schirm in der Luft, der von Oliver, dem Fluglehrer. Der würde auch bald landen. Lenas großer Bruder hatte kaum an Höhe verloren, er war weit, weit über allen.

Er flog dieselbe Route wieder zurück, die Aufwinde nutzend, die über dem besonnten Hang aufstiegen. Hinter der Bergkette waren große Schönwetterwolken.

Eine Wolke will nichts von dir. Eine Wolke läßt dir Zeit.

Das hatte Sabine Busse gesagt. Vielleicht war die Geschichte mit Sabine Busse noch nicht zu Ende, als Leo Lattke seine Reportage beendet hatte. Vielleicht würde sie eine Spur optimistischer weitergehen. Er besuchte Sabine Busse und ging mit ihr in den Friedrichshain. Er mußte sie führen wie eine Blinde. Sie war zu faul zum Sehen, das Dekodieren der optischen Reize, all der Linien, Muster, Farbdifferenzen überforderte sie. Doch als sie auf der Wiese lag und sich von der Sonne wärmen ließ, schaute sie in den Himmel. Es kamen Wolken über Berlin, große Wolken, weiß und wattig. Sabine schaute lange zu den Wolken, und ihr Gesicht entspannte sich. »Das ist so schön«, sagte sie langsam. »Und es bedeutet nichts. Du kannst es anschauen und schön finden.« Sie fragte Lenas großen Bruder, ob er die schönsten Wolken fotografiert hat – aber das hatte er nicht. »Sag mal«, fragte sie, fast empört, »findest du etwa Gesichter schöner als Wolken?« Er überlegte, wie er ihr das erklären sollte, als sie mit einer Entdeckung unterbrach. »Die verändert sich! Die wird größer!«

Lenas großer Bruder erzählte ihr, daß sich manchmal im Sonnenuntergang Farb- und Schattenspiele ergeben, wenn Wolken vom Abendrot angestrahlt werden oder sie in ihrem eigenen Schatten liegen. Er hatte Hemmungen, ihr davon zu erzählen; es ist das Privileg der Verliebten, die Welt mit dem anderen neu zu entdecken.

Wenn Sabine Busse auch sonst nichts mit ihren Augen anfangen konnte – sie liebte es, Wolken zu betrachten. Stundenlang konnte sie das tun, so wie andere Menschen in einem Konzertsaal klassische Musik hören. Und wenn Lenas großer Bruder Wolken sah, dann dachte er an Sabine Busse und versuchte, beim Betrachten der Wolken denselben Genuß zu empfinden wie sie.

Lenas großer Bruder war genau eine Stunde in der Luft, als er zur Landung ansetzte. Die anderen Flugschüler hatten ihre Schirme längst zusammengelegt und im Kleintransporter verstaut, doch sie nahmen Lenas großem Bruder den langen Flug nicht übel, im Gegenteil: Sie bewunderten ihn dafür. Oliver hingegen war verärgert über die Mißachtung seiner Autorität. »Mit der Deermick brauchst scho Erfahrung. Do hoats erst vor drei Wochn in Italien a Unglick gem, do is oaner mit der Deermick a'ffeg'rissen woarn, imma heecher, Stratosphäre, und dann hams ihn dooht g'funden, oafm Acker lag er, und die Autopsie hats asseg'fundn, daß dem seine roten Bluatköaperchen alle zerploatzt woan vom Sauerstoffmangel in der Heechn.« Und dann nickte er Lenas großem Bruder zu, drohend, als wollte er sagen: Das hätte dir heute auch passieren können.

Dasselbe Gefühl der klammen Erwartung, das er vor dem Start durchmachte, den trockenen Mund und das unsichtbare Zittern, überkam Lenas großen Bruder auch wenige Wochen später. Er hatte in Berlin ein Plakat gesehen: *Der nette Mann von nebenan.* Dieses Plakat erinnerte ihn daran, wie enttäuscht Lena war, als er es ablehnte, den Theaterleiter und Kinderschänder Masunke zur Rede zu stellen. So etwas geht nie so aus, wie man es sich vorstellt, hatte er gesagt.

Masunke muß ein Mensch sein, der sich an seiner Macht, seiner Allmacht, seinem Wahnwitz berauscht – so viel begriff Lenas großer Bruder. Masunke lernte ein Zwickauer Hochhaus kennen, als er einen Jugendlichen in dessen Wohnung mittels Hypnose mißbrauchte – und anstatt diesen Ort anschließend zu meiden, vergeht sich Masunke dort einige Zeit später ein weiteres Mal. Lenas großer Bruder wußte, daß Masunke seinetwegen in dieses Haus gegangen war und Lena sonst nie begegnet wäre. Auf eine unglückliche, vielleicht sogar zynische Art waren er und Lena tatsächlich Geschwister und nicht nur Nachbarn.

Seitdem Masunke das Theater in Pleitz leitete, war nichts mehr wie zuvor. »Ausmisten« wollte er, »die Bude vom Kopf auf die Füße stellen« und endlich »modernes Theater« spielen. Seine Inszenierungen trugen eine gewisse Handschrift, indem sich unmittelbare, ja entblößende Momente auf der Bühne herstellten. Die Schauspieler sollten nicht Hassende spielen, sie sollten sich wirklich hassen, und was sie sich weh taten, sollte ihnen auch weh tun. Was in jenem Zeitungsartikel beschrieben wurde, als Masunke Intendant wurde – nämlich daß er auf einer Probe von *Endstation Sehnsucht* eine zarte, ätherische Schauspielerin mehrfach grob auf den Boden werfen ließ –, war keine einmalige Grenzüberschreitung. Es war sein Inszenierungsstil.

Kurz nach dem Ende der Theaterferien fuhren Lena und ihr großer Bruder nach Pleitz. Dem Theaterpförtner sagten sie, sie würden in der Kantine auf Masunke warten. Sie seien »nicht direkt« mit ihm verabredet, kennen ihn aber von früher. So setzten sich Lena und ihr großer Bruder zur Mittagszeit in die Kantine. Es war eine Welt, die beiden immer gefallen hat. Wenn die Schauspieler von der Probe kamen, trugen sie oft noch ihre Kostüme, und so wurde eine Theaterkantine von russischen Bauern, Adligen in Kniehosen und Schnallenschuhen, Sträflingen, Bären, Piloten oder Tropenforschern bevölkert – die sich nie kostümgerecht verhielten. Als Lena das erste Mal in einer Theaterkantine war, sagte Julius Caesar zum Gestiefelten Kater: *Du, im Centrum hatten sie gestern Pflaumenmus.*

Die Kantine war kaum besucht. Lena setzte sich zu fünf Schauspielern, ihr großer Bruder setzte sich dazu. Nach einigen unsicheren Blicken sprach sie einer der Schauspieler an. »Sag mal, bist du nicht die mit dem Lied?«

Lena nickte.

»Und fängst du jetzt hier an, hast du ne Rolle oder so was?«

»Nee«, sagte Lena. »Ich kenn Masunke noch von früher.«

»Ja?« sagte der Schauspieler. »Was hat er denn früher gemacht?«

»Hat sich an kleinen Mädchen vergangen.«

Der Schauspieler lächelte unsicher. Als Witz fand er es geschmacklos, und daß es die Wahrheit war, konnte er nicht auf Anhieb glauben. Er wandte sich ab.

»Eh, ich meins ernst«, sagte Lena. »Er hat sich wirklich an mir vergangen.«

Und dann erzählte sie ihre Geschichte.

Der Masunke, von dem Lena erzählte, war der Masunke, den man an diesem Theater kannte. Ja, ein Sadist sei er, der sich an der Ohnmacht der anderen weide, und ein Manipulator, berauscht von seiner Macht. Heute habe er seine Assistentin, ein zaghaftes, aber angenehm wißbegieriges und zuverlässiges Mädchen mit »Schön gefickt die Nacht?« auf der Probe begrüßt. In Wien, wo er eine Zeitlang gelebt hat, soll er in mehreren Restaurants Lokalverbot bekommen haben, weil er die Serviererinnen schikanierte. So soll er zum Beispiel als Dessert »einen Pudding, der wie deine Titte geformt ist«, bestellt haben.

Wer in die Kantine kam, erfuhr Lenas Geschichte im Schnelldurchlauf. Wer hinausging, erzählte sie anderen.

Lenas großer Bruder fragte sich durch zum Intendanten. Die Sekretärin bedauerte, Herr Masunke sei noch nicht da, er leite eine Probe, habe dann aber gleich wieder Termine und zwei dringende Telefonate. Lenas Bruder sagte »Ich warte hier« und setzte sich auf einen Stuhl. Dann sagte er »Nein, ich warte dort« und ging in das Intendantenzimmer, obwohl ihn die Sekretärin davon abzuhalten versuchte.

Als Lenas Bruder auf Masunke in dessen Zimmer wartete, spürte er keine Kraft, die Rachegelüste hatten sich aufgelöst wie eine Fata Morgana. Er wollte nur noch eines: Masunke nicht mehr wiedersehen. Das Herz schlug ihm bis zum Hals, das Blut rauschte in den Ohren, während er sich in Masunkes Zimmer umschaute. Plakate hingen dort, Plakate von Masunkes Inszenierungen, in Frankfurt/Main, Göttingen, Bamberg, Karlsruhe und Wien. Die Theater waren klein und hatten wenig Bedeutung, Masunke war eine entbehrliche Figur. Eher mußte er sich anbieten, als daß ihm angeboten wurde. Doch die Städte seines Wirkens klangen bedeutend.

Es war eine Zeit, in der sich alte Rechnungen begleichen ließen, und viele wagten den Versuch. Die aus Frankfurt/Main, Göttingen, Bamberg, Karlsruhe und Wien in den Osten zurückkehrten, befanden sich meist in moralischer Überlegenheit. Daß sie die Zeit auf ihrer Seite hatten, war nun bewiesen, und wenn man sich im Leben stets zweimal sieht, dann deshalb, weil sie jetzt kamen, aus Frankfurt / Main, Göttingen, Bamberg, Karlsruhe oder Wien. Um den zurückgekehrten Weggeher Paul R. Masunke mit seiner Vergangenheit zu konfrontieren war die falsche Zeit.

Lenas großer Bruder hörte Masunke, den Mund voller Wörter fiel der ins Sekretariat ein. Er sprach schnell und herrisch, er stand unter Strom, sein Zeitbudget war limitiert, das war zu verstehen. Die Sekretärin flüsterte etwas – sie bereitete Masunke auf den Eindringling vor. Masunke warf dann auch die Tür auf, betrat sein Zimmer wie eine Bühne. Ohne Lenas großen Bruder anzuschaun fragte er: »Hat Sie jemand reingelassen?«

Lenas großer Bruder hatte Herzklopfen, und er spürte, wie trokken sein Mund war. Masunke war mittlerweile fett und plattfüßig, seine Augenbrauen waren buschig geworden und aus den Ohren wuchsen Haare; das war Lenas großem Bruder damals nicht aufgefallen. Er trug eine schwarze Brille mit einer breiten Fassung. Sie sollte billig aussehen, wie ein Kassenmodell, und war es vielleicht auch. In der braunen Lederjacke beulte sich eine Tasche dick aus – darin trug er das Schlüsselbund. Als Intendant war dies Theater sein Haus.

»Ich dachte, Sie wissen, weshalb ich hier bin«, sagte Lenas großer Bruder mit brüchiger Stimme. Das klang gar nicht gut, fand er. Und ein sinnloser Satz obendrein.

»Nee«, sagte Masunke und kramte in Briefen. »Verabredet sind wir nicht.«

»Aber wir kennen uns«, sagte Lenas großer Bruder.

»Komm zur Sache«, sagte Masunke ungeduldig.

»Ich hab mich mal von Ihnen hypnotisieren lassen.«

Masunke hielt inne und schaute Lenas Bruder mit einem langen Blick an.

»Jaaaa«, sagte er, »natürlich! Jetzt erinnere ich mich. Das ist aber schon lange her. Und weshalb bist du gekommen?«

»Weil ich wissen will, was du damals mit mir gemacht hast!« sagte

Lenas großer Bruder, und er bekam kaum seine Zähne auseinander. Es war wie ein Krampf aller Muskeln des Halses und des Kopfes. Es war kaum noch Wut, es war Angst und Aufregung.

»Gar nichts hab ich mit dir gemacht!« sagte Masunke fröhlich und so laut, als störte es ihn gar nicht, daß die Sekretärin mithören konnte. »Gar nichts! Ich wollt mal schauen, was so geht bei dir, aber da war nix los. Ich wollte dich ein bißchen an mir rumfummeln lassen, aber da hast du dich gesträubt, dann wollte ich, daß du dir etwas Gutes tust, aber du warst – tut mir leid, so deutlich werden zu müssen –, du warst zu blöd zum Wichsen! So, wie du dich angestellt hast – ich würd mal sagen, daß du dir noch nie einen runtergeholt hattest. Ich würde darauf wetten! – Und eh du aufwachst, dacht ich, laß ich das lieber. Ich hab dir gesagt, du sollst das alles vergessen, und dann bin ich weg. *Gar nichts* hab ich mit dir gemacht!«

Das Telefon klingelte. »Sonst noch was?« fragte Masunke. Lenas großer Bruder ging hinaus, und er hörte noch, wie Masunke den Hörer abnahm. »Masunke!« Auch der Anrufer wurde mit einem Tatendrang, einem Kraftrausch, einem Schwall von Energie empfangen. Masunke war am Theater, und er war in seinem Element.

Lenas großer Bruder war wie vor den Kopf geschlagen. Er ging zurück in die Kantine und setzte sich neben Lena, die zum Zentrum der Kantine geworden war.

Gar nichts hat Masunke gemacht, gar nichts.

Als Masunke in die Kantine kam, verstummten die Gespräche. Die Situation bekam auch für ihn etwas Unnatürliches. Er nahm ein Tablett und ging zur Essenausgabe. *Tomatensuppe* stand mit Kreide auf einer Tafel, *Königsberger Klopse* und zum Nachtisch *Zauberjoghurt*. Er drehte sich ruckartig um. Alle schauten ihn an. Er atmete aufgeregt, versuchte es aber nicht zu zeigen. Er mußte die Situation begreifen. Zwei Gesichter gehörten hier nicht hin. Das eine kannte er jetzt. Das andere war von Lena.

Masunke ließ sich das Essen geben, setzte sich zu Lena und ihrem großen Bruder an den Tisch und begann zu essen. Die Suppe schlürfte er. Er sah niemanden an, er schaute auf sein Essen.

»Heiß«, sagte er.

»Masunke, stimmt das mit dem Zauberjoghurt?« fragte ihn eine Schauspielerin, und ihre Augen blitzten.

»Das kann man sich wohl schlecht ausdenken«, sagte er und schlürfte weiter seine Suppe. »Heiß.«

Er sah Lena über den dampfenden Löffel hinweg an. »Warst du das?«

Er löffelte weiter seine Suppe, und ein winziges Grinsen huschte über sein Gesicht. Er spielte gern mit Menschen, er fühlte sich als Entfesselungskünstler, ein Houdini des Öffentlichen, der sich vor aller Augen aus ausweglosen Situationen befreit. Eine ganze Theaterkantine ist gegen ihn, weil er ein Kind sexuell mißbraucht hat, und er hat es schon zugegeben. Er sitzt seinem Opfer von damals direkt gegenüber, es hat ihn in der Hand – und er will es schaffen, alle auf seine Seite zu ziehen. Er weiß noch nicht, wie. Aber er liebt solche Situationen.

Er löffelte und schlürfte seine Suppe, pustete auch mal. Er überlegte, mit welch tollkühnem Akt er sich diesmal befreien kann. An diesem Theater hatte es immer geklappt. Sogar, als er die zierliche Schauspielerin auf den Boden schmiß wie eine Zeitung, über die man sich ärgert.

»Weißt du«, sagte er zu Lena, ohne sie anzuschauen. »Ich bin ganz froh, daß du kommst. Ich will demnächst was machen über sexuellen Mißbrauch. Das Thema ist stark im Kommen. Ich habe einen Riecher für Themen. Och, heiß! – Ich will das Stück nur besetzen mit Laien, die mal mißbraucht wurden. Vergewaltigte, Traumatisierte – alles. Hat noch nie jemand so gemacht. Also, wenn du Lust hast, Theater zu spielen … Du natürlich auch«, sagte er zu Lenas großem Bruder.

Lena stand auf, oder nein, sie wuchs aus ihrem Stuhl empor, beugte sich vor, stand über Masunke, und dann … Es war eine hellseherische Ahnung, von der ihre Hand in Bewegung gesetzt wurde – sie wußte selbst nicht, was ihre Hand wollte, und zudem ging es sehr schnell. Ihre Hand ohrfeigte Masunke nicht, und sie bildete auch keine Faust – aber sie packte das Gelenk der Hand, in der Masunke den Löffel hielt, und sie riß sie weg, so daß er die Suppe verkleckerte. Sie ließ sein Handgelenk nicht los. Sie starrte Masunke an, und der Irrsinn flackerte in ihren Augen.

Masunke war erschrocken. Das hatte er nicht erwartet, und er wußte nicht, worauf es hinausläuft. Lena hatte in ihrer hochkochenden Wut erstaunlich viel Kraft; ihr Zugreifen duldete keinen Widerspruch. Sie kannte den Quell ihres Impulses nicht; Ahnungen zu haben und sich ihnen zu überlassen, war, das wußte sie, Sache ihres großen Bruders. Und jetzt erlebte sie selbst, wie klar und machtvoll eine Ahnung sein kann und wie wohltuend es ist, sich von ihr tragen zu lassen.

Ja, es war nur eine Ahnung, die ihre Hand Masunkes Handgelenk packen ließ – und ihre Tat bescherte auch Masunke eine Ahnung, sie bescherte dem ganzen Theater eine Ahnung: Masunke schaute erschrocken, ja ängstlich zu Lena, die groß über ihm stand, die sein Handgelenk gepackt und seine Suppe verkleckert hatte – das, so verstanden es alle und so war es auch gemeint, war eine Szene, die es in Masunkes und in Lenas Leben schon einmal gegeben hatte. Nur hatte Lena die Rollen getauscht: Jetzt riß sie an seinem Handgelenk, und er schaute sie erschrocken und ängstlich von unten an.

Mehr Theater wollte sie mit ihm nicht spielen.

Als Lena und ihr großer Bruder im Auto zurückfuhren, schaute Lena in die Nacht. In der Ferne sah sie die gelben Lichter der Dörfer blinken. »Das Leben ist so merkwürdig«, sagte sie. »Damals im Fahrstuhl, das war zwar schlecht, aber ich habe deswegen mein Lied geschrieben. Am Ende ist was Gutes rausgekommen. Aber als die damals in der Schule die Polizei gerufen haben, da wollten sie mich schützen – aber sie haben mir geschadet. Ich hatte dadurch n Knall, was Männer angeht. Und deshalb ist Paulchen rübergemacht. Und deshalb hast du das Auto. Und deshalb können wir jetzt gemeinsam durch die Nacht fahren, und ich bin glücklich. Das Leben verläuft immer ganz anders, doch am Ende bin ich immer glücklich.«

Nur selten kam ihnen ein Auto entgegen. Sie waren allein unterwegs.

»Weißt du noch, was ich vor einem Jahr gesagt habe? – Daß so ein Leben – mein Leben zum Beispiel – auch völlig anders gelaufen sein könnte und verlaufen könnte. Das Flirren und Flimmern der Zufälle regiert. So ist das nun mal. Weißt du noch, wo ich dir das erzählt habe?«

»Na klar. Als du das erste Mal auf Rollschuhen unterwegs warst.«

»Aber wenn man etwas nimmt, das an vielen Stellen flimmert und flackert, und man schaut sich *das Ganze* an, dann sieht man, wie es leuchtet, verstehst du?«

»Nicht so richtig«, sagte ihr großer Bruder, der sich aufs Fahren konzentrierte.

»Wir zum Beispiel, mit unseren Scheinwerfern sind wir nur ein Lichtpunkt in der Nacht. Aber in New York zum Beispiel, da ist abends und nachts so viel Licht auf einem Haufen, daß man das sogar vom Mond aus sehen soll. Und das Leben – ich finde, es leuchtet manchmal. Wenn die Zufälle nur wenig flimmern und flackern, dann kommt nichts zustande. Aber im letzten Jahr, da ist so viel passiert. Natürlich nicht nur mir, sondern auch vielen andern. Und da denke ich, das leuchtet. Das leuchtet so hell, daß man es noch lange sehen wird.«

10

Als Jürgen Warthe in Bangkok aus dem Flugzeug stieg, umfing ihn eine Hitze, die er nicht kannte. Es war keine sengende, gefährliche Hitze, sondern eine dumpfe, schwere, wohlmeinende Wärme, die mehr von der Erde als von der Sonne zu kommen schien. Die Poren weiteten sich und nahmen ihre Arbeit auf, doch der Schweiß, den sie produzierten, mutete Jürgen Warthe weniger salzig an als sonst. Er wußte nicht, ob es mit dem Land zu tun hatte oder mit seiner Krankheit, auf die sein Körper immer wieder neu reagierte.

Jürgen Warthe war zum Sterben nach Thailand gekommen; Angelika Warthe war darauf eingestellt, ohne ihren Mann zurückzufliegen.

Jürgen Warthe lernte schnell, mit der Hitze auszukommen. Er mußte vergessen, was Hast ist. Er mußte das Schlendern lernen und das Lässige überhaupt. Er brauchte keine Klimaanlage. Er ließ den Ventilator laufen, so daß immer etwas Luft im Raum ging, und in der Nacht, in der es kaum kühler wurde, reichte ihm ein Laken als Decke. Nach zwei Nächten fühlte er sich wohl in der schweren thailändischen Wärme. Daß die Kälte in seinem Körper hockte, war etwas, das ihn an Knast erinnerte. Er hatte warme Knochen. Er hatte weder kalte Füße noch kalte Hände. Er hatte das erste Mal das Gefühl, daß es vorbei war mit dem Knast.

Das Feriendorf lag auf der Insel Ko Samui. Die Warthes nahmen erst die Eisenbahn, dann die Fähre. Sie hätten auch fliegen können. Die Fluggesellschaft Bangkok Airways hatte sich auf der Insel einen Flugplatz gebaut und flog die Insel exklusiv, von Bangkok kommend, an. Daß ein Flugplatz nicht gebaut wird, weil es einen Ansturm zu bewältigen gilt, sondern daß ein Ansturm erzeugt, indem ein Flugplatz gebaut wird, war ein Vorgehen, das Jürgen Warthe *Planwirtschaft*, wenn nicht *Kasernenkommunismus* nennen wollte.

Die beiden wohnten in einer Hütte auf Stelzen. Das Meer war nahe. Auf dem Weg vom Strand zur Hütte ging das auf- und abklingende Rauschen der einzelnen Wellen allmählich in ein einziges breites Brandungsrauschen über. Jürgen Warthe machte die Beobachtung, daß er das stetige, ferne Brandungsrauschen erfrischend empfand, während ihn am Strand das rhythmische Rauschen, Welle für Welle, bis zur Gehirnerweichung einlullte. Die Hütte stand genau dort, wo der Übergang zum Brandungsrauschen vollendet war. Weiter entfernt war es schwächer, doch er mochte es kräftig. Es befriedigte ihn, daß er, ein Komponist, die Welt noch immer mit den Ohren erspürte.

Die Hütte war aus rohem Holz, das nur zurechtgehauen und doch so weich und faserig war, daß keine Splitter drohten. Die Warthes trugen an den Füßen Sand vom Strand in die Hütte. Das Wasser, mit dem sie sich duschten, war in einem kleinen Bassin, und es wurde mit einer Schale über dem Kopf ausgeschüttet. Es war herrlich erfrischend. Die Dusche, die mittels eines elektrischen Durchlauferhitzers Warmwasser spendete, benutzte er nie.

Die Thais lächelten. Als die Fähre auf der Westseite Ko Samuis anlegte, mußten die Warthes ein Taxi nehmen. Der Fahrer lächelte sie an, als wären sie verabredet. Das Taxi war ein Kleinlaster, offen, doch überdacht, mit zwei Sitzbänken in Längsrichtung auf der Ladefläche. Unterwegs lachten Frauen und Kinder von der Straße und winkten dem Wagen mit den beiden Europäern hinterher. Sogar die Männer grüßten mit einem freundlichen Lachen. Jürgen Warthe fühlte sich willkommen, ohne daß er einen Grund dafür wußte. Das Taxi umrundete die halbe Insel, und immer winkte man ihnen. Jürgen Warthe begann zurückzuwinken, auch wenn es irgendwie kindisch war.

An der Rezeption des Feriendorfes wurden sie ebenso mit einem offenen, warmen Lächeln empfangen, auch am Abend, als sie in einem einfachen Restaurant essen gingen. Sie saßen unter einem Dach aus Palmblättern, an einem Plastiktisch und auf Plastikstühlen. Die Küche war offen, alle Zutaten waren in einem Dutzend verschiedener Schälchen vorbereitet und wurden nur noch in eine Pfanne geworfen. Die Bedienung war die Tochter der Köchin, und zwei weitere Schwestern saßen in der Nähe des Fernsehers und verfolgten eine Revue. Die vier Frauen sprachen mit beinahe heliumhellen, kindlichen Stimmen – es waren Stimmen, die bei der Synchronisation von Zeichentrickfilmen zum Einsatz kommen könnten, fand Jürgen Warthe. Das Essen war sehr scharf, Tränen schossen ihm in die Augen. Die Frauen bemerkten, welche Wirkung ihr Essen auf den *Farang* hatte und lachten ihn freundlich an, als wollten sie sagen: *Starker Mann muß doch so ein Essen aushalten!* Sie stellten ihnen einen Krug mit Wasser und zwei Wassergläser auf den Tisch.

Am nächsten Tag, als Jürgen Warthe an den Strand ging, lud ihn eine Thai mit einem Lächeln auf ein Holzdeck unter einem Schattendach aus Palmblättern. Er sollte sich massieren lassen. Er gab ihr die Hand, zeigte auf sich und sagte »Jürgen«. Sie nickte und wiederholte seinen Namen; es klang ungefähr. Er zeigte auf sie und fragte sie auf englisch: »Und du?« – »Noy«, sagte sie. Sie wollte wissen, ob die Massage eine oder zwei Stunden dauern sollte. Er wollte eine Stunde.

Noy begann bei den Füßen. Nach zwei Minuten verfinsterte sich ihre Miene. Sie schaute Jürgen Warthe an, griff sich dabei in die Seite, deutete so die Frage an, ob er krank sei. »Leukämie«, sagte er, und sie nickte. Er glaubte nicht, daß sie verstand, welche Krankheit er hat, doch sie wußte wohl, daß er bald sterben wird.

Noy hatte vier Kinder. Drei spielten am Strand, rannten am Wasser hin und her, bauten Wasserburgen oder sammelten Treibgut. Das jüngste saß neben dem Holzdeck und schaute der Mutter zu. Meist kniete Noy neben Jürgen Warthe; es gab keinen Hocker, keine Bank, nur eine einfache Schaumgummimatratze, und auf der lag Jürgen Warthe.

Jürgen Warthe war noch nie so massiert worden. Es war kein Muskelnkneten, kein hartes Hineingreifen, kein Drücken und Pressen. Die Massage war so sanft wie das Land und seine Menschen. Es war eine Art Abtasten, ein Vermessen des Körpers nach Daumenbreiten, ein vitalisierendes Streichen und Streicheln. Manchmal setzte Noy auch ihre Füße ein: Wenn sie sich ihm gegenüber setzte und an seinem Bein zog, da stellte sie ihren Fuß gegen seinen Hintern, um ihren Patienten nicht wegzuziehen. Ihre Hände waren warm und weich und griffen sicher, waren vorsichtig, wo Vorsicht geboten war, und kräftig, wo es wohltat. Als Noy nach einer Stunde fertig war, lächelte er glücklich, und sie lächelte zurück.

Jürgen Warthe kam von da an jeden Tag zur Massage, allerdings für zwei Stunden. Noy hatte sich daran gewöhnt, einen Todgeweihten zu massieren. Sie war sanft und ruhig und verlor auch nicht die Ruhe, als Angelika Warthe ihr einmal bei der Arbeit zuschaute und, den endgültigen Abschied ihres Mannes vor Augen, weinen mußte. Manchmal lachte Noy zu ihren Kindern hin oder winkte ihnen zu, nie mußte sie etwas rufen.

An einem Morgen sah Jürgen Warthe auf einer der kleinen Holzterrassen, die zu jeder Hütte des Feriendorfes gehörte, eine Gitarre stehen. Er klopfte an und fragte, ob er sich das Instrument mal leihen dürfe. Kein Problem, hieß es, gerne, jederzeit. Jürgen Warthe ging an den Strand, setzte sich unter eine Kokospalme und begann zu spielen. Er konnte gut spielen, es reichte mal für fünf Jahre, acht Monate. Es waren bald Kinder bei ihm, nicht nur die Kinder von Noy, sondern noch viel, viel mehr Kinder. Jürgen Warthe spielte und sang, und die Kinder hörten zu, klatschten mit oder hüpften und drehten sich im Sand. Bestaunt wurden die Fähigkeiten seiner Linken, deren Finger auf rätselhafte Weise, mit einem unglaublichen Geschick, die richtigen Saiten hinter den richtigen Bünden abdrückten, auf und nieder wanderten, ganze Akkorde griffen. Auch Noy kam von ihrem Schattendeck herüber und schaute zu, und es war für Jürgen Warthe ein gutes Gefühl, daß Noy sah, daß auch seine Finger etwas Gescheites, etwas Ungewöhnliches konnten.

An diesem Tag kam nach der Massage Noys Mann und brachte in einem Schälchen einen Pudding für Jürgen Warthe. Dieser Pudding sei etwas Besonderes; das verstand Jürgen Warthe. *Good for* ... sagte Noys Mann und zeigte lachend auf den Kopf. *Good thinking!*

Jürgen Warthe aß den Pudding, und nach einer Stunde setzte ein seltsamer Rausch ein, ein feinnerviges, überwaches Empfinden. Er ging den Strand entlang und hatte eine unbändige Freude daran, mit den Armen zu schlenkern. Die Welt war groß und herrlich, und er war auf ihr, und er konnte das Leben lieben. Er mußte lachen, fast pausenlos. Es war das Zwerchfell, das lachen wollte, das sich lokkerte, und das Gesicht lachte mit, indem es sich zu den entsprechenden Grimassen verzog. Jürgen Warthe sah Sand und Palmen, Himmel und Wolken, Berge und Wellen. Ihm fiel das erste Mal auf, daß sich eine Welle durch das zurückfließende Wasser aufbaut. Er ging zu seiner Hütte und erzählte seiner Frau, wie prachtvoll die Welt ist. »Schau dir das an!« sagte er. »Bäume wachsen und Vögel sitzen darauf. Und die harten Steine sind irgendwann zu Sand zerrieben, und du kannst darin gehen, und es ist gut für die Füße. Ist das nicht schön? Die Kinder hier haben keine Schuhe. Wozu braucht man hier Schuhe? Ich habe ein großes Gefühl für die Welt plötzlich, und ich sage dir: Dieses Zeug, das im Pudding war, muß verboten werden. Wer das nimmt, der will keinen Fortschritt mehr, der ist mit dem hier glücklich.«

Er legte sich unter eine Palme, und seine Frau schmiegte sich an ihn. Er war völlig entspannt, ließ seine Hand immer wieder sanft und liebevoll auf ihr Hinterteil fallen.

»Es geht mir gut, und ich weiß, wer ein Mensch mit einer Daseinsberechtigung ist und wer nicht. Noy hat eine Daseinsberechtigung. Und ich habe auch eine. Ein Mann, der für die Kinder am Strand Gitarre spielt, ist kein schlechter Mensch. Aber der mich verhört hat, hat keine Daseinsberechtigung. Und der Richter auch nicht. Ich bin kein Mensch, der in den Knast gehört. Du bist auch ein guter Mensch, du hast es immer mit mir ausgehalten, mit meiner Verbissenheit und meinem Unglück. Aber das ist jetzt vorbei, das Unglück.« Er mußte wieder lachen. Seine Frau hatte ihn noch nie so lange lachen hören.

»Ich werde sterben, und ich teile dir jetzt meinen letzten Willen mit. Ich möchte, daß du allen erzählst, mich hätte eine Kokosnuß erschlagen. Das ist ein schöner Tod. Im Schatten am Strand, das Meer,

Frieden – und dann fällt eine Kokosnuß runter und alles ist vorbei. Die mich umgebracht haben, verstrahlt und vergiftet, sollen mich um meinen Tod beneiden. Sie sollen nicht wissen, wie sie mich gequält haben. Wenn die in den Nachrichten hören, daß Jürgen Warthe von einer Kokosnuß erschlagen wurde, dann fühlen sie sich so armselig und unbedeutend und schlecht und überflüssig, denn ich bin nicht den Tod gestorben, den die mir ausgesucht haben. Mein Tod erzählt von Glück und Frieden, von allem, was sie mir nehmen wollten. Jetzt, hier in Thailand bin ich raus aus dem Knast, endgültig. Ich sitz am Strand und singe. Weißt du, ich fühle mich wie ein großer Gerechter. Ich kann jedem Menschen Gerechtigkeit zumessen, wie ein guter König. Ich gehöre nicht in den Knast. Ich gehöre auch nicht ins Parlament oder ins Ministerium oder in den Untersuchungsausschuß oder ins Fernsehen oder in die Zeitung. Ich gehöre hierhin. Lieder singen für die Kinder. Und wenn es jetzt anfängt zu regnen, dann gehe ich den Strand hoch und runter und schlenker mit den Armen, wie ein nasser Vogel, und die Kinder werden lachen und werden sich ihr ganzes Leben an dieses seltsame Bild erinnern, mit dem Weißen, der mitten im Wolkenbruch langsam durch den Regen ging.«

Der Himmel war violett, und der Regen, der in schrägen Schleiern im Licht stand, näherte sich schnell. Eine Bö kam auf, zerrte an den Palmen, dann fielen die ersten Tropfen auf die Blätter, und es kam Jürgen Warthe wie ein Knallen vor. Dann fielen Tropfen in den Sand, pochend zuerst, und dann goß der Himmel sein Wasser aus. Jürgen Warthe schritt den Strand auf und ab, mit lächerlichen, bunt gemusterten Shorts. Den Kopf streckte er dem Regen entgegen, die Augen waren geschlossen, doch der Mund fing das Wasser auf. Frau Warthe sah ihren Mann, der endlich wieder Künstler war. Er war ein besonderer Mensch, als sie ihn kennenlernte, und er war es immer noch. Er war verrückt und leidenschaftlich, chaotisch und intensiv, er war gerecht und stark. Er konnte etwas sehr Schönes herstellen. Er hatte recht: Die Kinder würden dieses Bild nie vergessen. Sie auch nicht.

Drei Wochen lebte er noch. Er starb am Strand, auf Noys Schattendeck. Seine Frau strich ihm mit einem trockenen Frottee das Gesicht ab, und Noy massierte ihm die Füße. So dämmerte er hinüber. Noy deutete ein Verneigen vor Frau Warthe an. Dann faltete sie Jürgen Warthes Hände vor der Brust. Er war ein schöner Toter. Sein Gesicht war entspannt, der Frieden war eingezogen. Kein Todeskampf hatte seine Züge entstellt.

Ein Arzt kam und stellte den Totenschein aus. Angelika Warthe gab ihm Geld, damit er die Todesursache fälscht. So bekam sie es amtlich: Schädeldachfraktur durch herabgefallene Kokosnuß.

Am nächsten Tag wurde Jürgen Warthe verbrannt. Seine Asche sollte bleiben, wo er am glücklichsten war, entschied Frau Warthe. Die Trauergemeinde war klein: Angelika Warthe, Noy und ihr Mann, der Besitzer der Gitarre und seine Freundin, einige Kinder. Die Urne wurde in eine Grube gelegt, die zwei Bedienstete des Feriendorfes ausgehoben hatten. Frau Warthe warf Erde ins Grab, und als sie den Blick hob, sah sie einen Schmetterling, der, veranlaßt von ihrer Bewegung, seinen Flug begann.

Quellenhinweis

Das Gedicht mit dem Titel ›Das Eigentum‹ auf S. 584 stammt von Volker Braun.